Zeibig, J.H.

Copey-Buch der gemainen Stat Wienn, 1454-1465

Zeibig, J.H.

Copey-Buch der gemainen Stat Wienn, 1454-1465

Inktank publishing, 2018

www.inktank-publishing.com

ISBN/EAN: 9783747786727

COPEY-BUCH

DER

GEMAINEN STAT WIENN.

1454—1464.

HERAUSGEGEBEN

Dr. H. J. ZEIBIG,

COOPERATOR IN ALSSBACH.

AUS DER K. K. HOF- UND STAATSDRUCKEREI.
1853.

Vorwort.

Als mein hochwürdigster Herr Prälat Wilhelm, geleitet von
der Ihn ehrenden Überzeugung, dass es eine Ehrensache für
die Stifte Österreichs sei, die vaterländische Geschichte nach
Kräften zu pflegen, mir im Beginne des Jahres 1852 die
Benützung des Stifts-Archives zum Behufe geschichtlicher
Forschungen erlaubte, nahm ich sofort den von meinem ver-
storbenen Mitbruder Max Fischer ungemein fleissig ausge-
arbeiteten Archivs-Index zur Hand, um mir eine Übersicht der
archivalischen Schätze zu verschaffen.

Neben vielem andern, für meine Zwecke Wichtigen, fand
ich auch die Signatur: „Landtage zu Stetteldorf, Göllersdorf,
St. Pölten, Tulln, Weissenkirchen, Hadersdorf, Zistersdorf,
Korneuburg" F. 9, 27—31.

Da über die Geschichte der ständischen Verhältnisse in
Österreich im XV. Jahrhunderte noch viel zu wenig Urkund-
liches vorliegt, suchte ich das erwähnte Archivstück sofort auf,
und fand eine von dem k. Hof-Archivar von Freyesleben
herstammende Handschrift von 353 Folioblättern mit der Über-
schrift: „Historisch diplomatische Sammlung, so denen, welche
eine Geschichte von K. Friedrichen und Herzog Albrechten
schreiben wollen, gar wohl dienen wird. Aus dem Copei- d. h.
Registratursbuch der gemainen Stadt Wien" und in derselben

*

nicht bloss die obberührten ständischen Verhandlungen, sondern auch eine Fülle von Urkunden und Berichten, welche den Zeitraum von 1454—1464 umfassen, und ein getreues Bild der damaligen Begebenheiten und Verhältnisse liefern.

Dass von dieser Quelle bis zu dem Jahre 1814 nichts veröffentlicht worden, konnte ich mit Sicherheit annehmen, weil es sonst der hochverdiente (in dem obigen Jahre verstorbene) Archivar Willibald Leyrer (der in seinen „Miscellanea Archivi Canoniae Claustroneob." auf die Wichtigkeit dieser Quelle aufmerksam macht) seiner Gewohnheit nach gewiss angemerkt hätte. Ich nahm daher die seit jener Zeit über die Geschichte dieses Zeitraumes erschienenen Quellenwerke, vor allen Chmel's Regesten und Materialien zur Hand, und ersah bald zu meiner nicht geringen Freude, dass nach Abschlag einiger bereits veröffentlichten Actenstücke denn doch die ansehnliche Zahl von 200 eigentlichen Urkunden und 94 gleichzeitigen Berichten (unter letzteren viele für die Gestaltung des bürgerlichen Lebens in Wien ungemein lehrreich) übrig blieb.

Eine gesprächsweise Äusserung des hochverehrten Herrn Vicepräsidenten der kais. Akademie wies mich noch auf Kollar hin, und nun stellte sich durch die bezüglich des Inhaltes und der Anlage eingeleitete Vergleichung heraus, dass diese Handschrift den lange Zeit als verloren betrauerten zweiten Band jener im Stadt-Archive aufbehaltenen Urkunden-Sammlung enthalte, deren ersten Kollar in seinen Analekten pag. 827—1403 unter der Bezeichnung „Publici Actorum Commentarii Civitatis Vindobonensis" veröffentlicht hatte.

Diese Entdeckung zusammengehalten mit dem reichen Inhalte bewog mich, diese Handschrift druckfertig der phil. histor. Classe der kais. Akademie der Wissenschaften zugleich mit einer gedrängten Darstellung des Inhaltes, welche ich in der Classensitzung vom 20. October 1852 zu lesen die Ehre hatte, vorzulegen.

Die histor. Commission, welcher diese Vorlage zugewiesen wurde, erklärte am 31. December 1852 die Aufnahme derselben in die von ihr veröffentlichten „Fontes Rerum Austriacarum."

Gewinnt die vaterländische Geschichte durch diese Quelle eine Aufhellung und Bereicherung, so gebührt der Dank dem eifrigen Forscher Freyesleben, der, den Werth dieser Quelle erkennend, sie uns erhalten; gebührt meinem hochwürdigsten Herrn Prälaten Wilhelm, welcher, gewiss zur Ehre seines Hauses, mir das Stifts-Archiv geöffnet; gebührt vor allen den Gliedern der historischen Commission, bei welchen ich jenes freundliche Wohlwollen und jene thätige Unterstützung gefunden, welche allein den Anfänger ermuthigen können, auf dem betretenen, doch auch mitunter dornenvollen Pfade der vaterländischen Geschichtsforschung auszuharren.

Nussdorf an der Donau den 1. Jänner 1853.

Dr. H. J. Zeibig,
Cooperator.

Inhalts-Verzeichniss.

Seite

I. Wien. 30. März 1454. Die Wiener treffen Sicherheitsmassregeln gegen den in der Nähe befindlichen Ankelreuter 3

II. Wien. 22. Mai 1454. Feuerordnung der Stadt Wien 8

III. Wien. 29. Mai 1454. Die Wiener treffen Vertheidigungsmassregeln gegen Wenko von Rukbenaw und seine Söldner 9

IV. Wien. 29. Mai 1454. Rufen desshalb 11

V. Wien. 9. Nov. 1454. Zweites Rufen 12

VI. Wien. 31. Mai 1454. Scharlach-Rufen 13

VII. Wien. 1454. Der Rector und die Universität verklagen den Bürgermeister bei König Ladislaus 14

VIII. Wien. 1454. Klage des Bürgermeisters und Rathes der Stadt Wien gegen Mag. Hanns Kircheim 24

IX. Wien. 1454. Replik des Bürgermeisters und Rathes auf die Klage des Rectors und der Universität 26

X. Wien. 1454. Klage des Mag. Hanns Kircheim gegen den Stadtschreiber Pötl und Hollnbrunner seiner Gefangenschaft wegen . . . 33

XI. Wien. 1454. Klage des Mag. Hanns Kirchaim gegen die Testamentsexecutoren seines Schwagers Hanns Herzog 37

XII. Wien. 1454. Replik des Bürgermeisters und Rathes auf Mag. Hanns Kircheim Klage 39

XIII. Wien. 1454. Simon Pötl, Replik auf obige Klage 42

XIV. Wien. 1454. Wolfgang Hollnbrunner Replik auf obige Klage . . 45

XV. Wien. 1454. Ulrich Hirschawer Replik auf obige Klage . . . 47

XVI. Wien. 1454. König Ladislaus' Entscheidung darüber 48

E. 1. Wien. 1454. Vergleich zwischen beiden klageführenden Theilen 50

E. 2. Wien. 23. Nov. 1457. König Ladislaus' Tod 51

XVII. Wien. 26. Nov. 1457. Vorsichtsmassregeln der Stadt Wien wegen Absterben König Ladislaus' 51

XVIII. Wien. 28. Nov. 1457. Antwort der Stadt Wien an den Grafen Bernhard von Schaunberg wegen Ausschreibung eines Landtages . . 55

E. 3. Wien. 29. Nov. 1457. Verhandlungen der ständischen Abgesandten mit der Stadt 56

Seite

E. 4. Wien. 30. Nov. 1457. Fortsetzung der Verhandlungen . . 56
XIX. Wien. 7. Dec. 1457. Antwort der Stadt Wien auf Herzog Albrechts Forderungen 58
XX. Prag. 28. Nov. 1457. Georg von Podiebrad berichtet den Wienern den Tod Ladislaus' 59
XXI. Graz. 3. Dec. 1457. K. Friedrich fordert die Wiener auf sich zu ihm zu halten 60
XXII. Wien. 10. Dec. 1457. Antwort der Wiener 61
XXIII. Wien. 11. Dec. 1457. Antwort der Wiener an die kais. Räthe wegen der abzulegenden Handgelöbnisse 62
XXIV. Wien. 14. Dec. 1457. Die Wiener antworten Herzog Albrecht auf seine Forderungen 63
E. 5. Wien. 14. Dec. 1457. Herzog Albrechts Antwort 64
XXV. Graz. 18. Dec. 1457. K. Fridrich fordert die Wiener wiederholt auf, sich an ihm zu halten 65
XXVI. Graz. 19. Dec. 1457. Fridrich wiederholt diese Aufforderung 65
XXVII. Wien. 27. Dec. 1457. Antwort der Wiener auf beide Schreiben 66
XXVIII. Wien. 24. Dec. 1457. Ausschreiben des Landtages durch die Landesverweser 68
E. 6. Wien. 7. Jan. 1458. Herzog Albrechts Forderungen an die von Wien 69
XXIX. Wien. 8. Jan. 1458. Antwort der Wiener 70
E. 7. Wien. 8. Jan. 1458. Antwort des Herzogs Albrecht . . . 71
XXX. Wien. 12. Jan. 1458. Der Stadt Wien Begehren an die Landesverweser 72
XXXI. Wien. 14. Jan. 1458. Rufen der Spottlieder wegen . . . 73
XXXII. Neustadt. 11. Jan. 1458. Friedrich beglaubigt seine Abgesandten bei der Stadt Wien 73
XXXIII. Neustadt. 11. Jan. 1458. Fridrich beglaubigt Martin Traunsteiner der Cillischen Erbschaft wegen bei der Stadt Wien 74
XXXIV. Wien. 13. Jan. 1458. Antwort der Wiener auf beide Schreiben 74
XXXV. Wien. 13. Jan. 1458. Die Wiener benachrichtigen ihre Gesandten von des Kaisers Brief und dessen Mittheilung an Herzog Albrecht 75
XXXVI. Neustadt. 11. Jan. 1458. Friedrich fordert die Wiener auf, Abgesandte zu ihm zu schicken 76
XXXVII. Wien. 14. Jan. 1458. Die Wiener beauftragen ihre Abgesandten sich zu erkundigen, ob des Kaisers Begehren noch feststehe . 77
XXXVIII. Wien. 5. Febr. 1458. Die Wiener antworten dem Kaiser auf seine Forderung freien Einlassens 79
XXXIX. Neustadt. 5. Febr. 1458. Friedrich an die von Wien, protestirt gegen Beeinträchtigung seiner Rechte 80
E. 8. Wien. 6. Febr. 1458. Wahl der ständischen Abgeordneten an K. Friedrich und ihr Auftrag 80
XL. Neustadt. 7. Febr. 1458. Friedrich antwortet den Wienern auf ihr Schreiben (XXXVIII) 80

XLI. Cilli. 24. August 1457. Wie sich der Ledwenko zu Cilli gegen Johann Wittowitz verschrieben hat 81

XLII. Wien. 11. Febr. 1458. Herzog Albrechts Begehren an die Wiener 83

XLIII. Neustadt. Antwort des Kaisers auf das Anbringen der ständ. Abgesandten 86

XLIV. Wien. 24. Febr. 1458. Herzog Albrechts wiederholtes Anbringen an die von Wien 88

XLV. Neustadt. 1. März 1458. K. Friedrich meldet den österr. Ständen seine bevorstehende Ankunft und nimmt ihre Hülfe in Anspruch . 92

XLVI. Neustadt. 1. März 1458. Dessgleichen den Landesverwesern 93

XLVII. Neustadt. 1. März 1458. Dessgleichen der Stadt Wien . 94

XLVIII. Wien. 5. März 1458. Antwort der österr. Stände an den Kaiser 95

XLIX. Wien. 5. März 1458. Antwort der Stadt Wien an den Kaiser 96

L. Neustadt. 6. März 1458. Der Kaiser der Stadt Wien wegen Gefangenhaltung des Eizinger 97

LI. Neustadt 6. März 1458. K. Friedrich beglaubigt seine in dieser Angelegenheit nach Wien gehenden Gesandten 97

E. 9. Wien. 6. März 1458. Verhandlungen der österr. Stände und der Stadt Wien in derselben Angelegenheit 98

LII. Wien. 6. März 1458. Herzog Albrecht schreibt den Wienern die Ursachen von Eizingers Gefangennehmung 99

LIII. Wien. 9. März 1458. Die Wiener antworten dem Kaiser auf sein Schreiben (Nr. XLVII) 100

LIV. Neustadt. 8. März 1458. K. Friedrich schreibt den Wienern neuerdings wegen seiner bevorstehenden Ankunft und der Gefangenschaft Eizingers 101

E. 10. Wien. 10. März 1458. Die Wiener senden ihre Boten an den Kaiser mit dem Schreiben (Nr. LIII) 103

LV. Wien. 9. März 1458. Antwort der Stadt Wien an Herzog Albrecht wegen Hereinlassen seiner Mannschaft 103

E. 11. Wien. 9. März 1458. Herzog Albrechts mündliche Antwort 104

LVI. Weimar. 20. Jan. 1458. Herzog Wilhelm von Sachsen beglaubigt seine Gesandten bei der Stadt Wien 105

E. 12. Wien. 12. März 1458. Anbringen der sächsischen Gesandten bei der Stadt Wien 105

E. 13. Wien. 12. März 1458. Der Stadt Antwort 106

E. 14. Wien. 11. März 1458. Herzog Albrecht macht der Stadt bekannt, unter welchen Bedingungen er den Eizinger ledig lassen wolle . 106

LVII. Schrattenthal. 5. März 1458. Oswald und Stephan, die Eizinger an die Stadt Wien wegen Gefangenhaltung ihres Bruders . . 108

E. 15. Schrattenthal. 5. März 1458. Dessgleichen an die österr. Stände 108

LVIII. Wien. 12. März 1458. Antwort der österr. Stände . . . 109

LIX. Wien. 12. März 1458. Antwort der Stadt Wien 111

Seite

LX. Neustadt. 12. März 1458. Der Kaiser abermals an die Wiener wegen der Gefangenhaltung Eizingers 112

LXI. Schrattenthal. 13. März 1458. Oswald und Stephan, die Eizinger an die Wiener wegen Erledigung ihres Bruders 112

LXII. Wien, 14. März 1458. Antwort der Stadt Wien 113

LXIII. Prag. 13. März 1458. K. Georg von Böhmen an die Wiener des Eizingers wegen 115

LXIV. Wien. 18. März 1458. Die Wiener an K. Friedrich seiner bevorstehenden Ankunft wegen 116

LXV. Wien. 18. März 1458. Die Stadt Wien beglaubigt ihre Abgesandten bei dem Kaiser 117

LXVI. Wien. 19. März 1458. Memorial der Stadt Wien an den Kaiser 117

E. 16. Neustadt. 19. März 1458. Des Kaisers mündliche Antwort . 118

LXVII. Wien. 3. April 1458. Die Wiener an den Kaiser wegen Erstürmung zweier Tabors und Hereinlassen der Söldner in die Stadt . . 120

E. 17. Wien. 24. Febr. 1458. Herzog Albrecht lässt den Wienern seine Forderungen vortragen 121

V. 18. Wien. 24. Febr. 1457. Geschichte der nach Frankreich geschickten Gesandtschaft K. Ladislaus 123

LXVIII. Brünn. 8. April 1458. Schreiben der Stände Mährens an die Stadt Wien des Eizingers wegen 129

LXIX. Wien. 11. April 1458. Antwort der Wiener 131

LXX. Schrattenthal. 18. März 1458. Oswald und Stephan, die Eizinger, laden ein, auf den Tag zu Hadersdorf zu kommen, um über ihres Bruders Erledigung zu berathen 132

LXXI. Ofen. 6. April 1458. K. Matthias von Ungern an die Wiener des Eizingers wegen 132

LXXII. Wien. 18. April 1458. Die Wiener beglaubigen ihre Abgesandten bei dem Kaiser und Herzog Sigmund 133

E. 19. Wien. 15. April 1458. Des Herzogs Albrecht Begehren an die von Wien (mündlich) 134

LXXIII. Neustadt. 9. April 1458. K. Friedrich schreibt den österr. Landtag auf Sanct Florianstag aus 135

LXXIV. Neustadt. 14. April 1458. Dessgleichen Herzog Sigmund . 135

E. 20. Neustadt. 20. April 1458. Der Wiener mündliches Anbringen an K. Friedrich 136

E. 21. Neustadt. 20. April 1458. Des Kaisers Antwort . . . 138

LXXV. Neustadt. 22. April 1458. K. Friedrich fordert die von Wien auf, noch vor Eröffnung des Landtages Abgesandte zu ihm zu senden . 140

LXXVI. (?) 18. April 1458. Oswald und Stephan, die Eizinger, an den Kaiser wegen ihres Bruders Gefangenhaltung 141

LXXVII. Neustadt. 26. April 1458. Die Herzoge Albrecht und Sigmund geben der Stadt Wien bekannt, dass sie die Sendung von Gewaltboten zu dem Kaiser billigen 142

E. 22. Wien. 20. April 1458. Verzeichniss der Sendboten . . . 142

Seite

LXXVIII. Wien. 20. April 1458. Herzog Albrecht schreibt den Land-
tag nach Wien aus 143

E. 23. Wien. 20. April 1458. Verzeichniss der Wiener Landtags- -
abgesandten 143

LXXIX. Wien. 3. Mai 1458. Die Wiener dem Kaiser wegen der
bevorstehenden Ankunft desselben 143

LXXX. Neustadt. 5. Mai 1458. Des Kaisers Antwort 144

E. 24. Wien. 13. Mai 1458. Des Kaisers Ankunft zu Wien . . . 145

E. 25. Wien. 16., 18., 19., 20., 29. Mai. 1458. Verhandlungen der
österr. Stände als Vermittler mit den Herzogen Albrecht und Sig-
mund 145

E. 26. Wien. Der Fürsten Uebereinkommen 148

E. 27. a. b. Wien. K. Friedrichs der Landschaft darüber ausge-
stellte Urkunde 149

LXXXI. Wien. 10. Mai 1458. Herzog Albrecht übernimmt Herzog Sig-
munds Drittheil der Regierung. 150

E. 28. Wien. 10. Mai 1458. Die österr. Stände legen den Fürsten drei
Vergleichs-Vorschläge vor 152

E. 29. Wien. 21. Juni 1458. Des Kaisers Antwort darauf . . . 155

E. 30. Wien. 21. Juni 1458. Der Fürsten Antwort 157

E. 31. Wien. 21. Juni 1458. Vortrag der Stände an die Fürsten in
derselben Angelegenheit 158

E. 32. Wien. 23. Juni 1458. Herzog Albrecht nimmt Wien und die
Burg mit Gewalt in Besitz 160

LXXXII. Wien. 26. Juni 1458. Schwur den drei Fürsten geleistet . 161

LXXXIII. Korneuburg. 24. Aug. 1458. Herzog Albrecht entlässt die
Wiener ihres Schwures 162

LXXXIV. Neustadt. 22. August 1458. K. Friedrich bevollmächtigt
seine Räthe, die Huldigung der Stadt Wien aufzunehmen 163

LXXXV. Wien. Eid der Gemeinde Wien 163

LXXXVI. Wien. Eid des Rathes 164

E. 33. Wien. 30. Sept. 1458. Antwort der Stadt Wien auf K. Fried-
richs Forderung, dem böhm. Könige Bürgschaft zu leisten 164

LXXXVII. Wien. 18. Nov. 1458. Rufen wegen Anmeldung aller
Schuldforderungen 166

E. 34. Wien. 17. Febr. 1459. Beschluss der Wiener wegen der
Söldner 169

E. 35. Neustadt. 8. März 1459. Anbringen der Wiener Abgesandten
bei K. Friedrich 170

LXXXVIII. Neustadt. 29 März. 1459. K. Friedrich fordert die
Wiener auf, ihm Zuzug zu seiner ungrischen Krönung zu leisten . . . 172

E. 36. Neustadt. 9. April 1459. Anbringen der Wiener Abge-
sandten bei K. Friedrich 173

LXXXIX. Neustadt. 11. April 1459. K. Friedrich gesteht den
Wienern eine Minderung seiner Forderung zu 175

Seite

E. 37. Wien. 19. Juni 1459. Verhandlungen der Stadt Wien mit den Räthen des Kaisers wegen des Zuzuges nach Neustadt 175

XC. Wien. 27. Sept. 1459. Rufen 176

XCI. Stockerau. 1. Dec. 1459. Die Stände auf dem Landtage zu Stockerau fordern die Stadt Wien auf, den kommenden Landtag zu Göllersdorf zu beschicken 177

XCII. Stockerau (?) 1459. Die Ständeversammlung zu Stockerau an K. Friedrich 178

XCIII. Stockerau (?) 1459. Die Forderungen des Landtages zu Stockerau 179

XCIV. Wien. 3. Dec. 1459. Die Wiener holen darüber K. Friedrichs Willensmeinung ein 182

XCV. Neustadt. 5. Dec. 1459. Des Kaisers Antwort 182

XCVI. Stockerau. 5. Dec. 1459. Die Stände zu Stockerau an die Stadt Wien zum zweitenmale, weil sie vernommen, dass ihr erstes Schreiben an die Gemeinde nicht gekommen ist 183

XCVII. Wien. 8. Dec. 1459. Antwort der Stadt Wien 183

XCVIII. Wien (?) 1460. Die Stadt Wien an den Kaiser wegen Festsetzung der Preise für die Lebensmittel und sonstigen kaufbaren Sachen, und Regulirung der Münze 184

XCIX. Wien. 5. Febr. 1460. Rufen 187

C. Wien. 5. Febr. 1460. Rufen des Verkaufs wegen 187

E. 38. Wien. 11. Febr. 1460. Ordnung des Rathes der Stadt Wien des Proviants und anderer Sachen wegen 189

CI. Wien. 16. Febr. 1460. Rufen des Münzwerthes wegen . . . 190

CII. Ort aus dem Feldlager. 26. Febr. 1460. Schreiben der K. Hauptleute an den Kaiser 191

CIII. Wien. 27. Febr. 1460. Absage der Stadt Wien an den Fronauer 191

CIV. Göllersdorf. 2. Febr. 1460. Die Landtagsversammlung überschickt der Stadt Wien ihre dem Kaiser überreichten Forderungen 192

CV. Göllersdorf. 2. Febr. 1460. Forderungen der österr. Stände auf dem Landtage zu Göllersdorf 192

CVI. Wien. 23. März 1460. Antwort der Stadt Wien auf das Schreiben der Landtagsversammlung zu Wullersdorf 195

CVII. Wullersdorf. 28. März 1460. Der Landtag an die Stadt Wien 196

E. 39. Neustadt. 14. April 1460. Anbringen der Wiener an den Kaiser wegen der Münze 198

E. 40. Neustadt. 15. April 1460. Erneuertes Gesuch der Wiener in derselben Angelegenheit 199

E. 41. Neustadt. 17. April 1460. Drittes Gesuch wegen der Münze und anderer Bedürfnisse 200

E. 42. Wien. 28. Mai 1460. Anbringen der Wiener an die Räthe des Kaisers wegen schlechter Münze, Theuerung und Hungersnoth 203

E. 43. Wien. 31. Mai 1460. Antwort der kais. Räthe auf der Stadt Begehren 206

Seite

E. 44. Wien. 31. Mai 1460. Antwort der Stadt auf der Räthe Begehren 208
CVIII. Prag. 30. Mai 1460. K. Georg von Böhmen an den Kaiser
zur Unterstützung der ständ. Forderungen 209
E. 45. Wien. 26. Juni 1400. Die Wiener treffen Anordnungen zur
Aufrechthaltung der öffentlichen Sicherheit 211
E. 46. Neustadt. 2. Aug. 1400. Anbringen der Stadt Wien an den
Kaiser von den Aufschlags wegen 212
E. 47. Wien. 0. Aug. 1460. Des Kaisers Antwort auf die ständ.
Forderungen 213
E. 48. Wien. 16. Aug. 1400. Fleischbäcker Ordnung der Stadt Wien 215
E. 49. Wien. 3. Sept. 1460. Satzung der „Pfenwerte" zu Wien . 218
CIX. Wien. 13. Sept. 1400. Rufen der Münze wegen 219
CX. Wien. 23. Sept. 1460. Rufen des Lohnes der Handwerker wegen 220
E. 50. Wien, 23. Sept. 1460. Anbringen der böhmischen königl.
Räthe 221
E. 51. Wien. 23. Sept. 1460. Des Kaisers Antwort 222
E. 52. Wien. 23. Sept. 1460. Die Wiener klagen dem Kaiser ihre
grosse Noth 222
E. 53. Wien. 8. Febr. 1461. Der Wiener abermalige Klage ihrer
traurigen Lage 227
CXI. Wien. 12. Febr. 1461. Rufen des verbotenen Waffentragens wegen 228
E. 54. Wien. 14. April 1461. Antwort der Wiener an den B. von
Gurk über die geschehene Anzeige der Ernennung Giskras zum k. Haupt-
manne des Landes 229
E. 55. Wien. 16. April 1461. Antwort der kaiserlichen Räthe . . 229
CXII. Graz. 26. März 1461 K. Friedrich macht den Ständen die
Ernennung Giskras bekannt 230
E. 56. Wien. 6. Mai 1461. Besprechung des Rathes der Stadt Wien
mit jedem einzelnen Hauswirthe 231
E. 57. Graz. 18. Mai 1461. Anbringen der Wienerischen Abge-
sandten an den Kaiser 232
E. 58. Graz. 18. Mai 1461. Verzeichnis aller Nöthen der Stadt
Wien, dem Kaiser vorzustellen 234
E. 59. Graz. 18. Mai 1461. Des Kaisers Antwort mündlich . . . 236
E. 60. Graz. 23. Mai 1461. Verhandlungen der Wiener mit K. Friedrich 238
CXIII. Melk. . . Juni 1461. Forderungen der auf dem Landtage zu
Melk versammelten österr. Stände 239
CXIV. Baden. 17. Juni 1461. Meister Ulrich Griessenpekch berichtet
den Wienern über die Verhandlungen zu Melk 240
E. 61. Korneuburg. 17. Juni 1461. Verhandlungen auf dem Land-
tage zu Korneuburg 241
CXV. Graz. 8. Juni 1461. K. Friedrich theilt den Ständen Böhmens
sein an König Georg geschicktes Schreiben mit 243
E. 62. Linz. 22. Juni 1461. Herzog Albrechts Antwort auf das An-
bringen der österr. Stände (mündlich) 248

XVI

CXVI. Wien. 28. Juni 1461. Die Wiener an K. Friedrich um Rettung der bedrängten Stadt 249

CXVII. Linz. 10. Juni 1461. Herzog Albrechts Absagebrief an den Kaiser 251

CXVIII. Linz. 19. Juni 1461. Der Stände Absagebrief an den Kaiser 252

CXIX. Wien. 4. Juli 1461. Rufen der dienstlosen Knechte etc. wegen 253

CXX. Graz. 5. Juli 1461. Des Kaisers Antwort auf der Wiener Schreiben (Nr. CXVI) 254

CXXI. Melk. 9. und 16. Juli 1461. Herzog Albrechts Aufforderung der Stadt Wien 255

CXXII. Wien. 20. Juli 1461. Antwort der Wiener 256

CXXIII. Wien. 20. Juli 1461. Die Wiener bitten den Kaiser abermals um Hülfe 258

CXXIV. Wien. Vor 15. Juli 1461. Klage der Wiener bei dem Kaiser über Giskra's Volk 258

CXXV. Graz. 19. Juli 1461. Des Kaisers Antwort auf der Wiener Schreiben 259

CXXVI. Wien. 25. Juli 1461. Drittes Schreiben der Wiener um Hülfe 260

CXXVII. Im Feld am Gluthafen. 30. Juli 1461. Herzog Albrecht erfordert die Wiener zu sich 262

CXXVIII. Im Feld bei Wien. 31. Juli 1461. Herzog Albrecht wiederholt sein Begehren 264

CXXIX. Wien. 4. Aug. 1461. Antwort der Wiener auf beide Schreiben 264

E. 63. Wien. 11. Aug. 1461. Die Wiener Abgesandten berichten über das Resultat ihrer Bitten bei K. Friedrich 265

E. 64. Graz. 31. Juli 1461. Antwort der Wiener auf des Kaisers Vorbringen 267

CXXX. Graz. 6. Aug. 1461. Der Kaiser dankt der Stadt für ihre Treue 267

E. 65. Im Feld. 8. Aug. 1461. Taidingsentwurf zwischen K. Friedrich und H. Albrecht 268

CXXXI. Hollabrunn. 10. Sept. 1461. Die vermittelnden Räthe des böhm. Königs übersenden den k. Räthen den mit Fronauer eingegangenen Vergleich 269

CXXXII. Hollabrunn. 10. Sept. 1461. Vergleich zwischen K. Friedrich und dem Fronauer 269

CXXXIII. Triebensee. 22. Sept. 1461. Antwort Fronauers auf das Schreiben des Gurker Bischofen 270

E. 66. Wien. 28. Sept. 1461. Weinleseordnung der Stadt Wien 271

CXXXIV. Wien. 27. Nov. 1461. Die Wiener an den Kaiser wegen der durch H. Albrecht drohenden Gefahr 277

CXXXV. Wien. 20. Nov. 1461. Anfrage der Wiener bei dem Kaiser wegen des beabsichtigten Landtages 279

CXXXVI. Graz. 27. Nov. 1461. Des Kaisers Antwort 279

CXXXVII. Wien. 27. Nov. 1461. Die Wiener bitten des Kaisers Räthe, sich ihrer bei dem Kaiser in ihrer bedrängten Lage anzunehmen . 280

CXXXVIII. Wien. 27. Nov. 1461. Schreiben der Wiener an die Kaiserin Leonore in derselben Angelegenheit 281

Seite

E. 67, Wien. 28. Nov. 1461. Rufen der neuen Markt-Ordnung . . 283

E. 68. Wien. 11. Nov. 1461. Zusammenstellung der in Wien eingeführten
Weine 284

CXXXIX. Zistersdorf. 4. Dec. 1461. Schreiben der zu Zistersdorf
versammelten Stände an die Wiener 285

CXL. Wien. 7. Dec. 1461. Der Stadt Antwort . . . . , . . . 285

CXLI. Wien. 8. Dec. 1461. Die Wiener an den Kaiser ihrer Be-
drängniss wegen 286

CXLII. Graz. 8. Dec. 1461. Der Kaiser befiehlt dem Bürgermeister
und Rath, ihre Ämter provisorisch zu behalten 287

CXLIII. Wien. 13. Dec. 1461. Ablehnende Antwort der Wiener . 288

CXLIV. Wien. 19. Dec. 1461. Rufen der Rüstung halber . . . 289

CXLV. s. d. 1461. Die Wiener an den Kaiser über die nachlassende
Sterblichkeit, und die Verhandlungen der Feinde 290

E. 69. Graz. 17. Dec. 1461. Mündliches Anbringen der Wiener Ge-
sandten bei dem Kaiser 291

E. 70. Graz. 17. präsent. 28. Dec. 1461. Des Kaisers mündliche Antwort 292

E. 71. Wien. 30. Dec. 1461. Beschlüsse des Wiener Rathes wegen
Vertheidigung der Stadt 297

CXLVI. Berchtoldsdorf. 7. Febr. 1462. Waffenstillstand zwischen
K. Friedrich und Herzog Albrecht geschlossen 297

E. 72. Graz. s. d. 1462. Anbringen der Wiener Abgesandten bei
dem Kaiser 298

CXLVII. Wien. 17. April 1462. Die Wiener bitten den Kaiser seine
Ankunft zu beschleunigen 301

CXLVIII. Wien. 17. April 1462. Rufen wegen Vertheidigung der Stadt 302

CXLIX. Wien. 26. April 146 2. Die Wiener erneuern ihre Bitte
wegen baldiger Ankunft des Kaisers 302

CL. Wien. 20. April 1462. Schreiben der Wiener an die dem Kaiser
getreuen Städte wegen des bevorstehenden Landtages 303

CLI. Wien. 1. Mai 1462. Drittes Schreiben der Wiener wegen Be-
schleunigung der Ankunft des Kaisers 304

CLII. Wien. 1. Mai 1462. Die Wiener berichten dem Kaiser die von
Jorg dem Pottendorfer erhaltene Absage 306

CLIII. Wien. 1. Mai 1462. Die Wiener an den Kaiser über den Noth-
stand der Hochschule 307

CLIV. Wien. 8. Mai 1462. Die Wiener schildern dem Kaiser ihre
grosse Noth 308

CLV. Wien. 8. Mai 1462. Anbringen der Wiener Abgesandten bei
dem Kaiser 310

E. 73. Stätteldorf. s. d. 1462. Beschlüsse des Landtages zu Stätteldorf 412

CLVI. Wien. 13. Mai 1462. Die Wiener beglaubigen ihre Abge-
sandten bei dem Kaiser 313

CLVII. Berchtoldsdorf. 13. Mai 1462. Jorg von Pottendorfs Ge-
leitbrief für die Wiener Abgesandten 313

Seite

CLVIII. Klosterneuburg. 15. Mai 1462. Ankelreuters Geleitsbrief . 314

CLIX. Pütten. 15. Mai 1462. Hynko's Geleitsbrief 314

CLX. Wien. 25. Mai 1462. Die Wiener dem Kaiser wegen der Verstärkung der Feinde 315

E. 74. Wien. I. Juni. 1462. Der Stadt Vorsichts- und Vertheidigungs-Massregeln 317

CLXI. Wien. 9. Juni 1462. Die Wiener an den Kaiser ihrer Noth wegen 318

CLXII. Wien. 5. Juni 1462. Rufen 319

CLXIII. Wien. 12. Juni 1462. Die Wiener an Heinrich von Lichtenstein und Veit von Ebersdorf wegen der Beschlüsse des Stätteldorfer Landtages 320

CLXIV. Wien. 6. Juni 1462. Die Wiener Hochschule tritt vermittelnd und bittend bei H. Albrecht auf 322

CLXV. Wien. 6. Juni 1462. Die Wiener Hochschule an Heinrich von Lichtenstein und Veit von Ebersdorf 323

E. 75. Graz. 23. Mai 1462. Des Kaisers mündliche Antwort den Abgesandten des Stätteldorfer Landtages gethan 325

E. 76. Graz. 23. Mai 1462. Des Kaisers mündliche Antwort auf die Bitten der Wiener 327

CLXVI. St. Pölten. 18. Juni 1462. Die Stände. zu St. Pölten versammelt, beglaubigen ihre Abgesandten bei der Stadt Wien 329

CLXVII. St. Pölten. 18. Juni 1462. Die Abgesandten des Landtages zu St. Pölten bitten die Wiener um sicheres Geleit 330

CLXVIII. Wien. 19. Juni (?) 1462. Die Wiener ertheilen das angesuchte Geleit 331

E. 77. Wien. 22. Juni 1462. Mündliche Antwort der Wiener auf den Vortrag der Abgesandten des Landtages zu St. Pölten 332

CLXIX. Wien. 22. Juni 1462. Die Wiener machen diese ihre Antwort den getreuen Städten bekannt 333

CLXX. Wien. 24. Juni 1462. Die Wiener an Rüdiger von Starhemberg wegen Ausschreibung eines allgemeinen Landtages 334

E. 78. Wien. 24. Juni 1462. Begehren an H. Albrecht . . . 335

CLXXI. Marburg. 4. Juli 1462. Schreiben der Stände von Steyer, Kärnten und Krain an die Stände Österreichs 337

CLXXII. Marburg. 4. Juli 1462. K. Friedrich an die Wiener wegen der bevorstehenden Hilfe 339

CLXXXIII. Marburg. 4. Juli 1462. Schreiben der Stände von Steyer, Kärnthen und Krain an die Wiener 340

CLXXIV. Tulln. 14. Juli 1462. Die zu Tulln versammelten österr. Stände beglaubigen ihre Abgesandten an die Wiener 342

E. 79. Wien. 14. Juli. 1462. Anbringen der ständischen Abgesandten an die Stadt Wien 342

CLXXV. Wien. 21. (?) Juli 1462. Die Wiener fordern die übrigen Städte auf, den Tag zu Wien zu beschicken 343

CLXXVI. Wien. 23. Juli 1462. Die Wiener benachrichtigen die übrigen Städte, wie des Fronauers Feindschaft noch fortdauere . . . 344

CLXXVII. Wien. 21. Juli 1462. Die Wiener an den Kaiser wegen des zu Wien abzuhaltenden Landtages 345

CLXXVIII. Graz. 21. Juli 1462. K. Friedrich verbietet den Wienern den Landtag in Wien abhalten zu lassen 345

CLXXIX. Wien. 25. Juli 1462. Antwort der Wiener an den Kaiser 346

CLXXX. Graz. 18. Juli 1462. K. Friedrich fordert die Stände Österreichs zum Zuzuge auf 348

CLXXXI. Graz. 21. Juli 1462. K. Friedrich beglaubigt seine Abgesandten an die Wiener 349

CLXXXII. Wien. 31. Juli 1462. Rufen. Ausweisung der herrenlosen Knechte 349

CLXXXIII. Wien. 26. Juni 1462. Der Wiener Antwort an die Stände von Steyer, Kärnten und Krain 350

CLXXXIV. Wien. 26. Juni 1462. Das zweite Schreiben an dieselben 352

CLXXXV. Weissenkirchen. 28. Aug. 1463. Aufträge, welche Jorg von Ekbartsau als Gesandter des Landtages zu Weissenkirchen empfohlen sind 353

CLXXXVI. Weissenkirchen. 28. Aug. 1463. Jorg von Ekbartsau Beglaubigungsbrief 353

CLXXXVII. Wien. 28. Aug. 1463. Rufen des Verkaufs wegen . . 354

CLXXXVIII. Wien. 16. Sepl. 1463. Weinlese-Ordnung für Wien . 356

CLXXXIX. Wien (?). 9. Nov. 1463. Brief des päpstl. Legaten an H. Albrecht der Vermitllung wegen 358

CLXXXX. s. l. 23. Nov. 1463. Zweiter Brief 359

CXCI. s. l. 1463. Dritter Brief 359

E. 80. Wien. 23. Nov. 1463. Friedenspuncte mit H. Albrecht . . 360

CXCII. Kittsee. 28. Nov. 1463. Schreiben des Grafen Sigmund von Pösing an Heinrich Perner von Pernegg der zu Wien Gefangenen wegen . 361

E. 81. Wien. 2. Jan. 1464. Freigebung der Gefangenen zu Wien gegen Stellung 365

CXCIII. Wien. 3. Jan. 1464. Rufen. Ausweisung dienstloser Knechte 366

E. 82. Wien. 3. Jan. 1464. Kurze Übersicht der nicht aufgenommenen Begebenheiten der Jahre 1462 und 1363 367

CXCIV. . . . . 31. Aug. 1463. H. Albrecht beruft die Wiener auf den Landtag nach Tulln 368

E. 83. Wien. 31. Aug. 1463. Antwort der kais. Räthe auf die den Vermittlern übergebenen Artikel der österr. Stände 368

E. 84. Wien. 31. Aug. 1463. Antwort der österr. Stände darauf . 373

E. 85. Wien. 31. Aug. 1463. Die österr. Stände bestimmen die auszuschreibende Steuer 375

E. 86. Hadersdorf. 13. Dec. 1463. Forderungen der zu Hadersdorf versammelten österr. Stände 377

E. 87. Hadersdorf. 13. Dec. 1463. Erneutes Anbringen der zu Hadersdorf tagenden österr. Stände 382

E. 88. Neustadt. 13. Der. 1463. Des Kaisers Antwort darauf . . 384

Seite

E. 89. Neustadt. 13. Dec. 1463. Des Kaisers Antwort auf das zweite Anbringen (E. 87) 388

CXCV. Neustadt. 23. Jan. 1464. Schreiben der nach Neustadt von dem Haderadorfer Tage geschickten Abgesandten an Michael Graf Hardegg Maidburg 389

E. 90. Neustadt. 10. Jan. 1464. Die Wiener bitten den Kaiser um Gnade und Vergebung 390

E. 91. Neustadt. 10. Jan. 1464. Antwort des Bischofs von Gurk in des Kaisers Namen 392

E. 92. Neustadt. 10. Jan. 1464. Der Kaiser sichert den Wienern die angesuchte Vergebung zu 393

CXCVI. Neustadt. 27. Sept. 1464. Ausschreiben des Kaisers wegen der dienstlosen Knechte 393

CXCVII. Wien. 27. Oct. 1464. Rufen der alten Forderungen wegen 396

E. 93. Wien. 6. Febr. 1464. Die Wiener schwören dem Kaiser den Eid der Treue 398

CXCVIII. Neustadt. 10. Sept. 1464. K. Friedrich schreibt den Landfrieden zwischen Österreich, Böhmen und Mähren aus 398

CXCIX. Neustadt. 9. Sept. 1464. K. Friedrich gibt den betreffenden Behörden bekannt, dass H. Sigmund ihm sein Drittheil abgetreten . 399

CC. Neustadt. 9. Oct. 1464. K. Friedrich schreibt den Landfrieden aus 400

CCI. Neustadt. 21. Oct. 1464. Schreiben K. Friedrichs an Jörg von Volkenstorf der Bürgschaft gegen Zdenko von Sternberg wegen . . . 401

E. 94. Korneuburg. 22. Juli. 1464. Beschlüsse des Landtages zu Korneuburg 402

COPEY-BUCH

DER

GEMAINEN STAT WIENN.

1452—1464.

*Anno domini & Quinquagesimo quarto an Samstag vor Letare
in der Vasten.*

I. 30. März
1434.

Vermerkcht die Ordnung, so die Herren des Rats vnd die Ge-
nanten, die darezu erwelt vnd geben sein, betracht habentt, vm des
wegen, das jecz der Anklrewtter mit vil volkebs zu Schepran ligt vnd
der von seinem vermügen nicht vermage, darumb ist versehenlich vnd
ist auch gewisse warnung herkömmen den Anwelten, das man je der
Stat einen schaden oder smach zucziehen well, vnd sint darezu geben
worden.

Aus den genanten.	Martine Leuntl.
Virelch Keruer.	Rudolf Huter.
Thomas Sihenhurger.	Jacob Satler.
Thoman Wild.	Pernawer Gurtler.
Mathias Salezer.	Jorg Prantsier.
Halorelch Ingelateter.	Lebenprust, Messrer.
Peter von Aulabing.	Michel Wenynger.
Wolfgang Holohronner.	Hans Eczn vor Werdertor.
Virelch Gundloch.	Jacob Halder vor Schultestor.
Niebel Welss.	Thomas Judenmair vor Kerooertor.
Michel Rieootl.	Philipp Egenhurger vor widmertan.
Jacob Kassehawer.	Niclas Kramer vor Stubentor.
Hans Thien.	Aus der Gemain.
Stephan Küsuffer.	Helorelch Frankeh.
Kunrat von Regenspurg.	Andre Steinprecher.

Von ersten: das man nicht mer offenn sol haben, denn vir törr,
den Rotenturn, Stubentor, Kernertor vnd Schottentor, und die andern
töre alle sullen verspert beleiben.

Item: das man alle turn besecezen svll, vnd desgleichen die törr
mit hüt, vnd das man nyemand herein lassen soll, man wiss dann, wer
er sey, vnd die, dy darezu geordent werden, sullen demselben zaigen,

21

in ein herberg zereytten, vnd das ainer nicht reitt in ein herberg, wo er well. es wär denn gar ein kunder Man. Und sol auch nyemt frömbder aus der Stat reytten, oder geen, er hab denn ain Boliten an das tör, vnd pint sich daselbs auf, das man in mug erkennen vnd zu der Politen ist geordnet Michel Törl vnd Oswalt Sweykker.

Item: die Statmawr zu zerichten.

Item: die Zewn zu zerichten allenthalben in der vorstatt.

Item: die rodlichisten Hantwercherchnecht sol man bestellen, vnd mit denselben reden, das sy der stat gehorsam vnd mit dinsten warttund sein, vnd das man ainem jeden hantwercherchnecht ain wochen geben sol siben phenning, vnd sicz dennoch saim Maister in der werchstat solang, vncz das wir der bedürffen vnd ze schulden kumbt, so sullen sy uns denn dien vnd znsteen vmb ainem gleichen sold.

Und die haubtleut sullen die zechmaister vordern vnd an jedem zechmaister erkunden, was jeder hantwercher guter werlicher knecht hab.

Item es ist beredt: des man die vorstat vor Stubentor hinter sand Niclas kloster herein werts machen sol mit gröben nach dem pesten, als darczu gehört, darczu sind geordent Niclas Teschler vnd Hans Kewsch.

Item: den graben vor werdertor sol man auch volfürn, vnd darczu sint geordnet Hans Een vnd Hans Walebinger.

Item: die Sturmglokchen sol man bewarn vnd beseczen mit Niclasen pomer vnd Hannsen Viregk vnd vnder den zwain sol albeg ainer stets in dem turn sein, vnd die slüssl zv dem turn haben, vnd nicht der Messner.

Item: man soll auch reden mit dem Rectori von der Studenten wegen, das sich die in den sachen mit der Stat halden, vnd kain vnfür nicht anheben.

Item: mit den gessten vnd Legrern zu reden, die vber jar hie liegen, das sich die auch zu der Stat halden, vnd ob sein not wirdet, mit hilf peystentig zesein, vnd die helffen zuretten, wann si auch ir leib vnd gut hie haben. vnd das mit in zureden ist empholhen Wolfgangen Hölczer, Münssmaister vnd Vlrichen Gundloch, vnd der Wissinger.

Item: das auch jederman speis in sein Haus bringen sol.

Item: zeug, pulver, pheil zu beschawn mit den Kamrern vnd puchsenmaister.

Item: man sol nechtigelich in den vorsteten zirkl halden, vnd vnder den törren alle tag hut haben, vnd auch des nachts in den turnen die hut halden. Also, das ain ieder Haubtman vnder iedlichs tor ordnen sullen zehen oder zwelf guter knechtt, die täglich hütten.

Item: das sich die Mugundisten Purger mit Rossvolkch vnd fusvolkch desterpaser angreiffen sullen, darunh sol ain gemainer anslag auf menigklich geschehen.

Item: das sich auch all pekchen mit mel sullen fürsehen, damit sy die Gemain an prot nicht lassen nach allen irm vermügen, vnd das sol auch mit in geredet werden.

Item: das man kainerlay gastum halden sol in den herren häwsern, das sol der Lantmarschalh wenden, vnd in den leden vnd kochhütten, da sol der Richter vnderkömen. Aber in des von Agmund haws, in des von Ellerbach haws vnd in des von Regenspurg haws, da mag man gastum halden, vnd in den rechten gewondlichen Gasthäwsern, vnd sol ein ieder sein gast geschriben gohen nächtiklich dem Burgermaister.

Item: das man das fewr bewarn sol allenthalben in der Stat vnd vorsteten, vnd sol haben wasser vnder den döebern vnd in den höfen in poligen vnd krukchen zu ausstossen, vnd die Rauchfeng kern lassen.

Item: es sol ein jeder, wissen wen er hehaws, oder beherberg, das er den, oder die wiss zu versprechen.

Item: das man die keten vnd sneller vnder den Stattorren zuschliessen sull vnd nyemt herein oder hinaws lassen sol, er pint sich denn auf.

Item: das man nyemandt vber die prugken herein vnd binaus varn, reytten oder gen sol lassen, er pint sich denn auf, welh sich aber nicht wollen aufpinten, den sol man nicht herein, noch hinaus lassen.

Haubtleutt der Stat

Stubarum. Wolfgang Holczer, sein vnder haubtleut; Egkenberger. Sambss, pomphinger, kéwsch.

Lignorum. Jacob Starch, Richter, sein vnder haubtleut, Rienolt, prumtaler, Gusner, Stephan von Borren.

Scotorum. Her Fridreich Ebner, sein vnder haubtleut Enthaimer. Malchinger, Vochter, Aschpckch.

Karintianorum Niclas Ernst, sein vnder haubtleut, Michel
Huwnolt, Smauss, Jobst Rosenberger, Wolfgang Rätenperger.

*Anno domini & Quinquagesimo quarto an Mitichen vor sand
Vrbans tag ist die Ordnung von Rat, Genanten vnd Gemain
von des fewrs vnd anderr notdurft wegen der Stat gemacht
worden.*

Von erst ist beredt, das ain jeder das fewr in sein haws be-
warn sol allenthalben, in der Stat vnd in den Vorsteten, vnd in den
Hofen vnd voder den däebern in pötigen wassers baben vnd krukeben
zu ausstossen vnd ain jeder sein Rauchfang kern lassen.

Item; ob aber fewr auském, es wér in der Stat oder in den Vor-
steten pey tag oder pey nacht, so sullen denn all Zimerlewt mit irn
gesellen mit hakchen vnd zeug, vnd all pader mit irm gesind mit irn
scheffllein zu lauffen vnd da helffen treulichen retten, vnd man sol auch
von der stat ain jeden pader in sein padstuben geben vnd antwurtten,
jecz angeunds, XVI virtail Schäffer, die ain pader daselbs albeg hal-
den, vnd damit auf das fewr wartten, vnd er vnd sein gesind damit
zu dem fewr lauffen vnd wasser tragen sullen, vnd welcher ain Virtail
schaff wassers zu der prunst tregt, alsofft sol man dem selben von
der Stat gut geben 1 dn. vnd von aim zuber, den zwen tragen, 2 den.
vnd desgleichen andern lewten sol man das auch geben, die in der
ordnung helffen zeretten, vnd die pader sullen all mit irm gesind für
den Rat gevordert werden, vnd da mit iern trewn geloben; das sy der
ordnung also wellenn gehorsam sein an all arglist, vnd welcher pader
sich aus der padstuben zeucht, so sol er dann albeg seinem nach-
komen, der sich am négsten in die padstuben zeucht, die oder
ander XVI Virtail schäffer lassen ganeze in der maynung so vorge-
melt ist.

Item desgleichen sullen all Zimerleutt vnd ir gesellen auch für
den Rat gevordert werden, vnd daselbs geloben, vnd welch hinfür
sieb zu Maister seczen wellen, die sullen desgleichen avch geloben,
das si mit irn bakcben zu lauffen vnd daselbs retten wellen, vnd sich
kain paw irren lassen, vnd darumb sol man ir jedem desselben tags
geben ain taglon von der Stat gut vnd das sullen tun die Stat-
kamrer.

Vnd welch Zimerlewt oder pader daran sawmig erfunden wurden, die wil man darumb in Kernerturn legen, vnd vmb solh vngehorsam darczu swêrlich straffen nach gelegenhait der sachen.

Item: es sullen auch die Stadtkamrer albeg zu solher prunst furderlich reitten oder geen, vnd solh gelt daselbs den leuten von dem wasser tragen ausgeben, oder, ob die nicht da wêrn, welher burger denn dieselben phenning aufgehen wurde, dem sol man die von der Statgut wider geben vnd beczaln an alles vereziehen.

Item: wer ainem begreifft, der sewr legt oder prennt vnd zu der Stat banden pringt, dem wil man geben von der Stat zwenvnddreissig guldein.

Item: die Goltschmid, Kürsner, Sneider, schuster, fleischhakcher, pekchen, Münsser, Zinglesser, Huter, Messrer, Hufsmid, Stainmeczen, Maurer, Maler, Goltslaher, Seidennatter, Vischer, Flöczer, Tuchscherrer, plattner, slosser, Sporer, Rinkler, Riemer, Ledrer, Jrher, Tischer, Verher, Pinter, Kramer, pogner, pheilsniezer, sol jedes hantwerch wider in haben zehen hakchen mit langen stiln oder mynner nach gelegenhait aius hantwerchs, vnd ieds Hantwerch sol den jungisten Maistern desselben hantwerchs aine in entwurtten, das der denn damit komen vnd lauffen sol zu der prunst, vnd helffen zeretten, vnd dieselben hantwerch sullen für den Rat geordert, vnd in das gesagt werden, das sy das also stetlich halten.

Item: wer auch einen deup begreifft, der pey der prunst stul, vnd den zu venkchnus prêcht, dem wil man von der Stat geben zehen guldein.

Item es ist berredt: das man alle Stattörren mit Stegprukchen zurichten sol, das ain jeder Muutter inwendig der torr des nachts ligen, vnd sein wonung haben sol.

Item: es sol auch offenlich gerufft werden, das die in den vorsteten allsumbt aufsehen, damit nyemt kainen ausgang noch Ingang durch die Zewn hab noch mach, noch darüber steig, vnd wer daran begriffen wirt, den wil man an dem leib swêrlich pussen. Und wer derselben ainen aopringt, dem wil man geben von der Stat 1 guldein, wer aver das wissentlich versehwig, vnd den nicht aoprêcht, denselben wil man an seim leib swêrlich pussen an alle gnad.

Item, es ist auch verlassen: das aus dem Rat, den Genantenn vnd der Gemain darczu sullen geordent werden, die mit den prelaten vnd ander pfaffhait reden, das sy auch ir hilff darczu geben vnd tun damit die Stat vnd die Grêben zugericht vnd bewartt werden mit solher notdurfft, als darezu gehöret.

Item, es ist verlassen: das ain jeder wirt vnd inman von imselbs, seiner hausfraun, dienern und dienerinn, die gelt verdienen mugen, jeglichs VII den. geben sol, damit man den graben vor Stubentor, vnd ander Grêben vmb die Statt ordentlich machen vnd zurichten muge.

Vnd darezu sint geordent, die das gelt innemen sullen :

Karinthianorum	Wankch, Smauss, Gundorffer, Judenmair.
Lignorum	Prumtaler, Sambss, Inglsteter, Egenburger.
Scotorum	Stephan von Borren, Praitter, Hans Thiem, Haider.
Stubarum	Jörg von Ernstprunn, Egkenberger, Grünpacher, Kramer.

Item: es sullen auch all fürer mit irn laitten heraitt sein, vnd darin wasser zu dem fewr fürn, vnd welcher der erst darezu ist, dem sol man zelon geben 4 Pfund den. dem andern LX. dem dritten XXX den. vnd alsofft also ainer ain lait wasser zu dew fewr pringt, alsofft wirt man aim geben XXX den. von der Statgut, vnd dieselben furer sullen auch all für den Rat gevordert werden, das sy das versprechen zu halden vnd gehorsam zu sein.

Item: es ist auch den fleischhakchern gesagt, das sy des nachts vnder den fleischpenkchen ir Zirkk vnd wachtt halden vor prunst, wann sy vil vnslid darinn haben, solang, uncz das werd gesagt, wie sy die pawn sullen.

Item: es ist auch mit den Statkamrern geschafft vnd verlassen, das sy XX fewrhakchen in die Vorstet machen lassen sullen.

Item: das man darczu ordnen sol, die all Rauchfeng vnd fewrstet beschawn sullen, vnd wo sy vngewöndlich oder bös Rauchfeng, oder fewrstet vinden, die sullen sy schaffen zewenden bey ainer peen.

III. 29. Mai 1454.

Vermerkcht das an den Rat, genant vnd gemain pracht ist, wie her **Wenko von Rukchenaw** sich vast besamet, vnd als XV° soldner zu Ross vnd ze fuessen heyeinander hab, vnd main je in das lannd zucziehen, vnd vmb ein gesloss zutrachten vnd die leutt vnder dem gepirig, als zu **Dreskirchen, Gunderstorf, Trumau, Ebreinstorff, Medling**, oder **Berchtoldsdorf** zu beschädigen, oder **Parcz** innemen, nach dem vnd er der gräben und Pastey daselbs zemachen ain anweiser ist gewesen. Darauf habent die Herren des Rats, genant vnd gemain darczugeben, als die hernach geschriben steent, vnd habent daraus geredt, vnd die hernach geschriben ordnung der Stat zu nucz betracht, vnd gemacht an vnsers herren auffert abent anno dni & LIIII°.

Item: der gancz Rat ist darczu gehen.

Aus dem Genanten.

Egkenberger.	Erhart Walstain.
Michel Weiss.	Stephan von Berren.
Samhas.	Michel Risnolt.
Salczer.	Gundorffer.
Reiff.	Praitter.
Kerner.	Paul Perch, Schuster.
Adam Hertiog.	Michel Wenynger.
Caspar Kemhauter.	Wernhart Hewss.
Cristoff Oenestorffer.	Lebeoprant Messrer.
Holnpruoner.	Jorg Pranperger.
Jörg Hiltprant.	Larenca Goltsmid.
Hans von Eslorn.	Thomas Siheobarger.
Trageonat.	Wolfgang Kottrer.
Sweygker.	Hans Wiltsfewr.
Strasser.	Hans Malchinger.
Orentreich.	Niclas Purger.
Vochter.	Aschpekch.
Prumtalar.	Thiem Goltsishor.
Prauosperger.	

COPEY-BUCH

Gemain.

Pumphlinger.
Enthalmer.
Hainreich Frankch.
Caspar Jordan,
Fridreich Westendorffer,
Philipp Egenburger,
Pet. lantmann, leczelter. } v. widmer tor.
Niclas Kramer in der Lantstrass.

Peter Mukl
Pragenil Pekch } in der scheffstrass.
Chuncz Stetiner
Judenmair } Karinthianorum.
Jacob Haider vor Schottentor.
Hans Een,
Peter Wersgrein vor Werdertor.

Von ersten, so ist beredt, das man volkch sol anslahen zu ainem vbrigen aufsein auf die bantwercher M. zefuessen, vnd darczu wögen, die sol man speisen von der Stat, vnd die solden.

Item; so sol man anslahen auf die purger, die Ros verrungen, auf L Pherdt:

Stubarum.	Karinthianorum.	Lignarum.	Scolorum.
Egkenperger 1.	Jorg Hillprant 1.	Gundorffer 1.	Gerunger 1.
Larenz Swancz 1.	Mathes Kornmecz 1.	Röchwein 1.	Simon Pöltl 1.
Mennestorffer 1.	her Chunrat Holzler 1.	Schrall 1.	h. Osw, Reinholf 1.
Hamba 1.	Cristan Prenner 1.	Mellinger 1.	Maichinger 1.
Mathias Salczer 1.	Jörg Epishawser 1.	Th. Sihenburger 1.	Purger 1.
Prunner 1.	Stephan Gibing 1.	Krist. Wisslnger 1,	J. Starch, Richter 1.
Hans Angerfelder 1.	Cunrat Piligrein 1.	her Fr. Ebner 1.	
Kerner 1.	Hans Haringseer 1.	Niclas Ernst 1.	
Hans von Geraw 1.	Strasser 1.	Jac. Kassebauer 1.	
Wolfgang Halczer 1.	her Hans Sieger 1.	Vicens Apotegker 1.	
Michel Kirajain 1.	Mathias Wislor 1.	Steffan Awer 1.	
Krist. Oczestorffer 1.	Andre Schnnpragker 1.		
Hainreich Gschof 1.	Hans von Eslorn 1.		
Kolhalmer 1.	Niclas Ponhalm 1.		
Gundloch 1.			
Hulnprunner 1.			
Galander 1.			
Hans Zeillnger 1.			
Muttenhawser 1.			
Wolfgang Herttling 1.			
Thoman Swarcz 1.			
Talhalmer 1.			
Ponhamer 1.			

Item: der Geraisigen sullen haubtleut sein Kristoff Pömphlinger vnd der Kewsch.

Lignorum.	Karinthianorum.
Hauhtmann Jacob Starch, Richter.	Haubtman Niclas Ernst.
Zimerleut XXXII.	Pewtler IV.
Slosser, Sporer, Riokler XXIV.	Veirerber IV.
Nadler, Eysenezieher VI.	Hantschuster VI.
Vilezhater XXXII.	Gürtler XIV.
Messer, Meitrager VI.	Paindelngürtler, Portenburcher IV.
Hafner VI.	Taschner II.
Kewffl am Hof VI.	Zingiesser XIV.
Tuchscherer X.	Riemer VI.
Kuntter IV.	Ledrer XIV.
Wagner VI.	Ratsmid II.
Tischer XII.	Verber VI.
Drechsl, Holezschuster IV.	Maler, Glaser, flotslaber.
Pader XIV.	Seidenmacher XIV.
Satler VI.	Stainmeczen, Maurer XXXII.
Messrer XXXII.	Pekchen, Melbler XXXII.
Swertleger IV.	Münsser XIV.
	Leczelter VI.

Stuharum.	Scotorum.
Hauhtm. Wolffgang Holczer, Münsmstr.	Hauhtman her Fridreich Ebner.
Vrber VI.	Puchreler II.
Pinter VIII.	Zämsträkcher XIV.
Schuster XXXVI.	Satler XII.
Hufschmid XXIV.	Flöczer XXIV.
Fleischhakcher XLII.	Vischer X.
Kramer XXXII.	Plattner, Prunner XIV.
Leinhater XIV.	Pogner, Phellanlezer XIV.
Kupheramid IV.	Parhanter VI.
Öler, Swerber XX.	Salczer VI.
Sneider XXXII.	Küraner XXXVI.
	Gröwsler am Graben X.
	Wachsglesser VI.

Hört vnd sweigt.

Man tut ew zewissen, das gewisse wornung kümen ist, das sich die veint vast gesterkeht vnd besamet haben, vnd in willen sein, in das Land zueziehen, vnd zubeschädigen, daron so gepewt ew vnser

genedigister herr Kunig Lasslaw Kunig zu Hungern vnd xo Behem etc.
Herezog zu Österreich vnd Marggraf zu Morhern, sein gewaltiger
Lantmarschalh, auch N. der Burgermaister, Richter, vnd der Rat der
Stat zu Wienn, allermennigclich, vnd sag das ain Man dem andern,
das sich ein jeder darczu schikcben sol anvereziehen, wann man ew
sagt, das ir denn auff vnd bereitl seitt, zerossen vnd zefuessen vnd
mit wëgen, geharnascht, wolgeezeugt, so sterkist ir mugt, vnd mit
samht andern ziehet, dahin man ew vordern wirdot, welber des aber
nicht tët, vnd darezu sawmig wër, den wirdet man swerlich darumb
straffen an alle gnad.

Es sol auch ein jeder wissen, wen er behawa, oder beherbergt,
des er den, oder die wiss zu versprochen.

Es sol auch ein ieder bauabirt vnd inman in seinem haws das
fewr vnd fewrstet bewarn, das davon nicht schad gescheh, vnd in den
böfen vnd vnder den dëchern In potigen wasser bahen, vnd Krokchen
zu ausslossen, vnd ein jeder sein Rauchfang keren lassen; welh des
auch nicht tëten, die wil man swërlich darumb straffen.

Nu hört vnd sweigt.

Es gepeut mein herr, der Burgermaister, mein herr, der Richter,
vnd der Rat von der stat, vnd sag das ain man dem undern, das ain
jeder sein gruhen, die in den gassen aufgeprochen
sein, es sey von pressen, von gepaw, oder von was
sachen die gemacht sein worden, vor seinem haws wi-
der zumachen vnd vherlegen, vnd sein kellerhals mit
tür zu hedekchen, vnd bewarn sol. Es sol auch je-
derman die tresterhauffen vor seinem baws ausfüren,
vnd alle holezer vnd stainhauffen in den gassen vnd
das kot aufrawmen vnd naherfüren zwischen hinn vnd
dem nagstkünftigen sand Katbrein tag an alles vereziehen.
Wer aber des nicht tët, den wirt der Richter alsofft mit dem wandl
darezu notten, vnd auch soleh holezer vnd stain zu der Stat hannden
nemen an alle gnade.

Hört mer.

Es gepeut vnser genedigister Herr Kunig Lasalaw zu Hun-
gern, zu Behem Kunig, Heczog zu Österreich vnd Marggraf zu

Merhern, sein obrister haubtman her Wolfgang von
Walsse, sein gewalliger lantmarschalh in Österreich,
auch der Burgermaister, Richter vnd Rat der Stat hie zu Wienn aller-
menuigelich in was wesen, oder stand sy sein, vnd sag das ein man
dem andern, das nyemandt, er sey geistlich oder welllich, edl
oder vnedl zu nachts nach dem hornplosen nicht mer auf
der gassen gen sol mit waffen, oder mit werhaffter
hannd, vnd an ein offens liecht. Welh aber dawider tёten,
vnd darvber begriffen wurden, die wirdet man anvallen als sehedlich
lewtt vnd darumb straffen an alle gnad.

Darz ist gerufft worden an Sambeztag vor sand Merteutag anno
etc. LIII°.

9. Nov. 1454.

Gerufft am Sambcztag post Ascensionis domini Anno etc.
LIIII°.

VI. 31. Mai
1454.

Scharlach-Ruffen.

Nu hört vnd sweigt.

Es gepeut der durchleuchtigist fürst, vnser gnedigister herr
kunig Lasslaw zu Vngarn, zu Behem Kunig, Herczog zu Österreich
vnd Marggrave zu Mёrhern, sein gewalliger Lantmarschalh, auch der
Burgermaister, Richter vnd Rat von der Stat, das alle die, dy zu dem
Scharlach wellent rennen lassen, ir lauffunde pherdt morgen nach
essens in das Rathhaws pringen, da wirt man sy aufnemen vnd ver-
schreiben, vnd sy sullen dieselben pherdt hincz Montag fru hincz
dem Bürgermaister pringen, da will man sy bulliren, das sy die mit
einander auszeihen, vnd werdent von Swecheut lauffen herein zu dem
Scharlach, vnd welhs das erst darezu ist, das hat den Scharlach ge-
wunnen, vnd welhs das ander darezu ist, das hat gewunnen den
Sparber, vnd welhs das lest darezu ist, das hat gewunnen die Saw.

Nu hört mer.

Auch werdent die freyen knecht zu ainem parhant lauffen, vnd
welher der erst darezu ist, der hat den parhant gewunnen.

Auch werdent die freyen töchterl zu ainem parhant lauffen, vnd
welche die erst darezu ist, die hat gewunnen den parhant.

Ruffen davor peym Scharlach.

Hört vnd sweigt.

Er gepeut der durchleuchtigist fürst, vnser genedigister herr Kunig Lasslaw zu Vngern, zu Behem Kunig, Herczog zu Österraich und Marggraf zv Merhern, sein gewaltiger Lantmarschalb, auch der Burgermaister, Richter vnd Rat von der Stat, das nyemandt die lauffunden pherdt irren, zusprengen, noch vnderrennen sol; wer das vberfert, der muss den Scharlach gelten, hat er der phenning nicht, so wil man im ain handt abslahen on alle gnad. Auch sullen alle lauffende pherdt mit einander geen in die Stat mit dem pherdt, das den Scharlach gewunnen hat vncz an die Herherg. Wer des nicht tut, der ist seins lauffenden pherdts vervallen an alle gnad.

Hienach ist vermerkcht die Klag, so der Rector, Maister Michel Zehentner, die doctores vnd maister vber hern Conraten Holczler Burgermaister vor vnserm genedigisten Herren, dem Kunig, getan habent.

Durchleichtigister Kunig, genedigister herr. Ewer Gnaden vorvoder seliger gedechtnuss got zu lob, zu scherm vnd aufnemen des heiligen cristenlichen gelauben, der also durch sy in aller welt geweitt vnd gemert ist, vnd tčglich wirdet, mit vrlaub vnd verhengen des heiligen Rőmischen stuls haben erhebt, gewidembt vnd gestifft mit grosser kost, mue, arbeit vnd darlegen ain hoche gemain vnd wirdige vnd gefreyte vniversitet der Maister, lerer vnd schüler in vir faculteten ewer schul hie zu Wienn zu lob vnd eren dem allmechtigen got vnd vmb hail vnd seligkait willen aller irer vorvordern vnd nachkomen seien, vnd besonder zu ewiger wirdigkait vnd erhobung irer vnd ewrer fürstentumb vnd des ganezen haws Österreich vnd der Stat Wienn, vnd nachdem als rechte notdurfft gewesen ist zu slёter heleibung vnd ewiger bestetigung der obgenanten vniversitet haben sy für sich selbs vnd all ir nachkomen ewigklichen derselben hochen wirdigen, gefreyten vnd gemainen schul vnd allen maistern, lerern vnd Studenten, die immer dahin koment, gegeben vnd si begnadt vnd begabt brieflich zu ainer stёten vnd vnverrukchten ganezen sicherhait vnd auch behaltnuss mit irn anhangenden insigeln vnd ir selbs

haudt vndergeschrifft mit sambt der vordristen landtherren vnd dinst-
herren in Österreich mit besondern freyhaiten vnd privilegien, darinn
vnder andern artikeln ettlich aus den fürsteulichen briefen vnd hannt-
vesten vber die freyhaiten der schul zu Wienn gegeben, vnd sonder-
lich in geschrift, wie der Rector vnd die Maister auf das kürzist ewern
kunigklichen Gnaden zebringen vnd bitten dieselb ewr kunigkliche
Gnad woll vns bey den vnd allen vnsern privilegien genedigklichen
halten vnd hannthaben, also das wir auch in notdürften vnd klag ge-
hört vnd furderleich ausgericht werden.

Genedigister kunig! nu hat sich begeben ain frevel wider die
egemelt gnad vnd freihait also, an dem nagsten Eritag nach vnser
frawn schidung tag hat her Conrat Holczer Burgermaister
vopillich, wider recht, frevelich vnd wissentlich zu hannden genomen
Maister Kirchaim, lerer in baider Erczney, der schul
merkehlichs glid vnd derselben freyhaiten zu geniessen lange jar pil-
lich sich gehalten hat nach laut der vniversität aufsaczung vnd statut etc.

Item: auch hat derselb Burgermaister den vorgenanten Maister
Hansen zu schanden vnd schmach der schul in ain turn gefangen be-
halten vnd im essen vnd tringken yncz auf die ander stund nach mit-
tag verczogen.

Item auch: so der ersam herr, der Rector der benunten vniver-
silet, doctores vnd maister zu dem Burgermaister in sein haws ge-
sandt, vnd maister Hansen ervordert hat, als sein vnd ander glider
der schul Richter — denselben hat der Burgermaister nicht wellen
antworten wider ewer K. G. egemelte freihait, das auch ist wider
der stat gross Insigil an der schul vnd vnsern fürstlichen freyungen
hangund vnd wider gemain pactat vnd veraynung mit irm klaynen
Insigel, das werd gehört.

Item: auch ist vns durch erber vnd namhaft lewt fürbar an-
pracht, wie er den obgenanten Maister Hansen wider die egenanten
fürstlichen freyhaiten vnd brivilegia hab straffen wellen an seinem
leib vnd leben, das zaichen sind, daz er im essen vnd trinckhen ver-
czogen hat, als oben gemelt ist, vnd auch er selber verichen vnd auch
sich gerümbt hat, wieder die sturmglockhen uber die schul zuleiten,
auch in vil hewsern volkch mit Harnasch bestellt hab, daz in hundert
vnd mer iaren nach cristes gepurd Tausent drew hundert vnd acht
vnd virczigten, so die schul durch Herczog Rudolffen seligen erhebt,
varz her nicht erhört ist.

Item: auch derselb Burgermaister in sein nagstvergangen Ambt, do ain auflauf geschah durch den pirger Mautter bey dem Rotenturn wider etlich studenten, wie er sich gehalten hat, do er geriten kom zu dem Rector mit grim, vnd gah für, wie inn die studenten aus der Burssen hey dem Collegio mit ain stain zugeworffen hieten vnd zwen hofman wērn durch die studenten erslagen, der dritt leg an dem tod, daz sich also nicht erfunden hat, vnd er doch da mit ettlichen sein brüdern in dem hauffen was, nichtz darezu getan hat, als er zu eren ewern K. G. des haws Österreich, auch der schul von ambts wegen schuldig was, sunder er sprach zu dem Rector, wie ob man ew zw wurffen sturmht, mainet ir, ob wir geprecben hieten an volkch, vnd als vns auch warhaftigklich zugesagt vnd in vnsern puckern verczaichent ist vnd aufgemerkcht, so wie er die czeit fünf Studenten vnverschuldt gefaugen nam, sich do erpoten hat frevenlich, er wolt sy zu stunden köphen lassen.

Item: Er hat auch ain erbern doctorem zu im gevordert in sein haws, vnd in daselbs mit droworten genött vnd betwungen abczetreten ains geschefts im bepholen bey peen zu beleihen in demselben haws vnd zu geen in kernerturn.

Item: auch hat derselb egemelt Bürgermaister zwen erber maister in irm spaczirn des abents bey der Tunaw frevenlich gefurt in kernerturn gelegt vnd vnserm Rector nach menigen ervordern wider vorgeschribne freyhait nicht wellen antwurten.

Item: auch hat er gen erbern Maistern in sand Stephans Kirchen solhe drowort geredt: „Ich wil ettwen ain rēdl gen lassen, vnd ew doctor vnd Maister auf die platten lassen slahen, daz ew das plut vber die meuler wirdet rynnen.

Item: es hat der Burgermaister vns einen vngenedigen Herren wellen machen von des wegen, daz etlich vnserr Studenten, die newe mer hörn haben wellen, an alle wērr als iung vnverstanden mit dem Rector gen hof sein kōmen, als sy wolten vnsern genēdigisten Herren gewalt tun, daz sich an alle zaichen in geczeugnuss in der worhait vindet, als das Maister Thoman mit mer worten hat fürbracht, als auch, das bey peylertor ettlich sein verspott sullen haben, desgleichen vns die gemain auch vnwillig machen, die wir nichtz zeihen, dann alles gut.

Item: das auch Ewr K. G. für sich nemen well all nucz frucht vnd ere, die ewer gnad das ganez haws Österreich vnd all vmbliegunde

land vnd levt vncz an ir gemerkcht, vnd eannd bey gvt vnd der werlt
habent; nicht von dem Bürgermeister, noch von der Stat Wienn, sun-
der von der universitēt, die erkannt ist in irn doctorn, Maistern vnd
Studenten vncz an die ennde der Cristenhait.

Item: auch ist zu merkchen, was ewrn K. G. vnd der Stat Wien
von der Universitet an zeitlichen gütern bekumbt vnd zustet, so der
maister vnd Studenten nur zwai tausent sein, ainer zu dem andern
geschäczt, vnd ir ieder auf zerung zwainczigk gulden ierlich ausgibt;
geswigen der vhrigen Summa, facit vierczigk Tausent gulden, davon
auch ewr K. G. vngelt vnd ander Rennt merklich gemert werden vnd
Reichen vnd armen hie zu Wienn beleibent.

Item: dabey ist auch zu wissen, so der Bürgermaister, auch ett-
lich sein mithelfer des alles vndankbnam wellen seyn, so wirdet die
vniversitēt gedrungen, sich vnd ir frumb Maister, auch Herren, Ritter,
vnd ander ewr leut Kinder, zu bewaren, wann die schul mag mit guter
gewissen, vnd auch irs aides halben von dem Bürgermeister vnd ett-
lichen seinen helffern solhe drowort, venknuss, smach, schandt vnd
mere in die leng mit got vnd guter gewissen nicht dulden; so ist das
wider Ewr K. G. vnd wider der schul freyhait, als vorgeschriben ist,
vnd möcht hinfür noch mer vnrat vnd schaden daraus ersten vnd der
Stat zu Wienn zu ainem ewigen vnlewnt vnd vermerkchen bekömen.

Item: geruch auch Ewr K. G. ernstlich zu schaffen, daz der
vniversitēt vnd irn glidern ir leibnarung besunder in essen vnd trin-
kchen nach laut vnser Privilegij an irrung her in die Stat gelassen
werd, darinn wir in vergangen zeiten ettwann verhindert sein
worden.

Item: so wir versteen, daz vil vnrat wirdet der vniversitēt zu-
geeczogen, darumb, daz der Bürgermaister zu zeiten vnd der Richter
nicht sweren ewrn Gnaden, die vniversitēt zubalten bei irn gnaden
vnd freyhaitten, als die andern ratlewt phlegen zutun nach laut uns
brivilegien, das ewr gnad hörn mag, darumb bitten wir dieselb ewr
K. G., das uns dasselb auch genediklich gehalten werde.

Darumb, allergenedigister Künig! bittent N. der Hector die
gancz Vniversitēt, Lerer, Maister vnd Studenten, daz Ewr K. G. ge-
ruch ernstlich darob zu sein vnd zu Recht erkennen, daz der Burger-
maister sey gevallen in allen peen, vnd vel, so vnd er wider Ewr
K. G. und der schul freyhait ir zu schanden, smach vnd vnere gefre-
velt hat, der Schul vnd auch dem Doctor genug tüe, vnd auch solche

grosse frevel, amuch, schaundt, vnere vnd vhl in kunftigen zeiten
vermitt vnd vnderkomen werde, daraus dann mennigklich versteen
mug, das er gestrafft sey, vnd das Ewr K. G. als wir genczlich ge-
lauhen vnd getrawen, die schul besunder lieb, vnd an solchem ingriff
vnd frevel gross missvallen hab: das wil die schul nach allem Ver-
mögen vmb Ewr K. G. gen den almechtigen got vnd der wellt, wo
vnd wie sich das gepürt, allezeit diemütigklich vnd willigklich ver-
dieunen. Wann, so der schul vnd irn glidern solhe frevel vnd angriff
in gegenhürtigkeit ewr K. G. iecz widergeent, wes solten wir in
Ewrer K. G. abwesen hinfür wartlund sein, iedoch pitt die schul
nicht plutvergiessen mit gewondlicher protestacion, dabey behalt ir
auch die schul vor die gerrechtigkait irer noldurfft vnd klag zu
pessern, zemeron vnd zemynneru etc.

Hienach sind vermerkt ettlich auszüg vnd Artikl der schul
freyheit, die dy maister auf ir klag fürbracht haben vnserm genē
digisten Herren.

Ettlich Artikl aus den hriven der allerdurleuchtigisten Fürsten
vnd Herren, hern Rudolfs, hern Albrechts vnd hern Levpolts geprü-
dern löblicher gedechtnuss weilcut Herczogen zu Österreich etc. vher
die Befreyung der Vniversitēt der schul zu Wienn mildigklich
gegeben.

Von dem Stand des Rectors.

Den Stand des Rector ausrichtund wellen wir vnd secsen mit
dem gegenbürtigen brief: daz der Rector durch der gotlichen maie-
stet, der sach hie gehanndelt wirdet, vnd auch durch vnsern willen,
sol wirdigklich, ersamlich vnd genēmigklich aufgenomen vnd gehalten
werden von allen vnd ieglichen Prēlaten, vnd herren, Bischoven,
Äbbten, Bröbsten vnd auch Grafen, freyen Rittern, Knechten, Burgern
vnd von allen andern geistlichen vnd weltlichen vnser fürstentumb
vnd heraschafften inwonern, wie die genant sein. Als offt er etwas von
der schul gemain, oder irer glider wegen vor vnser, oder vor in
auscerichten hah, an vereziehen werde fürgelassen mit allen seinen
nachvolgern, vnd erborlich vnd zimlich aufgenomen, geduldigklich
gehört, vnd fürderlich ausgericht. Vnd gehieten auch reastigklich bey
behaltung vnser gnaden allen vnsern getrewn, dem Rat vnd der ge-

main vnserr egenanten Stat zu Wienn, vnd allen andern vnd igleichen vnsern vnd der vnsern Richtern, Verwesern, Amhtleuten, Rēten vnd allen vnsern Vndertanen, ob derselb Rector, von gerichts oder anderr sachen wegen, wie die genant sey, die sich erhaben het, oder noch erhüb, irer hilff oder gunst hedürffen würde, im gemainkehlich vnd ir ieder besunder mit ganezem irm vermügen zu hilff komen getreulich vnd trefftigklich beygesteen, nachdem vnd die sach sey, wenn vnd wie offt des notdurfft ist, vnd sew darvber von dem Rector oder von seinem Anwalt werden angeruffet.

•

Von den auszügen vnd freyhaitten der Personen der egenanten Vniversitēt.

Vnd an Befreyung der Studenten wellen wir anderr fürsten, die solch schul erhebt haben, ordnung volgen vnd halten, vnd daz wir icht von iemandt verdacht werden, daz wir dieselhen schul durch gelt gewinnen erhebt haben, sunder nicht achten, was uns von solchem hefreyen vnd aufnemen an vnsern Rēnnten vnd nuczen abgee, wann wir nicht zweifeln, daz das alswo, haid an geistlichen vnd weltlichen gütern zu sel vnd zu leih vns vnd den vnsern manigveltig wieder zustee vnd heköme. Davou bestetten vnd vessten wir, All Maister, Lerer, Baccalarien vnd schüler der egenanten vnserr schul vnd ir Recht diener vnd Bedelln ledigen vnd freyen wissentlich mit dem gegenhürtigen hrief von aller slewr, leben, zugah vnd aller anderr beschäezung vnd dinsten vnserr Statlewten hie zu Wienn vnd aller anderr vnser vndertanen in vnsern landen vnd gebieten vnd wellen, daz niemant derselhen Maister vnd Studenten vmb kainerlay sach, die ir leib, ere oder gut herür oder angee, in chainerlay weise anspprechen oder für gericht ziehen sullen, oder muge vor ainem weltlichen richter, dann allain für den Rector der egenanten Hochenschul, wann wir sy ausnemen vnd freyen von allen solchen stewren vnd weltlichem gericht.

Von den peen der, die laidigen die glider der Vniversitēt.

Darezu gebieten wir, vnzebrochenlich zehalten den Artikl aus dem freyhrief, den wir emaln derselben vnser schulen auf die pesse-

rung der, die dhuinen der egemelten Muister, Studenten oder irer
dieuer laidigen. Derselb Artikl also lauttet :

    Des peen, der ainen Studenten töttet
      oder in seinen tod frevelich stellet.

    Ob bescheeh, des got nicht welle, daz yndert ain Laye vnsern
vndertanen, er wer graf, frey, edl, burger, statman oder ab dem Gew,
Reich oder Arm, wie der genant wëre, inner der gemerkch vnserr
Land dhuinen der obgenanten vuserr Schul Maister, oder Studenten
oder der, die zu derselben schul oder davon zugen, tötte, oder auf
sain tod trachte, oder stalte, vber des person sol der Richter, in des
gebiet solher todslag begangen wëre, nach weltlichs gericht vrtail
vnd recht richten. Wurd er aber flüchtig, so sol sein gut, das ligund
was, des lehen ist, dem lehenherren, was sein aigen oder varund ist,
wie das genant were, halbs vns, vnd halbs der schul verfallen sein
auf vnser gnad.

Die peen des, der lëmet oder ains glids beruubt uinen studenten.

    Wër aber, daz yndert ainer der obgenauten Layen ainen
Maister oder Studenten der obgenanten vnserr schul lëmet, oder im
hannd, fus, arm, pain, augen, nusen oder dhaines andern glides
beraubte: dem sol binengegen ain solich gelid, das dem gleich ist, des
er den meister oder studenten beraubt hat, werden abgeslagen, nur
er los es dann mit hundert markeh silbers wienner gewichts, der
dem verserteu hulber tail gefallen sol, vnd der vbrig balb tail vnder
vns vnd die obgenanten schul geleich getuilt werden. Wër aber, daz
der lëmer, oder glits berauber, der ligunde güter hiel, entruune vnd
davon këme, des erb vnd aigen gut sol vns vnd der egenanten schul
halb, vnd der ander halb tail dem verserten vervallen sein auf vnser
gnad, als vorgemelt ist. Er sol auch veracht vnd verscbriben sein von
allen vnsern launden vnd gebieten an alle hoffnung, wider darin zu
komen, nur er hab dann uorhin vnser gnad vnd des verserten vnd der
vorgenanten schul gunst daruber erworben, wer aber ain solber vbel-
täter ain ruffian oder vmblauffer, daz er dhain stetz beleiben biet, der
sol veracht vnd von allen vusern launden oder gebieten ewigklich an
alle gnad entseczt vnd vertriben sein; vnd ob er hinfür in vnser oder
der vnsern launden oder gebieten begriffen wurd, so sol er beraubt

werden sins geleichen glidts, des er den Maister oder studenten beraubt hat an alle hilff oder ablosung.

Die peen des, der wundet oder beraubt des ambts sins glidts sinen Studenten.

Geschëh aber, das dbainer der Maister, Studenten von yndert sinem Menschen, als vorgemelt ist, gewundet oder frevenlich also gesweht oder versert, das im dadurch etlich seiner glider vnnucze wurde, begriff man den schuldigen, so sol man im hinengegen sin solhs geleichs glid abslaben, nur er lose es mit sechezig mark silbers des obgenanten gewicht, ze tailn nach obgeschribner ordnung auf vnser gnad, die aber davon komen vnd entgeent, der gut sol verfallen sein auch in solher mass, als vorbegriffen ist, die aber nicht gut haben, die sullen von vnsern landen vnd gebieten ewigklichen entsecxt vnd vertriben sein, vnd die darnach darinn begriffen werden, die sol man pfissen an irn glidern, als auch oben geschriben ist.

Die peen des, der verwundet oder laydiget sinen studenten also, das er doch des ambts seiner glider nicht wirt beraubt.

Wir secxen auch vnd wellen in namen, als vor, ob dhain Maister oder student von iemandt mit frevelicher Hannd oder fus anlegen also gelaidingt wurde, das im doch davon kaines seiner glider vnnucz wurde, denselben Laidiger, wirdet er begriffen, sol man sein hannd mit sinem messer durch stechen, nur er lose es dann mit virezigk marken silbers der obgeschribn gewichte, die auch getailt sullen werden, als oben entschaiden ist; kämb er aber davon vnd entrint dem gericht, so sullen wir vns alles seins guts vnderwinden vnd das alslang inhalten, vncx das er daruber vnser gnad gewynnet, vnd gen den gelaidigten vnd auch der schul wirdet versünet; doch sullen wir davon dem gelaidigten nach seiner laidigung acht vnd gelegenhait nch erkantnuss des Rector mit pillicher hilff zu staten komen; aber sa solher laidiger, der nicht gut hiet, dem sullen vnserr land vnd herschaft ewigklieb verpoten sein, wurde er aber darinn begriffen, so sol man im sin hannod mit sinem messer durch stechen, als oben geschriben ist.

Ain gemains gebot, daz der Vniversitet person genez-
lich kain frevel oder laidigung beschech.

Wir wellen auch vnd gebieten allen vnsern fürsten, Prelaten,
Graven, Freyen Herren, Rittern vnd knechten, burgern, Statlewten
vnd allen andern geistlichen vnd weltlichen, die inner den gemerkchen
vnserr lannde vnd herschefften gesessen sind, daz sy darezu ganezen
vleiss tun, daz der ohgenanten vnserr Schul Maistern vnd Studenten
vnd andern irn glidern geuezlich kain vnrecht, gwalt oder laidigung
mit worten noch werchen von in selber oder andern iemant geschech
oder widerfare in kainer weise: wann wer dawider tête, der viel in
Vnser vngnad vnd peen, die wir an zweifl den laidigern wurden an-
legen, so darnber klag an Vns köme. .

Das wider die anvaller der studenten ain ieder, der
das siechi, zulauffen vnd retten sulle.

Darezu gebieten wir auch allen vnsern vndertanen, wie die ge-
nant sein, ob iemandt der ohgenanten Vnserr Schul Maister oder Stu-
denten frevenlich mit gewaffneter hannd anvallen türste, daz ain ieder,
der das seche, zu vnderstehen sollten anvall zulauff, vnd sein hilff
tue, daz der anvaller begriffen werd, vnd seim Richter vnverezogen-
lich geantwurt werde, daselbs das Recht zu leiden; welher aber ge-
genhürtig bey solhem anvall wêre vnd solhes vndersteen vnd bilff
darezu tun moeht an sein selbs merkliche besorgnüss, vnd das ver-
liess, der sol wissen, daz darnmb nicht wirt vngestrafft beleiben.

Wie man gevaren sull mit ainem Studenten, ob vil-
leicht ainer gevangen wurde.

Daz wir auch solhen gunst, so wir zu den Maistern vnd Studen-
ten der offtgenanten Vnser schul haben, meren vnd praitten, gebieten
wir vnd schaffen, ob beschêh, daz ain Maister oder Student der vor-
genanten schul in Vnsern lannden, wo das wêre, gevangen wurd, daz
der erherlich gefürt vnd gehalten werde, vnd daz man vnverezogen-
lich dem Rector zu wissen tu, daz ain solher student gevangen sey,
vnd gehilt dann der Rector, daz der gevangen ain glid derselben
schul sey, so sol in der Richter, in des Vankchnuss er ist, zestund

genczlich vmbannat vnd an alle beschéczung dem Rector zusennden
vnd antwurten. Wér aher, daz den, die in flengen an das obgenant
gehollen oder zeugnusa des Rector wissentlich wér, daz der gevangen
ain student oder der schul glid wér, dann sullen sy selbs in dem
Rector senndten vnd antwurten.

Von der freyhait der Maister vnd Studenten, die zu der egenanten Vniversität gehörn.

Was auch der maister, Studenten vnd schuler, die zu der ege-
nanten Vniversität, oder hochenschul ingeschriben vnd verpflicht sein,
oder hinfür verpflicht werden, vnd auch all ir diener, knecht vnd
poten zu von der selben hohen schule fürent, oder tragent auf lannd,
oder auf wasser, es sey pücher, gold, silber, phenning, versniten oder
vnversniten gewant, oder pettgewant, traid oder wein, lebentig vich,
oder geslagen, fleisch, visch oder gewürcz oder dhainerlay ander
ding, die slechtlich vnd vngeverlich zu irer leibnar vnd klaidern ge-
hornt, also, daz sy kain kaufmannschaff oder wechsl damit nicht trei-
ben; das sol alles auf allen vnsern vnd allermennigklichs zolen vnd
mautten frey vnd ledig hin vnd her gen vnd gefürt werden an mautt,
an zol, vnd an aller ander irrung in allen vnsern landen vnd steten,
vnd wer sy darüber irrte, vnd dhainerlay maut oder zol von in néme,
der wisse sich darumb swerlich in vnsern zorn vnd vngnad gevallen
sein.

Daz ain ieder Fürst, so er iérlich seczt ainen newen
Rate in der Stat zu Wienn, in irn Aid secze oder gebe,
daz sy die Schul bey irn freyhaiten vnd gnaden wellen
schermen vnd halten.

Darezu geloben auch wir vnd verpinden Vns vnd vnser nach-
kchömen vnd iegliche, daz wir zu ieder veränđrung vnd newer Saezung
ains purgermaister, Richter vnd gesworen der Stat zu Wienn wellen
vnd sullen ir ieglichem in sein Aid geben in gegenhürtigkait des
Rectors oder seins Stathalters, daz sy in die egenanten Vnser schul
vnd studenten vnd alle vnd iegliche ir glider getreulich lassen be-
volhen sein, vnd ir freiung, ordnung, vnd vorgab, so Wir vnd Vnser

nachkomen in verlihen haben, und noch verleiben worden, halten
wellen vnd sy dabey getreulich schermen.

Wer aber dawider tåte mit frevelicher durstigkait, der wiss sich
Vnserr fürstliche wirdigkait groslich erczürnt haben, vnd darumb in
Vnser vngnad swerlich gevallen sein, vnd auch wir vnd vnser nach-
komen in darumb püssen wellen an leibt vnd an gut.

Hienach ist vermerkt die klag, so der Burgermaister vnd der
Rate getan habent vnserm genedigisten Herren Künig Lass-
lawen vber Maister Hannsen Kirchaim von seiner Verhandlung
wegen, vnd vber etlich ärczt von irer samung wegen.

Durleuchtigister Künig! genedigister Herr. Sich hat begeben
an Eritag nach vnser frawntag der schidung nagstver-
gangen, das Ewer K. Gnaden Anwalt vnd ander ewrer K. G. Ambt-
leut in offem Rat gesessen, vnd da gehort haben von den, die für
komen seins, klag vnd antwurt, als dann sit vnd gewonhait ist. Do
ist Maister Hanns Kirchaim auch hinin kömen, vnd lange zeit do
inn beliben, vncz man den Rat sperenn hat wellen, vnd hat doch nichtz
anbracht, noch begert, denn daz er zugehört hat, auf wew er aber
gewort hat, das wais er wol. Da kom Wolfgang Holnbrunner,
vnser Ratgenoss vnd pat, daz man im solt schaffen seinen Raitbrief.
Do begert Maister Hanns Kirchaim, man solt im den Raitbrief
nicht geben Er hiet noch in die Raitung zereden. Do mainet der
Holnbrunner, man geb im seinen Raitbrief pillich, wann er hiet
die Raittung getan in gegenbürtikait der Herren des Rats. Maister
Hannseas Kirchaim vnd der andern frewndt, die dann gerechtikait
mainten zu dem gut zu haben. Er hiet auch nichtz wider die raittung
geredt, vnd seindemal er dawider nicht geredt hiete, so geb man im
sein brief pilleich. Mainst in aber Maister Hanns spruch nicht zu ver-
tragen, die mocht er suchen, als Recht wër. Also begaben sich von
baiden tailen meniger red vnd widerred. Das Maister Hanns der
Kirchaim, sprach der Holnbrunner, wër albeg wider in, vnd wër im
nicht ain gelaicher man im Rechten. Er hiet auch geredt, er wer in
des Herczogen gut kain erb nicht gewesen. Nu ist das wol an dem,
das Maister Hanns zu des herczogen gut nicht ain erb ist, aber sein
hawsfraw oder ander mochten erben zu dem gut sein, als sich das
mit Recht wol erfinden wirt. Do sprach der Holnbrunner: Maister

Hanns tät im daran ungütlich, vnd hoffet, daz sich daz in warhait zu im nymer solt erfinden, wann er solhs von menigklich vnbeczigen beliben wäre, vnd hiet auch das vmb in, noch nyemant verschult, vnd pat darauf, man solt an solhem ain missvallen haben, vnd sovil darczu tun, als wir Ewrn küniglichen Gnaden, gemainer Stat, vns vnd im des schuldig wärn. Darnach sprach Maister Hanns Kirchaim: der Statschreiber wär auch albeg wider in vnd hiet im sein sach verkert, die im von dem Rat erkant wär zu Recht. Do fragt in der Statschreiber, er solt im offen vor den herren des Rats, was im zu Recht erkannt wär, daz er im verkert solt haben, wann er im daran vnrecht vnd vngütlich täte; des chund im Maister Hanns nicht sagen; do redt der Statschreiber, Maister Hanns täte im an solcher zieht, die seinen aid, ere vnd gelimphen berürten, vngütlich, vnd hofft auch, daz er das zu im nymer pringen möcht. Also redt er darnach gegen dem Pötlen auch, er solt im nicht an dem Rechten siezen, wenn der pawr wer sein hold, dem auch also nicht ist, der pawr ist ains andern hold. Also redt man mit Maister Hannsen Kirchaim, er solt solher vapilleiher wrrt geraten, des er aber nicht volgen wolt vnd redt den an ir ere vnd gelimphen, als vor, vnd pat, wir solten in haben als vnsern mitburger, also hiessen wir in hinaus treten, vnd was länger dann ain halbe stund vor der tür, wir hieten nicht gerüeht, daz er schon wegk wär gangen, des er aber nicht täte vnd wolt ie ain antwurt haben. Also sagt man im, er hiet vormaln vor dem Rate auch vil vnpillicher wort geredt, darumb man denn dem Rector auch klagt hiet. Nu redt er iezt aber vnsern Ratgenossen an ir ere vnd gelimphen, vnd hat darin nicht geschont ewer küniglichen Gnaden Anwalt, der andern Ambtlewt vnd des Rats, darumb solt er still steen vnd in den Turn geen; daz ist in der zwelften stundt geschehen. Also hat man in gehalten in erberr vänkchnuss, vnd sein wol phlegen mit vischen, andern guten essen vnd wein. Darnach hat der Rector lassen begern zwischen sechsen vnd syben, man sull im Maister Hannsen Kirchaim zu der schul hannden antwurten, darczu man geantwurt hat: Maister Hanns sei gefangen als ain mitburger vmb sein verhanndlung, man wiss den nicht zu antwurten. Darnach hat Maister Michel vnd ettlich ander ärezt die Samung gemacht, vnd den Rector vnd ander maister mit in aufpracht, vnd komen für Ewr Künigliche Gnad an Ewer küniglichen Gnaden hof mit irer verhafften were, vnd do über den Burgermaister vnd den Rate klagt, des sy pillich geraten hieten, vnd

haben den ie von Ewrn küniglichen Gnaden haben wellen, den in Ewr
küniglicbe Gnad hat antwurten lassen, sölh vngehorsum ey Ewrn
königlichen Gnaden habent erczaigt, darumb sy Ewr kuniglicbe Gnad
wol fürczunemen weis. Es sein auch die Studenten ze hof, pey meins
hern von Walsse haws, am kolmarkcht, bcy Peyler tor, am graben
vnd in andern gassen mit irer wer gestannden vnd geschrieren, vnd den
Spot aus der Stat getriben. Nu ist alle samung bey verlicsung leibs
vnd guts verpoten, vnd sunder den Studenten ist voraus verpoten,
swert vnd messer zu tragen, vnd sullen auch bey der nacht auf der
gassen nicht geen, das sy aber nicht lassen haben. Also bitten wir
Ewr K. G. diemutigklich von gemainer Stat wegen, Ewr K. G. welle
gnedigklich darob sein, vnd Maister Hannsen Kirchaim vmb sein ver-
handlung straffen vnd darczu halden lassen, damit dem Rat von im ain
benügen geschech, vnd dem Pötl, Holnbrunner vnd Statschreiber vmb
solh zicht, die ir aid, ere vnd gelimphen berürt, ain abtrag beschech
nach Ewr K. G. erkanntnuss. Das auch Maister M i c h e l S c h r i k c h
vnd die andern ärezt vmb solich vnpilliche samung gestrafft werden,
vnd gemainer Stat von in ain abtrag beschéch. Das wil gemaine Stat
vnd wir vmb ewr küniglichen Gnaden vndertenigklich vnd gern
verdienen.

IX. *Hienach wirt begriffen des Burgermaisters vnd des Rats Ant-*
wurt auf des Rector, der Doctores vnd maister klag, so ey auf
den Burgermaister habent fürbracht, als vor geschriben stet.

Durleuchtigister Künig, genedigister Herr. Als die Ersamen
N. der Rector, die lerer, Maister vnd studenten ewer K. G. Hochwir-
digen Universität hie zu Wienn derselben Ewr K. G. Burgermaister
in irm fürbringen beklagent nach laut meniger artikl. Nu bitten wir
diemutigklich, ewr K. G. welle vnser antwurt genedigklich darauf
hörn, das wellen wir vmb dieselb Ewr K. G. vndertenigklich vnd gern
verdienen.

Item auf den ersten Artikl ist vnser Antwurt, vnd lassen Ewr
K. G. wissen, das der egenant Burgermaister für sich selbs in den
sachen nichtz hat gehanndelt. Sunder was er hat getan, das hat er
nach vnserm Rat vnd haissen gehanndelt, darumb mag Ewr K. G.
derselben ewr G. Anwalt hörn, vnd wir mainen auch, das Maister

Hanns Kirchaim nicht vnpillich, noch wider recht ingenommen sey
worden, wann er selbs begert hat. Wir sullen in bulden als vnsern
mitburger. Darczu hat Maister Hanns Kirchaim vormaln in offem Rat
in die vnsern menigermaln vnschidlich vnd mit vnlewntlichen herten
worten geredt, daz wir vber in maister Jobsten Hawsner, dieselb
zeit Rector in der Juristen schul, dabey ander doctores vnd maister
der vir facultet gewesen sein, der schul zu eren geklagt vnd gebeten
haben, in darumb zu straffen, wann wir von im solhs nicht leiden
möchten. Teten sy des aber nicht, so müsten wir in selber darumb
straffen, vnd seid vns nicht wissentlich ist worden, wie er gestrafft
sey, vnd iecz aber vnsern ratgenossen an ir eid, ere vnd gelimphen
geredt vnd begert hat an vns, wir solten in halten als vnsern mit-
burger, haben wir in nicht vnpillichen als vnsern mitburger, der mit
weib vnd kind hewsslieb hie siczet, vnd mit der Stat stewrt vnd sein
handl vnd gewerb treibt, als ain ander mitburger.

Item auf den andern artikl. Sol Ewr K. G. wissen, das Maister
Hanns erst vmb zwelfe ingenomen ist worden vnd gangen ist in vnser
gewelb, dariun vnser brief ligen, vnd ee im vnser Statkamrer zu
essen beraitten hat lassen, mag es sich wol so lang haben verczogen,
als in die ander stund, wann wir nicht gedacht haben, daz er Ewrn
K. G. zu smach, der Stat vnd vnsern Ratgenossen zu vneren solhe
vnpilliche hanndlung tun woll. Darumb er dann vnser Gast ist worden,
ist uns auch nicht wissentlich, ob er vastund in das Rathaus gangen
ist oder nicht.

Item auf den dritten Artikl. Sol Ewr K. G. wissen. Als Maister
Hanns Kirchaim ervordert ist worden als ain glid der schul, dafür
wir in nicht balden, nachdem vnd er hie mit vns handlt als ain hur-
ger, vnd mit der Stat in stewrn vnd anslegen mitleidet. Nun biet dem
Burgermaister nicht gefügt, daz er maister Hannsen an vnser wissen
vnd willen der schul geantwurt hiet. Auch haben wir vnd vnser vor-
vordern offtmalen an sy begert vnd gebeten, vns ir freyhait vnd pri-
vilegien ain bewärte abgeschrifft zugehen, damit wir vns gen in
desterpas hieten wissen zuhalten, der aber wir vnd vnser vor-
vordern von in nie haben mugen bekomen, wann wir wolten auch
wider ir freyhait vnd vnser innsigil vngern ichtz vnpillichs handlen
noch tun.

Item auf den virden Artikl antwurt. Darauf sol Ewr K. G. wissen,
daz vns vnd dem Burgermaister vmb solh straff besamung des volkchs

vnd die sturmglocken vber die schul zuleitten gar nichcz wissentlich
ist. Vnd hitten diemutigklich cwr K. G. welle schaffen, die erbern
vnd namhaften lewt, die solhes an sy pracht sullen haben, fürczu-
bringen vnd die hewser wissentlich ze machen, darin solh samung des
volkchs gewesen sull sein, vnd die zuhörn, den die Sturmgloken
empholhen ist, so wirdet sich in solher verhörung warhafftigklich er-
finden des Burgermaister vnschuld vnd daz sy solher vberklag pillich
geraten hieten.

Item auf den funften Artikl. Wiss ewr K. G. daz sich ain auflauff
begab von hoflewten vnd studenten, also, daz baid tail bey der schul
in ettlichen Bursen an einander komen, vnd do wurden von den hof-
lewten der studenten funf gevangen. Also kom Graf Pernhart von
Schawnberg, dieselh zeit auch lanndmarschalh, auch der von
maidburg vnd ander hern vnsers genedigisten Herren — des kaysers
rēte vnd hofgesind zu dem Burgermaister in sein haws geriten vnd brach-
ten daz an in, wann im vor umb den auflauff nichtz wissentlich was. Also
raitt er, der Richter, auch ettlich des Rats vnd ander burger mitsambt
in zu reitung der schul hinab vnder den auflauff, vnd vnderwunden
sich da der fünf gevangen studenten, die die hoflewt gefangen hēten,
vnd vnderkomen damit allen rumor, daz der vnderstanden ward, also,
das baid tail an merer scheden voneinander komen. Also hielt man
die gefangen studenten der schul zu eren in der Stat vēnkchnuss, vnd
in des Burgermaistors haws, vnd warn hilfflich, damit die an alle
straff wider ledig wurden; wir liessen auch meniger nacht zirken zu
Rossen vnd ze fussen, damit sich nicht mer vnrats hegēh. Darumh
mag Ewr K. G. Graf Pernharten von Schawnberg hörn, vnd
den von Maidburg, wann der herkumht.

Item auf den sechsten Artikl. Nu wissen wir nicht, wer derselh
doctor ist, mainent sy aber Maister Pangrēzen, der auch ain arczt
ist, So so(!) Ewr K. G. wissen, daz vnserr mitburgerin aine, genant die
schernheimerin, gestorhen ist vnd ain geschefft getan hat, dasselh
geschefft Maister Pangrēcz vnd ander ausgericht solten hahen. Nu
hat dasselb geschefft mit ettlichen kleinaten vnd gulden der schern-
haincrinn Swester, genant die Hehlin, haymlich in ir gwalt pracht,
mit derselben frawn der Burgermaister geredt hat, daz solh irer
Swester geschefft herfür gēb, vnd wider werden liess, vnd wēr ir in
dem geschefft nichtz geschafft, so wolt er dannoch daran sein, damit
ir von irer Swester gelassen gut ettwas durch gottes willen geben

wurde. Also hat die fraw das lědl verpetschadt vnd verspert mit dem
gescheft, kleinst vnd gulden für den Rat pracht. Also hat die Schern-
haimerin irer Swester nichtz geschaft, vnd darumb, daz die fraw das
gescheft vnd das ander gut also herfür gegeben hat, durch des willen,
dazu auch irer klainen kindlein vnd irer armut willen haben wir, der
Rat mitsambt dem Burgermaister, mit Maister Pongrëczen vnd den
andern geschefftlewten geschaft, wes der schernhaimerin gut vher
solh gescheft, so sy getan hat vherheleib, dus sy das alles durch
gottes willen irer swester gehen sullen, nach dew vnd sy doch solh
ir gut, was vher dus gescheft vherheleiht, durch gottes willen ge-
schafft hat, und es hiet auch Maister solher vherklag wol geraten, nach
dew vnd im doch ain guts haws von der schernhaimerin in sinem
wolfailen kauff daraus worden ist nach inhalt irs gescheffts, wer aber
das gescheft nicht herfür pracht worden, so wēr irer swester das
haws vnd alles gut heliehen.

Item auf den Sihenden Artikl sol ewr K. G. wissen, daz wir
vnserm allergenedigisten Herren, den Römischen Kayser ewr K. G.
zu eren vnd wolgevallen im werd ain köstlich frewden mal gehen
haben, do schuff man die Prugk bey dem Rotenturn zubeseczen, da-
mit die studenten vnd ander hinüher nicht kömen. Do wolten die
studenten mit gewalt über die prugken vnd slugen die diener, den
man da zu hilff komen must. Also wurden die zwen mit irer wer ge-
vangen, vnd die fürt der Burgermaister vnd ander angeundts zu der
Hochenschul, vnd bieten die dem Rector gern geantwurt, die aber der
Rector nicht inneinen wolt, der doch dieselb zeit in der Hochenschul
wonhaft was. Es wolt auch der Rector den Burgermaister nicht hörn
leunger, dann ain halbe stund, also must man die verrer füren in der
Stat venkchnuss so lang, uncz daz die vnser genedigister Herr wider
ledig schuff.

Item auf den achtaten Artikl, darauff sol Ewr K. G. wissen, daz
wir solhes von dem Burgermaister nicht gelauben, noch ie gehört
haben, wann er solhs an vnsern willen vnd hilff nicht tun mocht, so
geben wir auch vnsern willen darczu nicht, vnd darumb so tun sy
auch solhe Burgermaister mit solher zicht vngütlich.

Item auf den newnten Artikl Antwurt: daz wir vor Ewrn K. G.
nicht anders gebeten haben, denn das vns Ewr K. G. gen Maister
Hannsen Kirchaim vmb sein verhandlung vnd gen Maister Micheln
schrikch vnd ettlichen ërczten von der samung wegen ain tag zu

verhörn entschaiden solte, das ewr K. G. genedigklich getan hat.
Aber die doctores, Maister vnd Studenten sind hey der nacht in
samung mit irer wer, swerten vnd messern iu die Purkch vnd auf
der gassen gegangen vnd da ir geschray getriben, das frumb erber
lewt, edl vnd vnedl wol geschen habent, vnd tunt vns vnd dem Bur-
germaister daran vngütlich, das wir in ainen vngenedigen herren
haben wellen machen, wann doch solh vnd anderr vnpilliche samung
verpoten ist.

Item auf den zehenten Artikl. Nu weis ewr K. G. wol, das di
Stat mitsambt dem Burgermaister ewrn K. G. treulich gedient hat
vnd hinfür zutun nicht aufhören wellen, vnd das man auch in
andern kunigkreichen vnd landen von der Stat mer
weis zusagen, dann von der Vniversitẻt, vnd hoffen,
das wir ewrn K. G. vnd dem ganczen hawa von Öster-
reich auch nicht vhel ansteen, als wir das in velden vnd
manigen wegen vil iar menigveltigklich mit grossem darlegen bewelst
hohen.

Item auf den aindlefften Artikl antwurt. Sol Ewr K. G. wissen,
das gemayne Stat vil mer verzert, dann die wirdig
Vniversitẻt, dieselh zerung auch ewrn K. G. merern nucz vnd
merung ewr K. G. Rẻnuten pringt, dann die zerung der ganzen Vni-
versitẻt, vnd kömeut auch vil studenten her, der ir ainer
kawm drey phenning her bringt, der vil von den In-
wonern der Stat hie generrt werden, vnd darczu gocz-
gab oder ander gut hie zu weg hringen mer, denn sein
vater dahaim hat.

Item auf den zwelfften Artikl antwurt. Genedigister künig. Nu
sol ewr K. G. wissen, das der Burgermaister vnd sein helffer, wer die
nu sein sullen, noch yemant von gemainer Stat wegen der wirdigen
Vniversitẻt zu smach, oder zu vneren nichtz gehandelt, noch getan
habent, wissen sy uber ichtz, das in vnpilliche sey geschehen, das
pringen lautter für, so soll man in das verantwurtten nach notturfften,
sunder wo man in fürdrung beweisen vnd dienn hat sullen oder
mügen zu irn eren, nucz vnd frumen, das hat man albeg getan, man
wil auch das noch geren t'un, alsverr sy das ver-
dienen.

Item auf den dreyezehenten Artikl. Antwurt. Sol ewr
K. G. wissen, das man in nach der Stat freyhait vnd gerechtikait

wie wider ist gewesen, ir narung herein zu lassen: aber citlich
Studenten haben ettlich vassl pir menigermal mit gwalt vnd ver-
pergen an alns Burgermaistors erlauben herein tragen, das
wider vnser der Stat freihait vnd gerechtikait vnd wider alts· her-
komen ist.

Item auf den virzehenten Artikl Antwurt. Daz soczen wir zu
ewrn K. G. zu verantwurten.

Item auf den funfezehenten artikl antwurt. Genedigister herr.
Nu verstet ewr K. G. wol nach dew vnd der Burgermaister für sich
selbs in den sachen nichtz gehandelt hat, sunder was er getan hat
das hat er gehandelt als ain Ambtman. Aber daz sy ewrn K. G. die
sach anders fürbracht huhen, dann die an ir selbs ist, wais Sy ewr
K. G. wol vmb fürozunemen vnd hoffen, daz der Burgermaister der
Vniversität zu schanden, smach vnd vnere nicht gefrevelt hat, darumb
sy unpillich straff zu im pitten, wann offenbne ist, daz die stat hie
auch guten lob, namen vnd Lewnt gehabt hat, auch
der herschafft vnd dem haus zu Österreich erlich vnd
nüezlich ist gewesen, ee wenn die Vniversitet ie ge-
wesen ist.

Item als sy in beschliessung irer klag seczent grosse swere wort
vnd bittent darauf grosse Ruch vnd ernstlich straff zetun. Nu westen
wir das auch wol mit swern vnd rechigen worten daentgegen zu ver-
antwurten, daz wir aber Ewr K. G. zu Eren vnder wegen
lassen, wann ewr K. G. in vnserr antwurt wol vernemen wirdet,
daz der Burgermaister vnd wir solch vberklag vmb sew nicht ver-
schuldt haben.

Dann als Maister Thoman von Haselpach ewrn K. G.
sunderlichen vnd mit worten fürbracht hat, wie er gedengk, das Ru-
dolff Angervelder seliger mit ainem panir sich wider die stu-
denten erhebt hette vnd solte er vor nicht vmb sein gut geschezt
sein, so wär er gar swerlich an leib vnd gut gestrafft worden. Aller-
genedigister Künig, nu sol ewr gnad wissen, das Maister Thoman
den frumen man vngütlich tut vnd vnpillich nachredt, vnd solt sich
pillich darumb erkennen, wann der Angervelder vmb kain schuld
geschezct ist, sunder darumb, daz er sich vnsers rechten erbherren,
ewr Gnaden vater loblicher gedechtnuss, hat gehalden, darumb nam
herezog Leupolt in vnd ander in vankchnuss, vnd wurden vmb
ir gut geschezct, wann der Angervelder ein frumer trewer man

seiner herschaft vnd der Stat hie gewesen ist, darumb geruch ewr
K. G. den brief zu hörn, so wirdet ewr K. G. vnd hochwirdigen Rête
vernemen, das Maister Thoman dem Angervelder vnpil-
lichen nachredet.

Item als maister Thoman geredt hat von des Mustrer wegen,
ist vns nicht wissentlich, daz er von der schul wegen gestrafft sey
worden.

Item: als maister Thoman geredt hat, wie die phaffen
in behem gegen im geredt haben: wêrn die doctores
vnd maister hie nicht gewesen, sie hieten langst ir
prediger hie gehabt, vnd ir glauben wêr nu langst
gar gen Rom gelangt, genedigister Kunig ist wol wissentlich,
daz in behem, in der slesien vnd in Mêrhern noch manig stêt sind,
die prag nahent gelegen sein, die der heiligen Römischen Kirchen
gehalden habent vnd noch halten, da doch kain vniversitêt
nicht ist; desgleichen hieten wir vns mit der hilff
gottes von vnserm rechten gelauben vnd der Römi-
schen Kirchen auch nicht bringen lassen. Vom wem aber
solher irsal auferstanden ist, das ist wol offenbur; Hiet aber Mai-
ster Thoman solhen irsal mit seiner lêre vnderkomen,
so wêr vnser genedigister herr Künig Albrecht, auch
lannd vnd lewt vnd wir aussgebens vnd darlegens ver-
tragen gewesen, vnd meniger vmb leib vnd gut nicht
komen.

Item, als Maister Thoman hat fürbracht, wie die schul nie hertter
gehalten gewesen sey, dann pey dem Burgermaister ieczt vnd vor:
Genedigister Künig kunnen wir nicht versten, noch wissen, daz in
von dem Burgermaister dhain vnpillichs widergangen, noch dhain stu-
dent leiblos worden sey, wie aber bey andern Burgermaistern studenten
gestrafft sind worden an leib vnd leben, das ist geschehen vmb
ir verschulden.

Item so ist den Maistern bey dem Burgermaister iecz vnd vor
von dem Rat nachgeben worden irer lebenschafft vir mess, die man
albeg dem êltisten Colegiaten leihen sul.

Item: in ist auch das iar ein haws gevertigt worden zu einer
vankchnuss, darinn sy ir gevangen haben solen, vnd in wew man in
dinst vnd fürdrung hat beweisen mugen, das hat man gern tan zu
eren der wirdigen schul.

Item Maister Thoman hat geredt, das Maister Hans in zwain iaren hie niehlz gehandelt hab. Genedigister Künig, daran hat Maister Thoman vnrecht geredt, wann wissentlieh ist, daz er in den iaren kaufft vnd verkaufft, vnd sein gewerb hie triben hat.

Item als aueh Maister Thoman vor ewrn Gnaden geredt hat, wie der Burgermaister ainen doctor von ainem geschefft gedrungen hab, vnd was im daraus worden sey, das wiss er wol. Genedigister Künig, sol ewr K. G. wissen, daz vns anders vmb die sach nicht wissentlich ist, denn als vor in vnser antwurt des sechsten artikl begriffen stet. Aber der Burgermaister hilt diemutigklich, Ewr K. G. welle zu der frawn schikchen vnd die darumb hörn lassen, so wirdet sich erfinden das der Burgermaister von des geschefffs kainerlay mietl noch gab nicht genomen hat, vnd daz im Maister Thoman vngütlich tut.

Darumb, allergenedigister Kunig vnd Herr, bitten wir von gemainer Stat wegen, als diemutigist wir ymmer kunnen vnd mugen, Ewr K. G. welle solh vnpilliche vberklag auf Ewr Gnaden Burgermaister vnd vns nicht gelauben vnd darinn ain missvallen haben, wann sy vns daran gar vngütlich tunt vnd vnser antwurt darauf genedigklich vernemen, vnd hoffen ewr K. G. werd ernstlich darob sein vnd zu recht erkennen, das Maister Thoman von Haselpach, Maister Michel Schrikch vnd etlich ander ärezt vmb solh inzieht, vnlewnt, vnd smach, so sy vns vnd der Stat gern zuziehen wolten, vnd auch vmb die samung, so sy gehabt haben, gestrafft werden, vnd vns darumb von in ain abtragen beschech. Das wellen wir vmb ewr K. G. mit aller vndertenigkait gern verdienen. Auch behalten wir vns vor der Stat gerechtikait vnd vnser notdurfft vnd Antwurt zu verpessern, zemeren, vnd ze mynnern.

Vermerkt die Klag, die Maister Hanns von Kirchaim fürt wider den Pötl, Statschreiber vnd Holnbrunner vnd alle, die an seiner runkchnuss schuld haben.   X.

Allerdurleuchtigister Kunig vnd genediger Herr. Ich lass Ewr K. G. wissen, als ich manigveltigklich durch Hanssen Herezog meines swëhers etlich gescheffllent groslich vnd merkchlich beswert worden pin, Als ewr K. G. an meinen anbringen wol verstanden hat, vnd ich vormals offt an ainen Rat gepracht hab nach laut der klagzedl, die ich auch ewrn Gnaden antwurt. Auf die mir kain antwurt gevolgt hat,

dann, sy sein mir niehtz schuldig zu antwurten, vnd was ich klagt
hab mein schaden, hat mir kain ander recht volgen wellen. Verstet
Ewr K. G. wol, daz mir mein schäden vnd andern erben nicht ge-
wendt worden sind, des wir grossen schaden genomen haben, nach
solhem erklagen, desgleichen ich vor Ewrn K. G. auch getan hab,
pin ich gen allen in grossen vnwillen des Holnbrunner vnd des Stat-
schreiber, dann sy swëger sind, vnd in der Stat vmb gelt, wie sy den
handl, den der Holnbrunner gen Venedi fürt, auch miteinander habent,
zu dem in solh gelt nicht vngedient hat, als zway tausent phunt phen-
ning, als wol zu versten ist, vnd nachdem vnd das kind abgangen ist,
des gut der Holnbrunner noch ainen guten tail inn hat, so hat sich
auch der potl nach abgang des kindts vmb mein widertail angenomen
als ain tail, vnd ettlich meiner widertail sind sein holden, als er mir
selber gesagt hat.

Also nachdem vnd der Holnbrunner vnd der Statschreiber mein
feint sein, vnd der pötl ains tails, des ich mich groslich beswärt be-
deucht, sollen sy mir Recht sprechen vmb solh merklich gut, bin ich
für Rat kömen und hab begert an ainem vorsprechen, ob er mir mein
nottdurfft reden well, er hat sich des verwilligt, vnd alspald ich ge-
sagt hete, die sach die berür den pötl vnd den Statschreiber, hat er
mir mein notturfft nicht reden wellen, vnd hat sich zu der tür aus-
gehebt. Als mir der vorsprech nicht hat reden wellen, aus dem
mir den gross vnrecht vnd schand entsprungen ist, hat mich der
Burgermaister haissen reden also hab ich zuchtigklich fürbracht mit
worten, die man teglich nuezt in dem Rechten, wol gar sy wider mein
feindt vnd widertail gewesen sind, den ich nicht schuldig pin, ir sach
gut zemachen mit zuversweigen die warhait vnd vnpillicher handlen
vnd hab geredt in solher mass.

Von ersten gegen den Holnbrunner, Holnbrunner, ir seit ain ge-
seheifftherr des gutz, vnd habt daz inn, vnd habt vns vnser gut nicht
behutt, als ir vns schuldig gewesen word, vnd vmb solhen abgang
vnd verlorens gut seit ir zuspruch von mir wortlund. Verlur ich nu
das Recht, so hiet ir mir leicht geantwort, gëb aber mir das Recht,
so möcht ich ew solher anspruch nicht vertragen, vnd darvmb siezt
ir mir vnpillich am Rechten, ir seit auch mein feint, als menigklichen
wissund ist, daz ain frewndt oder ain feint nicht sol siezen an dem
Rechten, denn das Recht wër dem andern tail nicht gleich. Nu seit
ir mir auch nicht geleich vmb solher vrsach wegen. Ich beezeug

auch, das ich ew mit solhen worten an ewr ero nicht main zureden
anders, dann ich vormals gemeldet hab, mag ewr K. G. wol versten,
daz si mich vmb solh mein pillich anbringen vnpilleich gesmecht
haben, vnd in senkehnuss genomen. Dann hiet ain Rat verstanden, daz
der vrsach nicht genug gewesen wër, ich hiet mich davon lassen
weisen in der gutigkait, vnd hieten Ewrn Gnaden zu schanndt vnd der
ganczen Stat ein solhe verpotne grobe antwurt nicht dürffen geben,
als sy mir geben haben, hey der wol zu versten ist wër in solher
vnpillicher schad widervaren, als mir, daz sy merkehlicher vnd pilli-
chere wort gefuert hieten, dann ich, so sy solhe grobhait mit worten
erezaigt habent, vnd in kain schad daraus gangen ist.

Als nu der Holnbrunner vor ewr K. G. mit grohen vnzüchtigen
worten geantwurt hat, es werd sich mit worhait nicht erfinden, mit
den er ewr K. G. nicht geschont hat, lass ich ewr Gnad wissen, daz
ich solh klag menigermal in offem Rat wider in gefürt hab, er hat nie
widerredt mit andern worten, dann er sey mir nichtz schuldig zu ant-
wrten. Ich beger auch nicht mer, dann das mir seiner rayttung ain
abgeschrifft gebe, so wil ich alles des weisen, daz ich auf ihn geklagt
hab vnd merkehlich mere.

Als dann der Burgermaister anbracht hat von des Statschreiber
wegen, wie ich in gerzigen hab, er hab mir helffen widerumb bringen,
daz mir von ainem Rat zugesagt ist worden, des pin ich an laugen,
dann mir zugesagt worden ist zu rechter zeit ain Raittung von den
gescheffherrn; aber sy haben wol gewest, wie sy mit dem gut vmb-
gangen sind, vnd hab des nie von in bekomen mugen, vnd der Stat-
schreiber hat im sein antwurt stetes wider mich gemacht, des ich sein
aigen brief hab; mir hat auch der Holczler selher zugesagt, von wein
wegen, die des kindts gewesen sind, man sull mir die zu kauffen geben
vnd sy solicht ainem dem andern, als sy vormals getan haben, vnd ist
mir auch widerumb von im zugesagt worden, man sol die andern
lewten geben vnd daz ist auch durch nymandt gangen, dann durch
den Statschreiber vnd den Holnbrunner: die haben fürgehen: Ich
hab ainen besundern Richter, bey dem man mich nicht genotten mag,
daran sy meinen Richter vnd mir vngütlich tan haben. Ich hoff auch,
daz ich im an seinen gelimphen damit nicht geredt hiet, dann wol
wissund ist, das offt ain Rat ain ding schafft vnd widerschafft desselb,
vnd schadet im an seinen eren nichtz. Es hat auch der Statschreiber
in offem Rat geredt, ich hab nicht war vnd ist wissund, daz sy mich

3*

vmb ain mynnere red gegen vnserm Rector verklagt huben, vnd haben
gesprochen, wēr ich nicht ain glid der schul, sy wolten mich in Ker-
nerturn legen, vnd doch vmb solhe verpotne vnezüchtige wort ist er
nie gestrafft worden. Das dem also sey, ist dem ganczen Rat wol
wissund, den mag Ewr K. G. hörn, als darezu gehört.

Item als ich verstanden hab von dem Pöll, daz ettlich meiner
widertail sein holden sein, vnd hab auch gemerkeht, daz er die sach
gefürt hab, als ain tail, dann er hat ainen pawm der frontschaft vnd
erbschafft vber mich gemacht, der begriffen hat das geswistreid; wer
frewndt vnd erben sein sollen, dann frewndt, die ire Kinder zusamh
verheyratten mochten, hab ich wol verstanden. Iliet er mit solher
vnpillicher figur ettlich des Rats an sich mugen ziehen, er hiet es
gern tan, wol gar es wider all Recht gewesen wēr, vnd als ich ver-
stannden hab, daz er die sach gefürt hab als ain tail mer da in gemainer
man vnd ain tail sein holden sein, vnd nachdem vnd er mir zu mech-
tig ist vnd der Holnbrunner vnd der Statschreiber an im gehangen
sind, bin ich beswert gewesen vnd hab anpracht, der pöll für die
sach als ain tail vnd die pawren sein sein holden, darumb sicz er mir
vnpillich am Rechten, da hab er mir kain ander antwurt nicht geben,
dann, er well als wol am Recht sprechen, als ich, vnd trug noch ainst
guldeine gesperr, vnd well dem pald tun, er well mich straffen lassen,
das ichs nymer tue. Des hab ich ainen ganczen Rat gebeten, solher
vnpillicher schenntlicher antwurt zugedenkehen, vnd hab mich des
ser erklagt. Ich hab im auch kain andre wort uie zugeseezt, vnd solh
mein pillichs anhringen, daz ich an Rat nicht getan hab, vnd der Vor-
spruch mir mein notdurfft nicht hat reden wollen, haben sy mich ge-
fangen wider mein freyhait die gestifft ist von Ewrer Gnaden Elter
vnd versprochen zehalten vnd das versprechen gevestent mit irn In-
sigiln vnd habent der nicht geschont vnd haben mich geengstigt vn-
geessen vnd vngedrunckehen vncz auf zway nachmittags als ain Übel-
tēter. Hoff ich, es sey Ewrn K. G. laid vnd bitt mit vleys, daz Ewr
gnad den Pöll, Statschreiber vnd Holnbrunner mir zu Recht stellen
wellet, vnd findet sich dann mit Recht, das mir vngütlich geschehen ist,
so hof ich zw ewrn K. G., ewr Gnad werd sy straffen vnd darezu halden,
daz mir vmb solh vnpilleich, strēflich schēm vnd ängstigung genug ge-
schech, das wil ich alezeit vmb Ewr K. G. mit Vleys gerne verdiennen.

Als der Burgermaister auch fürbracht, wie ich gesprochen hiete,
ich wēr ain bürger, sy hieten auch mit mir gefagen als ainem burger

lass ich Ewr K. G. wissen, daz sy mich von erst gefangen haben, vnd
so mich gemüt, ich sult in ain turn geen, daz hab ich mich zu dem
rirden mal erwert mit dem, daz ich mich meldat, ich wēr ain glid der
schul, vnd hieten nichtz vber mich zupieten vnd gedeehten, was sy
der schul gesworen hieten; also gahen sy mir zu antwurt: Sy fengen
mich als ain burger; was mein antwurt. Ich wēr ain burger, als mein
élter, damit wēr ich der schul freyhait nicht heraubt, daz sich er-
funden hat, daz die schul nymbt sich vmh nyemandt an, der nicht ain
glid der schul ist, dahey wol zu versten ist, daz sy wissund haben
ewr Gnaden schul freyhait zebrochen, vnd haben schympflich ausred,
den sy auch anbracht haben, sy haben mir gut visch geben. Es ist
wol an dem, daz sy mir visch hinin geschikeht hahen, aber als er
zway slug; ich hab ir auch nicht geniessen mugen, dann so sy mich
vngeessen hahen lassen, pin ich in grossen sorgen gewesen, sy wur-
den ain gach mit mir hegen, vnd was man mir hinin getragen hat,
habent die Knecht geessen vnd herwider ausgetragen vnd ich nicht.
Vnd alles daz ich an ewr K. G. bring was am Rat wol, vnd heger
Ewr K. G. well ieden besunder hey sein aid hörn, so hoff ich, es
werde sich mit worhait erfinden. Also genediger Herr, bitt ich als
vor ewr K. G. well die straffen, von den ich die schant hab besunder,
vnd daroh sein, daz mir vmh solh vnpilleich schēme genug beschech,
daz wil ich vmb Ewr K. G. gern verdienen.

XI.

Vermerkcht die Klag, die Maister Hanns von Kirchaim getan
hat vor ainem Rat wider die geschefftherren Hannsen Herczogs,
seins swehers.

Ersamen vnd weisen lieben Herren, wir haben ew vormals ge-
beten, daz ir schufft mit den geschefftherrn des herczogen Kindes,
daz sy an Rat vnd auch der frewntschafft solhs guts, daz in ingeant-
wort ist, ain wissen tun, vnd auch ain rayttung des verkaufften guts,
als der eeig Rat mit in geschafft hat, das also noch nicht geschehen
ist, pitt wir euch lieben Herren, ir wellet daroh sein, das dem also
nachgangen werd, das wellen geren verdienen.

Auch lieben Herren bitten wir mit vleiss, ir wellet vns raten vnd
helffen, das solhe beraitschafft, so der Holnbrunner innhat, angelegt
werd an erb oder sunst nach der frewnt Rate, damit das Kind vnd
sein rechten erben solhs guts desterpas vergewist sein, als der stat

gerechtikait innhelt, vnd anch mag man solhs guts alle iar wol ge-
niessen zway hundert guldein oder merkehlich mer. Es ist auch
wissund, das solhs varundgut hie ist vnd mit hertter arbait zuwegen
pracht ist von vnserr weiber vater vnd muter, vnd nicht von dem
Herezogen, darumb vns bedank, daz wir vns pülleich müenn, daz die
rechten erben solhs guts geniessen, oder das solb gut zu leg vnd des-
selben guts frewndt lewt von den solh gut nicht zu wegen pracht ist,
geniessen vnd also vnwissund vnd vnvergült innhaben vnd vnverraitt.
Auch ist es wider vnser Statrecht, mit dem manicher genott ist wor-
den, solb gut zu vergütten, vnd von bernitschafft zinsen, bitten wir,
das wir auch also behalten werden.

Auch bitten wir ew mit vleys, ir wellet mit den geschefftberren
reden, daz das Kind seins guts an nuez vnd gewer köme, das auch
also nicht gesehehen ist, denn wol wissund ist, daz den erben grossz
schad vnd irsal daraus ging, vnd ob sy vber solh begern vnd ermonen
das lenger an liessen staeen, ging vns dann icht schad daraus, den
müst wir verrer sueben. zu in vnd zu irn erben vnd bitt ew solhs
ermonens zugedenkchen, dann wir solhes vormals offt begert vnd au-
bracht haben.

Auch lieben Herren lassen wir ew wissen, daz vil guts ist, des
der Herezog vormals genossen hat, das ou ganez wust ligt, auch
haben sy dem Kind ain wenig hingeben an notdurfft, auch hat der
lehenholezer inn vnd besunder wol seehezehen gemaeh, der man wol
geniessen möcht, vnd doch der also nicht genewst, auch wirdet hawa
vnd hof so wüst vnd vusauber gehalden, dann ain Mairhof, also ha-
ben wir sorg, das villeicht mer von des Kindts gut hindan gee, dann
hinezu, des wir vnpillich zuschen.

Auch, lieben Herren, lassen wir ew wissen, das vert vor dem
herbst der Lehenholezer vor dem Rat hie solhe pflegschafft aufge-
sagt hat, dann er maint, er hiet sovil zuschikeben, vnd mochts des
Kindes guter also nicht naeb notdurfft fürsechen, also sind die wein-
garten ganez an herbstarbeit beliben, auch durch solh sein geschefft
nemen die erb ab, vnd ettlich ligen ganez öd, auch wais er nicht
noch, wo sy ligen, dabey wol zu versten ist, das solb guter abnemen,
der man iedes merklich genossen hat.

Auch, lieben Herren! hab ich daz Kind inn, dann es so vil müe
bedorf, daz es niemant geren halt, dann die swestern mugen mitlei-
den mit im haben; bitt ew, ir wellet mir seins guts sovil ingeben,

daz ich es an schaden halten mug, dann wir sorgen haben, daz das
Kind an abslag seins guts nicht geezogen mug werden. Auch bitten
wir, das solh weingarten anders hinfür gepaut werden, denn von des
Kinds gut, so mag man soliher sorg geraten.

Auch, lieben Herren, nachdem vnd der lehenholezer solh pfleg
aufgesagt hat, pmut man dem Kind sein weingarten von seinem gut,
vnd so die weingörten verderben, so nimbt sein das Kind sehaden,
geraten aber die weingörten, so gib der Holnbrunner zu verkauffen
an der frewntsehafft willen vnd wissen solh wein dem lehenholezer,
vnd er nuezt das berait gelt gen Venedy, bitten wir ew, ir wellet
schaffen daz die wein auf den herbst gelegt werden in des Kindts
haws, vnd das die nach der frewut rat mitsambt den gesehefftherren
nach dem pesten verkaufft werden, wann wir sunst nicht versten
kunnen, daz das Kind nach dem vnd es lang hat zu sein gevogten
iaren von dem seinen kömen mocht, das mir schuldig sein zu vnder-
komen vnd ir vns solhs zu behelffen.

Hienach ist vermerkcht des Rats Antwurt auf Maister Hann- XII.
sens von Kirchaim klag.

Durleuchtigister Kunig vnd genädigister Herr. Auf Maister
Hannsen klag, so er iezt in gesehrifft ewrn K. G. anbracht, alsvil die
den Rat berürt, ist vnser antwurt, vnd geben auch ewrn K. G. zu er-
kennen, was Maister Hanns Kirchaim vor vnser in offem Rat geredt
hat, vnd wie er vnser Ratgenossen N. den Pötl, N. den Holubrunner
vnd den Statschreiber beezigen, vnd angeredt hat, des haben wir vns
vormaln ewrn Gnaden erklagt, vnd aigenlich in geschrift fürbracht,
vnd das sich das also hat geben, vnd anders nicht, pitten wir diemu-
tiklich ewr K. G. welle ewrn Gnaden Anwalt Kristoffen Pötin-
ger darumb verhören, so wirdet sich erfinden, daz maister Hanns
Kirchaim sein fürpringen anders seezt, denn er vor dem Rat ge-
redt hat.

Item: als er auch seezt in seinem fürpringen, wie der Holn-
brunner vnd der Statschreiber sein feint sullen sein ete. Genedi-
gister Kunig, wissen sy von kainer veintsehafft, dy sy zu maister
Hannsen Kirchaim haben, wann er vnd ander in des Holaprunner
haws mit in geessen vnd trunckhen haben, do der selb Holnbrunner
von des Herczogen gescheffts vnd gutz wegen raittung getan hat.

Item: als auch mnister Hanns in seiner klag des ersten artigkl
fürpringt, wie er an vns, den Rat, begert hab, das wir schaffen sollten
mit den geschefftlewten, das sy der freuntschafft des Herczogen gut
sollten ain wissen machen, vnd ain raittung des verknufften guts tuen,
alls der vndter Rat mit in geschafft sol haben, des also nicht ge-
schehen ist etc.

Darauf ist vnser antwurt, vnd geben ewrn K. Genaden zuerkennen,
das Hans Herezog zu sein geschefftlewten erwellt hat Lienharten
Lehenholezer, Wolfgangen Holabrunner vnd Niclosen
Kramer, den in der Rat durch ir pet willen zugeschafft hat, vnd hat
den sein guet vnd kinder enphohlen innezuhaben, vnd vertraut nach
laut seins geschefftbrieff, vnd darumb so haben wir solhs mit in nicht
zuschaffen gehabt, vnd auch wider vnser Statrechtikait gewesen, wann
in der Herezog seins guts verraitt hat, vnd maister Hannsen Kirchaim
nicht.

Auf den andern artigkl ist vnser antwurt, das dy geschefftlewt
zu innhaben solhs gutz genugsam vnd wol gesessen sein, das nicht
notturfft ist gewesen mit in zuschaffen, das guet zuverguelen, vnd
wissen auch kain anders, dann das sy trenlich mit dem guet gehandelt
haben, sy haben auch der braitschaft ain tail an ain erib gelegt,
hieten sy der mer funden oder gehaben mugen, dy den Kindern nucz
vnd füeglich gewesen weren, sy hietan dy nach angelegt, vnd der
Herezog hat im sein geschäft in nicht enpholhen, sein guet vmb zins
oder gesuch auszegeben oder Kanfmanschafft damit zetreiben.

Item auf den dritten Artigkl ist vnser antwurt, vnd tuen ewrn
K. Genaden zewissen, das dy geschefftlewt dy kinder irs vater ge-
lassen gut an nucz vnd gever praeht haben, als sy vns das zugesagt
haben, ausgenomen zwen gärten, dy nicht vil guets wert sein, des
haben sy auch des gruntherren nicht gehaben mugen.

Item auf den vierden Artigkl ist vnser antwurt, das vns die ge-
schefftlewt zugesagt haben, vnd sol sich auch in worhait erfinden, das
des Herezogen güter nicht wüchst ligen, vnd haben auch den kindern
kain weingärten verkaufft, sunder ain gekaufft, als vor stet, vnd ist
auch der kinder haws nie wüchst gelegen, vnd ordenlich gehalden
vnd zins davon geben worden, als sich das in ir raittung wird
erfinden.

Auf den funften Artögkl sol ewr K. Gnad wissen, das dy ge-
schefftlewt dy weingarten vngeherbst arbait nicht haben ligen lassen,

als sich das auch in ir raittung erfindet, vnd das wol beweisen mugen, dann als er seezt, wie der Lebenholezer vor dem Rat dy pblegschafft aufgesagt hab, das ist also zugegangen. des Herezogen kinder sinn drew gewesen vnd die gueter mitsambt den Kindern dem Lehenholezer empholhen innzuhaben an abslag, vnd als dy zway ahgiegen, do kom der Lehenholezer für den Rat, vnd sagt dy güter auf, vnd maint, dem ainen Kind geschaeh nicht guetlich, solt er dy gueter innhaben an abslag, wann auf das ain sovil nicht geen mocht, als auf dy drew; do haben sy dy gueter hinaus gepaut, vnd sich vnderwunden, vnd also hat das Kind vber das paw an den guetern dennoch gewin gehabt mer, dann sechsvnddreissig phund phenning, das ist dem Kind zu nuez komen vnd nicht zeschaden, als sich das an irer raitung sol erfinden.

Item auf den sechsten Artigkl ist vnser antwurt, das man auf sein begeren im des Kindes hausz in der stat vnd vor der stat, davon merkehlicher zinns gevallen wëre, gelassen vnd sich des Kinds darezu vaderwunden hat, vnd hat das in seiner phlicht gehabt vnd geerezent, mer das es gestorben is. Dabey ewr K. G. versten mag, das man im solbes nicht wider ist gewesen.

Item auf den sibennden Artigkl ist vnser antwurt, das der Holnbrunner vnd Niclas Kramer als geschefftlewt die wein dem Lebenholezer als der Kinder geborner frewndt irn mitgeschefftten nach schaezung der gesworn vaderkewfl vnd der gesworn pinter, die die vas mit der Stat mass gemessen vnd darnach gescherzt haben, zu kauffen gehen haben vmb sechs hundert vnd XXX Pfund dn. darumb ewr K. G. die frumen lewt verhörn mag, vnd auch das in vier raittung vindet, vnd hat im auch der Holnbrunner vnd Niclas Kramer ander wein nicht verkaufft, denn die wein, die nach des Herezogen abgang syder sind worden, vnd darnach newn dreyling, als sich das in der Raytlung vindet, aber was unez verdt in den weingärten worden sind, die haben sy maister Haunsen Kirchaim verkaufft vnd ist noch gelter darumb.

Dann als maister Hans Kirchaim gemaine Stat beschuldingt hat vor ewrn K. G. mit worten, wie sy mit den geschefften vnpillichen handlen, vnd das die Waisen all verderben müssen, vnd nemlich so sey ain wais, dem sein vater wol funf tausent phunt phenning wert gelassen hat, derselb gerhab hab in kurezer zeit des waisen gut vnder sich bracht, vnd der wais sey im schuldig worden CCC Pfd. dn. etc.

lassen wir ewrn K. G. wissen, daz vns vmb solh saeh vnd hanndl nieht wissentlich ist vnd wissen anch nieht anders oder die gerhabn hanndeln treulich, vnd wolten auch des nieht zuschen. Ways aber maister Hanns Kirchaim, wer der sey, so meldet er in pillieh, findet sich daz also, so werd der nach ewr K. G. gescheffl vnd rat pilleieh darumb gestrafft. Wer aber, das maister Hanns Kirchoim ain tieht fürbraeht, vnd daz der Stat zu smaeh vnd vnlewnt, so wirdet er auch pilleich darumb gestrafft naeh ewr K. G. erkantnuss.

Auch geben wir sunderliehen ewrn K. G. zu erkennen, wie maister Hanns sein wesen vnd stanndt her gefürt vnd praeht hat. Von ersten ist maister Hanns ain rnnoriger Student hie gewesen, vnd mit geverlieher listigkait wider der stat fraibait vnd gerechtikait hat er sein weib vberredt, daz sy konnschafft gelobt hat an irer muter vnd irs steufvaters vnd anderr irer frewndt wissen vnd willen; darumb man in naeh vnser stat gerechtikait vnd freibait solt gepüsst haben, des er aber dureh vnsers genedigen herren Herezog Albrechts vnd anderr herren geistlieher vnd weltlicher grosser vleissiger gebet willen begeben ward. Dorezu ist er auch durch vleissiger gebet willen fruner erberr lewt zu ainen Doetor gemaeht vnd aufgenomen. dabey ewr K. G. vrsten mag, wie maister Hanns sein wesen vnd standt gefürt hat.

XIII. *Symons Pötl Antwurt auf Maister Hannsen Kirchaim Klag, alsvil in die berürt.*

Durlenehtigister Kunig, genedigister herr. Als maister Hanns Kirichaim ewrn K. G. fürhraeht hat, wie ieh mich nach abgang des Kindts vmb sein widertail angenomen hab, vnd ettlich seiner widertail sein mein holden, als ieh im selbs gesagt sult haben ete.

Genedigister Kunig well Ewr K. G. wissen, daz maister Hanns zu mir kümen ist menigermal in mein haws, vnd hat mieh gebeten, im zuhelffen, wes er Recht hab, und darezu dienen solt, daz den suchen fürderlich nachgangen werd, damit die, die Recht zu dem gut haben, nieht in sehaden kümen, vnd hat albeg dabey mit worten gegen mir sein erhschafft vnd gerechtikait disputiren wellen, vnd dabey gesagt, wie in ettlich wol vertrosten. Ieh hab im geantwurt: lieber maister Hanns, ewr widersacher ist auch bey mir gewesen, vnd hat mir sein frewntschafft zuerkennen geben, vnd als ieh die saeh noeh

verste, so main ich, ewr hawsfraw vnd ir miterhen haben merkchlich
gerechtikait zu dem varunden gut, aber zn den erbgütern bedunkeht
mich, ewr widertail haben auch merkchliche gerechtikait darczu, doch
so nym, noch gib ich ew mit den worten nichtz, wann ich Recht spre-
chen sol. Mich möcht der iungist vnder mein herren des Rats ainer
vnderweison, daz ich im gern voligt. Da hat er menigermal gegen mir
geredt, er wolt, daz ich im allain darumb Recht solt sprechen vnd hat
mir solher smaleziger wort vil gehen, vnd als er spricht, ich hab im
gesagt, sein widersacher sein mein holden, daran tut er mir vngutlich,
wann sein widersacher ist ewr K. G. pharrer hye in der Purkch hold,
vnd hab im wol also gesagt: Es sey meiner holden ainer, genant der
Salezer, bey mir gewesen, der main, er sey auch ain frewndt hinczu,
dem hab ich geantwurt: lieber, lass nur ainen andern kriegen vmb
das gut, pist ain frewndt vnd hast gerechtikait, du versaumhst nichtz,
der die erbschafft suecht, der hat mir selben gesagt, hah yemand ge-
rechtikait, dem gunn er des wol. Das hab ich maister Hannsen gesagt
vnd nicht anders. Er hat auch gegen mir geredt, daz ich mit dem
pawren redten solt, daz er sein sachen für mein Herren des Rats kём,
damit die sachen zu end bracht ward. Daz hab ich getan, vnd den
Pawren daran pracht, daz er sein willig ist gewesen vngeladen, vnd
hab mein Herren Burgermaister vnd Rat Maister Hannsen zu fürdrung
sovil gegen dem Pawren gehanndlt, daz er sich willigt, das maister
Hanns sein klag vnd gerechtikait in geschrifft macht, so solt der
Pawr sein antwurt darczu tun, damit yedem tail widerging, was Recht
wër. Do kom maister Hanns, vnd bracht geistlich Recht für mein
herren vnd wolt sy damit leruen vnd vnderweisen wie sy Recht solten
sprechen, das was nicht ain klag, er wolt auch kain anderr klag ma-
chen, da redt man aber mit dem Pawren, daz er ain klag macht vnd
maister Hanns darauf sein antwurt. Also hechselt maister Hanns
sachen vmb, daz im der Pawr auch nach gab, also hab ich mich vmb
den Pawren nichtz angenomen, er ist auch mein hold nicht, vnd was
ich darczu geredt hab, darumb hat mich maister Hanns gebeten, vnd
ist manigmal mir in mein haws darumb nachgegangen.

Item als er fürbracht hat, ich hab ainen pawm der Erbschafft
vnd frewntschaft vber in gemacht, vnd mit solher rapillicher figur
hiet ich etlich des Rats an mich mugen ziechen, ich hiet es gern
tan, wie wol es wider alle Recht wär etc.

Allergenedigister Kunig, an hab ich des Pawn nichtgemacht, hiete ich den gemacht, ich woll mich sein nicht schamen. Als er seezt, es sey ain vnpilliche figur daran, redt maister Hanns nicht recht, wann es ist ain pilliche figur, die well Ewr K. G. vnd Hochwirdig Räte darumb sehen. Als er dann seezt, hiet ich mit der vnpillichen figur ettlich des Rats aussgen an mich ziehen, ich hiet es geren tun, wie wol es wider alle Recht wer, G. K. Nu tut mir maister Hanns vngutlichen, mit solher grossen pöser zicht, wann ich all mein tag wider alle Recht kainen des Rats, noch anderr zu mir hab ziehen wellen, vnd mein herren all vnd ich zu solhem zu frumm sein. Ich pin auch kuin tail in den sachen gewesen, wann mir die all nichtz sein, vnd der Pëm ist vmb anders nichtz gemacht worden, dann daz man dy gerechtikait vnd erbschafft erkennen möcht nach innhaltung der erbrechten, darumb hesunder geschrifft ist.

Gnëdiger Kunig. Nun ist Maister Hanns für ewr K. G. Anwalt Burgermaister, Richter vnd Rat kömen vnd hat also geredt zörnigklich: Pötl, ir sult mir auch nicht Recht sprechen, wann ir seyt verdacht vnd der Pawr ist ewr hold. Genedigister Kunig, hat Ewr K. G. vor vernomen, wie mich maister Hanns in den sachen gehefen, vnd mit mir geredt hat, vnd hat an mir verstunden, daz ich im weder trast noch vntrast des Rechtens hab vertrösten wellen, darauf hat er nu solh listigkeit fürgenomen, daz er mich vnd ander durch sein vortails willen verwidern wolt an alle schuld, das hat mich beget, daz ich nach meiner eren notdurfft also darezu geredt hab: Maister Hanns, ir tut vngutlichen, ich mag des nicht leiden, ich wil als wol recht sprechen, als ir, die weil ir nicht sachen fürbringt auf mich, darumb ich es nicht tun sull, und hiett ir noch ainst gulden Spängel auf der achsel vnd mer pücher gelesen, woltet ir mir in meiner gelimphen reden, ich woll ew aius crezaigen lassen, daz ew nicht zu gut këme. Genedigister Kunig, hof ich daran nichtz vnpillichs geredt hab, nach den vnd mich maister Hanns beschuldigt vnd beezigen hat, dann mir von im vngutlichen beschicht. Ich hab auch all mein tag nye gehört, daz es geschehen sey, daz man in Ewr K. G. Rat der Stat ye kainer ainen des Rats verwidert hab, wann des Rats ordnung ist, wann ainen des Rats, oder sein frewndl die sachen berürt, so baist in ain Burgermaister von dem Rechtsprechen ausgeen, vnd nicht die zu Rechten haben. Als er dann anrürt von seiner vänkchnuss wegen, genedigister Künig, darczu hab ich nicht geredt, noch geraten, wann ich nu sein

widersacher pin gewesen, vnd tut mir vngutlichen daran. Darumh
mag ewr K. G. Anwalt, Burgermaister Richter vnd Rate fragen. Als
bitt ich, ewr K. G. welle Maister Hannsen vmb solh vnpillich haund-
lung straffen, vnd genedigklich schaffen, daz er mir abtrag tu nach
pillichen dingen, das wil ich vmb ewr K. G. vndertenigklichen ver-
dienen.

Wolfgangs Holnbrunner Antwurt auf Maister Hannsen   *XIV.*
Kirichaim klag, so vil sy in berürt.

Allerdurleuchtigister Kunig, vnd genedigister herr. Das fürbrin-
gen, so maister Hanns Kirichaim vn erstlich mündlich ewrn K. G.
getan hat mitsambt dem, so er ieczt ewrn K. G. in geschrifft
fürbringt, darinn er mich merklich heschuldigt vnd gröslich vn-
lewnt, darauf wer mir merklich not nach meiner notdurfft dasselb
mit vil vnd mer worten zuverantwurten. Daz ich aber Ewrn K. G. zu
eren, als das wol pilleich ist, vnd vmb kürcz willen vnderwegen lass,
wie wol mir maister hanns mit solber verklag vnd zicht aller vnrecht
vnd vngütlich tut, als sich das in worhait erfinden sol, vnd hitt, Ewr
K. G. welle mein antwurt genëdigklich hörn, das wil ich vndertenigk-
lich vmb Ewrn K. G. verdienen.

Von ersten, als er anbringt, wie er von ettlichen des herezogen
geschefftlewten gröslich heswert worden sey etc. Genedigister Kunig,
darumb ist mir nicht wissentlich, wenn wir geschefftlewt mit im nichtz
zehandln gehabt haben, damit wir in heswert hieten. Aber nachdem
vnd ich mich nach manigfaltiger pet des Herezogen vnd seiner frewnt-
schafft einen grossen tail, vnd nachmalen meiner Herren, des Bur-
germaister vnd des Rats Haissen vnd Begern, vnd doch nicht gern
desselben geschefts mit sambt dem Lehenholezer, seins swager vnd
Niclasen dem Kramer in der Landstrass gesessen vndei wunden und
angenomen huh, Hat derselb maister Hanns vns geschäfftlewt pekumert
in menigveltiger weis, vnd vil seins muetwillen mit vns getrihen an
alles verschulden, vnd vns damit gröslich heswert hat. Als das mein
herren, dem Anwalt, auch meinem Herrn dem Burgermaister vnd dem
Rate auch vil andern erbern lewten wol wisseud ist, vnd halt sich
also. Wenn er an vns menigermal hegert hat, wir geschefftlewt
scholten im ain wissen machen des Herezogen gelassen gut, vnd im
raittung davon tun & des wir zulun nicht schuldig gewesen sein,
wenn vns von im nichtz empholhen ist, Sunder von dem Herczogen

seligen, der vns solhs vor menigklich vertruwt hat, vnd auch von meinen Herren, dem Burgermaister vnd dem Rat, als den öbristen gescheflllewten. Denselben meinen Herren hab ich mitsambt Niclasen. Kramer, meinem Gespan, iecz nach abgang des herczogen kind Rayttung getan, dabey zwen Herren des Ruts, die zu Wenezla Sparewgl vnd auch ettlich mer desselben Herezogen frewnt gewesen sein, vnd daz sy vnser Innemen vnd uusgeben, das wir mit Quittungen beweist, gehört vnd vernomen haben, das wir darinn als fram lewt vnd trewlich gehandet hat. Als sich das un derselben vnsern raittung warlich erfunden hat, des zeuch ich mich an die herren des Ruts auch ettlich derselben frewntschafft, die bey der Rayttung gewesen, vnd von vns aufgenomen haben, vnd diezmals Maister Hanns der Spareugl. auch die andern frewndt daran ain gut genügen vnd nichtz dawider geredt haben, Suuder gegen vns mir vnd meinen gespan sich dankehperlich beweist haben, daran Ewr K. G. wol versten mag, daz mir von maister Hannsen gröslich vngütlich geschiecht mit solher seiner vberklug.

Allergenedigister Herr! So ligt dieselb Rayttung pei meiner Herren handen, hiet yemandt daran zweifl, die möcht noch verhört werden, vnd getraw. Ewr K. G. welle das schaffen zutun, dadurch Ewr K. G. der worhait erinnert vnd mein Vnschuld geoffenbart werde.

Dann als er aubringt, Ich sey sein feindt, hoff ich, daz er des von mir in worten, noch in werchen nicht empbunden hat, wenn er mit mir in meinem haws newlich geessen vnd trunkehen hat, auch ich im vnd er mir allenthalben er un einander beweist haben. Aber ich hab mich solhs zu im nicht versehen als mir von im widerget, daz mir doch von im pilleich missvallen bringt, wenn ich solhs rub in nicht verschullt hab. Dann als maister Hanns Kirchaim ewrn K. G. hat aubracht, wie ich im sein gut nicht bewart hab, des er zu grossem schaden komen sey, vnd vermaint mit spruch darumb nicht zevertragen etc. lass ich ewr K. G. wissen, daz ich seins guts nye innegehabt hab, vnd pin im des nicht schuldig gewesen zu bewarn, Aber des Herczogen seligen kinder gut hab ich mitsambt den andern meinen gespenn inngenomen vnd damit trewlich gehandelt, als vil erber frumb lewt das wol wissen. Das desselben guts nichtz verbarlast ist, noch die kinder des ze schaden komen sein, Sunder damit der kinder frumm vnnd nuez treulich petracht haben. Als sich das un vnserr

Haundlung erfunden hat, vnd noch alheg erlinden mag, Maint aber maister Hanns, das anders damit gehandelt sey, so bring für, in wew das geschehen sey so wirdet sich in meiner antwurt vinden, daz er vnrecht fürbringt, vnd mir gröslich vnrecht tut.

Darumb so bitt ich diemutigklich, ewr K. G. welle an solhem mutwillen vnd grosser vnpillichkait missvallen haben, vnd ansehen mein Vnschuld dadurch sich erlindet, daz mir maister Hanns vnrecht vnd gröslich vngütlich tut, nachdem mir das mein ere vnd gelimphen berürt, vnd welle maister Hannsen darumb straffen lassen, damit mir von im abtrag geschech nach ewr K. G. erkanntnuss, daz wil ich vnderteniglich vmb ewr K. G. geren verdienen.

Vlreichs Hirnnaurer, Statschreiber antwurt auf Maister Hannsen   XV.
Kirchaim klag soeil in die berürt.

Durleuchtiger Kunig vnd genedigister herr. Als mich Maister Hanns Kirchaim ewrn K. G. vber mich erklagt hat, darauf ist mein antwurt, vnd gib ewrn K. G. zuerkennen, alsverr mich dieselb klag berürt, daz ich vormaln ewrn K. G. auch geklagt hab, daz Maister Hanns Kirichaim mich in offem Rate vor ewr Gnaden Anwalt, auch vor meinen Herren, dem Burgermaister, Richter vnd Rate offenlich heezigen hat mit solhen worten, ich sull im sein sach verkert haben, die im vor dem Rat zu Recht erkannt sey. Genedigister Kunig, do begert ich an in, er soll da öffen, was im zu Recht erkannt wer, daz ich im verkert solt haben, da west er nichts zu sagen. Do hab ich nach meiner eren notdurfft zu Maister Hannsen geredt, alsoff er mich solhes beezeich, so hab er nicht war, wann solh zieht meinen aid, ere vnd gelimphen berürt, vnd tut mir daran gar vngütlich, vnd hoff, daz er kainen brieff von mir hab, darinn ich im solhs verkert sull haben, hat er aber icht brieff von mir, die bring für vnd lass die hörn, darezu wil ich im antwurten, als sich zu Recht gepürdt, vnd ob das wer, daz ich meinem swager dem Holnbrunner ichtz fürbringens geschriben hiet, der wer ich im schuldig gewesen.

Item, als auch der Kirchaim im anefang seiner klag seczt, wie ich den Handl dez kauffmanschafft gen Venedi mit meinem swager hab, daran redt er nicht recht, wann ich kainen Hanndel mit meinem swager hab, darumb mag in ewr K. G. hörn.

Item, als er auch fürbringt, wie im mein herr, der Burgermaister huh zugesagt von der wein wegen, die des kindls sein gowesen, daz mau die im zukuuffen soll geben, vnd das hab nyemand vnderstanden, dann ich, daran tot er mir auch vngütlich, vnd bitt meinen Herrn den Burgermaister darumb zu verhörn, wann ich mich irer wein vnd irs geschefft nichtz bekümert, auch damit nichtz zuhanndlen, noch zuschaffen gehabt hab.

Item: als er fürbringt, wie ich sein veindt sey etc. darauf ist mein antwurt, daz ich sein veindt nicht gewosen pin vncz zu der zeit, als er mich vnpillich heezigen hat, ich sull im sein sach verkert haben, die im zu Recht von dem Rat erkannt sey, dabey hab ich gemerkeht, daz er im veindtschafft zu mir fürgenomen hab, das hat mir pilleich aut von im getan, vnd sol mir auch noch laid sein so lang, vncz daz mir von im ain abtragen beschieht, vnd soind er in seiner Klag selber hitt, den Rat zu verhörn, also ruff ich auch an vnd bitt diemutigklich durch got vnd der heiligen gerechtikait willen, ewr K. G. well ewr Gnaden Anwalt Cristoffen den Pötinger, auch mein herrn den Burgermaister, Rat, Richter, Münsmaister, Kellermaister vnd den Rat darumb verhörn, so wirdet sich erfinden, daz mich Maistor Hanns Kirichaim mit solchen worten heezigen hat, als ich ewrn K. G. hiemit fürbring, vnd daran vnrecht vnd vngütlich hat getan, vnd genedigklich daroh sein, das maister Hanns vnh solh zieht, die meinen aid, er vnd gelimpfien berürt, gestrafft werd, vnd mir darumb von im ain ahtragen beschech nach ewrn K. G. erkanntnuss, daz wil ich vmb ewr K. G. alezeit vnderleuigklich vnd gern verdienen.

XVI.   *Nachdem vnd sich der Rector vnd die von der Schul, auch der Burgermaister vnd der Rate zu Wienn der mishellung halber, so sich yecz zwischen in begeben hat, verwilligt haben, dersel-ben sachen halben genezlich bey vnserm genedigisten Herren dem Künig zubeleiben, Also ist desselben vnsers genedigisten Herren des Künigs Mainung:*

Von erst, das all vnwillen vnd vngunst zwischen in vnd aller der, so in den sachen baiderseitt verdacht vnd verwant sein, gancz ab sein vnd ain tail gen dem andern, die im hinfür nicht mer afern, noch in argem gedenkehen, sunder sich miteinander freuntlich hallen vnd hegeen vnd an ein ander freuntschafft heweisen sullen.

Item, vnd als von baiden vorbemelten Partheyen solher irer
geschikt vnd tat halhen wider sein K. G. am maisten gehandelt ist,
behalt im sein K. G. vor, was im ieder tail darum schuldig vnd
pflichtig wirt, zu abtrag zutun, vnd vermaint das zu seinen zeiten,
so das not tun wirdet, fürczenemen.

Item so ist auch seiner K. G. ernstliche maynung, das sich nun
hinfür ain tail gen dem andern in allen sachen halt als ir Privilegien
vnd freihait baiderseitt ausweist, vnd kain tal dawider nicht tu. Wer
aber dawider tet, den will sein K. G. darumb straffen, damit verstan-
den wirt, das seine K. G. daran missvallen hat, vnd solichs nicht
gevellt.

Item das der Rector vnd auch die Maister bey den in der Schul-
auch der Burgermaister vnd der Rat hey den in der Stat darob sein,
damit nu hinfür kain vngewöndlich samung nicht gemacht werde,
sunder wo sy verstunden, das selh samung solten gemacht werden,
das vnderkomen.

Item das ain ieder Rector darob sey, damit die Studenten zu
kainerzeil nicht verpunden in vngewöndlichen klaidern noch mit wëer,
noch an vnziemlich stet geen, welich aber in solhem begriffen würden,
das die gestrafft werden, desgleichen der Burgermaister, Richter,
Rat vnd wer die ye zu zeiten seyn werden, bei den iren auch darob
sein, damit sy in vorberürter muss auch nicht geen, welh aber solhs
teten, das die auch gestrafft werden.

Item alsdann von der Zwitracht wegen maister Hannsen von
Kirchaim vnd des Rats der Stat vnd anndern, die in den sachen für-
genomen sind, ist durch den von Passaw, Rudigern von Star-
henberg, vnd Jörgen Dächser, Hubmaister nach gescheift
vnd haissen vnsers genedigisten Herren, des Künigs also abgeredt
worden, das der benunt Maister Hanns drey aus den Doctoren vnd
Maystern der Schul, desgleichen die benannten des Rats vnd annder,
so in den sachen fürgenomen sind, auch drey fürnemen sullen, die
kaim tail verdechtlich sein, die denn die sachen mitsambt des gemelten
vnsers genedigisten Herren, des Künigs Rëten so iecz in sein abwesen
hie sein werden, hören vnd versuchen sullen, die guetlich vberain
sepringen, ob aber des nicht möcht gesein, darnach darinn handeln
vnd fürnemen nach pillichen dingen.

E. 1.   *Von Simons Pötl, des Statschreiber, Holnbrunner vnd Maister*
      Hannsen Kirchaim Zwitracht wegen, wie die geaint ist.

    Als von der Zwietraeht vnd zuspruch wegen, so Symon der
(Pötl) vnd Vlreich Hirssawer Statschreiber, hie zu Wienn zu Maister
Hannsen Kirehaim gehabt habend, als die vor in dem puch nemlichen
geschriben stet, der sein sy zu paider seitt an all auszug pey dem
ersamen Rat beliben, sy darumb zuentschaiden, was sy sprechen, das
ain tail dem andern darumb schuldig sey zetun, des sein sy willig.
Also hat der Rat zwisehen in erkanut, das Maister Hanns Kirchaim
den egenanten, dem Pötlein vnd dem Statsehreiber sey schuldig ab-
trag zetun, vnd habend auch Maister Hannsen für sew gevordert, das
er mit im pringen sull zwelf Doctores vnd Maister auf heutigen tag,
das also geschehen ist, vnd mit im pracht hat **M a i s t e r P a u l n v o n**
M e l k c h, in der heiligen gesehrifft maister, **J o b s t e n**
H a w s n e r, M a i s t e r H a n n s e n H u b e r paid in geistlichen
R e e h t e n l e r e r vnd ander erber Maister. Do hat mein herr der
Burgermaister Maister Hannsen Kirchaim ain zedl vor offem Rat geant-
wurt, wie er sprechen vnd abtrag tun sol, das auch derselb Maister
Hanns Kirchaim in irer gegenwürtigkeit vor offem Rat getan hat, vnd
lautet dieselb zedel also:

    Lieber herr Kirchmaister! Ich hab ew von Hannsen des Herezo-
gen gelassen guts wegen Recht zu sprechen verwidert, vnd beezigen,
das ir den Rat mit einer vnpilliehen figur an ew habt ziehen wellen,
vnd an vnsern allergenedigisten Herren König Lasslawen & begert.
ew venkehnussen vnd straffen zelassen, Vnd auch beezigen, an meiner
Venkehnuss sehuld haben. Des hab ich in aim zorn geredt, vnd mich
darinn gegen ew vergessen, Bitt ieh ew lautter dvreh gots willen,
ir wellet mir das vergeben. Das wil ich vmb ew vnd die ewrn alle-
zeit willigklich verdienen.

    Dann, lieber Statschreiber! Als Ieh vor meinen Herren in offem
Rat ew besehuldigt vnd gesprochen hab, Ir habt mir mein sach ver-
kert, die mir von dem Rat zurecht erkannt sey, daran hab Ieh ew
vnreeht vnd vngütlieh getan, vnd pitt ew lautter durch Gotts willen,
Ir wellet mir das vergeben, das wil ich vmb ew vnd die ewrn willigk-
lichen verdienen.

68

Vnd als er das also offentlich het gelesen, do sprachen die ege-
nanten, N. der Pötl vnd Statschreiber, nach erkanntnuss des Rats
sott er des also von in begeben sein.

Darnach redt mein Herr der Burgermaister von Wolfgangs Holn- ·
brunner und Maister Hannsen Kirchaim wegen, die hëten auch ein
Zwietracht miteinander gehabt, vnd ainer den andern mit worten wol
vergolten, vnd solte auch nu hinfür ain berichte sach sein. vnd also
worden die partheyen miteinander veraint an Phincztag vor sand Els-
pethen tag Anno dui etc. LVI°.   *18. Novemb.*
                                                             1456.

                    .   .

Anno domini M° CCCC° LVII° ist vnser genedigister Herr, Künig   E. 2.
Lasslaw, sein alters im Achtzehendem Jar zu Prag an der   23. Novemb.
Pestilencz gestorben an Mittichen zwischen drein vnd virn,   1457.
nach mittags, vor sand Kathrein tag, dem der Almëchtig Got
                    gnëdig sey.

Vermerckht die Ordnung, So der Rat, genant vnd dy gemain   XVII.
nach abgang vnsers gnëdigisten Herren Künig Lasslaus seliger
gedechtnuss getan habent zubeharung der Stat, damit si getun
mügen, des si von Rechtens wegen yedem künfftigen erbherren
                    setun schuldig sein.

Von ersten, daz man nicht mer offen sol haben, denn vier törr,
Rotenturn, Stubentor, Kernertor vnd Schottentor, vnd die andern törr
alle sullen versperrt beleiben. vnd nur dy türl offen sein, vnd die
keten fürgeczogen, vnd dennoch bey den türlein hueter sein, daz man
wiss, wer ein vnd ausgee, vnd des abencz gar enczeit zusperren, vnd
des nachts daselbs in Werderturn gesessen lewt zu Wachter haben.

Desgleichs in dem Salczturn vnd bey dem tor daselbs sol es auch
also gehalden vnd fürgesehen werden.

Item daz man all turn beseczen sol, vnd desgleichs die törr mit
hut bei tag vnd pey nacht nach gelegenhait der sach, vnd daz man
nyemand herein sol lassen, man wiss dann, wer er sey.

Item es sol auch nyemt fromhder aus der Stat reitteh, er hab
dann ain Politen an das tor, vnd pint sich daselbs auf, daz man in mug
erkennen, vnd zu der Politen sind geordent der Kels vnd Hanns Swab
Mawrer.

4*

Item daz man auch allenthalben die zewn vnd die greben zurichten vnd pesser machen sol, das ist den Haubtlewten empbolhen worden.

Item daz man all Zechmaister der Hantwerch Zeeb vnd lr knecht vnd diener in das Rathaus vodern, vnd in nemlich sagen sol, daz sy sich des Burgermaisters vnd des Rats, auch der Burger halden, vnd sich auf kainen tail legen, vnd ln peystendig sein sullen.

Item die Sturmglokken zuhebarn vnd zubeseezen, darczue sind geordent Hanns Vieregk vnd Niclas Pomer, vnd vnder den sullen albeg stets uiner im turn sein, vnd die slüssl zu dem turn haben, vnd nicht der mesner.

Item mit dem Rectori zu reden, von der Studenten wegen, daz sich die in den sachen mit der Stat halden, vnd kain vnfür nicht anhehen, vnd des (nachts) nicht auf der gassen geen.

Item die gesst vnd legrer sol man in das Rathaus besenden vnd vodern, daz sich die auch zu der Stat halden, vnd ob sein not wurde, mit hilf beistendig zu sein, wenn si auch ir Leib vnd gut hie haben.

Item daz sich die mugundisten purger mit knechten vnd Rossen dester paser angreiffen sullen.

Item das sich all pekehen mit mel fürsehen sullen, damit si die gemain an prot nicht lassen.

Item daz man kuinerlay gastumb halden sol in den Herrnhewsern, das sol der Lantmarschalh wennden, vnd in den löden vnd koebhütten, da sol man auch nyemand halden, das sol der Richter vnderkomen. Ausgenomen in des von Agmund Haws, in des von Elberhach haws, vnd in des von Regenspurg haws, da mag man gastum halden, vnd in den rechten gewöndleichen gasthewsern, vnd sol auch ain ieder gastgeh sein gesst nechtliklich geschriben geben dem Burgermaister.

Item daz man das fewr hebarn sol allenthalben in der Stat vnd in den vorsteten, vnd sol ein ieder haben wasser vndern deebern, vnd in den höfen in putigen vnd krukchen zu ausstossen, vnd die Rauchfeng kern lassen.

Item es sol ein ieder wissen, wen er behaws oder beherberg, daz er den oder die wiss zu verantwurten.

Item daz man die ketten vnd sneller vnder den Stattörren zuesliessen sol, vnd nyemht herein, noch hinaus lassen sol, er pint sieh denn auf, daz man in erkennen müg.

Item daz man nyembt vber die Prugken herein noch hinaus varn, reitten, noch geen sol lassen, er pint sich denn auf, daz man in erkennen müg. Welh sich aber nicht wolten aufpinten, die sol man nicht berein noch binaus lassen.

Item es ist beredt, daz man zwayhundert fuesknecht aufnemen sol zu hut in die Polberch vnd vnder die törr zu der Stat notdurffl.

Item es sol nyemand verpunden, noch mit werhaffter hend auf der gassen geen, weder pei tag oder pei nacht in kainer weis, vnd wer darüber begriffen wirdet, den wirt man anvallen als einen schädlichen man, vnd darumb swërlich straffen.

Item man sol auch in dhainem laden oder kochhütten kain gastum halden, wer darinn begriffen wirdt, die wil man darumb straffen.

Item man sol auch kainn ausreytten lassen, er hab denn ain Boliten, vnd pint sich pei dem torr auf, daz man den erkennen müge, Welher des aber nicht tët, vnd nicht ain Boliten hiet, den sol man nicht auslassen.

Item was lantlewt sein, die sol man yeden mit seiner anezal herein reytten lassen, doch das er daselbs pey dem aussern tor aim gesessen mann, der daselbs darezu gesecet ist, geloben sol, daz er vnd die seinen, die mit lm reitten, der Stat hie vnd den Inwonern an schaden herein vnd wider hinaus reitten welle. Vnd derselb, der in solher Ordnung herein reitt, den sol man daselbs aufschreiben mit seinem Namen vnd seiner anezal, vnd nechtiklich ainem Burgermaister in gescbrifft zuebringen.

Item wolt aber ain lantmann mit grosser anezal volks herein reitten, oder ain frombder, die sol man nicht herein lassen an wissen des Burgermaisters.

Item daz auch beredt werd mit den gonanten vnd der gemain, ob yemand ettwas verstund oder böret, daraus der Stat schaden komen möchtt, oder schedlich vnd wider gemeinen nucz wër, daz er das pring an aim Burgermaister vnd Rat pey dem Aid, den er der Stat geschworn hat.

Item daz auch mit den geistlichen, die ire gotzhëwser, auch ir höf vnd Hewser hie habent, vnd das vermugen, geredt werd, daz lr yeder ettlich schüczen nach seinem vermügen Im vnd der Stat hie (zu) nucz vnd bewarung hab, darumb daz si allerlay händl in lrn Hëwsern vnd höfen treiben lassen, davon hofezins nemen vnd wein schenkchen.

Item daz sich auch ain yeder Hauswirt mit traid vnd mel in seinem Haws fürschen sol.

Item es sol auch ain yeder Hauswirt an das Haws die Nerb stet
zu der keten in den gassen vleissigclieben gedenkchen vnd fürsehen,
daz er sein slos vnd slüssl stetiklich berait hab zu der hannt. Wenn
sich etwas begeb, daz mein Herr, der Burgermaister oder die obristen
Haubtlewt schaffen wurden, die keten in den gassen an zu legen vnd
zesperren, das dann das fürderlich geschech.

Item daz man das Spil in allen Lanthewsern verpieten vnd nicht
mer gestatten sol, weder auf dem pret, noch im pret, noch mit Kurten
In dhainer weis.

Item daz aller fürkauf ist verpoten, vnd wo man darauf kumbt,
den sol der Richter nemmen, damit solher fürkauff vnderstann-
den werd.

So sind auch zu Obristen Haubtlewten geordent wor-
den in der Stat vber alles volkch.

    Karinthianorum: Kunrat Pilgreim.
    Lignorum: Sebastian Zieglshawser.
    Scotorum: her Fridreich Ebner.
    Stubarum: Niclas Ernust.

Item ob ain geschray, oder ain auflauff sich erhueb, da got vor
sey, wann man die grassen Sturmglokken lewt, so sullen all lawoner
der Stat zu Rossen vud zufuessen komen anverezichen.

Die in Kerner viertail siezent — an den Newnmarkcht.

Die in Widmer viertail siezent — an den graben.

Die in Schotten viertail siezent — an den Hof.

Die in Stuben viertail siezent — an den Placz am Lugegk.

yeder tail zu seinem obgenannten Haubtmann.

Vnd die des Rats, vnd nicht Haubtlewt sein, sullen kömen zu
Rossen vnd zu fuessen zu dem Burgermaister, vnd der Burgermaister
sol denn der Stat vendel füren lassen.

Item es ist fürgenomen, daz man in den vier Hewsern zu dem
Vicenezen Apoteker am Graben, zu Hainreichen Frankehen, zu Kun-
raten phuntmaschen, vnd zu Merten Schrot, in yedem haws LXXV
mannen geharnascht mit irer weer pey tag zu Scharflewten haben sol,
die da warten sullen auf den Burgermaister vnd die obristen Haubt-
lewt, wo Sy die hin vndernt zu komen, daz Si des gehorsam sein
sullen.

Haubtlewt an Sambstag naeh sand Katreintag die die
lewt ordnen sullen zu den törren Anno LVII*.   *26. Novemb.*
                                                              1457.

Stubarum: Welser, Hollprunner, Pömpflinger.
Karinthianorum: Wisler, Wesstendorffer, Gotschalchinger.
Lignorum: Pruantaler, Jacob Kasehawer, Jacob Gsmëchel.
Scotorum: Thiem, Rienolt, Hanns Kamrer.
Werdertor: Hanns Aschpekeh, Nebaimer.
Salcaturn: Hanns Ernnst, Vlreich Mairhofer.
Rotenturn: Thoman Praitenweydacher, Erbart Stecher, Jorg Gre-
        dinger.

Auf die Törr in die turn zu behöten tag vnd nacht
        vncz das sy abgeweehselt werden:

Karinthianorum: Hiltprannt, Herman Edlerawer vnd Arbuistaler.
Stubarum: Gewsmid, Reisinger vnd Hirsskramer.
Rotenturn: Jacob Aichelperger, Ponbaimer.
Scotorum: Wiltpolt Grablokeh, Kaspar Pilgreim.

   Darnaeb als Graf Pernnhart von Schawnberg vnd ett-
leich ander Herren, Ritter vnd Kneeht, die yecz hie sein, meinem
Herren N. dem Burgermaister mit ettlichen des Rats vnd genant be-
sand, vnd mit den geredt haben, daz si wolten ain lannttag ausschrei-
ben, vnd die vier partheyen hervodern, daz man in peystannd tun
soll etc.

   Darauf ist von denselben meinen Herren N. dem Burgermaister,   *XVIII.*
Rat vnd den Genannten geantwurtt worden an Montag vor sand   *26. Novemb.*
Andres tag LVII*.   *1457.*

   Gnedigen Herren! als Ir vns habt zuerkennen geben, wie Ir in
willen seit, ainen lannttag auszesebreiben, vnd begert, daz wir ew
peystand tun wolden etc. Gnedigen Herren! nu weis Ewr gnad wol,
daz auch vnsers gnedigisten Herren N. des Künigs löblicher gedecht-
nuss hoehwirdigen Rät ettlieh zu Prag, ettlieh in Potsebefflen, vnd
noch nieht hie sein. Wais nu ewr gnad ainen landtag auszesebreiben,
daz stee bey ewrn Gnaden. Aber wir N. der Rat, Genant vnd gemain
haben vns fürgenomen, daz wir vns auf dhainen tail nicht legen wel-
len, vnd darauf fürgenomen vnd geordent, welher berein reytten
welle, der sol vns vor geloben, daz er vnd die sein herein vnd binaus

56   COPEY-BUCH

reytten welle, vns an allen sehaden vnd main, des sey wir vns selbs
schuldig.

E. 3.
29. Novemb. Darnach un Eritag sannd Andres Abent komen in den
1457. Rat zu den Herren des Rats, Genannt vnd aus der gemain, die zu der
Ordnung geben seinn, her Albrecht von Eberstorf, ohrister
Erbkamrer in Österreich vnd Wolfgang Oberhaimer,
vnd begerten von der Herren wegen daz man die Genannten vnd ge-
main auf morgen, sand Andrestag, oder auf den phincztag besenden
solt, So wolten der von Maidburg, N. der von Schaunberg
vnd ander Herren, Ritter vnd Knecht, die yecz hie wern, Ir fürnemen
lan sew pringen auf le verpessern vnd gevallen.

Darauf gab man In zu antwort nach ainer bedechtnuss, der Rat,
Genannt vnd aus der Gemain wern von den andern darein gesecxt,
vnd beieinander im Rathaws, daz si aufnemen solten, was in den
ewfen an sy bracht wurde; westen die Herren iehts fürzebringen,
das stund mit In, wann sy die Genanten vnd die Gemain vor Suntags
nicht besenden mochten, wann sy erst hewt beieinander gewesen wern,
vnd ain verdriessen hieten, daz si so offt solten besant werden, aber
auf den Suntag wolten si die gern besendten, der warten, daz Ir dester
mer zusammen kömen, vnd Irer arbeit nicht versaumbten.

Darauf namen In die egenanten Herren ein bedechtnuss, vnd
wolten das an die anndern Herren pringen.

E. 4.
30. Novemb. Darnach an Mittichen sand Andres tag nach mittags
1457. wurden mein Herren, der Rat, etlich Genannt vnd aus der Gemain, die
zu der Stat Ordnung vnd notdurft zubetrachten geben sein, peyein-
ander im Rathaws besamet. Do komen zu In mein gnedig Herren N.
der von Maidburg, Graf Pernnhart von Schawnberg Her
Jorg von Puchaim, Her Vlreich von Starchemberg,
Her Albrecht von Eberstorf, Her Hanns der Mülvelder
Hubmaister, Pernhart Sewsenegker, Wolfgang Ober-
haimer, N. der Wolffenrewtter, Wilhalm Pöttinger
vnd ander, da gab der von Eberstorf an Irer stat zu erkennen, wie si
wolten ainen landtag ausschreiben mit wissen des Rats, Genannt vnd
Gemain, vnd begerten, das sew pey In vnd mit In steen solden, so
wolten sy auch pey In vnd mit In sten vncz auf ain gemaine
Landschaft, so die zusamen käm, was dann da von gemainer lant-
schaft fürgenomen wurde, daz dem wurde nachgegangen, damit man
sich auf kainen tail nicht leget, vnd den fürsten, die von Irer erbli-

74

chen gerechtikait wegen vadrung oder ansuchung tun wurden, dester
aintrechtiklicher antwurten mocht.

Do antwurt mein Herr N. der Burgermaister von Rat, Genannt
vnd gemain wegen, der ettlich beieinander warn nach guter hedecht-
musse also : Gnedigen Herren! als Ewr Gnad yecz anbracht hat, wie
Ir mit vnserm willen vnd wissen ainen landtag mainet auszeschrei-
ben, daz wir pey vnd mit ew sten solden, desgleichs Ir auch pey vnd
mit vns wolt sein vncz uuf gemaine Landschafft, Darauf haissen ew
mein Herren sagen, wie vnser gnediger Herr herczog Albrecht am
nagstvergangen montag auch vor dem Rat, Genannt vnd der Gemain **28. Novemb.**
gewesen ist vnd hat du beklagt sein gross laid vnd trübsal, so seinen   **1457.**
gnaden mit dem tod vnsers genedigisten Herren Künigs Lasslabs,
seins Herren vnd Vettern löblicher gedechtnuss geschehen sey, vnd
wie nu sein gnad dhainen vortail suchen, noch vngern nichts anders
fürnemen wolt, denn das gleich pillichen, eerlichen vnd rechtlichen
wér, vnd in wew sein gnad gemainer Stat zu willen gevallen solt,
wer er willig mit mer worten & des gnédigen guten willens vnd er-
pietens habent seinn gnaden mein Herren daczemalen diemutiklich
gedankcht.

Dann als auf Ewrer Gnaden begeren vnd anbringen so der von
Eberstorf yecz von ewrn wegen getan hat, als von ausschreibens
wegen ains landtags vnd peistands, lassen wir Ewr Gnad wissen, daz
der Rat, Genant vnd Gemain, als sy am nagsten peieinander gewesen,
vberain worden sein vnd verlassen haben, daz wir vns auf kainen tail
legen sullen, wir möchten vns auch solhs ewrs begerens an si nicht
annemen. Wann wir yecz darumb beyeinander sein, was an vns pracht
werd, das sullen wir aufnemen vnd verhorn vnd wider an sew prin-
gen. Wollet ir aber ewr begern vnd fürnemen an Rat, Genant vnd
Gemain selbs pringen, so wellen wir ew die auf den nagsten Suntag **4. December**
gern besenden vnd vodern in das Rathaus zukomen, ee mocht das   **1457.**
nicht gesein. Wolt ir aber das selbs nicht anbringen, vnd ist ewr
gevallen, so wellen wir das selber an sew pringen; was dann da ge-
raten wirdt zu ainer antwurt, das wellen wir ew wissen lassen.

Daran heten die obgenanten Herren diezmals ein gevallen
vnd begerten, daz wir das selbs anbringen solten auf den nagsten
Suntag.

XIX. *Die antwurt hat man meinem gnëdigen Herrn Herczog Albrech-*
ten in geschrifft geben von gemainer Stat an Mitichen nach
sannd Niclas tag (7. Dec.) Anno Dni LVII.*

Hochgeporuer fürst vnd gnädiger Herr. Als ewr fürstlich Gnad
begert hat, wann vnser allergenedigister Herr N. der Romisch Kaiser
komen wolt, oder seiner Gnaden Rët herschikchen wurde, das solt
wir Ewr Gnad vor wissen lassen, so wolt denn Ewr Gnad ewrer
Gnaden maynung vnd noidurfft rerrer an vns pringen, vnd darin wider
nyemand kainen vortail suchen & Wenn Ewr Gnad hab solh begerung
an weilnt vnsers gnedigisten Herren Künig Lasslabs löblicher gedächt-
nuss Rët auch begert, die darauf ewrn fürstlichen Gnaden zugesagt
haben die Zukunfft seiner kaiserlichen Gnaden oder seiner Gnaden
Rët vor wissen zu lassen.

Darauf tun wir ewrn fürstlichen Gnaden antwurt. Wirdt vns die
Zukunfft vnsers allergenedigisten Herren N. des Romischen Kaysers
oder seiner Gnaden Rët wissentlich, ee wenn den Rëten weilnt vnsers
gnedigisten Herren N. des Kunigs, so wellen wir solh zukunfft ewr
fürstlichen gnad gern wissen lassen.

Dann als ewr fürstliche Gnad verrer begerung getan hat, seind
ewr gnad bie gewesen sey zu dem abgang vnd tod weilnt vnsers gnë-
digisten Herren Künig Lasslabs seliger gedechtnuss. vnd nu das lannd
in erbschafft auf vnsern allergenedigisten Herren N. den Römischen
Kayser, ewr fürstliche Gnad vnd auf vnsern gnëdigen Herren Herezog
Sigmunden gevallen sey, daz wir darob wolten sein, damit ewr fürst-
liche Gnad von ewrer gerechtikait hie gewalltiklichen nicht gedrun-
gen, noch darin besw̃ert wurde, nëmlichen vor der zeit, ee gemaine
lantschafft zusamen këme, wann ewr gnad bedenkch pey den ver-
gangen sachen die künftigen.

Darauf geben wir ewrn Gnaden ain solhe antwurtt. Ewr fürst-
liche Gnad mag wol erkennen, was gewalts wir in solhem stand vnd
wesen, vnser gnëdiger Herschafft berörund, haben. Solten wir vns
daruber gen ewrn fürstlichen Gnaden iehts vervahen, des wir nach
gepürlichkait vnsers stands vnd wesens vorgemeldt nicht vollenden
möchten, das wer ewrn fürstlichen Gnaden mer ain versaumung,
wenn ain dienst. Solt aber Ewrn fürstlichen Gnaden icht dringnusse
in obberürter zeit geschehen auswendig ains verainten fürnemens ge-
mainer lantschafft, das sëhen wir vnserenthalben nicht gern vnd wolten

vngern, das solhs mit vnserm willen solt geschehen. Aber was wir mit samht gemainer lanntschafft für vnser gnädigste Herrschafft dienn, raten vnd helffen sullen zu aller ainikait, frid vnd gemach Landen vnd lewten, des sey wir willig als getrew vndertan irer gnädigisten Herrschafft. Vnd getrawn Ewr fürstlich Gnad hab ein gnädigs wolgevallen vnd benugen an diser vnser antwurtl, das wellen wir williklich vmb ewr fürstlich gnad verdienn.

Wie Her Gorziegk vnsers gnädigisten Herren Künig Lasslabs Tod her gen Wienn verkundet hat. XX.

Vnsern dienst mit gutem willen bevor, Ersamen vnd fürsichtigen lieben frewnde. Wir tun ew zuwissen, daz vnser gnedigister Herre N. der Künig laider mit tod abgangen vnd verschaiden ist an der pestilencz an dem nagstvergangen Mitichen in der vierden stand (!) nach mittag, derselb tot vnd abganken, so an vnserm gnedigisten Herren N. geschehen, ist vns ein grossew betrubnuss vnd getrews laid, als das wol pillich ist, nicht allain von vnser, vnd ander seiner genaden vndertan, Sunder aller Cristenhait durch seiner kuniglichen gnaden leben vil guts hiet daraus mugen endsteen. Vnd vns zweifelt nicht, das euch vnd ainem yedem seiner kuniglichen Gnaden getrewen vnd vndertanen seiner Reich vnd land ain grosse betrubnuss vnd laid sey. Doch so ist sein kunigliche genad von den gnaden des allmechtigen gots peicht vnd puss worden, als ainem kristenlichen kunig vnd furst zugepürt, vnd ist mit guter gewissen vnd vernunfft gewesen vncz in sein end, vnd hat mit vns durch sein selbs mund ain bevelhen vnd verlassen getan, also daz wir seine kunigliche Kunigreich Lannd vnd Lewt welden vnd solden mit frid betrachten, schüczen vnd beschermen, vnd nicht alain das Kunigreich zu Beheim, sunder auch all annder kunigreich, fürstentumb, land vnd lewt, daz ain yederman geistlich vnd weltlich, reich vnd arm, witib vnd waisen hey dem Rechten vnd der gerechtikait möchten in Iren standen vnd wesen beleiben vnd behalden werden. Darczu wir nicht aluin von solhen bevelhnuss vnd geschefft s wegen vnsors gnedigisten Herren N. des Künigs, dem der almächtig Got genedig sey, genaigt vnd willig sein, Sunder auch von besundere begir ist vnser willen ye vnd ye gewesen, ee dann vns ye kaine Regiment bevolhen sind worden, daz wir zu allen zeiten gern gesehen hieten in seinen kuniglichen kunigreichen, furstentumen vnd

landen guten frid, Rue vnd gemach, vnd darczu auch gern willigeli-
chen geholffen hielen, vnd noch bey hewtigem tag sey wir darczu mit
grosser begier willigelichen willig. Darumb so getrawen wir euch
allen, ir wolt anschen solh vnsers genedigisten Herren N. des
Kunigs loblicher gederhtnuss lesten willen, bevelhen vnd maynung
vnd vnsern gulen willen, vnd euch darin halten vnd peleiben, auch
das fürstentumb Osterreich vnd Ir in guter synigung beleibt vnd kai-
nerlay Zërüttlung vnder euch kömen lasst, als dann des sein kunigli-
che Gnad des vnd alles guts in seinem leben getrawt hat. Was wir
euch darczu geraten vnd belffen sullen vnd mugen, des sein wir nach
seiner kuniglichen gnaden bevelhen, auch von aygner begir darczu gar
willig vnd wellen das gern tun, dadurch seiner kuniglichen gnaden
lesten willen also gescheeh vnd nachgangen werdt. Geben zu P r a g

Novemb. an Montag vor sannd Andres tag Anno dni etc. LVII°.
1457.

Jörzigk von Cunstat, Herre zu Wodiebrat des Kunigreichs
zu Behem Gubernator.

Den Ersamen, fürsichtigen vnd Weisen N. Burgermaister Rich-
ter, dem Rat vnd der ganczen gemain der Stat zu Wienn, vnsern
lieben frewnden.

XXI.   *Das erst schreiben, das vnsere gnädiger Herr N. der Römisch*
Kayser der Stat hie getan hat.

Fridreich von gots genaden Romischer Kayser zuallenczeiten
Merer des Reichs, Herczog zu Osterreich, zu Steir etc. Erbern,
Weisen, getrewn, lieben. Als weilnt vnser lieber Vetter Kunig Lass-
law mit tod abgangen ist, des vns dann hoch vnd vasst in vnserm
gemuet bekümert, Ist ew vnd mënigkleich wissentlich vnser als fur-
sten von Osterreich gerechtikait, so wir zu desselben vnsers Vetters
verlassen erblichen landen vnd fürstentumben haben. Begern wir an
ew mit sunderm vleiss vnd ernst, daz ir ew vnser haltet, damit wir
beröblich vnd an auszug darczu komen mugen, vnd ob yemand, wer
der wër, ichts dawider fürnemen wolte, das nach ewrn Vermugen
nach dem pessten vndersteet, vnd ew darin also beweiset, als wir des
ain gancz wolgetrawn zu ew habe; das wellen wir kunftigklich mit
gnaden gen ew vnd ewrn kinden erkennen. Geben zu Grëcz a n

montag vor sand Niclas tag Anno dni LVII° vnsers Reichs im 5. *Dec. 1457.*
achtzehenden vnd vnsers Kaiserthumbs im sechsten Jaren.

Commissio domini Imperatoris in Consilio.

Den Erhern, Weisen vnsern getrewn liehen N. dem Burger-
maister, Richter, Rat, den genanten vnd gemain zu Wienn.

Antwurt auf des obgenanten vnsers allergenedigisten Herren   XXII.
des Kaisers schreiben.

Allerdurleuchtligister Kayser vnd allergenedigister Herre. Vnser
vndertänig willig dinst ewrn kayserlichen Gnaden bevor. Ewrer kay-
serlichen Gnaden schreiben haben wir vndertönigklichen emphangen
vnd vernomen, darin ewr kayserliche Maiestat in anfang berürt die
hoch betrubnusse, so dieselb ewr gnad vmb den tod vnd abgang
weilnt vnsers gnedigsten Herren Künig Lasslabs löblicher gedecht-
nusse hab, des wir ewrn kayserlichen gnaden vndertenigklichen
dankchen, wie wol wir vmb seiner kuniglichen Gnaden Tod auch
merkchlich betrübnusse vnd gross laid haben, als das wol pillichen
ist. Aber als ewr kayserliche Gnad als fürst in Osterreich gerechtig-
kait zu weilnt vnsers gnedigsten Herren kunig Lasslabs verlassen erb-
lichen lannden vnd fürstentumben hab vermelt daz vns vnd menikleich
wissentlich sey, begerund an vns mit sunderm vleiss vnd ernst das
wir vns Ewr Gnaden halten, damit Ewr Gnad heruhlich vnd an ausezng
darczu komen muge, vnd ob yemand, wer der wär, ichts dawider
fürnemen wolt, das nach vnserm vermügen nach dem pesten zu vnder-
sten & Allergenedigister Kaiser, nu hat Ewr Gnaden bruder, der
Erlewcht hochgeporn fürst, herczog Albrecht, Erczherzog in Oster-
reich, Vnser genediger Herr, hie sein erbliche gerechtigkait auch ver-
melt vnd vns geoffenbart, doch in solher mass, daz er damit wider
nyemant kainen vortail begern, noch fürnemen welle & Vnd wie wol
wir Ewrn kaiserlichen Gnaden ewr erblichen gerechtikait wol gunnen
als vnserm allergenedigisten Herren, su mag dieselb ewr Gnad ver-
nemen, solten wir vns un verannigung gemainer lantschafft solhs
ewrer Gnaden begern vervahen, daraus möcht vns gross vermerkchen
vnd vnfug bekämen vnd aufersteen. Was wir aber mit gemainer lant-
schafft ewrn kaiserlichen Gnaden vnserr genedigisten Herrschafft dienn,
raten vnd belffen sullen zu aller aynigkait, frid vnd gemach landen

vnd lewten, das sey wir ewrn kaiserlichen gnaden zemal willig, als
vnserm genedigisten Herren, vnd bitten mit aller vndertĕnigkait ewr
kaiserliche Maiestat welle solh vunser antwurtt gnĕdigklichen versten
vnd aufnemen. Daz wellen wir vmb dieselb ewr kaiserliche gnad mit
aller vndertĕniger gehorsamb willigklich vnd gern verdienn. Geben

10. *December* zu Wienn an Sambstag vor sand lucein tag Anno LVII°.
1457.

            Ewrer kaiserlichen Gnaden vndertĕnigen

                     Burgermaister, Richter, Rat,
                     Genant vnd Gemain zu Wienn.

Dem allerdurleuchtigisten fürsten vnd Herren hern Fridreichen
Römischen Kaiser zuallenczeiten mĕrer des Reichs, Herczog zu
Osterreich, ze Steir & Vnserm allergenĕdigisten Herren.

XXIII.   *Antwurt den Räten von der gelüb wegen pey den törren an*
11. December   *snnntag vor lucie. Anno LVII°.*
1457.

     Gnĕdigen vnd lieben Herren. Als Ir vns anbracht habt, wie Ir
zu Eberstorf bey einander gewesen seit mit ettlichen den eltisten
vnd pesten im lannd, ausgenomen den von Walsse daselbs ir mit-
einander aynig worden seit, miteinander zu steen vnd mit gemainer
landtschafft fürnemen wellet dez lands vnd der Stat Ere vnd nucz zu
betrachten, vnd den eltisten zuschreiben, sich berzufügen vnd mitsambt
den aynig wellet werden ainen landtag den vir stenden des laonds
auszuzuschreiben. Auch darauf peten vnd begert habt, daz wir das für-
nemen von der glüb wegen bei den Törren sollen hinfür abschaffen,
vnd an die laundtlewt nicht mer begern &.

     Daz haben wir nach ewrm begeren (an) den Rat, die Genanten vnd
gemain anbracht, die haben ainhelligklich verlassen, ewrn Gnaden
vnd den andern Herren zusagen, daz sy irnthalben zu missvallen oder
misstrawn, noch zu smach den landlewten vngern ichts fürnemen
wolten, aber was sy da mit gemainer stat fürgenomen haben, das sey
geschehen von grosser merkhlicher notdurfft wegen Ir genedigiste
Herschafft vnd gemaine Landtschafft berürend; wann Ewr Gnad vnd
die andern Herren mugen wol versten, daz vor in lanngen zeiten kain
solber Laundtag hie in der Stat nicht gewesen ist, als yeczund wer-
den mag; darczu so mugt Ir wol wissen die ansuchung vnserr gnĕ-
digisten herrschafft, vnd mugt auch wol versten, wie lange zeit here

krieg vnd vnwillen in dem vnd andern vmbligunden launden gewesen seinn, aus den sich grosser vuwillen vnd schëden begeben haben. Solt es bey ainem solhen grossen lanndtag aus obgeschriben sachen vnd handlungen geredt werden, daraus möchten sich vil frombdnusse vnd stöss zwischen den lanndlewten hegeben. Es mochten auch frombd, die nicht lanndlewt wërn, wissentlich vnd vnwissentlich herkömen, die sich hey solhem landtag auch in den sachen möchten vermisshen. Solten aus solhen oder andern zwiträchten geredt werden, dadurch möcht merklich zerüttung vnd Irrung des lanndtags heschehen, daraus vnser gnedigsten Herschafft vnd der Lanndtschafft in Osterreich, auch den andern vmbligunden launden vnd lewten, vnd sunderlich der Stat hie solher schad ergen, der vnwiderpringlich wër. Darumb wir nicht pessers kunnen versten, damit sich mynner aufstöss in der lanndschafft begen mugen, wenn das die Stat bey solher fürgenomer ordnung gehalden werde, dardurch vnserr gnedigsten Herschafft vnd des Lannds notdurfft mug nachgegangen vnd auswendiger frömbder Irrung vnd Zerüttung vnderkomen werden, für ain stukch mit dem, das ain ieder gelob, das er vnd die seinn der Stat vnd allen Inwonern an schaden berein reiten, herinn sein vnd wider hinaus komen welle angeverd, vnd pitten darauf ewr gnad vnd die andern Herren, oh vns yemand anders verdëcht, das wir solh fürnemen in andern wegen getan hieten, Ir wellet vns darinn hereden vnd solh vnser antwurt, oh das not tut, gemainer landtschaft fürbringen.

Die antwurt ist Herczog Albrechten getan worden an Mittichen   XXIV.
nach sand Lucein tag.   14. December
                                                                    1457.

Durleuchtiger, hochgeporner fürst, gnediger Herr. Als ewr fürstlich gnad ewrer gnaden maynung an vns pracht hat, zum ersten, wie ewr gnad hegert huh, das wir ewrn fürstlichen gnaden daz schreiben, so vns vnser allergenëdigister Herr N. der Römisch Kaiser zugesandt hab, hörn zulassen, abgeslagen haben das doch durch vns seinen kaiserlichen gnaden verantwurtt sey. Seid nu sein kaiserliche Gnad begerung an vns hab getan, so gepür nu ewrn fürstlichen gnaden auch wol begerung ze tun, solt aber vnser allergenedigister Herr N. der Römisch Kayser solh begerung an vns nicht getan haben, ewr fürstliche Gnad woll das pey ewr gnaden erstem anpringen, an vns beschehen, besten haben lassen voez auf gemaine landt-

schaft, so die zueinander komen wër. Darauf so beger Ewr Gnad
ewr erbliche gerechtikait vnd auch vnsers gnedigen Herczog Sig-
munds in der Stat vnd vor der Stat mit der zugehörung, als wir das
mit etwas mer worten von ewrn fürstlichen gnaden vernomen haben.

Gnëdiger Herr. Auf begerung der saeh, daz wir Ewr fürstliche
gnad solh verschreiben, so vns vnser allergenedigister Herr N. der
Römisch Kayser getan hat, die wir ewr gnad nach ewr Gnaden be-
gerung nicht haben hörn lassen,

Gnëdiger Herr, nu wollten wir vngern in ayuigerlay weise vr-
sacher sein, daz vnser allergenedigister Herr N. der Römisch Kayser,
ewr fürstlich Gnad, oder vnser gnëdiger Herr, herczog Sigmund in
Vermerkehen gen einander komen sollen. Sunder was wir als vnder-
tanen gen vnserr herschafft dienn, Raten vnd helffen kunnen oder
mugen zu ayuigkait ewer aller gnaden, des sey wir schuldig vnd willig
vnd piten diemutigklich, ewr fürstlich gnad welle vns darinn nicht
vngenedigklichen vermerkehen.

Dann als ewr fürstl. Gnad auch von vnsers gnedigen Herren
Herczogs Sigmund wegen erbliche gerechtikait, so ewr paider gnad
angevallen sey, vordrung vnd vermeldung getan hat in der Stat vnd
vor der Stat mit der zugehorung.

Gnëdiger Herr, sol ewr fürstlich gnad wissen, was ewr Gnad,
auch vnser gnëdiger herr Herczog Sigmund erblicher gerechtikait
haben, der vergunnen wir ewrer paider gnaden wol, als vnser gnedi-
gisten Herrschafft. Aber daz wir vns damit ausserhalb gemainer laut-
schafft in sunderhait ichts mugen vervahen, das wër vns in dhainen
wegen zetun. Aber nachdem die landtschafft in solhem wesen in iehte
von vns, noch wir von In gesundert sein, so mag ewr fürstlich gnad
wol versten, daz wir vns von in nicht seczen mochten, noch vngern
tun wolten. Was wir aber mit den vier Partheyen der Lanndtschafft
in Österreich zu aller ainikait unser gnedigisten herrschafft launden
vnd lewten zu frid vnd gemach dienn, Raten vnd helffen mugen, daz
sey wir genczlich willig vnd genaygt, Vnd piten ewr fürstliche gnad
welle solh vnser antwurt gnedigklichen aufnemen, das wellen wir
willigklieh vmb ewr fürstlich Gnad gern verdienn.

E. 6.   Item die vorgeschribnen antwurt, so man von gemainer Stat vnserm
allergenedigisten Herren N. dem Römischen Kaiser, auf seiner gna-
den, vnd die antwurt, so man vnserm gnedigen Herren Herczog

Albrechten getan hat, sind betrnebt vnd fürgenomen worden von Rat,
Genaet vnd Gemain, die darumb pey einander gewesen sein.

Item auf die antwurt hat vnser gnediger Herr, Herezog Albrecht
gefragt, sey vnserm gnedigisten Herren dem Kaiser in solher maynung
geantwurt worden, als im, so hab er daran ein gevallen, vnd lass das
seinthalben auch dapei besten vnez auf gemaine Lantschafft, so die
zueinander komen wirt.

Das ander schreiben, das vnser Herr der Kaiser der Stat   *XXV.*
getan hat.

Fridreich &.

Erbern, Weisen, lieben, getrewn. Als lr vns yeez auf vnser
schreiben ew von des anvals wegen vnserr erblichen gerechtikait, so
an vns von weilent vnsers lieben Vettern Kunig Lasslas erblichen
fürstentumben vnd lannden zugestannden ist, vnd sich mit tod vnd ab-
gang desselben vnsers Vettern, dem Got der almechtig genedig sey,
begeben hat, getan, widerumb geschriben habt, haben wir vernomen
vnd begern darauf aber an ew mit sundern vnd ganezem Vleiss, d a z
l r ew darinn vnser, als des elltisten von Osterreich hal-
tet, dadurch vnsers haws Osterreich eer, nuez vnd pestes dester fügli-
cher fürgenomen, auch lannd vnd lewt destpas in frid vnd gemach, darezu
wir dann allweg genaigt gewesen, vnd noch sein, gesterzt mugen werden,
als wir ew des gelrawn. Daran tut lr vns sunder gut gevallen, daz
wir gen ew vnd ewrn Kinden mit sundern gnaden in kunftigen zeiten
erkennen wellen. Geben zu G r ä e z an S u n t a g v o r s a n d T h o -
m a n s t a g d e s h e i l i g e n Z w e l f p o t e n Anno Dni LVII*, vnsers &. *18. December*
1457.
Commissio &.

Das dritt schreiben, das vnser gnediger Herr der Kayser den   *XXVI.*
von Steten getan hat [*]).

Fridreich &.

Erbern, weisen, getrewn, lieben. Als weilend vnser lieber Vetter
Kunig Lasslaw mit tod abgangen ist, dem Got der almechtig gnedig

---

*) Chmel Regesta N. 3568.
Fontes VII.   5

sey, das vns dann hoch vnd vasst betrübt, vnd in vnserm gemuet be-
kümert. Ist ew vnd mönicleich wissentlich vnser als fürsten von Oster-
reich gerechtikait so wir zu desselben vnsers (vetters) verlassen erbli-
chen lannden vnd fürstentumben haben. Begern wir anew mit sundern
vnd gannczen Vleiss, daz ir ew vnser, als des Elltisten von
Osterreich haltet vnd daran seit, damit wir auf solb vnser gerechti-
keit berublich zu den selben lannden vnd fürstentumben kömen, vnd
dadurch vnsers Hawss Osterreich eer, nucz vnd pestes dester füglicher
fürgenomen, auch lannd vnd lewt desterpas in frid vnd gemach, darczu
wir denn allweg gewesen, vnd noch seinn, geseczt mugen werden, vnd
ob yemand, wer der wär, ichts dawider fürnemen wolte, das nach ewrm
Vermögen nach dem pesten vndersteet vnd ew darinn also heweiset,
als wir des ain gancz wolgetrawn zu ew haben, daran tut ir vns sunder
gut gevallen, das wir gen ew vnd ewrn kindern mit sundern Gnaden
in kunfftigen zeiten erkennen wellen. Gehen zu Grôcz an Montag
vor sand Thomans tag des heiligen zwelfpoten Anno Dni LVII°,
vnsers &.

19. December
1457.

Commissio &.

Den Erbern, weisen, vnsern getrewen N. den vonn Steten vnsers
fürstentumbs Osterreich.

XXVII.   *Der Stat antwurt auf die vorgemelten zway schreiben.*

Allerdurleuchtligister Kayser vnd allergenedigister Herr. Vnnser
vndertänig willig dienst seinn ewrn kayserlichen Gnaden voran beraitt.
Als ewr kaiserliche Maiestat vns yecz aber geschriben hat, wie wir
auf ewr Gnaden schreiben vns getan von des anvals wegen ewr
Gnaden erblichen gerechtikait, so ewr kaiserliche gnad an weilent
vnsers gnädigisten Herren Kunig Lasslabs erblichen fürstentumhen
vnd lannden zugestanden, vnd sich mit tod vnd abgang desselben
vnsers gnedigisten Herren Kunig Lasslabs, dem Got der almechtig
genedig sey, begehen hab, widerumb geschriben hahen, darauf Ewr
kaiserliche Maiestat aber an vns mit sunderm vnd ganczem vleiss
begert, daz wir vns darinn ewrer Gnaden, als des eltisten fürsten von
Osterreich halten solten, dadurch des Haws Osterreich eer, nucz vnd
pestes desterfüglicher fürgenomen, auch lannd vnd lewt destpas in
frid vnd gemach, darczu ewr kaiserliche gnad allweg genaigt gewesen

ind noch sey, geseczt mugen werden &. Soll ewrer kaiserlichen
Gnaden schreiben habeu wir in aller diemutikait vernomen vnd hoffen,
ewr kaiserliche Maiestat hot vnser antwurt, so wir auf ewrer gnaden
erstes schreiben vns vormalen getan, gnedigelichen vernomen. Nu
sind an dem negstvergangen frritag aus der Landtschafft des fürsten-
tumbs Osterreich niderhalb vnd ob der Enns von Prelaten, Grafen,
Herren, Rittern vnd Knechten vnd von Steten ain merklicher tail hie
beieinander gewesen, vnd aynig worden, ainen landtag auszuschreiben
auf den negstkunfftigen sand Agnesen tag hie zuhalten vnd habent
auch ettlich von den Prelaten, Grafen, Herren, Rittern vnd Knechten
vnd vonn Steten fürgenomen vnd geordent zu verwesen, die in der
teit, vncz daz die landtschafft zueinander kumbt des lannds notdurfft
ausrichten sullen. Nu ist vns sider aber ewr kaiserlichen Maiestat
schreiben kõmen, daz den vonn Steten lautet, daz haben wir mitsambt
dem vodern schreiben dieselben herren vnd Verweser hören lassen
vnd nach Irm Rat vnd willen, so fügen wir ewrn kaiserlichen gnaden
zuwissen, daz wir ewrer kaiserlichen Gnaden schreiben den vir par-
theyen der laundtschafft, so die zueinander kumbt, nachdem vnd sy
von vns in solhem wesen, noch wir von In nicht gesundert sein, auf
dem egenanten lanttag anpringen wellen, was wir denn denselben ewrn
kaiserlichen Gnaden, vnserr gnedigiaten Herrschafft von Osterreich
mitsambt der landschafft dienn sullen zu aynigkait, frid vnd gemach
lannden vnd lewten, sew wir willig als getrew underian Irer gene-
digisten Herrschaft, vnd pitten mit aller diemutikait Ewr kaiserlichen
gnad neme solh vnser antwurtt von vns gnedigelichen auf, das wellen
wir umb ewr kaiserliche Maiestat mit vndertänigkait willigklich vnd
gern verdienn.

Geben zu Wienn am Eritag sand Johanns tag in den 27. *December*
weichnachtvoirtagen Anno dni LVII°.   *1457.*

Ewrer kaiserlichen Gnaden vnderteuigen
Burgermaister, Richter, Rat,
Gnant vnd Gemain zu Wienn.

Dem Allerdurleuehtigistun & ut supra.

5*

XXVIII. Ausschreiben des Landttags auf sand Agnesen tag von ainer newen Herrschafft wegen.

Michel von Gots Gnaden Burggrave zu Maidburg, Pernbart Graf zu Schawnberg, Wolfgang von Walsse Haubtman ob der Enns, Vlreich Eyczinger vnd auder lanndtlewt, die vns aus den vir partheyen der lanntschaft zugeordent sind, Vnsern dinst, Ersamen, Weisen, besunder lieben. Als der durlouchtigist fürst, vnser genedigister Herr her Lasslab zu Hungern, zu Behem & Kunig, Herezog zu Osterreich & loblicher gedechtnuss nach verhengnuss des almechtigen gots mit tod abgangen, das vns pillichen von ganezem berczen ain getrews laid ist. Nu haben der Allerdurleuchtigist fürst vnser allergenedigister Herr der Römisch Kaiser vnd vnser genedig Herren Herezog Albrecht vnd Herezog Sigmund von Osterreich ettwas vordrung vnd ansuchung an ew vnd ettlich ander getan, darumb wir als vil vnser yecz hie beieinander gewesen sein, für ew und vns all zum pessten vnd gemains nucz wegen geraten haben, ainen lanndtag auszuschreiben; wir sein auch mit veraintem Rat daran heliben, ab yemand Inezug oder Besaezung im lannd tun, oder mutwilligen krieg wider lanndsrecht, wider wen des im lannd wär, in der zeit anvachen oder fürnemen wolt, das wir mitsambt ew den widersten vnd des nicht gestalten, auch soldner zu Rossen vnd zufussen aufgenomen, vnd die an die March anverezieben gelegt sullen werden, Begern wir an ew mit ganezem vleiss, daz Ir ettlich aus ew auf sand Agnesen tag nagstkunfftigen anverezieben hie bey der lanndtschafft habt, die mit sambt gemainer lanndtschafft helffen zuraten vnd aynig zu werden, wie man sich gegen derselben vnserr allergenedigisten Herrschaft vnd in andern wegen halten sull, damit des lannds vnd aller Inwoner Ere vnd gemainer nucz fürgenomen werd, als wir vnd Ir der vorgenanten vnserr allergenedigisten Herrschafft, vnsselbs vnd dem lannd des schuldig sein. Vnd ob auch solhs als oben geschriben ist, not wurd, alsdann zu Rossen vnd zufussen auf das Sterkebist, vnd ir maugt, aufseit, vnd mit sambt vns das helffet zu wärn vnd zu vnderkomen, das wellen wir gern vmb ew verdienn. Geben zu Wienn an Sambstag vor dem heiligen weihnachtstag Anno dni LVII°.

24. Decemb. 1457.

     Den Ersamen, weisen, vnsern besunder lieben, dem Burgermaister, Richter vnd Rat zu Wienn.

Vnsers gnēdigen Herren Herczog Albrechts anbringen, so sein   E. 6.
fürstlich gnad meinem Herren Burgermaister, Richter, Rat
Genant vnd Gemain auf der schuel zu sand Stephan zu Wienn
getan hat an sand Valentins tag Anno dni LVIII°.   7. Jänner
                                           1457.

Vnser gnediger Herr Herczog Albrecht hat fürbracht vnd
erczellet, wie vnd warumb er herkömen, vnd schir zway Jar hie ge-
wesen sey, vnd in der tod vnsers gnedigsten Herren Kunig Lass-
labs, dem der almechtig got genedig sey, hie begriffen hab, daz
an sein land vnd furstentumh erblich auf vnsern allergenedigisten
Herren N. den Römischen Kayser, auf in vnd auf Herczog Sigmunden,
auch vnsern gnedigen Herren gevallen vnd geerbt sey auf ainen
nicht mer, noch mynner denn auf den andern nach
Innhaldung seins Altvaters Herczog Lewpolts vnd Her-
czog Alhrecht seins Pruders Kunig Albrechts een
seligen tailbrief, auch des Verzeichbriefs vnd der
Verschreibung, die vnser herr der Kayser von seiner
vormundschafft wegen den vier partheien gehen hat,
auch von der verschreibung wegen, so derselb vnser
gnediger Herr N. der Kaiser vnd er gegeneinander
getan habent, ob si icht lannd angeviellen oder an-
erstorben, wie es darumb sten solt, die in drewvnd-
funfczigisten Jar ausgegangen ist, die er all zu seinen
zeitten, so die lanntschafft zueinander kumht, lautter well fürbringen
vnd hörn lassen, vnd dapey seiner gnaden vnd herczog Sigmunds
notdurfft weiter erczellen. Nu hah er vormaln gegen der Stat ver-
willigung getan, daz er kainen vortail haben, noch fürnemen welle,
denn daz im pillichen vnd rechtlichen volgen vnd zugehoren sull,
dapei er es seinnthalben besten lassen hiel, vncz auf gemaine lannt-
schafft. Aher vnser gnedigster Herr N. der Kaiser hah weiter ansu-
chung getan, vnd den vir partheyen der lantschafft, Prelaten, Graven,
Herren, Ritter vnd Knechten vnd den von Steten, vnd sunderlich der
Stat hie geschrihen, daz sy sich sein als des eltisten von Osterreich
halten solten: darauf demselben vnsern genedigisten Herren dem
Kaiser von der Stat hie geantwurt wer worden, daran er ain gut ge-
vallen hiet vnd begert an gemaine Stat, ob seiner gnaden per-
son hie vhervallen oder gewaltigklich von seiner

erblichen gerechtikait gedrungen soll werden, ee
wenn gemaine lanntschaft zusamen kême, wes er sich
darinn gen gemaine Stat soll versehen. Wann er noch
kainen vortail haben, noch fürnemen wolt, vnd wolt auch nicht,
daz das lannd Osterreich, davon sy Iren nomen haben,
soll getailt werden, sunder daz Im vnd Herczog Sig-
munden von Ir baider erblichen gerechtikait wegen
sollet beschehen, was in pillichen vnd rechtlichen
geschehen sólt, vnd wann gemaine Lanntschafft zusamen kumbt,
so wolt er die such zu In seczen, daz sy erkennen solten, was In pil-
lichen volgen solt, aber nicht daz zwen, drey oder vir
darumb sprechen sollen, sunder gemaine Lantschafft,
vnd was die sprechen, daran wolt sein Gnad ain ge-
vallen haben, als das mit mer worten gelautt vnd vil merklicher
vrsach dapey fürgehalden vnd erczelt hat &c.

Darauf namen In der Burgermaister, Richter, Rat Genannt vnd
Gemain ain bedechtnuss, vnd habent seinen fürstlichen Gnaden an

8. Jänner
1458.

XXIX.

den nägsten Suntag sand Erhartstag darnach auch in der
Schul zu sand Stephan ain antwortt getan, als hienach geschriben
stet, also lautend:

Durleuchtiger, Hochgeporner fürst vnd gnediger Herr. Als vns
ewr fürstlich Gnad des Hawss Osterreich alts herkömen mit vermel-
dung der erblichen gerechtikait der fursten von Osterreich, vnser
gnedigisten Herrschafft anbracht hat, vnd nemlich dapey begerund,
ob ewr furstlich Gnad an ewrer person oder erblichen gerechtikait
beswèrt oder gedrungen solt werden, ee wenn die Lantschafft zusamen
kêm. Wes sich ewr fürstlich Gnad zu vns darinn versehen solt, als
vns das ewr Gnad mit vil merklicher vrsach fürgehalten hat, Haben
wir diemuticlichen vernomen. Gnediger Herr, nu ist ewr fürstlich
Gnad wol gedächtig, daz ewr Gnad vor nahent der maynung gleich
begerung an vns hat getan, darauff wir ewrn fürstlichen Gnaden ge-
antwurtt haben, die Ewr Gnad gnedieleichen von vns aufgenomen hat.
Also mag ewr fürstlich Gnad wol versten, daz wir vns sollts zuesagens
auf solh ewrer Gnaden fürsorg an gemaine Lantschafft in Osterreich,
mit der wir veraintlich sten, nicht vervallen möchten. Aber wir wolten
vngern, daz mit vnserm Rat vnd willen ichts zu missvallen an ewrer
fürstlichen person, noch an ewrer erblichen gerechtikait beschehen
oder zuegeczogen werden. Wir haben auch vnder vnsselbs noch in

der gemain solhs nye gehört, noch verstanden. Wann got wais, das wir nichtz liebers sehen, dann daz sich vnser allergenedigister Herr, der Kaiser, ewr fürstlich gnad vnd vnser gnediger Herr Herczog Sigmund vmb ewrer aller erblichen gerechtikait frewntlich ver- ainten, vnd was wir auch mit der landtschafft darczu gedienn vnd Raten kumen vnd mugen, des sey wir willig als getrew vndertanen vnser genedigisten Herschafft, vnd pitten diemuticleichen, ewr furst- lich (Gnad) well solh vnser antwurtt gnediklichen aufnemen, das wellen wir vmb ewr fürstlich gnad willigeleich verdienn.

Darauf redt vnser gnediger Herr Herczog Albrecht, daz er sich vor vnser, noch vor den Regierern des lands nicht besorget, wann er wesst wol, daz wir alheg an dem haws Osterreich vnd vnser gnedigen Herrschafft wol vnd recht getan hieten, vnd anders von vns nie erhort wer worden, vnd hoff, wir wurden das an seinen gnaden auch tun, vnd vermelt auch dapei, wie löcher in die purgk gingen, vnd wie wir die Stattör vnd die slüssel darczu innhielten, sollen nu frömbd herein komen, von den er gedrungen solt werden an seiner person oder in seiner erblichen gerechtikait, was er sich zu vns darinn versehen solt, oder was wir darczu tun oder reden wolten.

Darauf gaben wir seinen gnaden nach guter bedechtnuss ain solhe antwurt, das wir der Purkch nie inngehabt, vnd noch nicht innhieten, dann von der fürsarg wegen, die sein gnad hiet, solt sein gnad an zweifel sein, daz solh dringnuss mit vnserm Rat vnd willen nicht geschehen solt, Wan wir mit- sambt den Regierern des lands in den sachen hanndeln vnd tun wolten, als from getrew leut, vnd als wir des vnserr gnedigisten Herschafft, vnsselbs vnd gemainer lantschafft schuldig sein, vnd pitten diemutic- leich, sein gnad solt an solher vnser antwurtt ein gevallen haben.

Darauf redt derselb vnser gnediger Herr, die Rät vnd Vorweser des lannds hieten vnserm allergenedigistem Herren dem Kaiser vnd Imselbs auf sein begern vnd maynung geantwurtt, daran er ain gut gevallen hiet. So liess er sich an der anttwurtt, so wir Im yecz zum iungisten hieten getan, auch genugen, vnd sein gnad emphalich sich der gemainer Stat, vnd gieng also aus.

E. 7.

XXX.   *Vermerkcht das Anbringen, So mein Herren N. der Burger-*
maister, Richter, Rat vnd die anndern, die zu Ordnung der Stat
gesenzt sind, von gemainer Stat wegen an die Regierer vnd
Rät des lands getan habent.

Gnedigen vnd lieben Herren. Als ewr Gnad vnd die Herren all
nu ettweofft vernomen haben mėniger ansuchung vnd begerung, so
vnser allergenedigister Herr der Römisch Kaiser, auch vnser gnediger
Herr Herezog Albrecht anstat sein selba, vnd vnsers gnedigen Herren
Herezog Sigmunds schrifftlichen vnd mündlichen an gemaine Stat hie
mit vermeldung Irer gnaden erblichen gerechtikait, Regierung des
lands vnd auch Ir Person berürund anbracht habent, das vns für
vasselbs gen vnserr gnedigisten Herrschafft also stetieleichen gar
swėrlich ist zuverantwurtten. Besunder nach dem als ettwas red an
vns gelangt ist, Wie vnser allergenedigister Herr der Romisch Kaiser
heraus zu lanud komen sey, vnd möcht sich kürezlich her zu der Stat
mit seiner gnaden begerung fügen, oder in die Stat kömen. Wir
haben auch uernomen, das mau vnsers gnedigen Herren Herezog Sig-
munds teglichen wortlund sey herezukomen, solt sich das also ge-
pürn, mag ewr gnad vnd die Herren all wol veraten, was wir auf solh
begern vnd ansuchung in solchen sachen, diser lewff vnser gnedigiste
Herrschafft berürund, Rechtlichen vnd gepürlichen zetun haben, oder
getun mugen.

Solt sich in dem Zwitracht erheben, das wėr vns trewlich laid,
Wann wir haben vns ye vnd ye auf die lantschafft in allem vnserm fürne-
men treulichen gehalten, vnd tun das noch im pesten für vnser gnedigiste
Herrschafft zu aynikait laannden, lewten vnd der Stat vnd menigelei-
chen zu frid vnd gemach, vnd nach solher verwendter Zukunfft vnser
gnedigisten Herschafft vnd der grassen merkelichen fürsorg halben,
so in vorberürter begerung vnd ansuchung so in disen sachen sind,
vnd daraus fürbaser begeben möchtten, vnd ewr Gnad vnd die Herren
all zu fürsehung vnd verwesern des lands vnes auf ain kunfftige lant-
schafft fürgenomen vnd geseczt seit, als sich des ewr Gnad vnd die
Herren angenomen haben. Bringen wir die sach an ewr gnad vnd an
die Herren, vnd bitten von gemainer Stat, Ir wellet ew vnd vns ge-
mainer Stat hie vncz auf die lantschafft darinn raten, vnd weg ge-
deakchen, von vnser genedigisten herrschafft Inkuufft vnd sach wegen,

das wir solher swërer ansuchung hulben an verrer beswërung vnd auch an schaden moehten beleihen, damit ewr gnad vnd die Herren vnd wir mitsambt ew das hinfür gen vnserr kunfftigen gnedigisten Herschafft, gen der lantschafft vnd mënigeleichen desterpas mugen ver-antwurtten. Vnd was wir mit sambt ewrn Gnaden vnd den Herren darezu gedienn können, des sey wir willig, vnd wellen das vmb ewr Gnad vnd die Herren als die Verweser des lands willigelieb vnd gern verdienn.

Das ist anbracht worden an Mitichen nach Erhardi. *12. Jänner 1458.*

Das ist gerufft worden an Sambstag vor Anthoni. **XXXI.**
14. Jänner 1458.

Es gepieten vnserr gnedigen Herren, N. die Verweser des lannds auch der Burgermaister, Richter vnd Rat der Stat zu Wienn aller-menielichen, edeln vnd vnedeln, in was wesen oder stand er sey, vnd sag das ain man dem andern, das sich ein yeder vleissigeleich davor huten sol, das kainer nichtz vbels, vnerbere, schëntlliche, vngelewnte, inezüchtige wort von nyemant hie red, schreib, lieht noch sing, pey tag noch pey nacht, in kainer weis, welher aber dawider tet, wer dann ainen solhen warhafflichen begreifft, vnd zu der Stat hannden pringt, demselhen wil man gehen von der Stat gut XXXII guldein, vnd den, der also vnerbere, schëntliche worl geredt, getieht, geschri-hen oder gesungen hiet, wirdt man darumb püssen an leib vnd an gut an alle gnad.

Hört mer.

Es sol auch kainer Slitenfart, Saittenspil, tënez vnd all andrew offenware frewd in den lewffen halten, treiben noch phlegen, vnd das auch kainer verpunden auf der gassen gen sol in kainer weis. Welher aber dawider tut, vnd daruber begriffen wirdt, den wirdt man auch swërlich darumb straffen.

Fridreich &.

Erbern, Weisen, getrewn, lieben. Wir sein in Willen, ain oder zwen vnserr Rät in kürez hinüber gen Wienn in vnsern geschëfften nuschikehen. Begern wir an ew mit sunderm vleiss vnd ernst, das Ir darob seit vnd bestellet, dieselben vnser Rät vnd Ir diener daselbs zu

XXXII.

wienn an fürbart vnd gelubniss in und auszelassen. Daran tut Ir vns sunder gut gevallen, daz wir gen ew gnedigeleich wellen erkennen vnd hegern darauf ewrer versehriben antwurtt hei dem poten. Gehen

11. Jänner 1458. zn der Newnstat an Eritag nach sand Erharts tag Anno dni LVIII. Vnsera etc.

Den Erhern & N. dem Burgermaister, Richter vnd Rat zu Wienn.

Fridreich &.

XXXIII. Erbern, Weisen, getrewn, lichen. Wir schikchen yeez hinüber gen Wienn vnsern getrewn Merten Trawnstainer vnsern diener, dem haben wir hevolhen, sieh auf solh vnser gercehtikait, so wir zu weilent der von Cili gelassner hab vnd gütern haben, weilent graf Vlreiehs von Cili hawa daselhs zu Wien ze vnder- winden zu vnsern handen. Begern wir an ew mit fleiss vnd ernst, daz ir daran seit, damit dem henanten Trawnstainer an solher Innemung dea hemelten haws dhainerlay Irrung noch hindernuss nicht getan, Sunder herühlich ingeantwurtt vnd von vnsern wegen dapei gehalten werde. Desgleichen hahen wir Graf Pernharten von Schawnberg vnd Vlreiehen Eyczinger von Eyczingen geschriben. Darnn tut ir vns sunder gut gevallen vnd vnser ernstliche maynnng, vnd wir wellen das gen ew gnedigelich erkennen. Gehen

11. Jänner 1458. zu der Newnstat an Eritag nach sand Erharts tag Anno dni LVIII° vnsers ete.

Den Erhern & Burgermaister & zu Wienn.

XXXIV. Also ist dem vorgenanten Vnserm gnedigisten Herren dem Kaiser auf die vorgenanten zwen brief geschriben vnd mit der Rët potschafft verantwurtt worden.

Allerdurleuchtigister Kaiser vnd allergenedigister Herr, vnser vnderteuig willig dienst sein ewrer kaiserlichen Gnaden voran beraitt. Als ewr kaiserliche Maiestat vns geschriben hat, wie ewr kaiserliche Gnad in willen sey, ainen oder zwen ewrer kaiserlichen Gnaden Rët in kürez heruher zuschikchen, daz wir bestellen solden dieselben ewrer Gnaden Rët vnd ir diener hie an fürbart vnd glubniss in vnd

vns der Stat zulassen. Auch hat vns ewr kaiserliche Maiestat darnach
geschriben, von weilnt Graf Vlreichs von Cili seligen gelassen hawss
wegen hie gelegen, des sich ewrer kaiserlichen gnaden diener Mertt
Traunstainer zu ewrer kaiserlichen Gnaden handen solt vnderwinden
& Allergenedigister Kaiser, dieselben ewrer Gnaden schreiben haben
vir vndertenigeleichen emphangen, vnd tun Ewrer kaiserl. Gnaden
zuwissen, daz die Herren, die von den vir partheyen des lannds vncz
auf den kunfftigen lanttag zu sand Agnesen tag ettlich aus In geordent
habent zu ewren kaiserlichen Gnaden zu komen, die darumb ewren
kaiserlichen gnaden antwurt tun werden. Vnd bitten mit aller diemu-
tikait, ewr kaiserliche Maiestat welle solh antwurtt gnedigeleichen
vernemen, das wellen wir mit aller vndertenigkait vmb Ewr kaiserliche
Gnad williglichen vnd gern verdienn. Geben zu W i e n n a n f r e y- *13. Jänner*
tag vor sand A n t h o n i tag Anno dni LVIII°. *1458.*

       Ewr &c.

              Burgermaister &c.
Dem Allerdurleuchtigisten &c.

*Aber ein schreiben von Vnserm gnedigisten Herrn dem Kayser,
das der Stat geantwurtt ist an freytag vor Anthoni LVIII°.*

Abgedruckt in Chmel Reg. Friderici Imp. Nr. 3573.

Das schreiben mit sambt den egenanten zwain schreiben habent   XXXV.
*mein Herren vnd auch die potschafft an vnsern gnedigen Herren
Herczog Albrechten pracht vnd seiner genaden antwurt geschri-
ben Hern Oswalten Reicholf vnd dem Pilgreim, als hernach
begriffen wirdet.*

   Vnser willig dinst zuvor, lieben frewndt. Wir lassen ew wissen
das vnser allergnedigister Herr der Kayser vns Rat, Genanten
vnd gemain heut, als Ir von hinn geriten seit, ainen brief geschickht
hat, das abschrifft wir ew hie inbeslossen zueschikhen, die Ir wol
vernemen werdet. Solh schreiben wir vnsern gnedigen Herren Herczog
Albrechten mit sambt den andern zwain briefen, die vns zugeschikcht
sein von seinen kaiserlichen gnaden, ainer von der gelubniss wegen
seiner Ret, der ander von des von Cili hawss wegen mitsambt der
mayssung, Darumb Ir yeez zu vnserm gnedigisten Herrn N. dem

Kayser geschikcht seit, dapei Herr Vlreich von Eyczing, der
Drugksëcz vnd der Oberhaimer auch gewesen sein, ha-
ben hörn lassen, vnd dapei erczellet das fürnemen, das heut mit euch vnd
mit vns geschehen ist von der gelahnuss wegen bei den törrn, wie man
sich gen vnserm allergnedigisten Herren N. vnd seiner gnaden Rëten
halten sull, daran hat sein fürstliche Gnad nicht ain gevallen, vnd begert,
daz die gelubnusa gehalten sull werden, als fürgenomen sey, vnd hat
darauf erczelt, vnser gnedigister Herr N. der Kaiser hab vil Rët vnd
diener, auch sein gnad vnd Herczng Sigmund desgleichen. Solten
die all nu herein komen an geluh, so mocht es pei dem verlassen nicht
besteen, so Im auf der Schul geantwurtt sey, vnd möchtt darnach
zeröttung aufersteen. Darauf hat herr Vlreich von Eyczing von vnsern
wegen geantwurtt, wie sich die Verweser yecz hinuber zu seinen
kaiserlichen gnaden fügen vnd hoffen, si werden mit seinen kaiserli-
chen gnaden sovil reden, damit sein gnad all sachen werd unsteen
lassen vncz auf kunfftige lantschafft, vnd was sein kaiserliche Gnad
denselben Herren vnd euch zu antwurtt gehen wirdet, das wellen wir
vnrerpergen halden vnd sein fürstliche Gnad wissen lassen. Darumb
so pitten wir ew mit vleiss, Ir wellet dy sach an die Herren auch
pringen, damit die vnd ander sachen am pessten fürgenomen werdent,
vnd vns vmb das obgemelt schreiben mit sambt den Herren verant-
wurtten; das wellen wir vmb ew frewnllich verdienn. Geben zu
13. Jänner Wienn an freytag in der fünften stund vor sand An-
1458.   thoni tag. Anno LVIII°.

*Darnach an Sambstag vor sand Anthoni tag (14. Jän.) ist
meinen Herren N. dem Burgermaister, Richter, Rath vnd den
Burgern gemaincleich das hernach benant schreiben komen von
vnserm gnedigisten Herren, dem Kayser, daz sy ettleich aus In
zu seinen Gnaden schikchen solden.*

Fridreich &.

XXXVI.   Erbern, weisen, getrewn, lieben. Wir hegern an ew mit sunderm
vleiss vnd Ernst, daz Ir ettlich aus ew sunderlich vnd an alles ver-
cziehen her zu vns schikchet, vnd ew des nichtz sawmen, noch Irren
lasset. Wann wir ettwas merklicher vnd genötiger sachen mit den
zu reden haben, der wir ew diezmals füglich nicht geschreiben mögen.

Daran tut Ir vns sunder gut gevallen, das wir in kunfftigen zeitten
gnedigklich gen ew erkennen wellen. Geben zu der Newnstat
an Milticben nach sand Erbarts tag Anno dni LVIII°. *11. Jänner
1458.*

Darauf habent die Herren geschriben Herrn Oswalten Reicholf XXXVII.
und Kunraten Pilgreim, das sy sich erkunden sullen, ob man
der schikchung noch (mockt) vertragen sein oder nicht.

Vnsern willigen dinst zuvor lieben frewndt. Wir tun ew zu
wissen, daz vnser allergenedigister Herr N. der Kaiser vns geschriben
vnd etlich aus uns zu seinen gnaden zukomen ervordert hat & als ir
das an der abgeschrifft hieinne beslossen vernemen werdet, vnd das-
selb schreiben ist vns erst bewt geantwurt worden; daz wir, Genant
vnd gemain haben hörn lassen. Davon so pitten wir ew, Ir wellet das
an dieHerren pringen, vnd mitsambt in darinn raten, oder ew vleissigk-
lich erkunden, ob wir solh schikebens mügen vertragen bleiben: das
lasset vns wissen vnd tut darinn ewr pessts, als wir ew des getrawn:
das wellen wir vmb ew frewntlichen verdienn. Geben zu Wienn an
Sambstag vor sand Autboni tag. Anno LVIII°. *14. Jänner
1458.*

Burgermaister &.

Am Sambstag sant Agnesen tag komen vor essens zu den Au- *21. Jänner
1458.*
gustinern für gemaine Lantschafft &.

Abgedruckt in Chmel, Materialien II, 144 sqq.

Antwurt dem Kayser auf sein schreiben, so er begert, inczu- XXXVIII.
lassen an Intrag vnd auszczug.

Allerdurleuchtigister Kayser vnd allergnedigister Herr. Vnser
vndertenig willig dinst ewrn kaiserlichen gnaden bevor. Als ewr
kaiserliche Maiestat vns geschriben bat, wie sich ewr k. Gnad
in Kürcz beer gen Wienn fügen welle, vnd ewr k. Maiestat
begert, daz wir ewr Gnad hie zu Wienn an Intrag vnd auszczug in-
lassen, damit ewr k. Gnad ewrn Gnaden gerechtikait also nachgen
vnd des Haws Osterreich Er, nucz, frumen vnd Pessts fürnemen mug
& Solher ewr k. Gnaden schreiben haben wir in aller diemutikait ver-
nomen. Allergnedigster Kaiser, nu sey wir nie dawider gewesen,

oder ewr K. G. hiet her in die Stat komen mugen, sich mag auch ewr
K. G. noch her fügen, daz wir begirlichen gern sehen, damit ewr
K. G. vnser guediger Herr Herezog Albrecht, ewr gnaden pruder,
vnd vnser gnediger Herr Herezog Sigmund vmb ewr erbliche gerech-
tikait vnd Regirung des lannds hie miteinander aynig werden, damit
lannd vnd lewt in guter aynikait, auch in frid vnd gemach dester
beruhlicher belciben mugen. Was wir ewr aller drei gnaden darezu
mugen gedienn, des sey wir willig, als getrew Vnderlan Irer gnedi-
gisten Herrschafft vnd getrawn ewr K. G. welle nach gelegenhait der
sach solh vnser antwurt gnedielich aufnemen, das wellen wir vmb ewr
K. M. als vnsern allergnedigisten Herren vndertenigelichen vnd in
5. Februar aller diemutikait verdienn. Geben zu Wienn an Suntag sand
1458.   Agatha tag. Anno dni LVIII°.

Ewr &

undertenigen

Burgermaister & zu Wienn.

Anima.

Allergenedigster Kayser, vber solh schreiben, so vns ewr kaiser-
lich Gnad getan hat, haben ewrer Gnaden hochwirdigen Rët an
vnser ettlich pracht, so ewr kaiserlich gnad herköme, daz dann ewr
kaiserlich gnad versichert werde, damit ewr kaiserlichen gnaden
nicht schimph oder widerwertikait ergee, daz ewern kaiserlichen
Gnaden Person vnd wirdikait nicht zimet noch gepürt & Allergne-
digister Kayser, nachdem vnd ewrn kaiserlichen Gnaden Pruder,
der Hochgeborn Fürst, Herezog Albrecht, Erezherezog zu Oster-
reich & vnser gnediger herr yeez hie ist, vnd solh begern auch ver-
maln an vns getan hat, damit sein fürstlich gnad an seiner person
vnd erblichen gerechtikait nicht gedrungen werde, Also mag ewr
kaiserliche Gnad wol versten, was gewalts wir in solhem stannd vnd
wesen, vnser gnedigiste herrschafft berürund, haben. So sich aber
ewr kaiserliche Gnad herezufügen vermaint, was wir von gemainer
Stat mit fürsehen vnd bewarung ewrn kaiserlichen Gnaden, auch
der andern vnserr gnedigen Herrschafft tun kunnen vnd sullen nach
aller pillikait, des sey wir willig als getrew vndertan Irer gnedigisten
Herrschafft, soviel wir von Ern vnd Reehtens wegen schuldig sein.

Fridreich &.

Erbern, weisen, getrewn, lieben. Wir vernemen, wie ettwas XXXIX.
Regirung oder Verwesung halb des fürstentumbs Osterreich ausser-
halb vnser als fürsten vns erbherren durch ettlich betracht vnd für-
genomen werde, das vns doch pillich frömbd nymbt, nach dem ew
wol wissentlich ist, daz solhs nyemant an vnsern willen vnd wissen
tetan gepüret, Auch vngern wolten, daz durch vnser zusehen vnd
verhengnuss dem bemelten fürstentumb Osterreich, auch vns als für-
sten vnd erhherren ichts vnserr fürstlichen gewaltsam vnd gerechti-
kait von yemand enczogen, oder frömbd newikait darwider gemacht
sollen werden, vnd dieweil wir nun vor in geschrifft, vnd yecz durch
vnsere trefliche potschafft bey ew vnser gerechtikait gemelt, ersu-
chung, begerung, bet vnd erbietung aufrichticlich getan haben, in
meinung mit zeitigem Rat ewrer vnd anderr, wo vnd wie sich das ge-
püret, in den sachen zu notdurfft des obgenanten fürstentumbs in all weg
trewlich zu handlen, so begern wir an ew, bevelhen ew auch ernstlich,
daz ir daran seit, daz solh egemelt Regirung versehung oder Ordnung
des vorgenanten fürstentumbs (nicht) gewaltsam wird, vnd vns als für-
sten und Erhherren antreffend nicht fürgenomen, noch ausserhalb vnser
vnd an vnsern willen vnd wissen, die in ainig weg gepraucht, auch ettlich
aus den stennden des lannds fürderlich her zu vns geschickent werden,
wir haben auch vnsern lieben Bruder Herczog Albrechten geschrieben,
sich her zu vns zu fügen, oder die seinn zu senden, vnd wir sein
willig in die sachen vnd all notdurfft, fleissiclich zu sehen vnd vns
darinn nach pillichem als fürst vnd erbherr aufrichticlich zu halten,
damit Irrung vnd vnrat vnderstanden, vnd gemainer nucz, frid vnd
gemach lannden vnd lewten zutrost gefürdert vnd getriben werde,
daran tut ir vns sunder gevallen, vnd wir wellen das zusambt der pil-
likait gen ew vnd ewr yedem gnediclich erkennen, vnd zu gut nicht
vergessen. Geben zu der Newnstat an suntag nach vnser
lieben frawn tag der Liechtmess Anno dni LVIII° Vnsers &. 5. Februar
1458.

Commissio &.

Den Erbern & Burgermaister & zu Wienn.

E. 8.   An Montag sand Dorothea tag ist das vorgenant schrei-
6. Februar ben meinen Herren, dem Rat, genant vnd gemain geantwurt worden,
1458.   desgleichen ist den vir Herren, Graf Micheln von Maidburg,
Graf Pernharten von Schawnberg, hern Wolfgangen
von Walsse, Hern Vlreichen Eiezinger von Eyczingen
auch ain schreiben kömen, vnd desgleichen ist den vir partheyen,
Prelaten, Herren, Rittern, Knechten vnd den vonn Steten, die yeez in
der Sambuung hie gewesen sind, yeder parthey auch geschriben
worden, daz sy ettlieb aus In zu vnserm genedigisten Herren dem
Kayser sebikeben solten, des sy sich verwilligt habent, vnd wellent
aus jeder parthey zwen sebikeben vnd habent auch vleissigklich ge-
peten die egenanten vir herren, daz sy mitsambt den, die aus den
partheyen geordent sind, hinüber zu vnserm Herren, dem Kayser
reyten wellen vnd versuchen, ob sy mit vnderteidigen zwischen vnserr
genedigisten Herrschafft lehts geschaffen möchten, vnd darezu ver-
suchen, vnd vnserm gnedigistem Herrn dem Kaiser anpringen die
gross merklich notdurfft, die dem lanod anligund seinu, vnd von den
veindten inezug geschehen möchten, das sein kaiserliche gnad seinen
willen vnd gunst darezu geb, damit das lannd fürgesehen würd, die
weil Ir aller dreirer gnaden nicht gcaint wern, daz das lannd an ord-
nung vnd fürsehung nicht stund. Es hat auch vnser Herr der Kaiser
seinem pruder Herczog Albrechten auch geschriben, das er hinuber
zu seinen kaiserlichen gnaden komen, oder die sein sebikeben sull.

Also sind die obgenanten vir Herren vnd aus den vir partheyen
aus den Prelaten, der Abt von Kotweig, der Brobst zu sand
Andre, Herr Jorg von Puchaim, herr Albrecht von
Eberstorf, ber Pernhart von Tebenstain, vnd Jorg
Sewsenegker, ber Oswalt Reicholf vnd Peter Walkan
zu Kornewburg.

8. Februar *An Mitichen (nach) sand Dorothea tag ist meinen Herren aber*
1458.   *ein schreiben komen von vnserm herren, dem Kaiser auf des*
Rats vordere Antwurt.

XL.   Erbern, weisen, getrewn, lieben. Als Ir vns yeez auf vnser
schreiben ew vormals getan widerumb geschriben vnd geantwurt habt,
Wie Ir nie dawider gewesen seit, oder wir bieten in die Stat Wienn
komen, daz wir vns auch noch dabin fügen mügen, Wan Ir das

begirlieben gern sehet, damit wir vnser lieben bruder vnd vetter
Herzog Albrecht vnd Herczog Sigmund rmb vnser erblich gerechti-
kait vnd Regirung des Lannds miteinander ainig wurden, vnd erpielet
ew darczu willig zedienen & Haben wir vernomen, vnd daran ain ge-
vallen. Nun haben wir ew yecz am nagsten geschriben vnd begert
daran zesein, damit die Regierung versehung vnd ordnung des für-
sentumbs Osterreich gewaltsam vnd wird auch vns als landsfürsten vnd
erbherrnn antreffend nicht fürgenomen, noch ausserhalb vnsor vnd an
vnsern willen vnd wissen gemacht, Sunder ettlich aus ew vnd von
den andern steunden des lannds, fürderlich her zu vns geschickt
werden. Begern wir an ew mit vleiss, daz Ir demselben vnsern schrei-
ben förderlich nachgeet, dem loblichen Haws Osterreich vnd landen
vnd Leuten zu aufnemen, eeren, frid, nucz vnd pesten. Vnd so wir vns
hinüber zu ew zefügen maynen, wellen wir ew das zu guter zeit vor-
hin verkünden, vnd vns in den sachen in all weg zu gemainem nucz,
lannden vnd leuten aufrichtigkleich halten, vnd getrawen, Ir werdet
darinn vnser erber erbieten fürnemen vnd gerechtikait, auch zum
pesten kern, vnd vns trewlich vor augen haben, als wir vns dann des
vnd alles guten zu ew versehen. Daran tut Ir vns sunder gut gevallen,
vnd vnser ernstliche maynung, vnd wir wellen das auch gen ew gne-
diclich erkennen. Geben zu der Newnstat an Eritag nach **7. Februar**
sand Dorothentag Anno dni LVIII. Vnsers &.   **1458.**

Commissio &.

Den Erbern & Burgermaister & zu Wienn.

Wie sich der Ledwenko, als er zu Cili gefangen ist worden, gen   XLI.
Jan Wittowicz verschriben hat.

Ich Ledwenko von Rochnaw, Bekenn offentlich mit dem brief
allen, den er fürkumbt, die in sehent, hörn, oder lesent für mich vnd
mein erben, frewnt, helffer vnd gonner, so ich yecz hab, oder kunftic-
lich gewynn, Als mich dann der Edl vnd Vest Herr Jan Wit-
towicz zum Greben, des Allerdurleuchtigisten fürsten vnd Herren
Herrn Lasslaws, zu Hungern, zu Behem & Kunig, Herczogen zu Oster-
reich, Marggrafen zu Merhern, meines gnedigisten Herren Ban vnd
Hawbtman in windischen Lannden, auch herr Hanns von donn
nagst Cili bey irn veindten begriffen vnd in venckchnuss genomen,

Fontes VII.   6

vnd mich durch ettliche wart vnd verschuldigung wegen, die ich
wider den benanten meinen allergenedigisten Herren Kunig Lasslawn
& auch seiner Gnaden landt vnd lewt gehandelt hab, von Cili vncz
an die Kreppin gefürlt, vod da sin zeil in herlter venkchauss gehalten
hat, vnsz alslang, daz sich der obgenant mein gnedigister Herr Kunig
Lasslaw & durch vleissiger gepet willen ettlicher meiner guten Herren
frewnten vnd gunner vber mich erparmt, vnd mich solcher venkchnuss
gnedigclich hat gemüasigt vnd ledig gelassen: Also gelob vnd ver-
haiss ich obgenanter Ledwenko von Rochenaw hey meinen
kristenleichen trewn vnd ern an aines gesworn aides stat in kraft des
briefs, daz Ich, noch all mein erben, Frewnt, helffer vnd gunner, so
ich yecz hab oder kunfticlich gewynn, noch nyemants von vnserr
allerwegen von solher meiner venkchauss hinfür zu kainen zeiten
nymer dem henanten meinen gnedigisten Herrn Kunig Lasslawen &
vnd herrn Jan Wittowicz vnd allen den sein, auch allen den, die
daran rat, tat oder schuld haben, dester veinter sein, die angreiffen,
bekriegen, oder bekummern nicht sullen, mugen, noch wellen, noch
nyemant das von vnsern wegen gestatten ze tun sol, haimlich oder
offentlich, mit Recht oder an Recht, geistlich oder werltlich, wenig
noch vil, in kainerlay weis vngeverlich. Auch gelob vnd versprich ich
hey meinen trewn vnd Ern, als oben gemelt ist, daz ich in den lewffen
yecz vnd hinfür vnsers herren des Keysers & diener nicht sein weder
mit rat, worten noch werchen helffen wil, die weil sein kayserlich
gnad mit meinem benanten gnedigisten Herren Lasslawen & vnd
Herrn Jann vnverricht ist. Auch so gelob vnd versprich ich, als vor
stet, daz ich von dem gesloss Newpach meinen bemelten Herren
Kunig Lasslaw & noch allen den seinen kainerlay schaden zuczichen
wil, noch des nyemants andern von meinen wegen gestatten zutun.
Vnd ob ich obgenanter Ledwenko, oder yemants anderr von meinen
wegen vberfür, vnd nicht stet hielten, vnd mir darumb geschriben,
oder empoten wurde, da got vor sey, so sol ich mich an alles ver-
cziehen meinem Herren, dem Kunig & Hern Jan, oder andern seiner
kunigclichen gnaden Hawbtlewten wider an alle waigrung vnd wider-
red stellen, vnd in laisten, wohin sy mich ervordern; vnd wo Ich das
alles nicht trewlich vnd vngeverlich stet halten, vnd dawider tun
wurde, so hat mein egemelter herr der Kunig & herr Jan, oder ander
seiner kunigclichen Gnaden Hawbtlewt ganczen vnd vollen gewalt,
auch gut Recht von mir als von ainem posswicht zureden, zuschreiben,

vnd alles, das sew reden wurden, das bieten sy recht vnd war vnd
wo ich dawider redet, das wer vnrecht vnd nicht war. Auch mein leib
vnd alles gut an allen endten, wo ich das hab, oder aber gewynnen
wurde, als aines erlosen, veltfluchtigen, vbersagten vnd trewlosen
mannes nachzetrachten, zehandlen, zenemen, zerichten, vnd zetun,
wie sy des verlust, vnd ich sol noch wil darinn kaiserlay freyung,
rechten, guter gewonhait, pabstlicher, kaiserlicher vnd aller anderr
geistlicher vnd weltlicher, noch herren, noch frawn pei geniessen in
dhainen wegen vngeverlich vnd alles des vorgeschriben ist, das ist
mein begern vnd guter wille. Mit vrkund des briefs versigelt mit
meins obgenanten Ledwenko aigen anhangunden petschadt, vnd zu
merer Zeugnuss diser sach hab ich mit vleiss gepeten die edeln vnd
vesten Hainreichen Smykosty von Zebars, Niclasen von
Zebars, Hainreich von Repnicz, Jan Smoliken von
Biskupecz, vnd Sigmunden von Schonfeld, das sew Ire
petschadt neben dem mainen an den prief gehangen haben, doch In
vnd Irn erben an schaden. Darunder ich mich verpint, alles das war
vnd stet zu halten vnd zevolfürn, das an dem brief geschriben stet,
treulich vnd vngeverlich. Der brief ist geben, do man zalt Nach Kristi
gepurt Tausent virhundert vnd im Siben vnd funfezigisten Jare an 24. August
sand Bartholomes tage.   1457.

Vermerkt das anpringen vnd Begern, so der Hochgeporn fürst   XLII.
Herczog Albrecht, Erczherrzog zu Osterreich an Sambstag nach
sand Scolastica tag in der Schul zu sand Stephan an die für- 11. Februa
sichtigen, Ersamen vnd weisen, N. den Burgermaister, Rat,   1458.
genant vnd gemain getan hat durch Doctor Greiörgen.

   Von ersten, als sein fürstliche Gnad an gemaine Lautschafft hincz
den Augustinern hat bringen lassen, wie laider durch abgang weilent,
des durleuchtigisten fürsten vnd Herren Kunig Lasslawen löblicher
gedechtnuss das fürstentumb vnd lannd auf den allerdurleuchtigisten
fürsten vnd Herren, den Römischen Kayser, auf In, vnd Herczog Sig-
munden, seinen Vetter angevallen vnd angeerbt wer, vnd dacz Ir yedem,
als den gelassen fürsten widerfür, was gleich gotlich, rechtlich vnd
pilleich wer. Auch an ew begert vnd gebeten, darob zu sein, das
kainerlay aufrur, Irrung, gwalt, Ingriff oder frevel geschehe, oder
ander widerwertikait Im an seinen fürstlichen Gnaden widergee;
6*

darauf seinen Gnaden geantwurt ist worden, was sy seinen Gnaden,
auch Irer gnedigisten Herrschafft zu aller synikait, nuez vnd frumen
gedienn kunnen oder mugen, das sein willig als Irer genedigisten
Herrschafft, vnd ob sein Gnaden ichts widerwertigs widerging, daz
das nicht ewr will wër; des dankcht sein gnad an stat sein selbs vnd
Herezog Sigmunds seins Vettern, vnd wellen das in sundern Gnaden
gen ew genedigklichen erkennen. Nu zweifelt seinen Gnaden nicht,
Ir seit wol ingedëchtig der Antwurt, die von den vir partheyen zu den
Augustinern vnsers genedigisten Herren, des Römischen Kaysers
Rëten auch meinen Herren, Herezog Albrechten vnd Herezog Sig-
munden auf Ir anpringen vnd inred getan ist worden, dieselb antwurt
mein gnedigen Herren Herezog Albrechten vinster tunkeht vnd trüb
was, vnd begert darauf niner erlewterung oder erklërung zetun, die-
selb antwurt ward da nintrechtigklich von gemainer lanndschafft be-
tracht zu erlewttern vnd geviel seinen gnaden wol, vnd ward daczemal
gelesen vnd gehort, das nicht alles nol wër zuvernewen, wann Ir sein
wol eingedëchtig wërt, dabey Ir auch wol versten mugt, das vnser
genediger Herr Herezog Albrecht vnd Herezog Sigmund nicht anders
begert haben, dann was gleich pilleich vnd recht ist; Aber vnser ge-
nedigister Herr der Kayser begert sich einezelassen zu Regirung des
lannds, das den vorgenanten vnserm genedigen Herren Herezog Al-
brechten vnd Herezog Sigmunden an Irer erblichen gerechtikait
mangl vnd schaden precht. Es kumbt auch sein gnad an, das der
henant vnser gnedigister Herr, der Kayser nach der Regirung des
lannds stell vnd redtt auch sein kaiserliche Gnad traw das mit seiner
macht zu weg zupringen; soll nu solhs heschehen, das wër der er-
leutrung vnd dem zusagen, das man seinen gnaden getan hat, nicht
gleich. Es ward auch dieczemalen von gemainer lanntschafft beredt
ain Regirung durch etlich des lannds fürezenemen, damit nicht ein-
ezug noch heschëdigung in das lannd geschehen, vnd darnach an sein
fürstlich Gnad bracht, vnd geviel seinen Gnaden als ainem liebhaber
des lannds solh fürnemen vnd Regirung auch wol, vnd darumb so er-
innert ew sein fürstlich Gnad solhs zusagung, so Im heschehen ist,
vnd das der Ledwengko yecz in das lannd kriegt durch wen
oder was vrsach willen das beschiecht, das lësst sein Gnad besten.
Nu muss sein gnad fürsorg haben, daz nicht zutrennung vnder ew hie
anferstee, daz im doch laid wër, vnd dás auch kain statut noch re-
gierung yecz hie ist fürgenomen nach gewonhait vnd altem Herkomen

der Stat freihait, vnd sein gnad hofft, das das gehalten werde, als Im
zugesagt sey, vnd das auch bie Statut, ordnung vnd Regirung be-
scheeh, vnd ain yeder gesprechen mug, wir steen vnd bleihen, als
vor hundert iaren bescheben ist. Es gelangt auch sein gnad an, das
ain mangl an dem gericht vnd Schrann rechten sey, vnd begert sein
Gnad, das das fürgenomen vnd gehalten werd, als von aller ist her-
komen, vnd wellet darin anseben willige anvordnung, so er an ew von
sein selhs und Herczog Sigmunds wegen getun hat, vnd Ir Im zuge-
sagt habt, vnd wellet daroh sein, damit Im die Zusagung gehalten
werde, vnd ob yemants, wer der wěr, vnser herr der Kayser oder
ander, die dawider tun wollen, das ir das nicht gestattet, des wil ew
sein Gnad verhelffen. Item das sein Gnad solhs nicht fürnimbt ainen
vertail aus nichte zunemen, sunder von notdurfft vnd fürsorg wegen
des lannds vnd der Stat. Item wie sein kaiserliche Gnad nicht ain
genugen hab gehabt an solher Verwilligung vnd Zusagung, so ge-
schehen sey, vnd hab noch verrer gesuebt, vnd sein fürstlich Gnad
hab sein potschafft zu seinen kaiserlichen Gnaden gesandt mitsambt
dem sehreiben, so Im vnser genediger Herr Herczog Sigmund getan
hat, vnd horn lassen, vnd seinen kaiserlichen Gnaden anpringen lassen,
wie er nicht gewalt hab, verrer in taiding zugeen, vnd sey vnsers
Herren Herczog Sigmund Zukunfft kürczlich herzukömen wortfund,
Solh seiner Gnaden antwurtt hab vnserm Herren dem Kaiser auch
nicht gevallen, vnd sein kaiserliche Gnad hat darauf geantwurt, sein
Gnad welle darauff gedenkehen, damit lannd vnd lewt verrer in frid
geseezt werde nach seinem pesten. Dann von des Verpieten wegen,
das vnser herr der Kaiser getun hat den Amhtlewten hie im lannd,
damit sich sein gnad zu mererm gewalt vnd Regirung des lannds
anczeuebt, vnd begert darauff an gemaine Stat antwurt zu tun. Auf
solhs seiner Gnaden anbringen ward seinen Gnaden von gemainer
Stat geantwurt, seinen Gnaden sey von den vir partheyen des lannds
geantwurt worden, dabey lassen sy es irnthalben noch hesten, vnd
hoffen, sein gnad hab ain gevallen daran. Dann von der Regirung
wegen, wie Burgermaister, Richter vnd Rat der Stat hie an der Ge-
nannten vnd Gemain wissen, vnd wider der Stat gerechtikait vnd
altem Herkömen seinn geseczt worden: ward geantwurt von Rat,
genannt vnd gemain, wie nach ahgang vnsers gnedigisten Herren
Kunig Lassluws loblicher gedechtnuss der Burgermaister, Richter,
Rat, Gnant vnd Gemain gesamet heyeinander gewesen wern, vnd

hieten sichs des miteinander verwilligt vnd gelobt, das sy beieinander
sten vnd bleiben vnd auf kain tail slahen wolten, vnd darumb so ge-
rieln In der Burgermaister, Richter Rat vnd die aus den Genanten
vnd der Gemain zu Ordnung der Stat geben seinn, wol, vnd westen
die nicht zuverkern, vnd solten also in Irm wesen besten vnd bleiben
vnez auf ain kunftige Herrschafft. So redt maister Gregori: vnser
genediger Herr Herezog Albrecht hiet des vor nicht gewesst, vnd seh
gern solh aynigkait vnder ew, vnd darauf begert sein gnad noch von
ew eins zusagens, ob Ir ainheiligklich auf solher antwurt stet, als
der Burgermaister von ewrn wegen getan hat, des wol sein gnad
von ew ain wissen haben, wann solt sein gnad darumb nicht
angedrungen sein worden, so wēr nicht notdurfft gewesen, sovere
mit ew zureden. Da gab die gemain kain antwurt. vnez der Bur-
germaister sew fragt, ob sy noch daran wērn, als man vor von
Irnwegen vnd der gemainen Stat seinen fürstlichen gnaden geantwurt
hiet. Do schrieren sy mit gemainer stymm all: Ja, Ja, es wēr Ir aller
will vnd gut gevallen. Item sein Gnad begert auch daezemal, ob vnser
Herr der Kaiser gewaltigklich here in die Stat keme, wes sich sein
gnad zu ew versehen solt. Darauf ward aber seinen fürstlichen Gna-
den geantwurt, sein Gnad solt nicht anders versehen, dann alles guten,
vnd was sy seinen fürstlichen gnaden vnd der andern Irer genedigi-
sten Herrschafft von gemainer Stat mit fürsehung vnd bewarung tun
kunnen vnd sullen nach aller pillichkait, des weren sy willig als ge-
trew vndertan Irer genedigisten Herrschafft, so vil sy das von Eren
vnd Rechtens wegen schuldig sein. Darauf aber sein Gnad begert, Im
der antwurt ain geschrifft zugeben, darauf seinen gnaden geantwurt
ward, sein fürstliche Gnad hiet vil frumer herren, Ritter vnd knecht
bey Im, so wolten sy solhs auch wol ingedechtig sein vnd tun als frum
lewt. Item sein Gnad begert auch, daz die Törr bewart vnd beseczt
wurden nach notdurfften, damit nicht frömbd lewt herein kömen, als
sy In des selbs schuldig wern. Vnd sein fürstlich Gnad schied also ab.

XLIII.   *Antwurtt, die vnser allergenedigister Herr, der Kaiser den vier
Herren vnd den die aus den vier partheyen der Lantschafft zu
seinen gnaden geschikcht sein, geben hat in der Newnstat vnd
hie anpracht habent.*

Auf den Abschaid am nagsten zu Wienn bescheben durch vnsers
allergenedigisten Herren N. des Römischen Kaisers Rēt hat sein

kaiserliche Gnad ew vnd anderr zu seinen kaiserlichen Gnaden her-
gevordert in mayoung die notdurfft der sachen insunderhait seiner
kaiserlichen Gnaden Lannd vnd Lewt antreffend fürczenemen nach
dem pessten, damit seinen kaiserlichen Gnaden ergee vnd volig, was
pillich, rechtlich vnd gotlich ist, In dem sein kaiserlich Gnad seiner
gnaden pruder Herczog Albrechten auch ervordert, vnd ob er selbs
nicht komen mocht, die sein zuschikchen begert hat, darinn die zu-
kunfft seiner gnaden Vetter Herczog Sigmunden seinen kaiserlichen
Gnaden fürgehalten wirdet.

Nu wolt sein kaiserlich gnad gern den egemelten seiner kaiser-
lichen gnaden Vetter Herczog Sigmunden hey seinen gnaden sehen,
sein gnad hat Im auch geschriben am ersten alspald der abgang wei-
lent Kunig Laslaws & löblicher gedechtnuss an sein kaiserlich gnad
gelangt, vnd yecz am jungsten bey kurczen tagen, darczu er seinen
kaiserlichen Gnaden frewntlich geantwurt vnd sein zukunfft darinn
gemelt hat.

Dieweil sich aber solb sein zukunfft verzeucht, ist zu besorgen,
wo verczug in den sachen bescheche, daz allerlay varat dem fürsten-
tumb Osterreich, auch lannden vnd lewten daraus nach gelegenhait
der sachen entsteen mag, wo das nicht zu gemainem nucz vnd zum
pessten fürgesehen wirdet. Darumb daz die sachen gefürdert vnd zu
guten gepracht werde, ist vor seiner kaiserlichen gnaden begerung
beschehen, sein gnad seiner gnaden gerechtikait zu vergunnen, vnd
sein gnad an fürwort gen Wienn zu derselben seiner gnaden gerech-
tikait komen zulassen. Wann doch sein gnad willig wër, gen seiner
gnaden bruder vnd Vetter vnd zu gemainem nucz vnd frumen lanndten
vnd lewten nach Rat der lantschafft, vnd wo sich das gebüret, nach
pillichen zu handlen.

Vnd ob yemand zu vergangen kriegen vnd zeiten bey leben des
benanten seiner gnaden Vetter Kunig Laslaws ichts wider seinn gnad
gehandelt hiet, daz daengegen gnediclich zu begeben, auch land vnd
lewt bey Irn steuden, freihaiten vnd gerechtikaiten nach pillichem
gnediclich beleiben zu lassen.

Also stet seiner kaiserlichen Gnaden begern noch auf dem, daz sein
gnad hey seiner kaiserlichen gnaden gerechtikait gehalten vnd gen
Wienn, nemlich in die purkch daselbs gelassen werde angeverde seinen
gnaden vnd ainem yeden an seinen rechten vnd gerechtikaiten vnver-
grifßenlich sunder angesehen, daz sein gnad in kaiserlichen wirden ist.

So ist sein kaiserlich gnad willig daselbs gen seiner gnaden Bruder vnd Vetter, vnd sust in anderweg Regierung vnd notdurfft des Lanndes antreffend zu lob dem fürstentumb vnd gemainem nucz Lande vnd lewten sich auch aufriehtielich nach flat vnd pillichen, als vor stet, zu halten treulieh vnd angeverd, also daz aller pillikait an seinen kaiserlichen gnaden nicht abgang gefunden werden sol.

Denn von der soldner wegen, die yecz zu bewarung des lannds aufgenomen sind, der der Hubmaister meldung getan hat, ist sein kaiserlich gnad auch willig, gescheft vnd gescheftbrief zugehen an den Hubmaister, solh notdurfft hindan zurichten, damit lannd vnd lewt vor schaden vnd vnrat bewart werde, vnd begert darauf sein kaiserlieh gnad mit sundern vleiss pittend, daz Ir ew in den sachen sein kaiserlich Gnad vnd seiner gnaden gerechtikait bevolhen sein lasset, das wil sein kaiserlieh gnad zusambt der pillikait gnedielich erkennen, vnd sein kaiserlich gnad getraut, Ir sullet all versteen, daz in solhem sein kaiserlich gnad niehts vnpilliehs suchet, noch fürnemet, vnd auch das vngern tun, sunder lieber fürnemen vnd fördern wolte alles, das zu frid, nucz vnd gemach lande vnd leuten komen mag.

24. Februar 1459. XLIV. *Vermerkeht was vnser gnediger Herr Herczog Albrecht von Osterreich an sand Mathias tag Apostoli vor Burgermaister, Richter, Rat genant vnd gemain durch Doctor Greiorgen auf der Schuel zu sand Stephan hat fürbringen vnd reden lassen, vnd ist ain solhe maynung.*

Als in vergangen tegen die Herren komen sein von vnserm gnedigisten Herren N., dem Römischen Kayser mit nomen der von Maidburg, der von Schawnberg, der von Walsee vnd Herr Vlreich von Eiczing, vnd sein geschehen anpringen an seinn gnedigen Herren von Osterreich hie gegenbürtig sach vnd handlung das Land Osterreich, auch die Stat Wienn bertrund & darauf sein gnediger Herr gegenbürtig zimlich, gebürlich vnd nach aller gepürlikait geantwurtt hab. Vnd wann aber dieselben sachen vnd hanndlungen das Land Osterreich, darinn die Stat Wienn Hauhtstat ist, antreffend, hab sein furstliche gnad gedacht der red vnd das verlassen, so sein furstlich gnad vor gemainer lautschafft als die samentlich zu den Augustinern beyeinander gewesen sey, vnd vor vnser getan hab. Vnd wenn aber solh anpringen seinn furstlichen Gnaden beschehen vnd anders ingepildet vnd furgehalten mochten werden, vnd darumb das vns nicht anders ingepildet vnd zugesagt wurd, dann sich vergangen biet, hab sein furstlich gnad fürsorg vnd sey not, daz sein furstlich gnad fursorg tu, damit andern eanden nicht anders fürbracht werde, alsdann ettwenn geschehen sey; darumb so liess sein furstlich gnad sagen, wie die benanten vier herren vnd mit in vnsers gnedigen Herren N. des von Salczpurg Ræt vor seinen furstlichen gnaden erschienn wern, Also hieten die benanten vier herren die Red angefengt, vnd sein furstlichen gnaden ingepildet in maynungen, wie sy von gemainer lantschafft wegen zu vnserm gnedigisten Herren N. dem Kayser geriten, mit seinen K. G. geredt vnd gepeten hieten, daz sich sein kaiserlich Gnad in den sachen vnd banndlungen der ableibung vnsers gnedigisten Herren Kunig Lasslaws loblicher gedechtnuss gnediclichen beweiset. Auch wie sy an sein ka. Gnad gelanget hieten, ob sich die sachen vnd banndlungen von desselben vnsers gnedigisten Herren N. des Kaisers, seiner furstlichen gnaden hie gegenhurtig, vnd Herczog Sigmunds, vnd Ir aller dreyer erblichen gerechtikait wegen verczug vnd in lengnuss köme, Wie dann das Lannd Osterreich mit Regirung fürgesehen wird, ob icht aufrürten, krieg, inezug oder aynicberlay angriff damit dester füglicher vnderstanden worden möcht. Auf das stukch der Regirung hiet sein ka. G. nichts geantwurtt, aber von Ir aller dreyer erblichen gerechtikait wegen göben die bemelten vier Herren zuverasteen, wie vnser gnediger herr von Salczpurg, der ain frumer fürst zu dem land gross lieb hiet, vnd mit seinen gütern vnd frewntschaften darin gewont wer, vnd sy sich gemüt vnd mit seinen ka. G. geredt bieten, verwilliget sich sein ka. G., Ob derselb vnser gnediger Herr von Salczpurg oder seiner Gnaden Ræt darinn gereden mochten & vnd als vnser gnediger Herr gegenbürtig verstanden hiet, daz sy die sach vnd banndlung von gemainer Lantschufft wegen furhielten, vnd furnemen, vnd was sy hanndelten sich erstunden, das solhs geschech gedacht der abred vnd verlassens vor gemainer lantschafft beschehen. Vnd wolt, das des benanten vnsers gnedigen Herren von Salczpurg Ræt sölher abred vnd verlassens auch vnderricht wurden, vnd begert In das zuercxellen. Vnd in wer das ercxellt vnd angehebt, wie ain besamung, die man nennet ain lannttag, möebtig, gross vnd merklich, darinn Prelaten, Grafen, Herren, Ritter vnd Knechtt, auch die eraamen weisen die vonn Steten menig tëg hie beyeinander gewesen wern, wie auch der Kaiser daselbs Regirung des lannds vnd

sich an furbört einzelassen begert hiet. Du entgegen sein furstlich
Gnad anstat sein vnd vnsers gnedigen Herren Herczog Sigmunds auch
begert hiet, Was In als gleichen erben gegen vnserm gnedigsten
Herren N. dem Kayser, so In durch der ableibung vnsers gnedigsten
Herren Kunig Lasslaws pillich, gotlich vnd gepürlichen zugehörn
solt. Nu wëren vnsers gnedigsten Herren des Kaisers vnd seiner
fürstlichen Gnaden begern ettwas widerwertig gewesen, vnd wie die
erczelt wërn die stëudt vnd ableibung meniger fursten von Osterreich
Irer ableibung vnd erbschafft wegen sich vergangen hieten, wie auch
sin antwurtt verdakeht vnd vinster von der lantschafft geben vnd durch
seiner furstlichen Gnaden begern lewttrung derselben antwurtt ge-
schehen wër, wie auch sein furstlich gnad von der Zwaiung vnsers
guedigisten Herrn N. des Kaysers, seiner furstlichen Gnaden vnd
vnsers gnedigen Herren Herczog Sigmund gesaczt hiet an gemaine
lantschafft, solhs hiet sein furstlich Gnad den benanten Reten darumb
erczellen lassen, ob solhen Irn banndlungen vnd anbringen von seinen
furstlichen gnaden nicht vervolgt wurd, daz dapei verstanden wurd,
wie die benanten Herren nicht als von gemainer lantschafft wegen
hieten hanndeln mugen, wiewol doch sein furstlich gnad an iren per-
sonen nicht Irrung hiet, vnd sich sein furstlich gnad nichts als aller
frumbkait vnd erberkait als zu getrewn landlewten versech, Sunder sein
furstlich Gnad hiet sein vnd vnsers gnedigen Herren Herczog Sigmunds
sach gesaczt an gemaine lanntschafft, vnd so sich sein furstlich gnad ynn-
dert ausserhalb derselben lantschafft in verrer weg seiner sach vnd hannd-
lung gëbe, möchtt verstannden werden, wie sein furstlich Gnad gemainer
lantschafft schöne wort geben, als sy sein furstlich Gnad lieb, vnd
anders in dem herczen hiet, vnd sein furstlich Gnad liess auch melden
das schreiben vnd die zukunfft vnsers gnedigen Herren Herczog Sig-
munds, vnd damit wërn sy vordann abgeschaiden. Ynd an dem andern
tag darnach wërn die benanten vier Herren mitsambt den benanten
Rëten aber zu seiner furstl. Gnaden komen vnd hieten gemeldet,
wie sy von begir vnd lieb, die sy zu dem land vnd Im furstlichen
Gnaden hieten, nicht mochtten ablassen vnd erczellten, wie vnser
gnedigister Herr N. der Kaiser begert, daz sy sich all drey zusamen
fügten an gemaine Stat, so mainten sy daz solhs zu gut vnd wol-
staten kömen möchtt. Also hab sein furstl. Gnad gegenbürtig ange-
schen die banndlung, vnd wie sich die sach vergangen hab. Vnd da-
mit das nicht wurd verstanden, daz sein furstl. Gnad nicht gern

leugnuss vnd vereziehen sёhe, Wurd dabey verstanden, Wann vnser
gnediger Herr N. der Kayser wёr wol fürgesehen, auch desgleichen
vnser gnediger Herr Herczog Sigmund, aber sein furstl. Gnad nicht,
darumb solhe aynigung niemant nuczlicher wer, dann seinen furstl.
Gnaden, sunder nur darumb, daz sich sein furstl. Gnad aus dem
verlassen vnd abred der lantschafft nicht seczte, vnd sein furstlich
Gnad gёb weg, daz vnser gnedigister Herr N. der Kaiser, sein furst-
leich Gnad vnd vnser gnediger Herr herczog Sigmund ainen lanttag
ausschreiben, vnd die brief als pey ainen poten ausgeschikeht wurden
den landleuten, vnd ob die landschafft nicht so lang beleinander be-
leiben mochtt pis zu aynigung der sachen, daz sy dann ettlichen aus
In gewalt gёben, die macht hieten zwischen In in den sachen vnd
handlungen von ain zu dem andern zu raisen vnd potschafft zuwerhen,
vnd daz man nicht sprechen mochtt, man legt sich mer auf ainen tail,
dann auf den undern, vnd daz auch dieselben fürgenomen person von
der lantschafft weg erdenkchen mochten, wie yeglichem, was im got-
lich, pillich vnd rechtlich an solher herürten erbschafft widergeen
solte. Wann menicleich wol verstund, daz sy gleich erben wёrn, vnd
sein furstlich Gnad versech sich, daz nyemant so getrewlich darob
vnd darinn geholffen sein word, als die dy vnfrids, der entspringen
mochtt, entgulten, vnd des frids am maisten genussen, vnd sein furst-
lich Gnad hofft sey solhs gotlich vnd pilleich fürgenomen, vnd sein
furstl. Gnad liess dapei sagen, daz sein furstleich Gnad an stat
seiner Gnaden vnd Herczog Sigmunds, seiner Gnaden Vetter nicht
alhin seiner Gnaden willen darczugeben, Sunder halt vnsern gnedi-
gen Herren von Salczpurg darczu pitten, oder die Rёt, so sein Gnad
an seiner stat darczu ordnen wurd, doch daz sein furstlich Gnad nicht
kёme aus dem bemelten verlassen. Daz wir vns also inpilden wolden,
wie wir wol verstunden, daz sein furstlich Gnad kainerlay vortail
sucht, sunder nach allem gelcichen vnd pilliehen erpüt. Vnd wann
hie ain Haubtstat des lannds wёre, vnd so yemants aynicherlay anders
inpilden wolt vnd an ew gelanget, solten wir wissen, daz sein furst-
lich Gnad vnd auch Herczog Sigmund solhem nachgeen wellen. Dar-
nach hieten die henanten Vier Herren in sunderhait vnd gehaym mit
seinen furstlichen Gnaden begert zu reden, hiet sein furstlich Gnad
antwurtt: hieten sy, oder Ir ainer ichts von selhs notdurfft vnd
person wegen mit seinen furstlichen Gnaden zureden, Wёr sein furst-
lich Gnad willig zuhörn. Aber in den sachen vnd handlungen die

lantschafft antreffund, west sy sein furstlieb Gnad in gebaym nicht
zu hören.

Darnach redt sein furstlich Gnad selbs zu der ganczen gemain,
wie wir seiner Gnaden erpieten gehört vnd vernomen hieten, wolt sein
gnad an stat sein vnd Herczog Sigmunds seins Vettern bey solhem
vnd der abred in der lantschafft bescheben beleiben vnd davon niebt
seczen, vnd ob anders an vns gelangt, solten wir nicht gelauben &.

XLV. *Wie vnser genedigster Herr der Kayser den Prelaten, Gra-
ven, Herren, Rittern vnd Knechten, die yecz zu Wienn sind,
von seiner vnd seiner Gemahl Inkunfft vnd von Hilff, Rat vnd
beystants wegen geschriben hat.*

Wir Fridreich &.

Ersamen, geistlichen, Andachtigen vnd lieben getrewn. Wir
haben vormals durch vnsere erbere potschafft, auch vnser briefe
begert vns in die Stat Wienn zu vnserr gerechtikait einzelassen, dar-
czu vns vnd vnsern sendtpoten von gemainer lantschafft vnd in sun-
derheit von den erbern, weisen, vnsern getrewn lieben N. dem
Burgermaister, Richter, Rat, den Genanten vnd der Gemain daselbs
zu Wienn mundlich vnd in geschrifft geantwurt worden ist, wie sy
nie dawider gewesen wern, oder wir hieten in dieselb Statt Wienn
kömen, das wir vns auch nach daselbshin fügen mugen, wann sy
das begirlich gern sehen. Nun wolten wir ye gern zum pessten die
sachen fürdern, haben vns auch vor erpoten gen vnserm lieben pruder
vnd vettern Herczog Albrechten vnd Herczog Sigmunden, auch zu
gemainen nucz lanndten vnd lewten nach Rat der lantschafft vnd wo
sich das gepüret aufrichtigklichen zu banndlen vnd vns also zu-
halden, das aller pillichkait an vns nicht abgang gefunden werden
sol, vnd darumb das nicht Irrung vnd ander kumer darinn viel, sey
wir ye begierlich gensigt, vnser gerechtikait löblich, aufrichtigklich
vnd nach pillichem mit ewrer vnd anderr der vnsern getrewn Rat,
hilff vnd beistandt zetreiben vnd zesuchen, vnd seinn auch in willen,
vns mitsambt vnser lieben Gemahl, der Römischen Kayserinn kürczlich
hinüber gen Wienn zu fügen, vnd da das peast vnd nuczist in den
sachen fürzenemen vnd begern darauf an ew vnd all ewr yeden besun-
der mit ganczem vleiss, so wir vns also hinüber fügen werden, als

wir des dann zutun guten willen haben, ob vns oder den vnsern
yemand, wer der were, icht widerwertikait, in was schein das
beschehe, zuftigen wolt, daz Ir vns dawider hilff, Rat rod beistandt
tut vnd beweiset, als wir ew dann des vnd alles guten vndzweifenlich
wolgetrawn vnd begern vns darauf ewrs willen vnd maynung in
geschrift zu vnderrichten, vnd fürderlich wissen zulassen, damit wir
vns darnach wissen zu richten: daran tut Ir vns sunder gut gevallen
vnd vnser maynung, vnd wir wellen das auch in kunfftigen zeiten gen
ewr vnd ewr yeden besunder genedigklichen erkennen vnd zu gut
nicht vergessen. Geben zu der Newnstat an Mittichen
nach dem Sunntag Reminiscere in der Vasten anno
dni LVIII° vnsers &c.   *1. März 1458.*

> Den Ersamen, Geistlichen, Andechtigen vnd weisen lieben
> getrewn, den Prelaten, Herren, Rittern vnd Knechten vnsers
> furstentumbs Osterreich, so yecz zu Wienn seinn.

Wie vnser Herr der Kayser dem von Maidburg, von Schaun-   *XLVI.*
berg, dem von Walsee vnd herrn Vlrichen Eyczinger von
seiner Inkunfft wegen geschriben hat.

Edlen, lieben, getrewen. Wir schreiben yecz der Stat zu Wienn
von vnserr vnd vnserr lieben Gemahl daselbshin gen Wienn zukunfft
wegen nach lautt der abgeschrifft hie inne beslossen, die Ir wol
vernemen werdet, vnd begern darauf an ew mit sunderm vleiss, daz
Ir bey dem Burgermaister, Richter, Rat, den Genanten vnd von der
Gemain daselbs zu Wienn daran seit vnd sy vnderweiset, das sy
vns auf solh vnserr begern vnd schrifft gevelligkliche antwart fürder-
lich wissen lassen. Wir begern auch an ew mit vleiss, so wir vns
also hinuber fügen werden, als wir des dann guten willen haben,
ob vns oder den vnsern yemandt, wer der were, icht widerwertikait,
in was schein das beschehe, zuftigen wolte, daz Ir vns dawider
hilf, Rat vnd beistandt tut vnd beweiset, als wir ew dann des vnd
alles guten vnzweifelich wolgetrawn, vnd begern vns darauff ewrs
willen vnd maynung in geschrift zuunderrichten, vnd fürderlich
wissen zu lassen, damit wir vns darnach wissen zu richten. Daran
tut Ir vns gut gevallen vnd vnser maynung vnd wir wellen das auch
in kunftigen zeiten gen ew vnd ewr yedem besunder genedigklich

erkennen. Geben zu der Newnstat an Mittichen nach
dem Suntag Reminiscere in der Vasaten. Anno LVIII°.
Vnsern &c.

*1. März
1458.*

Den Edlen vnsern lieben getrewn Micheln zu Maidburg, vnd
Pernharten zu Schawnberg Graven, Wolfgangen von Walsse
vnd Vlreichen Eyczinger von Eyczingen.

XLVII. Wir vnser Herr, der Kayser, der Stadt von seiner vnd seiner
Gemahel Inkunfft wegen vnd vmb sichrung vnd bebarung Irer
Personn geschriben hat.

Fridraich &c.

Erbern, weisen, getrewn, lieben. Wir haben vormals durch
vnser erbere potschafft, auch vnser brief begert, vns in die Stat
Wienn zu vnserr gerechtikait inczelassen, darezu vns vnd vnsern
sendpoten von gemainer lantschafft, vnd in sunderhait von ew mund-
lich vnd in geschrift geantwart worden ist, wie Ir nie dawider
gewesen seit, oder wir hieten in die Stat Wienn kömen, das wir vns
auch noch dahin fügen mügen, wann Ir das begierlich gern sehet.
Nu wollten wir ye gern zum pessten die sachen fürdern, haben vns
auch vor erpoten gen vnsern lieben bruder vnd Vetter Herczog Albrech-
ten vnd Herczog Sigmunden auch zu gemainen nucz landen und
lewten nach Rat der lantschafft, vnd wo sich das gepüret, aufrich-
tigklichen zu hanndlen, vnd vns also zehalten, das aller pilliehkait
an vns nicht abgang gefunden werden sol, vnd darumb das nicht
Irrung vnd ander kumer darin val, sey wir ye hegierlich genaigt
vnser gerechtikait loblich, aufrichtigklich vnd nach pilliehem mit
ewr vnd anderr der vnsern getrewn Rat, hilff vnd heystandt zetreiben
vnd zesuchen, vnd sain auch in willen, vns mitsambt vnserr lieben
Gemahlen kurczlich hinuher zu ew zufügen, vnd da das pesst vnd
nuczist in den sachen fürczenemen. Aber wir vernemen, wie Ir
ettlich vnser widersacher, die vns, ew, auch lannden vnd lewten
nicht gewegen sind, bey ew daselbs seinn vnd wonen, vnd sich da
enthalden vnd in vnd aus reiten lasset, dadurch vns, der bemelten
vnserr lieben Gemahel vnd den vnsern schad vnd schimpf zugeczo-
gen möcht werden; davon begern wir an ew mit sunderm vleiss und
ernst, das Ir vns fürderlich in geschrift wissen lasset, wie Ir es mit

besaczung der Törr vnd Stat, auch der hemelten vnser widersacher
enthaldung vnd aus vnd iu lassung, auch bewarung vnd versicherung
vnserr vnd vnserr egemelten lieben gemahel personen vnd anderr der
vnsern fürnemen vnd halten, vnd ob yemandt vns widerwertigkait,
in was schein das heschech, tun wolt, des nyemant zugestatten,
sunder vnd voraus darob zu sein, damit das nicht geschech, vnd vns
da wider hilff vnd beystandt zu tun, damit vns vnd den vnsern da-
durch nicht schimph, schad noch ander frömhdikait zugeezogen
werd, als lr vns vnd ew selbs des schuldig seit, vnd wir vns auch
des vnzweifenlich in ganczem wolgetrawen zu ew versehen; daran
tut lr vns gut gevallen vnd vnserr ernstliche maynung, wir wellen
das auch genedigklich gen ew vnd ewrn kindern erkennen. Geben
zu der Newnstat an Mittichen vor dem Suntag Oculi
in der Vasten. Anno dni LVIII°, Vnsers &.

1. März
1458.

Den erbern & Burgermaister & zu Wienn.

Wie die Prelaten, Herren, Ritter vnd Knecht dem Kayser   XLVIII.
geschriben haben, daz er mit dem Verziehen der Antwurlt
nicht ein missvallen hab.

Allerdurleuchtigister Furst, gnedigister lieber Herr, vnser willig
vntertenig dinst ewrn kaiserlichen Gnaden allezeit gehorsamcleich
zevor. Als ewr kaiserlich Gnad vns yeez geschriben hat vnd begert
bey dem Burgermaister, Richter, Rat, Genanten vnd gemain hie zu
Wienn daran zu sein vnd sy ze vnderweisen, ew auf ewr kaiserlich
schreiben von ewr vnd ewrer Gemabel, vnser gnedigisten frawn
lakunft wegen her gen Wienn In getan furderleich gevellicleich ant-
wurtt wissen zelassen. Sunder auch darob zu sein, ob ewrn kaiser-
lichen Gnaden, oder den ewrn yemand, wer die wern, ieht wider-
wertikait zufügen wolt, dawider Rat, hilff und beystandt zetun, vnd
darauf in geschrift furderlich antwurtt ze geben. Das alles wirdiemu-
tielcich emphangen vnd vernomen haben. Nu wolten wir ewrn kaiser-
lichen Gnaden gern ain gevelklich antwurtt darauf tun, daz aber als
eylund nicht gesein mag, vnd haben die such fürgenomen mit den
burgern vnd andern daraus zu reden, vnd guten fleiss zu betrachten,
damit wir ewrn kaiserlichen Gnaden vnd ewrer Gnaden Gemabel
vnser gnedgisten frawn nach dem pesten, so wir chunnen vnd mugen,

fürgesehen mochten, vnd darauf fürderleich antwurtt zetun. Bitten wir
ewr kaiserlichen Maiestat mit diemutigem vleiss, daz dieselb ewr K.
Gnad geruch in solhem vnserm verziehen nicht ain missvallen ze
haben. Das wellen wir vnderteniklich verdienn. Geben ze Wienn
5. März   an Suntag Oculi in der Vasten. Anno dni LVIII°.
1458.

     Albrecht, Brobst zu Sand Stephan ze Wienn, Michel vnd
Pernnhart, Graven zu Maidburg vnd Schaunberg, Wolf-
gang von Walsse, Haubtman ob der Ens, Vlreich Eyezinger
von Eyezing, vnd ander von Prelaten, Herren vnd Knechten,
den ewr kaiserlichen Gnaden schreiben ist fürgehalten
worden.

XLIX. *Wie die Stat dem Kayser geschriben vnd gepeten hat, das er
mit dem Verziehen der Antwurtt nicht ein missvallen habe.*

     Allerdurleuchtigister Kayser vnd gnedigister Herr, vnser willig
vndertenig dinst ewern kaiserlichen Gnaden zevor. Als ewr kaiser-
liche Gnad vns yecz geschriben hat von ewr kaiserlichen Gnaden
vnd ewrr Gnaden Gemahel, der Römischen Kaiscrin, vnser gnedi-
gisten frawn zukunfft wegen heer gen Wienn fürderleich antwurtt
wissen ze lassen, Sunder auch darob zesein, ob ewrn kais.
Gnaden, ewrer Gnaden Gemahel, vnserr guedigisten frawn, oder den
ewrn yemand widerwertikait zufügen woltet, dawider Rat, hilff vnd
beystandt zetun, vnd darauf in geschrifft fürderleich antwurtt ze-
geben, als dasselb ewr kaiserlich schreiben mit mer worten innhaldet,
das alles wir diemuticleich emphangen vnd vernomen haben. Nu
wolten wir ewrn kaiserlichen Gnaden gern ain fürderliche antwurtt
darauf tan, daz aber als eylund nicht gesein mag, vnd haben die
sachen forgenomen mit vnsern Herren, den Prelaten, graven, Herren,
Rittern vnd Knechtten, den ewr kaiserlich Gnad yecz desgleichen
auch geschriben hat, daraus zereden, guten fleiss zu betrachten,
vnd im Rat zu haben, damit wir ewr kaiserlich Gnad vnd ewrer Gna-
den gemahel, vnser gnedigiste frawn nach dem pessten, so wir
kunnen vnd mugen, fürgesehen mochten, vnd darauf fürderlich ant-
wurt zetun. Bitten wir ewr kaiserliche Maiestat mit aller diemutikait,
dieselb ewr k. G. geruch in solhem vnserm vereziehen nicht ein
missvallen ze haben; das wellen wir vmb ewr kaiserliche Gnad

vndcrtenielieh verdieen. Geben zu Wienn an Suntag Oculi   *5. März*
in der Vasten. Anno dni LVIII°.   *1458.*

    Ewr &.

                Burgermaister &.

Dem Allerdurleuehligisten &.

Wie vnser Herr der Kayser der Stat von Hern Vlreichs   *L.*
Eyczinger Vēnkehnuss wegen geschriben hat.

    Fridreich &.

Erbern, weisen, getrewn, lieben. Als Ir vns yeez geschriben
habt, wie vnser lieber bruder Herezog Albreeht den edeln vnsern
lieben getrewn Vlreichen Eyczinger von Eyczingen durch vnsern
getrewn Wolfgangen Oberhaimer zu Im hat haissen komen,
der das also getan, vnd als derselb Eyczinger in das Praghaws
zu Im komen sey, da hab In der benant vnser bruder da haissen
beleiben gefanngen, haben wir vernomen. Nu ist vns das ain gross
missvallen; davon so begern wir an ew mit gannezem vleiss vnd
ernst, daz Ir darob seyt vnd bestellet, damit der vorgenannt Eyczin-
ger aus der Stat Wienn nicht gefürt, sunder fürderlich solher
venkehnuss ledig werde, vnd die sachen in der Stat also bestellet,
damit nicht grössere Vnrat daraus auferstee. Wir wellen auch
darumb vnser erbere botschafft anverziehen hinüber zu ew sehikehen,
vnd haben die auch nu darezu geordent. Geben zu der Newn-
stat an Montag nach dem Suntag Oculi in der Vasten.   *6. März*
Anno LVIII°. Vnsers &.   *1458.*

                Commissio &.

Den Erbern & Burgermaister & zu Wienn.

Ein Gelaubbrief von des Eyczingers wegen.   *LI.*

    Fridreich &.

Erbern, weisen, getrewn, lieben. Wir haben vnsern getrewn
lieben lienharten Harraeher vnserm Rat, Hannsen Gre-
denegker vnd Hannsen Gfeller vnsern dienern bevolhen,
ettwas von vnsern wegen an ew ze bringen. Begern wir an ew mit
vleiss vnd ernst, was sy all drey oder Ir zwen also an ew bringen
werden, daz Ir In das diezmals gēnezlich gelaubet. Daran tut Ir vas

6. März 1458.   gut gevallen. Geben zu der Newnstat an Montag nach dem Suntag Oculi in der Vasten. Anno LVIII°. Vnsers &c.

Commissio &c.

Den Erbern & Burgermaister & zu Wienn.

E. 9.   Darauf habent die egenanten vnsers herren, des kaysers Sanndpoten lr werbung getan in der maynung, als vor in vnsers Herren Kaysers schreiben beriirt ist; also haben sich Burgermaister, Richter, Rat, Genannt vnd gemain, die durumb am Montag nach *6. März 1458.* Oculi in die Schuel besandt mitsambt dem von Maidhurg, dem von Sebawnberg, dem von Walsse, dem von Kûuring, herrn Albrechten von Eberstorf vnd andern Rittern vnd Kneehten, die die ezeit hie waren, vberain kömen, daz sy sich wolten müen vnd arbeiten gen vnsern gnedigen Herren Herezog Albrechten vmb herrn Vlreichen Eyezinger, daz er ln den heraus gëb, so wolten sy mit leib vnd gut für ln sten, vnd den stellen für ainen künftigen landesfürsten, oder für ain gemaine lantschaft, so die besamet wurde: daselbs solt sich dann derselb herr Vlreich verantwurten, es tröff an sein er, sein leib, oder sein gut. Wurd er vnrecht erfunden, des solt er entgelten, wurde er aber vnschuldig erfunden, daz ln des vnser gnediger Herr Herezog Albrecht liess geniessen. Vnd man soll auch dapei versuehen vnd bitten, ob man das an seinen gnaden vinden möchtt, daz er zuerkennen gëb die Vrsach, darumb er ln gevangen hiel, vnd dann sein Gnad bitten, daz er die Herren, so aus dem Adel, aus dem Rat, aus den Genannten vnd aus der Gemain daraus geben sind, sollns mit vnserm herren Herezog Albrechten zereden, zu herrn Vlreichen lassen sollten, daz sy sollbs mit lm möchten erezelen, ob solb ausnemen sein will wër, damit er mit solhem ausnemen nicht in ain schuld gelegt wurde. Also sind die Herren zu meinen Herren Herezog Albrechten gangen, vnd hat lm darüber berat genomen, vnd begert, daz man lm Rat, genant vnd gemain auf die sebul besenden solt, da wolt er ln erezeln etlich vrsach, warumb er den Eyezinger gevangen hiel; das ist also, vnd Rat, genant vnd gemain sind auf die schul komen an Eritag *7. März 1458.* nach Oculi, die hat sein gnad ervordert all in den Brobsthof zu seinen Gnaden zekömen, daselbs hat sein Gnad durch Doctor Gregorien etlich vrsach lassen erezeln, warumb er ln

hab gevangen, vnd das grössist huh er Im vorbehalten
zu sagen zu seinen zeiten, so des not werd. Item daselbs
ist er aber gepeten worden, herrn Vlreichen Eyezinger aus-
zuegeben in maynung alsvor. Vnd hat sich auch da das gewilligt,
auszuegeben auf ainen künfftigen landesfürsten, oder auf ain gemaine
landtschafft; doch mit versorgnuss, darumb namen In die Herren aus
dem Adel, auch die Burger ain bedechtnuss, daz sy mit seinen Gna-
den lautter daraus reden wolten.

Item daselbs begert mein Herr Herczog Albrecht an gemaine
Stat, ob er mit seiner person, auch sein Rĕt vnd diener sicher hie
vĕr, oder nicht, des wolt sein Gnad ein wissen haben. Also ward Im
da zugesagt, sein Gnad, auch sein Rĕt vnd diener solten sicher
hie sein.

Darnach am Mittichen nach Oculi sind die Herren aus dem Adel
vnd mein Herr der Brobst, auch die von der Stat, die darczugehen
sein bey dem egenanten meinen Herrn Herczog Albrechten
gewesen von herrn Vlreichen wegen, vnd hieten den
gern heraus pracht, also hah In derselh vnser gnedi-
ger Herr mer vnd swerer vrsach erczellen lassen,
vnd In da vorgehalden, er woll ain geschrifft machen,
vnd sy die hörn lassen, wie vnd In welher mass vnd
weise er In ausgeben well, doch daz er, sein Rĕt vnd diener
versichert werden in mass, als sein Gnad yecz vor demselben Herrn
Vlreichen versichert sey, als dieselb geschrift hernach geschrie-
ben ste.

8. März
1458.

Item so hat mein herr Herczog Albrecht für den Burger-
maister, Richter, Rat, genant vnd gemain auf die schul ge-
schikcht in geschrift vnder seinem Insigll, warumb
er den Eyezinger hat vahen lassen. Dieselb geschrift
lautt also:

Albrecht, Erczherczog &.   LII.

Lieben getrewn. Wir haben Vlrichen Eyezinger zu vnsern
handen genomen merklicher sach halben vns vnd vnsern Stamen,
auch das gancz Fürstentumb Osterreich swerleich berürende, vnd
haben auch willen, mit Im nit anders zubeginnen, denn nach Rat,
nit allain vnser Rĕte, sunder auch vnser frewnde vnd getrewn; Nit
zweivelende, uns darinne zuhalten, als einem frumen fürsten gehört,

7*

vnd als wir hoffen, des von gemainer lantschafft aller stende kainen
Verwisse haben sollen, vnd auch des hinfür clêrlicber herichten
wellen, vnd ob es ew gut, oder notdurfft bedunket, So wellen wir
vns darumb personlich zu ew fügen, oder vnser treffenlich Rête zu
ew schikchen. Das seczen wir zu ew, Sich hedorff auch sunst nye-
mand diser sachen halben entslezen, noch hesorgen. Wenn solh
sachen die Stat gemainkleich oder die burger in sunderhait in arg
nicht berürend, So wellen wir auch vns nit vergeben, sunder die
sach nach Rat gemainer lantschafft fürnemen vnd hanndeln.

LIII.   *Wie man von gemainer Stat vnserm gnedigistem Herren, dem*
Keyser auf sein vorders schreiben von sein vnd seiner Ge-
mahel Inkunfft, auch von Bewarung wegen Irer Person vnd
der Irngeschrieben hat.

9. März   Allerdurlevchtigister Kaiser vnd gnedigister Herr. Ynser getrew,
1458.   willig vnd vndertenig dinst ewn kaiserlichen Gnaden zevor. Als ewr
kaiserlich Gnad vns geschriben hat, haben wir mit aller diemutikait
vernomen ; von ersten von ewr kaiserlichen Gnaden vnd ewrer Gna-
den Gemahel, der Romischen Kaiserin, vnser allergnedigisten frawn
zukunfft, das sehen vnd börn wir begirlich gern, als
wir das vor auch ewrn kaiserlichen Gnaden vndertenichlichen zuge-
schrihen haben. Dann von ewr kaiserlichen Gnaden widersacher, die
hie ein vnd aus reiten sullen, der haben wir nicht ein wissen,
wann wir in die Stat nyemant lassen, er gelob denn, das er mit
seinen dienern herein reiten, hylnne sein, vnd wider hinaus kömen
welle, vns vnd allen Inwonern der Stat an schaden, vnd wer her-
ein reitt, der wirt alle nacht mir, dem Burgermaister, in geschrifft
angeben, vnd an Politen nicht ausgelassen. Ausgenomen ewr K. G.
vnd die andern vnser gnedig Herren von Osterreich, ewr aller dreir
Gnaden Rêten, Hofgesind vnd dienern, davon wir kain fürnemen, als
von glouhen wegen, vns zetun nicht haben fürgenomen. Getrawn wir,
es werde von ewr aller dreir Gnaden gnediclichen fürgesehen, damit
sich dazwischen dhainerlay aufrur, widerwertikait, noch misshellung
erhebe vnd hegebe. Sunder das ewr aller Gnad durch die schikchung
des Almechtigen Gots in gute Veraynigung komen werde, das ist
vnser hochste hegir, vnd was wir darezu gedienn kunnen vnd
mugen, sey wir zemal gar willig. Ewr kaiserlich Gnad geruch auch

zu wissen, daz wir nach solhem gnedigen erpieten in den lewffen
von ewrn Gnaden beschehen, gegen denselben ewrn Gnaden, auch
den andern vnsern gnedigen Herren von Osterreich in trewen also
genaigt sein, solt dem mynnisten ewrn Gnaden zugehörund kainerlay
widerwertikait, oder schimph zugeczogen werden, das wer vns
ein getrews laid, des vnd alles guten mag sich ewr
k. Gnad zu vns versehen. Aher von Besaczung der Törr vnd
Stat, die haben wir, als des yecz notdurft ist, besaczt, vnd fürge-
sehen, als wir des ewr aller Gnaden vnd vnsselbs schuldig sein
Dann von bewarung ewr k. Gnad vnd ewrer Gnaden Gemahel, vnser
allergenedigisten frawn Personen vnd der ewrn, auch von hilff vnd
beistant wegen & Ist vnser antwurt, was wir von gemainer Stat in
fürsehung vnd bewarung denselben ewrn k. Gnaden, vnserr gnedigi-
sten frawn, der Römischen Kaiserin, auch der andern vnserr gnedi-
gen Herrschaft tun kunnen vnd sullen nach aller pillikait, des sey wir
willig, als getrew vndertanen lrer gnedigisten Herrschaft, so vil
wir des von Ern vnd Rechtens wegen schuldig sein. Bitten wir mit
aller diemutikait, ewr kaiserliche Maiestat geruch solh vnser antwurt
gnediclich aufczenemen, vnd vns in Vngnaden nicht vermerkchen,
daz wir so lang damit verczogen haben, wann das merkliche Vrsach
verhindert hat, das wellen wir vmb ewr kaiserliche Maiestat vnder-
teniclichen allezeit gern verdienn. Geben zu Wienn an phincz-
tag vor Letare in der Vasten. Anno dni LVIII°.

> Ewr &.
>
> Burgermaister &.
>
> Dem Allerdurleuchtigisten &.

Aber ein schreiben von vnserm gnedigisten Herren dem Kaiser   LIV.
von Hern Vlreichs Eyczinger venkchnuss wegen vnd vmb ein
entwurt auf sein voders schreiben von sein vnd seiner Gemahel
Inkunft wegen &.

> Fridreich &.

Erbern, weisen, getrewn, lieben. Als wir ew, dem Burger-   8. März
maister, Richter, Rat nagst geschriben, auch durch die vnsern zu   1458.
empoten haben von des edeln vnsers lieben getrewn Vlrichs
Eyczinger von Eyczing venkchnuss wegen, darin In vnser

lieber hruder Herczog Albrecht genomen hat, wie die an vaser
willen vnd wissen fürgenomen, vnd besehehen sey, vnd an ew be-
gert, daran zu sein, damit derselb Eyczinger aus der Stat Wienn
nicht gefürt, sunder solher seiner venkchousa an vereziehen ledig
gelassen werde, haben vns die vnsern, so wir von der sachen wegen
bey ew gehabt haben, vnd wideromb zu vns komen sein, gesagt vnd
zu erkennen geben, wie der bellant Eyczinger nicht erledigt
sey, sundern von dem egenanten vnserm bruder noch gefangen
gehalten werde, das vns fròmbd nymbt vnd nicht gevellet. Also
lassen wir ew wissen, daz die bemelt venkchnuss vnd handl an dem
vorgenanten Eyczinger durch den vorbenanten vnsern bruder
beschehen an vnsern willen vnd wissen fürgenomen vnd begangen
ist, vns auch derselb handl vasst missvelt, sunder nachdem sich
derselb Eyczioger mitsambt den Edln, auch vnsern lieben getrewn
Graf Micheln von Maidhurg, Graf Pernharten von
Schawnberg vnd Wolfgangen von Walsse auf vnser
begern vnd nach vnsern bevehlen durch des pesten
vnd ainikait willen, auch landen vnd lewten zu Ern
vnd nuez bey ew zu Wienn enthalten hat, so ist ew auch
von demselben Eyczinger zugesagt vnd versprochen, daselbs zu
Wienn ew vnd der Stat an schaden zu sein, als wir vernemen, daz
er dann getan hat, dadurch Ir schuldig seit nicht zu gestalten, daz
Im dhainerlay gewalt zugefügt werde: davon so begern wir an ew
mit ganczem vleiss, emphelhen ew auch ernstlich, daz Ir darob seit,
damit der obgenant Eyczinger aus der Stat Wienn nicht gefürt
vnd weg, wie ew das gut bedunkehen wirdet, fürnemet, dadurch er
solher venkchnuss an vereziehen ledig vnd müssig gelassen werde.
Wann solher handl nichts zu frid vnd ainikait, noch
landen vnd lewten nuez dient, sunder krieg vnd grosser
Vnrat vnd nemblich ew daraus aufersteen möcht, daz wir doch nicht
gern sehen; es geb auch andern, ob solbs bey ew also gestatt
wurde, pöss peyspild, davon so get den sachen io obberürter
mass fürderlich also nach. So wellen wir vnser erber potschafft von
der sach wegen auch kürezlich hinuber zu ew sehikehen. Dann als
wir ew varmals voo vnser vnd vnserr lieben Gemahel, der Römischen
Kaiserin kunft gen Wienn vnd vaser peder personen, auch der vnsern
bewarung daselbs geschriben haben, darauf vns aber pisher dhain
entliebe antwurt von ew nicht ist worden, begern wir mit ganczem

rleiss vnd crust, daz Ir vns darauf noch an lenger vereziehen ewr
zufrichtige antwort in geschrift wissen lasset. Wann wir vns landen
vnd lewten zu Eru vnd nucz vnd dem pesten gern kürczlich hinüber
zu ew fügen wolten, vnd tut in dem allen dbain anders nicht; daran
tut Ir vns gut gevallen vnd vnser Ernstliche maynung, vnd wir
wellen das gen ew gnediclich erkennen. Wir schreiben auch den von
Maidburg, Schawnberg, Walsse vnd andern des Adels, so
yecz zu Wienn sein, auf die ohberürten maynung vnd begern dabey
an sy, daz sy sich lenger hey ew daselbs zu Wienn
entholden, die wisl auch darumb anezelangen. Geben zu der
Newnstat an Mitichen nach dem Suntag Oculi in der
Vassten. Anno Dni LVIII°.

Commissio &.

Item auf das vorgemelt vnsers genedigen Herren des Kaysers
schreiben von Herrn Vlrichs Eyczinger venkchnuss wegen haben
wir zwen des Rats, Thoman Swarcz znd Cristan Wis-
singer zu seinen gnaden geschikcht auf ein gelaub-
brief ze reden, an freitag vor Letare, vnd auf seiner
gnaden, vnd seiner gemahel Inkunfft vnd versichrung
wegen seiner Gnaden Personen vnd der seinn &
haben wir vor seinn Genaden ain antwort in geschrift
getan. als das vor stet geschriben.

E. 10.
10. März
1458.

Am Phincztag vor Letare nach mitags haben mein herrn Her-
czog Albrechten auf sein begern, ain merkchlich volkch herein
zelassen, ein solhe antwurt getan.

LV.

Durleuchtiger Fürst vnd gnediger Herr. Als ewr Gnad an vns
begert hat, ewrn Gnaden ain merklich volkch herein zulassen zu
Rossen vnd zufuessen, Genediger Herr, Nu mag Ewr fürstlich Gnad
wol eingedenkch sein, daz man ewrn fürstlichen Genaden in dem
lanttag hie von den vir sténnden des lannds, auch der anndern vnserr
genedigister Herrschaft zugesagt hat, daz man sich auf kain tail nicht
legen, noch kainem nicht gehorsam tun well vncz auf ewrer aller
dreier gnaden veraynung &. Solt wir nu ewrn fürstlichen Gnaden
solh merklich volkch herein lassen, vnd vnser genedigister Herr, der
Kaiser, noch vnser gnediger Herr Herczog Sigmund desglei-

9. März
1458.

chen solh begern nicht getan haben, Mag ewr fürstlich gnad wol
versten', daz wir das zu kunfftigen Zeitten gegen der andern vnserr
gnedigisten Herrschaft nicht wol verantwurtten mochten, vnd bitten
ewr fürstlich Gnad well an dem Volkch, so ewr Gnad yeczo hie hat,
ain benugen haben. Wann wir in willen sein, vnser hotschaft auch
darumh zu vnsern gnedigisten Herren N, dem Römischen Kayser
zeschikchen, vnd sein kaiserlich Gnad pitten, daz sein kaiserlich Gnad
auch dester mynner volkch heer mit seinn Gnaden bring, damit wir
solhem Zuesagen, so wir ewrn fürstlichen Gnaden, nach den andern
vnsern gnedigisten Herren getan haben, nachgeen mugen. Das well
wir vndertenicleich vmb Ewr Gnad verdienn.

E. 11.   Item sein Gnad hat man auch horn lassen das schreiben, das
vnser gnediger Herr, der Kayser, der Stat getan hat, als vor stet
von herrn Vlreichs Eyezinger venkchnuss vnd darauf gepeten
worden, daz sein gnad welle ansehen den grossen schaden, der
lannd vnd lewten, vnd sunderlich der Stat hie, daraus hegehen
möchtt, auch ansehen solh schreiben vnsers gnedigisten Herrn des
Kaysers, vnd herrn Vlrichen Eyezinger aus der Venkchnuss ledig
lassen, als dann vormaln sein fürstlich Gnad darumb von dem von
Maidhurg. Schawnhorg. Walsse, vnd anndern Herren,
Rittern vnd Knechten gesucht vnd gepeten ist worden, vnd sunderlich
bedenkchen den grossen schaden, smach vnd verderben, so der Stat
vnd ganczer gemain daraus geen möchtt.

Darauf antwurt sein Gnad, von des Inlassens wegen des volkchs
wër seiner gnaden maynung, daz er ain anczal volkchs nemen
wolt oder wir solten ain anczal nemen, die sein gnad
herein pringen solt. Also, daz seiner Gnaden bruder
N. der Kayser auch sovil herein pringen solt, vnd des-
gleichen herczog Sigmund, wenn der ken, mit ainer
solhen anczal ingelassen solt werden, damit wir Irn
Gnaden tun vnd gehalden möchten, daz wir In zuge-
sagt hieten in gemainer lanntschafft.

Dann von herrn Vlreichs Eyezinger wegen wolt sein
Gnad vnserm Herren dem Kaiser auch schreihen,
warumb vnd von was vrsach wegen er In biet zu hann-
den genomen, vnd hofft sein kaiserlich Gnad wurd
solh sein schreihen auch ansehen vnd horn, als pillich

als des Eyczinger frewndt, die solh sach zum pesten
von seim wegen an sein kaiserlich Gnad prechten.

Gelaubbrief von Herczog Wilhalm von Sachssen von des heirats　LVI.
guts wegen.　29. Jänner
　1458.

Wilhelm von Gotesgnaden Herczog zu Sachssen, Landgrave in Dörin-
gen vnd Markgraf zu Missen.

Vnser günstlicher gruss zuvor, Ersamen, weisen, besundern,
lieben. Wir haben die Wolgebornen vnd edeln Graven ernsten
von glichen, Herren zu Blankenhain vnd hern Conrad ten
zu Dappehaym, des heiligen Reiches erbmarschalg
vnsern hofmaister, heimliche Rethe vnd liben getrowen ettliche
bewegunge von vnsern wegen an vch zu hringen von vns genugli-
chin gevertigett, Bittende mit allem Vleiss gutlich begerende, Ir
wollet denselben vnsern Sendhoten solher berwunge zu disenmalen
gliech vns selbs gelewhin, vch auch dorinnen halden vnd bewiesen,
als wir vns des zu vch vnczwivellich vorsehin vnd ganczes vortrawen
habin, das wollen wir widerumbe In gnaden vnd allun gute, wo sichs
gebüret, gen uch erkennen. Geben zu Wymar vff Sonntag
nach Conversionis Pauli Anno LVIII°.

　　Den Ersamen, Weisen, dem Rathe vnd der ganczen gemeinde
　　der Stat Wienn, vnsern besundern lieben.

　　Darauf habend die egenannten Herren Ir werbung getan vnd be-　E. 12.
gert von des heiratsguts wegen, daz vnnserm Herren
von Sachsen noch nicht heezalt vnd ausgericht sey,
vnd vermelt dapei die erblich gerechtikait, so Her-
czog Wilhalms von Sachsen Gemahel, weilant kunig
Lasslabs & leiplicbe swester an dem lannd Osterreich
als ein erb haben sollt, vnd vnrerczigen, daz wir darinn so vil
tüten vnd tun solten, als vns pillichen zetun gepürel vnd darauf ain
antwurt.

　　Also haben mein Herren, Rat, genant vnd gemain ain solhe ant-
wurt den egenannten Sendpoten getan durch den Burgermaister an
Suntag Letare zu mittervasten, dapei sind gewesen her　12. Marz
fridreich Ebmer, Niclas Teschler, Stephan Tengk,　1458.

Ernst Wisler, Sibenburger, Zieglhawser, Statschrei-
ber, Augustin Pluem, Michel Wenyngor.

Darauf der Stat Antwurt.

E. 13.   Wolgeporn edeln Herren, auf das anpringen vnd begern von
vnsers gnedigen Herren von Sachsen, auch seiner Gemahel, vnsers
gnedigisten Herren Kunig Lasslabs loblicher gedechtnuss swester,
vnserr gnedigen frawn haben wir diemuticleich vernomen, von er-
sten, von des heiratsguts wegen, daz demselben vnserm
gnedigen Herren von Sachsen noch vnbeczolt aussten sol, Lassen wir
ew wissen, daz wir vnsern tail, sovil vns vnd gemainer
Stat aufgelegt ist, beczalt haben nach lautt ainer
quittung, so wir darumb haben.

Itunn als Ir anrüet von der erhlichen gerechtikait
wegen so vnser gnedige fraw von Sachsen als ein leibpliche swester
vnsers gnedigisten Herren kunig Lasslabs & dem got der almechtig
gnedig sei, an dem land haben sull &.

Mugt Ir wol versten, daz vns solhs nicht gepürt zuver-
antwurten, sunder vnser allergenedigister Herr N.
der Römisch Kayser, seiner Gnaden bruder, Herczog
Albrecht, vnd Herczog Sigmund-vnser gnedig Herren
so das an Ir gnad pracht wirdet, wissen das wol zu
verantwurten.

E. 14.   *Hie ist vermerkcht, wie Herr Herczog Albrecht sich verwilligt*
hat, Herrn Vlreichen Eyczinger uuersegcbvn.

Geratschlagt, daz mein Herr Herczog Albrecht von Oster-
reich & den nachgeschriben Personen Grafen, Herren, Rittern vnd
Knechten, Burgern & Ausgeben sull Herrn Vlreichen von
Eyczingen, Also, daz sy In zu Irn banden nemen vnd In bewarn
mit solhen Personen, damit sein fürstlich Gnad versorgt sey, daz
sunst nyemauts, er sey geistleich oder weltleich, zu Im komen muge
an seiner Gnaden wissen vnd willen.

Solich Personen, die darob sein, damit solh begerung in obge-
schribner mass geschehen, will sich mein Herr Herczog Albrecht
mit den, die Herrn Vlreichen ausnemen werdent, wol vertragen,
vnd des mit In zimlich vberkumen.

Item auch der zeit, wielang das auch besteen sol, vngererlich.

Item da zwischen ain gemain landtag aufgeschriben, damit ain lantschafft gesamet werd vngererlich.

Item, wann das also geschehen ist. So sullen die Herren, Ritter vnd Knechtt vnd ander, die Hern Vlreichen in obgeschribner mass ausgenomen haben, Herrn Vlreichen meinem gnedigen Herren wider antwurten zu seinen handen. Alsdann sol In mein Herr für die landtschafft für Recht stellen, vnd mug In dann sein Gnad, oder wem das not sein wirdet, anklagen, vnd verrer Irm Rechten nachfarn, vnd herr Vlreich hinwider sein weer vnd antwurt tun nach seiner notdurff, vnd was dann zu recht erkant wirdet, daz dem nachgegangen werde.

Ob aber die lantschafft nicht gesamet wurde, oder wie darein icht viel, damit solh sach auf das mal zu endt nicht füglich komen mochtt, So sol es verrer aber auf ain zimlich zeit also besteen vngererlich der sachen in obgeschribner mass nachzegeen.

Kem aber die sach alsdenn aber nicht zu ennde, so sullen sy denn Hern Vlreichen meinem Herren, wider antwurten zu seinen hannden, vnd damit aller Irer gelubd vnd phlicht ledig sein.

Solhs alles sullen die obgenanten Herren vnd Personen mit Irn banndtgelobten trewn an ains Rechten aides stat geloben getreulich zevolfürn, an alle gnad, vnd daruber verpenen Ir yeglich, die In also ausnemen, für ain Summ gelts vnleslich zu beczaln. Nemlich ain Herr drew tawsent, ain Edlman zwaytausend, ain burger tausent gulden.

Graf Michel von Maidburg.
Graf Pernhart von Schaunburg.
Her Wolfgang von Walsse.
Her Albrecht von Eberstorf.
Her Jorg von Künring.
Her Niclas Drugsecz.
Her Stephan Eyczinger.
Her Hans Hofkircher.
Her Sigmund Eyczinger.
Her Hans Neydegker.
Her Hans Stiklperger.
Jorg Sewsenegker.
Wolfgang Hinderholezer.
Wolfgang Oberhaimer.

Alter vnd newer Rat zu Wienn mit dem Zuesacz.

Her Pernbart Techenstainer.
Kristoff Pötinger.
Hanns Prugkner.
Sigmund Friezestorffer.
Jorg Enezestorffer.
Conradt Sweinbartter.
Leo Snegkenrewter.

11. März 1458.

Das fürnemen hat mein Herr Herczog Albrecht fürbringen lassen an Sambstag vor letare in der vasten anno LVIII°.

LVII.
5. März 1458.

Wie Her Oswalt vnd Her Stephan geprüder von Eyczingen dem Rat vnd den genanten geschriben habent von Irs pruder, herrn Vlreichs von Eyczing venkchnuss wegen.

Edel, vesst, Namhafft, Erber, Weise vnd besunderlieb frewnde vnd gunner. Vnser willig dinst bevor. Als ew wol wissentlich ist, Wie das sich vnser bruder herr Vlreich bey dem tag, so yecz ze Wienn gehalten ist, neben andern Herren vnd landtlewten vnsern gnedigen Herren allen drein & land vnd lewten zu gut bey ew entbalden, vnd gross müe vnd arbait da zwischen gehabt, trewlich neben andern Herren vnd landtlewten seinen grossen vleiss gehabt hat, vnd gern gesehen hiet, damit die obgemelten vnser gnedig Herren & von solher Irer aller dreier erblichen gerechtikait wegen in gute aynigung bracht vnd komen wërn, das dann doch vnezenher nicht stat hat mugen haben, das vns vnd andern vnsern frewndten treulich laid ist, vnd in dem vnd da zwischen hat sich vnser gnediger Herr Herczog Albrecht & mit vngenaden auf den vorgenanten vnsern bruder gelaytet, vnd den in der Stat bey ew ze Wienn in Venkchnuss genomen, in solh ewren vertrösten so all andern landtlewten, vnd auch vnser bruder von ew vertrost sein, vnd offentlich habet beruffen lassen, das all landleut bey ew in der Stat ze Wienn sicher sullen sein, vnd in solhem ist vnser bruder von vnserm gnedigen Herczog Albrechten & bey ew in der Stat gefangen worden, als vns herauf von seinen dienern gesagt ist. Also bitten wir ew mit allem vleiss bey vnserm gnedigen Herren Herczog Albrechten & daran ze sein, damit sein gnad den benanten vnsern bruder der venkchnuss

gnedicleich ledig lass, damit solhs au solh ewrem vertrösten mit vns
bey ew vnd in der Stat ze Wienn icht angefangen vnd fürgenomen
werd. Das wollen wir mitsambt anderr vnserr frewntschafft willigeleich
vnd gern vmb ew verdienn, vnd bitten darin ewrer verschribner ant-
wurt bey vnserm botten ze wissen. Geben zu Schrêtental an
miltichen nach dem Suntag als man singet Oculi in
der Vasten. Anno dni LVIII,

Oswalt vnd Stephan geprüder von Eiezing.

Den Edeln, Vesten, Namhafften, erbern vnd weisen dem Bur-
germaister, Richter, Rat, den Genanten der Stat ze Wienn
vnsern besundern lieben frewndten vnd gunnern.

Auch haben her Oswalt vnd her Stephan geprüder   *E. 15.*
von Eyczingen desgleichen geschriben den Graven, Herren,
Rittern vnd Knechten, die desmals hie sein gewesen vnd Ir yedem
besunder von Irs bruders venkchnuss wegen &.

Darauf habent dieselben Graven vnd Herren vom Adel antwurt   LVIII.
getan in geschrifft, also lautlund: 12. Märtz
1458.

Vnser willig dinst bevor, Edeln lieben frewndt. Als Ir yecz vnser
yedem besunder geschriben habt von des Innemens vnd der Venkch-
nuss wegen hern Vlreichs von Eyczingen ewrs Pruders, vnd
begert vnd bittet, alsvil vns kund vnd wissentleich sey gelegenhait der
bemelten venkchnuss vnd sprüch, so vnser gnediger Herr Herczog
Albrecht zu demselben hern Vlreichen ewrem bruder vermaint
zuhaben ew in geschrifft ze vnderrichten geholfen vnd geraten ze
sein, damit er ledig werde &. Wie dieselben ewr schreiben mit mer
worten innhalden, haben wir vernomen. Nu sult Ir wissen, daz wir
mitsambt vnsern vnd ewrn frewnten, so daczemal hie gewesen sind,
des morgens von stund an, so herr Vlreich am abent gevangen wart,
zu seinen fürstlichen Gnaden geschickt vnd begert haben, vns hern
Vlreichen auseczegeben, wann wir all mitsambt den burgern hie für
In sten wolten zum Rechten für ainen künftigen Landsfürsten, oder ain
gemaine lantschafft es treff an hern Vlreichs ere, leib oder gut. Darauf
sein fürstlich Gnad geantwurt hat: Er hab In vmb seinen leib noch
gut nicht gevangen, aber daz man In auf morgen, das was auf den

Eritag, die gemain beschikte, so wolt er fürbringen, vmb was ursa-
chen er herrn Vlreichen gevangen hiet. Am Eritag kam sein Gnad in
den Brohsthof, vnd liess du Burgermaister, Richter, Rat vnd der
gemain crezeln, auch selbs fürhielt vrsachen die nicht grunts
heten, auf das wir aber sein Gnad mit gutem vleiss weyter unge-
sucht, vnd Im vil vnd genugsam erbietung getan haben, nemlich, daz
wir mitsambt andern so hie sein vom Adel vnd der Stat für Hern
Vlreichen steen wollen auf ainen regirunden fürsten, oder auf ain
luntschafft, darnach vnd am Jungisten auf vnsern allergnedigisten
Herrn den Römischen Kayser zu Recht, es berürte hern Vlreichen
ere, leib vnd gut, vnd vns in andern wegen nach pillikait seinen
Gnaden erboten haben für Herrn Vlreichen zesten. In dem hat sein
Gnad die Zicht weiter angezogen, vnd In beschuldiget, wie er ge-
handelt hab sein füratlich Person antreffund, auch
mit falschen hriefen vnd gifft vnd noch genöliger
sachen, die er yeez nicht crezellen welle. Darauf wir
dennoch angedrungen haben, In uuszepringen vnd gepürlich weg für-
gehalden, in der kainen sich sein Gnad hat wellen pringen lassen.
Sunder nochmaln etllich artikel, wie er In ausgeben wolt, auch welich
für In sten solten, au zwain zedeln hat fürhalden lassen, als Ir an den
abschrifflten hie inne beslossen, werdet vernemen, das swer ze tun
wër. So hat auch derselb vnser allergenedigiater Herr, der Römisch
Kayser vns, auch der Stat hie geschriben, auch sein potschafft ge-
schikcht, am ersten hern Linharten Harracher, den Gra-
denegker vnd Gveller, vnd yeez am Jungisten maister
Hannsen Hinderupuch vnd Hannsen Neydegker phle-
ger zu Püten vleiss zu haben, hern Vlreichen zu ledigen, dieselb
lesst potschafft yeez von seinen kaiserlichen Gnaden wegen vleiss
hat pei seinen fürstlichen Gnaden vmh hern Vlreichs erledigung, Was
auch wir in den sachen nach aller zimlikait raten vnd helffen mugen,
damit her Vlreich aus der Venkchnuss gepracht werde, das wellen
wir gern tun. Wann vns entgegent in disen suchen kai-
nerlay anczaigen, daraus man schuld genomen mocht,
vnd ist vns verporgen vnd hoffen zu Got, das solhs
nicht sey, sunder wir hörn nur wort vnd habens da-
für, also daz man vns gern abschied. Aber an zweivel
sullet Ir sein, daz vns hern Vlreichs Venkchnuss treulichen laid ist,
vns sol auch kainerlay müe vnd aribait zu hern Vlreichs erledigung

nicht verdriessen. Gehen zu Wienn am Suntag Letare zu
mittervasten. Anno dni LVIII°.

*So habent auch mein Herren von der Stat Ir schreiben In
geschrifft verantwurt, also lauttund:*

LIX.
12. März
1458.

Edeln Herren, vnser willig dinst wisset zuvor. Als Ir vncz yecz
von des edeln Herren, hern Vlreichs Eyczinger von Eyczing
ewrs Pruders venkehnuss wegen geschriben, vnd vns vnder anderm
gebeten habet, pey vnserm gnedigen Herren Herezog Albrechten
daran zu sein, damit sein fürstlich Gnad den benanten ewrn pruder
der Venkehnuss gnediclcich ledig lass &. Nu haben vns die Wolge-
porn vnd edeln Grafen, Herren, Ritter vnd Knechtt, was der daeze-
maln yecz hie sein, Ir schreiben, so Ir In getan habt, auch hörn lassen.
Nu wais got wol, daz vns solh ewrs Pruder venkehnuss von herczen
laid ist, vnd des hoch erschrokchen sein. Wir haben auch mit den
obgemelten Grafen, Herren, Rittern vnd Knechten sider des tages
seiner Venkehnuss pey tag vnd pey nacht grossen vnd merkchlichen
vleiss getan, damit wir mitsambt demselben ewrn Pruder gern ausge-
porgt oder der Venkehnuss gar ledig gemacht hieten. So hat sich
die sach ettwas auf das lest in berttikait zogen, als Ir
werdt vernemen an der Zedel des fürnemens, wie In der egenant
vnser gnediger Herr Herezog Albrecht ausgeben well hieinn beslossen.
Nu schreibent ew yecz die egenelten Grafen, Herren, Ritter vnd
Knechtt, was die hie sind, die gelegenhait der venkehnuss, wie sich
die unczher begeben, vnd mit taidingen verlengt haben. Die Ir wol
vernemen werdet, auch damit Ir willigs erpieten. Nu sey wir willig
mitsambt In noch vnsern guten vnd grossen vleiss zutun, wie der
egenant ewr Pruder möcht geledigt werden. Wann er das vmb
die Stat hie vnd vmb vns wol verdient hat, vnd kunfftic-
leichen wol verdienen mag. Was wir Im darinnen auch ew zu
solher seiner erledigung nach aller pillikait gedienn vnd helffen kunnen
oder mugen, des sey wir zemal willig. Geben zu Wienn an
Suntag Letare zu mittervasten. Anno dni LVIII°.

Burgermaister &.

Den Edeln, Herren Hern Oswalten vnd hern Stephan geprüdern
von Eyczingen, vnsern günstigen lieben Herren.

LX.
12. März
1458.

Aber ein schreiben von vnserm gnedigsten Herren, dem Kaiser
von des Eyczinger Venkchnuss wegen.

Fridreich &c.

Erbern, Weisen, getrewn, lieben. Als der Hochgeborn Albrecht
Erzherezog zu Österreich & vnser lieber Pruder vnd fürst den edeln
vnsern lieben getrewn Virichen Eyczinger von Eyezingen
in der Stat Wienn in venkchnuss genomen hat, darumb wir ettweoffl
vnser botschafft bey demselben vnserm bruder gehabt vnd begert
haben, In solher venkchnuss ledig zelassen, daz aber pisher nicht
beschehen ist, als wir vernemen, Lassen wir ew wissen, daz wir yeez
von des benanten Eyezinger frewntschafft sein ersucht vnd angelangt
bey dem egenanten vnsern Bruder darob zu sein, damit derselb
Eyczinger der bemelten venkehnuss an verrer aufsehub müssig ge-
lassen werde, Mainet er dann icht spruch zu im ze haben, So haben
sy sich gemeehtigt, denselben Eyezinger vor vnser zu verhorung vnd
Recht zestellen, vmb was sachen das sey. Davon so begern wir an
ew mit sunderm vleiss vnd ernst, daz Ir noch weg gedenkehet, vnd
bey dem vorgenanten vnserm lieben Bruder daran seit, daz er den
egenanten Eyezinger der obberürten seiner venkehnuss an lenger
verezieben ledig vnd müssig lasse. So sein wir willig, dem obgenan-
ten vnserm pruder gen dem egenanten Eyezinger Verhorung vnd
Rechtens nach aller pillikait auf soll vorberürt seiner frewntschafft
meehtigen Stat ze tun. Wann ob des derselb vnser pruder nicht tun
würde, so möcht daraus landt vnd lewten, vnd nemlich ew selbs krieg,
vnrat vnd schaden aufersten, daz wir ye nicht gern sehen, sunder
nach dem pesten vndersten vnd gemain nuez landen vnd lewten in
allweg gern betrachten vnd fürnemen wolten. Daran tut Ir vns sunder
gut gevallen vnd vnser ernstliche maynung. Geben zu der Newn-
stat an Suntag sand Gregori tag. Anno dni LVIII°. Vnsers &c.

Commissio &c.

Den Erbern & Burgermaister & zu Wienn.

LXI.
13. März
1458.

Ein schreiben von hern Oswalten vnd Stephan geprüdern den
Eyczingern um Irs pruder erledigung.

Edlen, festen, fürsichtigen, Ersamen vnd Weisen lieben frewnt
vnd Gunner. Vnser willig dinst zuvor. Als wir ew varmaln geschriben,

emboten vnd gebeten haben von der geschicht vnd handlung
wegen, so bey ew in der Stat an vnsern pruder ergangen vnd an
schuld geschehen ist, darauf Ir vns noch kain antwurt getan, Auch
nach vnsers allergnedigisten Herren, des Römischen Kaisers begern
vud ernstlich emphehlnuss vnserr Rët vnd begern, darezu nicht getan
habet, als Ir dann nach solbem ewrem vertrösten schuldig gewesen
wërt, damit vnser Bruder frey, ledig vnd zu Rechten gelassen wër
worden, des nicht geschehen ist, Also piten wir ew aber mit ganczem
vleiss vnd begern noch alsver, daz Ir noch darob seit, vnd darezu
tut, daz vnser bruder an alles vereziehen solher Venkchnuss frey vnd
ledig gelassen werde, vnd sich in freyem Rechten verantworten müg,
als Ir vnserm allergenedigisten Herren, dem Ro. Kaiser, allen fursten
von Osterreich, landen vnd lewten, ew selbs, vnserm bruder, vns vnd
vnserr frewntschafft des schuldig seit zetun nach solhem vertrosten,
so vnser pruder mitsambt der gemein lantschafft von ew gebaht, vnd
offentlich in der Stat beruefft ist, daz all landlewt in der Stat sicher
sein sullen; auch von vnserm gnedigen Herren H e r c z o g A l b r e e h-
ten zugesagt ist, daz er ew vnd aller menielich zu Wienn an schaden
sein welle. Tët Ir aber zu solher erledigung vnsers Bruder nicht an
alles vereziehen, so mugt Ir selbs wol versten, daz wir von rechtli-
cher schuld wegen, so wir vnserm Druder, vnser selbs leib, ern vnd
gut schuldig sein zu den sachen tun müsten, damit wir vnsern Bruder
von solber Venkchnuss frey vnd ledig machen, vnd ob ew, den ewrn
vnd ander yemant icht schaden daran ergen wurde, des wir doch
lieber vertragen wërn, so mugt Ir selbs wol versten, daz Ir des vr-
sacher seit nach allem herkomen der sachen, vnd begern darin noch
von ew vnverezogen verschriben antwurt. Wurde vns die aber noch
vor ew verezogen, so müsten wir vnrer darin gedenckehen, wes wir
vnserm Bruder schuldig sein G e b e n z u S c h r ë t e n t a l a m M o n-
t a g n a c h d e m S u n t a g a l s m a n s i n g e t L e t a r e i n d e r
V a s t e n. Anno dni LVIII°.

Oswalt vnd Stephan geprüder, die Eyczinger.

Den Edeln & Burgermaister & zu Wienn.

Ein Antwurt.

LXII.
14. März
1458.

Edlen Herren, vnser willig dinst wisset bevor. Als Ir vns yecz
vnd auch vor von des Edlen Herren bern V l r e i c h s v o n E y c z i n-

gen ewrs pruder geschicht vnd hanndlung wegen geschriben habt &.
Daz haben wir wol vernomen. Nu sind vns solh geschicht vnd hanndlung, wie sich die nu laider an Im ergangen habent, treulich vnd von herczen laid, wir huben ew auch darumb vormaln auf ewr erstes schreiben vnser antwurt getan. die Ir villeicht nu vernomen habt, vnd vns mit den Herren vnd landtlewten, was der yecz hie sind, von Anefang seiner Verheftung vnczher bey vnserm gnedigen Herren Herczog Albrechten vast vnd hoch gemüet vnd gearhait, das wir In, soverr das an vns ist gewesen, gern aus seiner venkchnuss bracht vnd ledig gemacht hieten, das aber dieselben noch wir mitsambt In von spruch wegen, so der egenant vnser guediger Herr Herczog zu demselben ewrn pruder mainet zuhaben, nicht haben mugen erlangen, Dadurch wir von der vnd anderr vnserr vnligunden notdurft willen zu vnserm gnedigisten Herren, dem Römischen Kaiser vnser Erbere potschaft getan haben. Des gleichs auch her Sigmund der Eyezinger ewr Vetter sich an dem vergangen Montag (13. März) auch zu seinen kaiserlichen Gnaden gefügt hat, darczu hat auch der ohgenant, vnser genediger Herr Herczog Albrecht sein trefliche potschaft, mit des von Saxen Rět sind geriten, zu denselben seinen kaiserlichen gnaden getan, dieselh potschaft all noch nicht komen sind, wie wol wir doch grosse hoffnung vnd guten trost haben, die sachen werden sich gar zu gut noch schikchen, vnd darumb so der egenant ewr Vetter, auch vnser potschaft dicz Irs geverts widerumh von demselben vnserm gnedigisten Herren dem Kaiser gevertigt werden, ob seinn dann not geschicehl, wellen wir ew denn verrer anf ewr lestes schreiben vnser antwurt tun, wann sicher, was wir zu solher desselben ewrs hruder erledigung mit bilff vnd Rat darczu gehelffen vnd gedienn mugen nach aller zimlicait, des sey wir zumal willig vnd wellen das gern tun. Geben zu Wienn an Eritug nach dem Suntag Letare zu Mittervasten. Anno dai LVIII°.

Burgermaister, Richter, Rat vnd die Genanten
der Stat zu Wienn.

Den Edeln Herren hern Oswalden vnd hern Stephan gebrüdern
von Eyezing, vnsern günstigen lieben Herren.

Wie Herr Gorczigk, Newer Künig zu Behem der Stat hie ge-   *LXIII.*
schriben hat von hern Vlreichs Eyczinger wegen.   *13. März*
   1458.

Jörg von gots gnaden Kunig zu Behem, Marggraf zu Merbern, herczog zu Luczemburg vnd Slesy, vnd Marggraf zu Lusicz &c.

Vnsern gruss vnd guten willen, Ersamen vnd Weisen, lieben besundern. Vns ist ankömen, wie der Hochgeborn fürst herr Albrecht, Erczberczog zu Osterreich den edlen Vlrichen von Eyczingen in Ewrer Stat zu Wienn gefangen hat, das vns ser befrömbdet, daz Ir aim solchen zusehen, vnd Ir in Ewrer Stat sutun gestatt habt. Nachdem wir wol vnd in der warhait wissen, daz er vnserm lieben herrn vnd vorvordern Kunig Lasslaw loblicher gedechtnuss, auch herczog Albrechten, dem Haws zu Osterreich, vnd ew in sunderbait mitsambt seinen brudern vnd frewnten trewlich gedint, vnd vil liebs getan hat, Auch vnd nach tod vnsers vorgenanten Herren vnd vorvordern seligen sich gen dem Haws Osterreich vnd Ew also gehalden, daz wir nicht mainen, daz Im von Eren vnd Rechts wegen kain schuld zugeben ist. Darumb begern wir an Ew mit vleiss vnd ernst, nach dem er in Ewrer Stat als ain lannttman nach begerung vnd pet ynnen gelegen vnd gewesen ist neben andern, vnd nemlich als Ir yeczund ewr selbs mechtig vnd frey seit, mit geluben vnd aiden kein Reg(ier)enden fursten verpunden seit, also daran zu sein, Nu er in ewrer Stat gefangen ist worden, vnd in ewrer macht, daz au Im kainerley banndlung vergebung geschehe, daz Im an sein leib, eer, vnd gut schaden bringen mocht, Sunder daz er von Stund an vnbeswert, frey, ledig vnd los, noch aus ewrer Stat gefürt werde, als Ir ew des ernthalben zutun schuldig vnd phlichtig seit, wenn wir wol versten, wo Im daruber ichts widerfür, gewalt an Im erczaigt wurde, vnd des in ewrer Stat verhengnuss vnd stattung geschee, oder daraus gefürt wurde, daz ew das yeczund vnd zu kunftielich an ewren glimphen vnd ern ewielich ein geruck precht, vnd darczu grosser vnwillen vnd vnrat ew, vnd dem ganczen furstentumb Osterreich daraus entstund, vnd zu vnüberwintlichen Verderben kême, daz denn auch wider willen geschefft vnd bevelhnuss vnsers lieben Herren vnd vorvordern loblicher gedechtnuss wêr, also daz in gemainer samung durch vnsere Sandpoten wol vernomen habt, vnd dann den des zuzeseben, vnd sunderlich als vns vnd vnserr Cron zu Behem der genant Eyczinger mit

8*

seinen brüdern gewant ist, nicht zuverlassen stund, als Ir das wol
versten mugt, vnd wolt ew mit erost zu der pillikait darinn also er-
czaigen, damit solhs als vnderstanden vnd er frey, ledig vnd los ge-
lassen werde; das kumbt vns von ew zu grossem dankch vnd wolge-
vallen, ewr beschriben antwurt bey dem poten. Geben zu Prag
an Montag nach Gregori. Anno dni LVIII°.

Commissio domini Regis in consilio.

Den Ersamen vnd Weisen, Burgermaister, Richter, Rat, Ge-
nanten vnd ganczer gemain der Stat zu Wienn vnsern lieben
besundern.

LXIV.
18. März
1458.

Vnserm genedigisten Herren, dem Kaiser, ain antwurt von
seiner Inkunft wegen.

Allerdurleuchtigister Kaiser vnd genedigister Herr. Vnser willig
vndertenig vnd gehorsam dinst ewrn kaiserlichen Gnaden bevor. Als
die erbern weisen, Thoman Swarcz vnd Cristan Wissinger
vnser Ratgenossen yecz bey ewrn k. Gnaden gewesen sein, vnd vns
vnd gemainer Stat notdurfft anbracht habent, die ewr K. G. gnedi-
lich gehört vnd abgevertigt hat, des wir denselben ewrn Gnaden die-
muticlich dankehen. Nu sein wir von denselben vnsern sandpoten
vnderrichtt, wie ewr k. Gnad willig vnd genaigt sey herezukomen,
vnd ob ewrn k. Gnaden, ewrer Gnaden Gemahel der Römischen Kai-
serin, vnser allergnedigisten frawn, vnd den ewrn hie iebt gewalt,
oder dringnuss soll beschehen, daz wir dann ewrn K. G. darinn hilff
vnd beystant tun wolten. Darauf tun wir ewrn K. G. zu wissen, ob
ewrn K. G. vnd den ewrn von yemant solt gewalt, oder dringnuss
geschehen, des wir ye nicht getrawn, daz wir dann ewrn K. G. nach
dem trewisten vnd pesten mit leib vnd gut darinn hilff vnd beystand
tun wellen nach allem vnserm vermugen, als frum getrew lewt, vnd
als wir des ewrn K. G. schuldig sein, Wann wir der maynung gleich
den hochgeborn fursten ewrer Gnaden pruder vnd Vetter Herezog
Albrechten vnd Herezog Sigmunden vnsern gnedigen Herren
auch zugesagt haben. Geben zu Wienn an Sambstag vor
Judica in der Vasten. Anno LVIII°.

Ewrn &.

Burgermaister &.

Ainen Glaubbrief an vnsern gnedigisten Herren den Keyser.   *LXV.*
18. März

Allerdurleuchtigister Kayser vnd genedigister Herr. Vnser getrew   *1458.*
willig, vnderlenig dinst ewrn kaiserlichen Gnaden hevor. Wir schik-
chen yecz zu ewrn kaiserlichen Gnaden die erbern weisen Thoman
Swarez, Cristan Wissinger, vnser Ratgenossen, Ni-
clasen Ernst, ainer der Genanten vnd Sebastian Zigl-
hawser den gemain vnser mitburger, den haben wir vnser
vnd der Stat merklich notdurfft anzupringen emphohlen, vnd was sy
diez mals denselben ewrn kaiserlichen Gnaden anpringen werdent,
bitten wir mit aller diemutikait Ewr kaiserlich Gnad welle In das
genczlich gelauben, als vasselbs, vnd darinn gnediclichen heweisen,
als wir des sundern trost vnd hoffnung zu ewrn kaiserlichen Gnaden
haben. Das wellen wir vmb ewr kaiserliche Maiestat mit aller vnder-
tenikait gern verdienn. Geben zu Wienn an Sambstag vor
Judica in der Vasten. Anno LVIII°.

Ewrn &.

Burgermaister &

Ain Memorial an vnsern gnedigisten Herren, den Kaiser Domi-   *LXVI.*
nica Judica. LVIII°.   *19. März*
1458.

Allergnedigister Herr. Als wir vnser potschafft widerumb von
ewren kaiserlichen Gnaden vnsern berren vnd frewnten gesagt haben,
als sy beyeinander besamet gewesen sein, die haben sich all gemaine-
leich des verwilligt, als sy denn ewrn kaiserlichen Gnaden in Irm
besundern brief zugeschrihen habent, vnd habent vns auch darezu
bevolhen. von gemainer Stat wegen ewrn kaiserlichen Gnaden zu
zesagen.

Item so hat vnser gnediger Herr Herczog Albrecht ettlich
vnser berren vnd frewnt von der Stat besannt von Innlassens wegen
des volkchs, vnd ist seiner Gnaden begern, mit wie vil volkchs ewr
kaiserliche Gnad herein wil reiten, so sull man Im auch sovil volkchs
berein lassen vnd desgleichen Herczog Sigmunden auch so vil
Volkchs.

Item darumb sol man sein k. Gnad diemutielich anruffen vnd
pitten, daz sein Gnad mit ainer zimlicher vnd fuglicher anezal volkchs
herkome, das die andern vnser gnedig herren auch dester mynner

volkehs herpringen, damit wir seinen K. G. vnd den andern vnsern
gnedigen Herren das zusagen gehalden mugen, das wellen wir vmb
ewr K. G. vnderlenikelich verdienn.

Item von des Ledwenko wegen begert sein gnad, Im von der
Stat zuschub vnd peystand zetun mit volkeh, zeug vnd pulfer, wenn
er ettlichen vom Adel geschriben desgleichen Im hilff vnd beystand
zetun, vnd der sich ain tail gewilligt hieten zetun; damit solhen In-
czögen vnd bevestung widerstanden werde, das pringen wir auch an
ewr K. G.

Item von bern Jorezikzen, Kunigs zu Bebem brief von
hern Ylreichs Eyezinger von Eyezing venkchnuss wegen, den lat sein
Gnad hörn vnd pitt darauf seiner k. Gnaden Rat.

E. 16.　　*Vnsers Herren, des Kaisers Antwurt auf der von Wienn
anbringen der Artikel vorgeschriben.*

Als die von Wienn geworben, vnd ainen brief vnserm allergne-
digisten Herren, dem Kaiser dabey von Burgermaister, Richter, Rat,
Genanten vnd Gemain ze Wienn geantwurt haben. Solh Ir werben vnd
geschrifft hat sein kaiserlich Gnad vernomen vnd stet seiner K. G.
antwurt darczu Also:

Sein K. G. hab gar ain hochs vertrawn zu den von Wienn, vnd
hat auch an Irm begirliehen willen seiner Gnaden zukunft vnd er-
pieten gross gevallen, sagt In des auch dankeh, vnd ist ye an dem,
daz sein K. G. gen Wienn zukomen begirlich ist, veratet auch wol,
daz nyndert pas zu answartung seiner gerechtikait vnd zu gemainen
nucz Lannden vnd Lewten sein K. G. dann zu Wienn, sein möcht.
Doch so vernymbt sein K. G. an dem anpringen der Poten vnd der
verzaichenten fürgehalten gedenkch zedl, daz fürgenomen wirdet, das
sein K. G. gegen Horczog Albrechten vnd Herczog Sig-
munden seiner Gnaden Bruder vnd Vetter vnd Ir yedem gleibe anczal
des volkehs haben solle, damit die Stat sy destpas bewarn mugen &
mit mer worten, sein K. G. verstet auch an In, daz die, so seiner K. G.
land vnd lewt veindt seinn, auch bey seiner Gnaden Bruder sich da
enthalden vnd ein vnd mit reiten möchten.

Wie wol nun sein K. G. kaiu misstrawn zu der Stat hat, vnd an In
niebt zweivelt, dann daz sy sieb in all weg halten vnd haben werden
als frumb, getrew vnd gehorsam seiner K. G. So woll doch gern sein K. G.

das solh aufsaezung die ettwas den wirden vnd stand seiner K. G. vnd
seiner K. G. Gemahel nicht fug, sunder merklich nachred pringen, vnd
auch frömbdikait aller dreir fursten vnd Herren, vnd Irr land vnd lewt,
Auch der sachen halben & auf Im tregt, vnderwegen belib, dann der nicht
not tut, nachdem die fursten vnd Herren gesippt, gefrewnt, vnd also an-
einander gewont seinn, daz sy nicht anders, denn das bruderlich,
vetterlich vnd frewntlieh ist, obgotwil fürnemen werden. Sy steen
auch von den gnaden gots weder in Vehde, noch Veintschafft genein-
ander, darumb wol zu vmbgen ist alles das in frömbdikait sich
ziehen mag.

Vnd begert sein K. G. vmb des pesten willen, daz die von Wienn
noch zu berczen nemen sein K. G. vnd seiner K. G. erbliche gerech-
tikait, vnd ain gevallen daran haben, daz sein K. G. so hoch In ver-
trawet, vnd so gern bey In wäre seiner gerechtikait vnd land vnd
lewt halben zu gemainen frumen vnd nucz, vnd das sein K. G. an
solh, als vorstet, aufsaezung des volkchs in seinen kaiserlichen wirden
mit seiner Gnaden Gemahel gen Wienn komen vnd vor gedrang vnd
vnrecht daselbs bewart beleiben muge. Dahin dann sein K. G. nicht
landsveint wissentlich fürn, sunder allain seiner K. G. fursten, Gra-
ven, Herren, Hofgesind, Diener vnd fromm landlewt pringen vnd frid-
lich sich halten, vnd ob des not wirdet mit seiner K. G. macht wirde
sy yemant dringen oder da vnrechtlichen gewalt treiben, heistund
tun, vnd in frewntlichen teydingen gen seiner Gnaden Bruder vnd
Vetter von Irer sprüch vnd gerechtikait wegen nach Rat der Lannd-
lewt vnd anderr, wo des notdurfft wirdet, gutlich handlen vnd für-
nemen wil, das zu frum vnd nucz dem furstentum auch land vnd
lewten komen mag.

Sein K. G. getrawt solhs von den egenanten seiner K. G. bru-
der vnd Vetter auch zugesehen, dieselb sein K. G. auch gern
daselbs seiner Gnaden pruder vnd vetter siehet, Also daz dieselben
die abgesagten seiner K. G. vnd seiner Gnaden Lannd vnd Lewt
reindt nitt bey In da halten, noch Infürn, sunder Irs hofgesinds, diener
vnd erber landlewtt geprauchen, sy sein von der Etsch, Swaben oder
andern Irn erblichen lannden, alsvil sy der wollen angeverde.

So hofft sein K. G. die von Wienn vnd menielich mugen wol
vernemen, das solhs ain aufrichtig, erber vnd vngeverlich frewnt-
lich fürnemen sey, vnd wann die fursten vnd Herren all drey also
da sein, Ir yeder zu sein Rechten vnd den andern an Irn Rechten

vnvergriffenlich ln willen sich frewntlich, gutlich vnd nach Rat, als
vorstet, zu verainen, das ahgotwil, aufrur, vnfrewntschaftl vnd
vnwill vermiten werden sullen.

Es maynt auch sein K. G. ob yemant icht zu Wienn gedranuss
vnd vnrechtens gebrauchen wolt, sy wurden sich gegen denselben
vnd darinn als frum vnd getrew hallen, vnd bewarung tun nach not-
durfften, als sy sich des dann in irm sehreiben erpoten haben, vnd
sich das wol gepürt angeverde, als dann des vnd alles guten sein
k. Gnad ain ganez vertrawn zu In hat.

Wer auch sach, daz seiner Gnaden Bruder yeez beruher kem
zu seinen K. G., ee sein K. G. hinüber sich fügel, des dann yeez bot-
schafft vnd red sind, so mainet seinn K. G. sich auch mit demselben
seiner Gnaden Bruder aus solhem vnd andern notdurfften bruderlich
ze vnderreden. Doch er kem oder nicht, so ist doch die sachen der
zukunft seiner K. G. gemaint, wie vor stet. Vnd pitt sein K. G. des
vnverezogen getrewn fleiss ze haben, daz dem also fürderlich nach-
gangen werde zu gemainem frid, gemach vnd nuez landen vnd lewten
so wil sein K. G. fürderlich hinüber komen, vnd seiner Gnaden Inkunft
vor etllich teg daselbshin verkünden, vnd daselbs mit seiner K. G.
Hofe sich gnediclich vnd gutlich halten vnd da wonen.

Dann von des Ledwenko wegen hat vor sein K. G. der Sold-
ner halben an den Hubmaister geschefft getan zu bewarung der
Inczug. Sein K. G. ist auch noch willig, aus den vnd andern yeez
lauffenden vnd kunftigen widerwertikaiten wie sich die begeben
mochten, nach Rat der landlewt die trewlich helffen ze vnderkomen,
desgleichen nach Rat zu handeln. Auf das sehreiben her Gorziken,
der als erwelter zu Behem von des Eyczinger wegen geschriben
hat, desselben Eyczinger halb sein K. G. gern wolt, daz er zu ver-
horung vnd Rechtt ausgelassen vnd ledig gemacht wurde, dadurch
landen vnd lewten nit schad, schimpb vnd vnrat daraus ergiengen.

LXVII.
Wie vnserm gnedigisten Herren, dem Kaiser von der Stat ge-
schriben vnd verkundt ist worden von vnsers gnedigen Herren
3. April
1458.
Soldner wegen hereinzelassen, die er hie enntrichten welle.

Allerdurleuchtigister & hevor. Wir tun ewr K. M. zu wissen,
daz des durleuchtigen fursten Herczog Albrechts,
Erzherezogen zu Osterreich, ewrer K. G. bruder, vnsers gnedigen

herrn diener vnd Soldner, auch des Lannds Soldner
vnd ander Landlewt mitsambt vnsern soldnern, die
wir dapei gebaht, zwen Tëber an der Marich zum Stain
vnd zum hof, die der Ledwengko bat machen lassen,
davon er das lannd wolt beschedigt haben, gewunnen vnd da-
selbs auf paiden Tebern mer denn funf hundert ge-
rangen, der an dem nagsten Osterabent als auf drewhundert her
pracht, vnd auf morgen als hey zwain hundert vnd XXVI. here geant-
wurt sullen werden. Nu hat der egenant vnser gnediger Herr Herezog
Albrecht an vns begert, daz wir seinen Gnaden die vorgenanten sein
diener vnd soldner zu Rössen vnd zefussen herein in die Stat lassen
sullen, vnd mit seinen furstlichen worten geret, daz sy auf drey oder
vir tëg hie sein vnd wieder hinaus reitten vnd geen sullen an allen
vnsern vnd gemainer Stat schaden vngeverlich. Wann sein Gnad welle
sy Irs solds hie entrichten, vnd das tun wir ewrn K. G. darumb zu
vissen, ob die sach in aander weise an ewr K. G. pracht wurd, daz es
ewr K. G. vor wiss, daz das in solher maynung geschehen sey, vnd
anders nicht, vnd emphehlen vns ewrn K. G. als vnserm allergne-
digisten Herren. Geben zu Wienn an Montag in den Oster-
veirtagen Anno LVIII°.

Ewr &

Burgermaister &.

Dem &.

Desgleichen hat man auch geschriben Herezog Sigmunden.

An freytag sand Mathias tag hat meins Herren Gnad Herezog   E. 17.
Albrecht in der schul lassen erezelen vor Burgermaister, Rate,
Genanten vnd der Gemain also lautlund: 24. Februar
1458.

Als die vier obristen mitsambt den andern Preleten von der
Ritterschafft vnd Steten herwider zu vns kamen, sagten sy vns Ir
verbung, die sy an vnsern Herru den Kaiser getan beten, vnd auch
was In von seinen K. G. darauf geantwurt wëre. Darauf haben wir
gedacht fuglieb ze sein, daz wir ew das auch erezellen lassen, damit
ayemant vns darinn anders möcht merkchen, dann wie die sachen
ergangen sein.

Vnd die vier, Maidburg, Schawmberg, Walsee vnd Eyezinger
mitsambt den Prelaten, Ritterschafft vnd Steten viengen an zureden,

vnd vns inzubilden, als ob sy noch von gemainer landtschafft in den
dingen genant vnd da wëren, vnd In mit der lantschafft empbehlnuss
gepeten hetten, daz sein K. G. sich gnediclich gerucht zu beweisen
zu frid vnd gemach lannd vnd leuten, vnd sunder berürten sy, wie sy
sein Gnad auch gepeten heten, seinn gunst vnd willen ze geben in
besaczung des lannds, also daz den widersaeben vnd veindten wider-
standt getan, vnd das lannt beschirmt wurd.

Auf denselben Artikl heten sy von vnserm Herren dem Kayser
nicht bracht noch an vns davon nichts geworben, In solhem Irm an-
bringen vnd arbaitten bey vnserm Herren, dem Kayser wër vnser
lieber frewnt der Erczbischof von Salczburg komen in die
Newenstat der nu von solher vnaynikuit verneme, vnd tët als ain ge-
trewr furste, dem die Zwietrecht laid wëren, die auch In möchten be-
rüren In ettlicher mass, wan sein Stifft vil hinder vns in vnsern landen
het. So wer er auch von geburt aus disem lannd Osterreich, vnd hat
vnsern Herren den Kaiser gebeten Im zuvergunnen, daz
er durch sich selbs oder sein Rëte darin zwischen vnser
mochtoversuecben vnd arbaitten; des wer Im von vnserm
Herren dem Kayser vergunnet. Darauf wëren nu des von Salcz-
burg Rëte an vns gelangt, auch mit bete, daz wir In zu gleicher weiss
wolten gunnen.

Nu merckten wir das fürnemen der vier obrern vnd der andern,
die sich dafür hielten, als ob sy noch steligs gesandt vnd als von ge-
mainer lantschafft wegen da wëren, vnd wann nu wir vns wol ver-
sahen, das des von Salczburg Rëte aller sach, wie es vormaln durch
die lantschafft wer gehandelt vnd herkomen, nicht aigentlich vnder-
richtt wëren darumb bedüncht vns fuglich sein, In solhes zu erczelen
lassen, daz wir auch tëten in solher mass, als dann die sach da ge-
halden wëre in ainer grossen menige, die vier Stende, Prelaten,
Herren, Ritterschafft vnd Stete, die auch ettweyl tëge hie beharret
weren. Ettlich hielten sy für ain gemaine lantschafft, ettlich nicht.

Indem hat vnser Herr, der Kayser hergesandt sein Rëte vnd ge-
beten, In inezelassen an fürbort vnd als den Eltisten in die Regierung,
dawider liessen wir reden von vnsern vnd vnsers vettern Herczog
Sigmunds wegen als gleich miterben dises fürstentumbs Osterreich,
wie solh vnser Herren des Kaysers begerung vnbillich vnd vorher
also nicht herkomen wëre. Darnach liessen wir des von Salczburg
Rëten lesen der lantschafft antwurtt in geschrifft, die sy vns am ersten

vinster getan, vnd nachmals ain lewtrung daruber geben hetten. Darczu hetten wir vns allezeit vmb alle vnser Irrung vnd stöss dieses erblichen anvalls zu entschaiden erbotten auf ain gemaine lantschafft, Sollt erhieten vnser Herr, der Kaiser nicht aufgenomen, Sunder sich nur erboten hat, in solhem zehanndeln nach Rate der Lantschafft vnd ander.

Verrer lassen wir melden, Wie di vier obrern vnd die andern obgenanten nicht von gemainer lantschafft wern beschaiden zu vnserm Herren dem Kaiser, noch darnach zu vns, sunder vnser Herr, der Kayser hat geschriben an die stende, ettlich aus In zu seinen Gnaden sesenden. Dann wir heten an denselben Personen allen noch Ir yedem nicht ain missvallen, Sunder wir getrawten In allen wol alles guten. Aber nachdem vnd wir vns von vnsern vnd vnsers Vettern Herczog Sigmunds wegen, ob icht Irrung zwischen vns diez erbvalls halben erstund, aladann nu vorhanden ist, allczeit zu entschaidung für ain gemaine lantschafft erbotten, so wer vns nicht füglich, davon nu zu steen. Wan vns möcht auch das von derselhen gemaynen lantschafft als wandelbertig gemerkcht werden, das sich nicht geczymel noch fuget vber das verrer tayding zesuchen, oder aufzenemen, dabey liessen wir auch hörn vnsers vettern herczog Sigmunds brief der lantschafft gesant, den dann die gemain vor auch gehört hete, damit schieden wir ab desselhen tags.

Des andern tags kamen die vier obrern vnd die andern von Prelaten, Ritterschafft vnd Steten, darczu des von Salezburg Rete, vnd meldten, wiewol wir In gestern geantwurtt heten, nit andere tayding, dann für gemaine landschafft aufczenemen, So möchten sy doch so gar an end in der masse nit abschaiden, vnd mainten dadurch wir nicht gemerkcht wurden, daz wir gern in den dingen lengrung, oder vreziehen hetten, So böten si vns, daz wir vns doch personlich zu vnserm Herren, dem Kaiser fugen wolten an gelegen stete, So hofften sy, die sach wurden nehern zu frewntlicher aynikait &.

Darauf liessen wir denselben Viern, den andern vnd des von Salezburg Räten lawter sagen, wie wir vns vor erboten heten, dabey wolten wir beleiben, vnd dadurch aber sy verstenden, daz wir der sach gern end hetten von vnsern vnd vnsers vettern wegen, so wer vnser begerung, daz sy daran wern, daz vnser Herr, der Kaiser ain lantschafft gemainklich beschribe, desgleichen wolten wir auch tun von vnser vnd vnsers Vettern wegen, also daz zwen poten geordent wurden, ainer vnsers Herren des Kaisers, der ander die von vns, solich vnser baider brief miteinander zinem yeden antwurtten solten, damit vnser yetwederm ergee vnd widervare, daz Im zugehore. In solher maynung, ob die gemain lantschafft so lanng nicht wurd beyeinander beharren, daz dann gemaine lantschafft darczu gebe vnd seczet gemain person vnparteyg, die weg fürnemen zu ziner richtung dienend, Wan es wer nicht notdurfft vasst zu wegen, ob wir vnd vnser Vetter in solhem anvall solten tail haben, oder nicht, So doch das sunst lautter an Im selbs, vnd vnser Herr, der Kaiser selbs vns des bekentlich ist.

Wer nu sach, daz dieselben person von gemainer lantschafft also geseczt bedeucht, und erkennten fuglich ze sein, daz wir Herren zusamen komen solten, des wolten wir vns lassen benügen, wan wir maynen, daz dasselb am fuglichisten für vns all sey, auch für lannd vnd lewt.

Solhs lassen wir also des von Salczburg Reten erzellen, des also vnderrichtung zehaben, vnd ingedenkch zu sein, vnd sunder wer vns zu willen vnd guten gevallen wolt oder mocht vnser frewndt, der von Salczburg aledann auch dapey gesein vnd mitsambt der lantschafft darein reden oder versuchen zum pessten, zu synikait, das sehen wir zemel gern.

Das haben wir also lassen melden, vnd vnser erbüttung nye von der lantschafft in vorgeschribner mass gezogen, noch vns davon bringen lassen, dadurch gemaine lantschafft nicht mayne, daz wir sy in solhem verkern oder versmehen wolten. Dann ob yemand die sach vnd handlung in ohgerörtter masse anders in ew. Burgermaister, Rate, genanten vnd gemaine gepildet hete, oder noch hinfür vnderstund zetun, so solt Ir in warhait gelauben vnd halten, daz das wie vorgemeldet steet, also ergangen ist vnd nicht anders.

Vnd ob Ir, vnd ewr yeder das anders höret fürbringen, so sullet Ir vnser mercklig sein für vns und vnsern Vettern Herczog Sigmunden in solhem vnserm erbieten. Dann die vier obrern vnd die andern maynten darumb nicht zu vnserm Herren N. dem Kaiser, sunder sy wolten wol in sunderhait in gehaim mit vns reden. Darauf gaben wir In antwurt, daz vns dasselb nicht fuget. Was aber ander sach antreffe, ob Ir yeder ettwas in sunderhait mit vns hat zereden, den wolten wir gnediclich darinn also hörn. Aber diese gegenwürtig sach vnd handlung fuget vns nicht fürzenemen in gehaym, noch in winkcheln, sunder nur offenbar vnd aufrichtig.

Darauf gab vns der Burgermaister von des Rats der genanten
vnd der ganczen gemain wegen aln antwurtl. Sy heten sich solh vnser
anbringen diemuticlieben aufgenomen mit grossem dankch bittende
vnd boffende, daz wir vnd vnser Vetter Herezog Sigmund vns mit
vnserm herren, dem Kaiser, gutlich vnd frewntlich veraynen, Sy heten
auch vormaln vnsers Herren. des Kaysers erbieten auch vernomen,
Sy weusten auch wol, daz wir lieber genaygt wëren zu fride, davon
paten sy vns, aber vns darinn gutlich zubeweisen, dadurch land vnd
lewt bey frid vnd ruwe heliben. Was sy darinn raten vnd heiffen
kunden, des erputen sy sich ganez willig vnd beraytt, vnd getrawen
vns, daz wir das von ln also gnedicleich aufnemen wollen.

Wer in potschafft geschikcht gewesen ist von vnserm gnedigis
ten Herren kunig Lasslawen & vmb die heirat gen Frankreich,
vnd wie es derselber botschafft erpotten ist, vnd wie vnsers
Herren kunig Lasslabs Tod daselbs beklagt ist worden.

E. 18.

Anno LVII°.

Ist der durleuchtigist Herr Kunig Lasslaw & zu Wienn ausgeritten in das kunigreich zu Beheim, vnd da zu Prag an sand
Michelstag einritt, do ward geschikcht ain grossmechtige potschafft dem benanten Kunig vmb ain gemahel zu dem Kunig von
Frankreich, vnd was das dy potschafft, her Stephan Erzbischof
zu Kalotschan vnd berr Lassla von Paloczy vom Kunigreich ze Vngern, vnd Bischof Vlreich von Passaw,
Herr Rudger von Starbemberg, herr Oswalt von Eyczingen vom land ze Osterreich, item Herr Jacob der
Trapp, der Preceptor Herezog Sigmunds Rate, darnach vom Lannd zu Beheim der von Sternberg, der
von Michelsperg, der Marschalh von Bebeim, der
Terezko, Item vom lannd Lucelburg der graf von Hotenpach, der Tumbbrost von Trier, vnd babend all gehabt
bei vij°c pherden, vnd als sy kamen gen Straspurg an den Rein, da
worden si belaitt vber das pirig in das Land zu Lottringen zu
sand Niclas kamen des Herezogen von Lettringen Ret, der des
Kunig Sun ist von Cerilij, dy Herren wurden da gar schon emphangen, vnd furten sy zu dem Herczogen ln dy Stat zu Nannsey. der
erpot es den Herren gar wol in allem seinem lannde, auch durch das
Lannd zu Par, daz seins vater ist, ward es yedem man gar wol erpoten,

darnach durch Frankraich in das Lannd zu Orliancz, das auch
zu der Cron gehoret, von Orlianez gen Ambasia. daselbs lag
dy potschafft wol achttag, da kamen des Kunigs von Frankreich Rat,
der Cardinal vnd ander fürsten zu den Herren. Darnach an ainem
Suntag zugen die Herren zu Tur a ein, der Kunig von Frankreich
was ausserhalb der Stat in ainem gesloss, aber dy Jung Kuniginn was
in aines armen Mans Haws in der aussern Vorstat, vnd sach da dy
potschafft gar köstlichen einziehen, vnd nyemant wesste, daz Sy solt
sein. Als was dy potschafft da wol vierczehen tag, ee sy gevordert
worden, vnd an ainem Suntag warden sy gevordert zu dem alten
Kunig in das gesloss. Pey demselben gesloss was in ainem garten
zuegericht ain kostlicher tannez gross hütten da aufgeslagen, da
was auch die altt vnd Jung Kunigin in ainem versperten lusthaws in
dem garten, vnd komen herfür nicht, aber die andern frawn vnd Junkch-
frawn tanczten, vnd in derselben zeit ward die Heirat beslossen, vnd
die Jung Kuniginn vnserm allergnedigisten Herren Kunig Lassslahen &
versprochen vnd zugesagt, da komen die Herren der potschafft aus
dem gesloss in den garten, da ward das lusthaws aufgetan, vnd gingen
herfür die altt vnd Jung Kuniginn, das sy yedermann wol gesehen
mochtt, also geviel sy aller welt wol, vnd yeder man het darinn ain
grosse frewd vnd wolgevallen, da wurd es gar frolich aufgetrumett,
vnd yeder man wider in die Stat mit frewden kom geriten, vnd am
dritten tag darnach da richt der Graf Contrasaffy ain gar kost-
lich mal zue, vnd da die Herrn so, auch die Edllewt so aus den lan-
den da waren, auch die Junkchfrawen aus der Kuninn hof vnd yeds
manns ward da gar wol gephlegen, vnd prachten ain essen, was zu-
gericht als ain gesloss mit Turnen vnd auf den Turnen waren phaben
vnd allenthalben des Kunigs von Vngern wappen, darinn sassen sechs
Knaben, die sungen gesaczte stukch, als die Engl, vnd darnach ain
essen als ainen Brunnen in ainem Vels, daraus sprengt ainer mit ainem
graben phert in allem geret. Darnach ains als die Hell, daraus spran-
gen wol vierczehen als die tiefl, vnd tanczten den Schrekchtanz. Auch
so trawmbt dem Kunig von Frankreich vir oder fünf nacht, ee daz dy
potschafft kom, wie im sein swert enczway wer, vnd als sein Rete des
morgens zu im komen, do sagt er in das, also zukcht ain Herczog,
der alten Kuniginn bruder das swert aus, vnd sprach: secht Herr,
das swert ist noch gancz. Der Kunig sprach: O wann vns der traum
kumbt, so wil vns got swerlich plagen vnd der Trawm bedewtt grosse

geschicht. Auch so was der jungen Kunigin, Kunig Lasslah zwo nacht
nacheinander als ain toder in dem sluff komen, vnd an der andern
nacht was sy so groh hekumert, daz Ir das die muter, auch die
Junkchfrawn des morgens wol ansachen, vnd kain frewd was in Irm
gemut, das gewant was Ir zu awer; die muter fragt sey, was Ir ge-
präch, vnd sprach: was sol das sein, Ir solt frolich wesen. Hewt ist
ain heiliger tag, so koment auch die frömbden Lewt here aus, daz Ir
ew schon ziechen solt; in einer kurzen zeit kem die alt Kunigin zu
der tochter: ew ist der Rokch zu swere, zicht In ab, vnd legt ainen
swarczen an, nicht mit mer worten sprach die Kunigin: o, der trawm
möcht war sein; die muter hiet Ir das gern aus den augen geslagen.
Als des geschach an sand Thomans tag. Darnach an dem heiligen
weinachtabent kommen die Ellennden vnd gar erschrikchlichen mér,
wie vnser allergnedigister Herr, der Kunig & gestorben wér, vnd daz
wér geschehen an sand Clementen tag desselben sibenvndfunfezigisten
Jars. O wie gross leid da vnder der potschafft geschach, also da es
au ausprach vnd vnder das Volkch in der Stat kam, do was gross
klag von den franczosen, wan es was da gar gross volkch, vnd wo man
ver hundert auf der gassen gesechen hete, da sach man da kuwm
ainen, vnd wo die kleinen Kindlen auf der gassen gegen einander
komen, die wainten vnd klagten vnd das geschray was nur: O awe,
der Kunig Lasslah ist tod. Der Kunig von Frankchreich was krankch,
vnd die mér torfft Im njemant sagen. Des Kunigs Rét schikchten pot-
schafft in Teutsche Lannd, vnd maynten, das wér nichts, also komen
gar pald Herczog Sigmunds poten vnd prachten auch die mér, daz
dem also was, do pracht man das an die alt Kunigin, die pat all Ir
Rét vnd diener, daz man sweigen solt, dann wurd sein der Kunig
innen, er mocht des sterben. Also verzach man damit, aber die Ku-
niginn liess in ainer gehaym zuerichten für zway tausend Kron nur
wachs in sant Merteins Kirchen, vnd als man das dem Kunig heynt
sagt, als morgen ward es dem Kunig Lasslah in derselben sant Mer-
teins Kirchen gar schon hegangen, da warden wol acht hundert wap-
pen gemacht in zwain tagen die sumf lannd meines gnedigen Herren
des Kunigs & dem got gnad, dy drew hundert in der Kirchen vherall
aufgeslagen, als dy Vigily des nachts gesungen ward, da worden V°
person in gannez swarcz hesuiten, vnd yede person hat ain grosse
kerczen in der hannd; des morgens zu dem seelambt, da warden
all altar in der Kirchen in swarcz hesnyten, vnd an yedem altar die

funf lannd, vnd aher V^c person, die in swarcz da stuenden mit den
kerezen, vnd an yede kerezen auch dy funf lannd, vnd in den kor
stellt man dy herren der potschafft vnd die edellewt all auf ain seitten,
vnd an der andern seitten des Kunigs von Frankreich Rête, der Ku-
nigin hruder, vil fursten vnd gross herren, dy all in swarcz besnitten
warden mit allen iren dienern, vnd verpunden vnczt in dy Augen, das
stund also eläglcich, daz es gar ainem hertten Menschen erparmt
möchtt haben. Auch ward Im gemacht ain Grah, das was wol vier
claffter hoch, darauf wol III^M kerczen, da daz geschach. Darnach
richtt der Kunig gar ain kostliche schankchung zue, vnd die Herren
alle reichlich begabte. Auch worden dy kleynatt, so vnser Herr der
Kunig seinem Gemahel geschikcht hat, Ir geantwurtt vnd gegeben.
O wie so gar ain sendlichs Urlaub nemen was es da, wenn es waintten
die Jung vnd alt Kunigin, auch alle Junkchfrawn vnd alles das in dem
hof was. Also schiden sy von danne mit trawrigen Herczen vnd
grossem laide, vnd zugen gen Parys. Daselbs kamen aus der Stat ain
gross menig volkchs gegen den Herren, ettlich dem Kunig zu eren,
ettlich dy das frömbde Volkch sehen wolten; daselbs ward es auch
den Herren wol erpoten, vnd dy Studentten hetten ain processen, der
wol XII^M beieinander waren. Es ward auch dem Kunig da gar schon
begangen in vnser lieben frawn Kirchen, dapei vil Bischof vnd Doc-
tores wurden vnd all dy gloken gelewtt, dy in der grossen Stat Parys
warden, vnd dem gancxen lannd daselbs, vnd das dy also schon klan-
gen, daz yederman darob wundert. Do tet ain hoher maister der
Schul zu Parys ein proficey vnd ein merkliche Predig. Es ward auch
da das Heiltumh geczaigt, vnd das gross vnd gar vil ist. Auch ward
geczaigt in des Kunigs saal in sand Jorgen Cappeln vnsers lieben
Herren Cron, die Im durch sein heiligs Haubt gedrukt ward, daran
ain stain ist, den scheczt man vmb hundert tawsent Cron. Auch den
Spies, damit vnserm Herren sein heilige seitten geoffent ward. Auch
gar vil mer gross heiltumh, daz da ist vnser lieben frawn, vnd anders
in des Kunigs Saal. Auch ligt zu Parys hey yedem tor ain gar wol
pawte hühsche purgk, vnd lauffent zway grosse scheffriche wasser
mitten durch dy Stat. Es sind auch sechs kuniglicher Saal da zu
Parys, die kostlich gepaut. Item zu sand Dyonisen hey Parys ain
kostlichs mechtiga Closter, durinn die Kunig all gekront werden, vnd
wann ainer stiriht, so mues man man In dahin füren, vnd wer er IIII^c
meil davon gestorben. Darnach zugen die Herren durch das Lannd

Tschanuppangy, darin man mit Kreiden mawrt, wan dy Kreiden darinnen wirdet, daselbs kamen entgegen die knäblein, dy da lauffent gen sand Michel hinder Parys in das Mer, dy lauffent von vater vnd muter, vnd sagent nyemants davon, vnd koment aus dewtschen lanuden von swaben vnd vom Rein ye ain grosser hauffen bey ll° oder dreinhundert mitelnander, vnd habent lre panier. Man gibt ln gar gern durch gots willen, vnd wo sy an den Hewsern singent, singent si nur: Crist ist erstanden, vnd kain anders gesang. Daselbs zu sand Michel tut sich das mer zue drey maln lm tag auf, zu Morgens, zu Mittag vnd zum Abent, vnd so es sich auftut, so laindt es sich auf so hoch, daz kainer daruber gesehen mag, vnd ist dy strassen da zwischen trukehen, als ain dürrer akeher. Vnd wann sich das Mer auftut, so lauffent sechs oder achttausent miteinander ain, oder aus, vnd so dy ist aus, so vellt es wieder zue, stund ainer so lang als er ain nuss geessen möcht, so wär er verdorben. Darnach zugen dy Herren in das lannt zu Par vnd Lottringen, vnd wider auf den Rein, als sy kamen in des von Wirtenberg Lannd, da schiden dy Beheim von den dewtschen vnd vngrischen Herren. Also zugen die dewtschen vnd Vnger der Tunaw zw gen Vlben, vnd bin in das lannd zu Bayrn vnd da zu Passaw schiden dewtsch vnd Vnger von einander.

Wie die Herren von Mörhern, die in der samung zu Brünn begeinander gewesen sein, der Stat hie geschrieben habent von herrn Vlreichs Eyczinger Venkchnuss wegen. LXVIII.
8. April
1458.

Namhaften, Erbern vnd vaser lieben frewnt vnd gunner vnsern gruss vnd guten willen wissel bevor. Wir tun ew zu wissen, daz zu vns komen ist, so wir zu gemainer Sambnung des lannds zu Mörhern hie in der Stat Brünn gewesen vnd noch da sind der Edel Herr, herr Steffan Eyczinger von Eyczing, vnd da erczelt seins Bruders Her Vlrichs gefenkchnuss, als ew die wol kund ist, auch da fürbracht, wie Her Vlrich auf ewr vertrostung vnd zusagen ewr sicherhait, so aller lantschafft vnd offenlich mit Trummettern ruffen habet lassen, da beliben ist, vnd solhen schaden vnd smach emphangen, das vns sicher treulich laid ist. Auch bat er vns erczelt, der Prelaten, Grafen, Herren, Ritter vnd Knechtt, die denn diezmals zu Wienn gewesen sind, auch sein vnd seiner bruder, her Oswalts vnd her Steffans durch lr schrifft rechtlich erpieten, vber das alles her Vlrich noch gefangen ist. Auch solhs bat der egenant

her Steffan, als ein Inwohner des Lauuds zu Mörbern vnsers Rats
vnd hilff begert, des wir in baiden mit gelimphen nicht abgeslagen
haben mugen. Sunder mit rat zu disem mal die geschrifft zuschicken,
vnd ew ermonen nach solhen beruffen; als das dann von ew aus-
gangen ist, wellet darczu raten vnd helffen, damit her Vlrich von
Eyczing seiner gefengknuss zu dem vorbenanten Rechtpot ledig
gesagt werde. Bescheeh aber des nicht, vnd wir verrer von den
vorgemelten hern Oswalten vud hern Steffan gebruedern
vmb Rat, bilff vnd fürderung angelangt wurden, so mugt ir wol
versten, daz wir vns gegen in in den sachen vermainen zehalden,
als gegen vnsern guten frewnten, nachdem vnd wir in des schuldig
vnd pblichtig sein. Darauff beger wir von ew ewr verschribne ant-
wurt. Geben zu Brünn an Sambstag vor dem Suntag
Quasimodo. Anno LVIII°.

Prothasius von gots gnaden erweller vnd bestelter Bi-
schof zu Olmünnez, Pozenik von gots gnaden Herczog
zu Tessehin vnd herr zu grossen Glogaw &.

> Jan von Czimburg & Haubtmann zu Mörhern, Hainrich
> von der Leippen, ohrister Marschalh des kunigreichs
> zu Behem, Gireyik von Krabarn vnd von Straznniez,
> Benesch von Bozkowiez, ruder kamrer zu Mörhern, Jan
> von Pernstain, Kuns von der Cunstat, Wenko von Bozko-
> wiez, Obrister Kamrer der Landtafel zu Brünn, Proczko
> von der Cunstat, obrister Kamrer der Landtafel zu Ol-
> münez, Jan Zagimacz von der Cunstat, Markwarth von
> der Lombniez, Jan von Zimburg vnd von Tyczein, Smyl
> vnd Jorg, gebrüder von Lewehtenburg vnd von Vettaw,
> Matheus von Sternberg vnd von Lukaw, Karl von Wla-
> schin, Wokeb von Ewlenborg, Mikulasch von Oyniez vnd
> von Cremsir, Tunkl Ausprunn, Boczko Puklicz von
> Pozorziez, Hynko vnd Jan gehrüder von Rokowicz, Pro-
> tiweez vnd Horman geprüder von Saczichl vnd anderr
> Herren Ritter vnd Knecbtl, die yeez bey der Sambnung
> zu Brünn gewesen sind &.

Den Namhaften vnd Erbern Burgermaister, Richter vnd Rat der
Stat Wienn, vnsern lieben frewnten vnd gunnern.

Wie die Stat den Herren von Merhern auf Ir schreiben geant-   LXIX.
wurt hat.   11. April
      1458.

Hochwirdigen, Hochgehorn fursten, Grosmechtigen edeln Herren, Ritter vnd Knechtt, guedigen lieben Herren, vnser dinst mit gutem willen wisset zuvor. Als Ir vns yecz geschriben habt, wie ew in gemainer Samung zu Brünn der Edel Herr Steffan von Eyczing anbracht hab, daz her Vlrich von Eyczing sein bruder auf vnser vertrosten vnd zusagen, so Im vnd aller lautschafft hie heschehen vnd offenlich mit Trumettern sullen beruffen haben lassen, hie beliben, dadurch Im solch venkchnuss, schaden vnd smach ergangen sey &. Das haben wir mit mer worten ewrs briefs vernomen, vnd tun ewrn Gnaden zu wissen, daz wir solh beruffen nicht tun haben lassen, vnd dem egenanten Herrn Vlrichen, noch nyemand andern in der lantschafft kain vertrostung noch sicherhait anders zugesagt haben, dann für vns vnd die vnsern, des wir zutun vnd zulassen mächtig sein, vnd bieten auch weiter vertrostung, vnser gnedigste Herrschafft berürund, nicht gewalt gehabt, als wir vns des gegen hern Sigmunden Eyczinger in gegenhürtikait Grafen, Herren, Rittern vnd Knechtten, die daczemalen pey vns in ainer sammung im Rathaws hie, da wir solher vertrostung warn beczigen, lautter entschuldigt haben. Wir haben auch neben denselben Herren vom Adel rassen vleis gehabt vmb Herrn Vlrichs erledigung, als des wo wissentlich ist, dabey ewr Gnad vnd Ir all vnsern Vleis wol mugt versten, daz wir darinn nicht lessig gewesen sein, vnd vns hern vlrichs venkchnuss treulich laid ist, auch vns gegen vnser gnedigsten Herrschafft darinn anders zu handlen nicht gepürt hat, denn sovil wir mit diemutiger pet vnd von Gnaden heten mugen erlangen, Daorn so pitten wir diemutielich mit gancezem vleis, ewr Gnad welle solh vnser Antwurt im pesten versten vnd aufnemen, das wellen wir vmb ewr Gnad vnd ewr yedem willielich vnd gern verdienn, wan was wir noch zu hern Vlrichs erledigung mitsambt andern nach aller pillikait tun kunnen, des sey wir willig. Geben zu Wienn an Eritag vor sand Tiburezen vnd sand Valerianstag. Anno dni LVIII°.

Burgermaister, Richter vnd Rat
der Stat zu Wienn.

Den Hochwirdigen, Hochgeboren fursten, Grosmechtigen Edeln Herren Rittern vnd Knechten, so yecz in gemainer samung zu Brünn peyeinander sein, vnsern gnedigen Herren.

9 *

132 COPEY-BUCH

LXX.
18. März
1458.

*Wie herr Oswalt vnd her Stephan gebrüder von Eyczing aus-
geschriben habent auf den tag zu Hederstorf zekomen von
Herrn Vlreichs von Eyczing Venkchnuss wegen ze ruten.*

Vnser willig dinst zuvor, Edler lieber frewnt. Als ew nu vil-
leicht wol wissentlich vnd angelangt mag sein die Venkchnuss hern
Vlreichs von Eyezing vnsers Bruders, darinn er yecz an
schuld genomen vnd komen ist. Nu bitten wir ew mit besunderm
vleiss vnd auf solh gut vertrawn, so dann derselb vnser bruder, auch
wir vnd ander vnser guter frewnt zu ew haben, Ir wellet ew auf
den nagsten Montag nach den Osterfeirtagen schi-
ristkunfftigen in den Markcht gen Hederstorf auf dem
kamp bei Krembs gelegen zu vns, vnd andern vnsern Herren,
frewnten vnd gunnern fügen, den wir auch yecz darumb schreiben,
vnd daselbahin zekomen gepeten haben, als wir hoffen, die zusambt
vns auf den benanten tag daselbs sein werden, vnd wellet vns dann
mitsambt andern vnsern herren, frewnten vnd gunnern raten, wie
wir vns in den sachen halten sullen, damit wir vnser gnedigiste Herr-
schafft nicht verworchten, auch wider launt vnd lewt nicht téten,
vnd daz auch vnser pruder aus derselben seiner venkchnuss geledigt
wurde, vnd sunderleich nach sollicm genugsamen Rechtpot, so vnser
Herr N. der von Maidburg, auch der von Schawnberg, der von
Walsee, auch ander Herren vnd vnser frewnt vnd gunner, vnd auch
wir von desselben vnsers Pruders wegen vnserm Herren Herezog
Albrechten getan haben, vnd bitten ew darinn nicht auszezesteen, als-
dann derselb vnser bruder, vnd auch wir ew des sunderlichen ge-
trawn, vnd wir das mitsambt dem egenanten vnserm pruder vnd
allen vnsern frewnten williclich vnd gern vmb ew verdienn wellen.
Geben zu Schrétental an Sambstag vor dem Suntag
Iudica in der Vasten. Anno dni LVIII°.

Oswalt vnd Stephan, gepruder
von Eyezing.

LXXI.
6. April
1458.

*Wie herr Mathias, newer Kunig zu Hungern der Stat geschri-
ben hat von Hern Vlreichs Eyezinger Venkchnuss wegen.*

Comissio propria dni Regis.

Mathias dei gracia Rex Hungarie, dalmacie, Croacie &. Nobili-
bus et Circumspectis Magistrocirium, nec non Judici, Juratis et toti

communitati civitatis Wiennensis nobis dilectis Salutem. Nobiles et circumspecti nobis dilecti. Intelleximus, Quomado vos una cum Illustri Principe Alberto Duce Austrie et Stirie Magnificum Baronem Vlricum de Eyczing, qui non solum nobis gratus est, verum eciam quod Serenissimis Principibus dominis Alberto ac Ladislao filio eiusdem Regibus Hungarie predecessoribus nostris et dominis vestris fideliter servire studuit, et in omnibus se eisdem acceptum reddidit, captum detineritis, vnde eum aliquam justam causam captivitatis sue non intelligamus, Rogamus et hortamur vos, quatinus eundem Vlricum de hujusmodi injusta captivitate eliberare velitis. Ipse enim ad omne id, quod Juri videbitur, vobis et prefato Duci Alberto respondebit; alioquin, si videlicet non emiseritis et non eliberaveritis, vna cum Serenissimo fratre nostro domino Georgio Rege Bohemie ita providebimus, quod huiusmodi injusta deteucio sua simpliciter non preteribit. Et alias hij, qui nobis aut vtrique nostrum grati sunt, injuste non offendentur. Datum Bude feria quinta proxima post festum resurrectionis domini. Anno LVIII°.

Nobilibus & ut supra, dilectis.

Allerdurleuchtigister & zevor. Wir schikchen yeez zu ewrn k. G. den edeln Vesten, erbern vnd weisen Herrn Fridrichen Ebmer, Thoman Swarez, Kristan Wissingor, vnser Ratgenossen, Nielasen Erust, Wilhalmben Sambsen, Wolfgangen Holnbrunner, Bertlmen Zech, genant, Sebastian Zieglshawser vnd vallsin Liepharten, der gemain vnser mitburger, den haben wir vnser vnd der Stat merklich notdurfft anezepringen empholhen, vnd wassy diezmals denselben ewrn k. G. anpringen werdent, bitten wir mit aller diemutikait, ewr k. G. welle In das genezlich glauben, als vnsselbs, vnd darinn gnedielich beweisen, als wir des sundern trost vnd hoffnung zu ewrn k. G. haben. Das wellen wir vmb ewr k. Majestat mit aller vndertenikait gern verdienn. Geben zu Wienn an Eritag vor sand Jorgen tag. Anno dni LVIII°.

Ewr &c.

Burgermaister &c.

Desgleichen hat man In einen gelaubbrief geben an Herczog Sigmunden.

An Samstag nach Tiburcj et Valerianj hat vnser genediger Herr Herczog Albrecht vor Rat, genant vnd gemain im Rathaws ain solhe begerung getan durch Doctor Gregorien.

Tet Herczog Albrecht dem Rat zu Wienn crezellen, er hab willen, sich zum Kaiser zufügen, damit all drey fursten von Osterreich personlich beieinander sein auf hoffnung dadurch all sach zum pessten komen muge.

Jedoch ob dadurch die sach nicht ganz verfügt vnd zu eintrechtikait gebracht wurde, daz dann sein Gnad, vnd auch Herezog Sigmund hie wider eingelassen vnd bey allem zuesagen, so In vormalen geschehen ist, vnd in aller masse, alsvor gewest vnd noch ist, gehalten werden für sich vnd alle die Iren.

Auch do zwischen an Irer wonung vnd den Iren vnd allen den, das darinne ist, besunder an dem Eyezinger, nichts vnderstanden werde, alsdann solhs vor auch zugesagt ist.

Antwurten die von Wienn zum ersten ersame wort, wie sy des erfreut wëren, gut hoffnung emphangen hëten, daz die sach frewntlich veraynigt vnd alles gut davon entsteen werde. Vnd sagten darauf zu nach meines Herrn beger für sein Gnad vnd Herczog Sigmunds vnd Ir Rët, diener vnd hafgesind in aller massen, als sy dann vor offt zugesagt hetten, wie sein Gnad alle wege hatt mugen aus vnd einreitten mitsambt den seinen nach allem seinem gevallen.

Vmb das Haws und wonung desgleichen auch zugesagt ward, niebt zugestatten, kainer der Iren iehts zu vndersteen.

Liess Herzog Albrecht wider sagen, er verstund das vngeverlich nicht allein für si vnd die Iren, sunder auch ob yemand auswendiger herein këme sich solhs zu vndersten, das nicht zugestatten.

Antwurten si auch dafür zu sein, begerunde darumb die frömbden lewt hin aus zu füren, damit si darob gesein, vnd ain solhs bewaren möchtten.

Mein Herr begert brief, Si baten, In zugelauben Irn worten. Also wurden sy gefragt, ob es Ir aller maynung wëre, also ruffen si all: Ja, Ja, vnd sagt der Burgermaister, si wolten In das nyemant verpieten lassen.

Anno LVIII°. an Mitichen vnd darnach an Phineztag vor sand Jorgen tag sind die Weingerten in der Eben, vnd am pirg vast erfrorn.

Vnssers gnedigisten Herren, des Kaysers ausschreiben des Lannttags, der hie auf sand Florians tag sol gehalten werden. LXXIII. 9. April 1458.

Fridreich &c.

Erbern, weisen, getrewn, lieben. Als weilent vnser lieber Vetter Kunig Lasslaw, dem got gnedig sey, mit tod abgangen ist, vnd ettwevil lannd vnd herschafft vnd nemlich das furstentumh Osterreich hinder sein gelassen hat, darczu wir, auch vnser lieben Bruder vnd Vetter, Alhrecht, Erczherczog vnd Sigmund, Herczog zu Osterreich & erbliche gerechtikait haben, Lassen wir ew wissen, daz wir mit den benanten vnsern lieben Bruder vnd vettern eines gemainen Landttags zu Wienn auf sand florians tag schiristkunftigen zehaben ainig worden seinn. Davon begern wir an ew mit fleiss vnd ernste, daz Ir ettlich aus ew auf den egenanten sand florians tag daselbs zu Wienn hey vasern Prelaten, den vom Adel vnd andern den von Steten vnd merckten des obgenanten fürstentumhs Osterreich, den wir desgleichen auch schreiben, habet, da ze helffen weg, die zu vnser aller dreyer aynikait dienen, vnd dadurch lannd vnd leut in frid vnd gemach, auch vnser haws Osterreich hey seinen gerechtikaiten vnd altem loblichem Herkomen beleiben mug, fürczenemen, als Ir vns, ew selbs vnd lannden vnd lewten des schuldig seit, daran tut Ir vns gut gevallen vnd vnser ernstliche maynung, wir wellen das auch gnedicleich gen ew erkennen. Geben zu der Newnstat an Suntag Quasimodogeniti nach Ostern. Anno dni LVIII° vnsers &.

Den Erbern & Burgermaister & ze Wienn.

Vnsern gnedigen Herren, Herczog Sigmunds ausschreiben des landtags, der hie auf sand Florians tag sol gehalten werden: LXXIV. 14. April 1458.

Sigmund, von gots Gnaden, Herczog zu Osterreich.

Erbern, getrewn, lieben. Als weilent vnser lieber Herr vnd Vetter Kunig Lassla, dem got gnedig sey, mit tod abgangen ist, vnd ettwevil lannd vnd herschafft & ut supra. Gehen zu der Newnstat an freitag nach Quasimodogeniti Anno dni LVIII°.

D. D. in consilio.

Den Erbern, weisen & Burgermaister & zu Wienn.

E. 20.   *Vermerkcht das Anpringen, vnd die werbung, so herr Fridreich*
          Ebner, Thoman Swarcz, Kristan Wissinger mitsambt den an-
          dern der Stat an vnsern gnedigisten Herren den Kaiser auf
20. April *den gelaubbrief, der vorgeschriben stet, getan habent an phincz-*
1458.   *tag vor sannd Jorgen tag, oder Jubilate.*

Allerdurleuchtigister Kaiser vnd allergenedigister Herr; der Bur-
germaister, Richter, Rat, genant vnd die Gemain der Stat zu Wienn
vnser Herren vnd frewnt haben vns gesandt, vnd an ewr kais. Gnad
zubringen bevolhen.

Als si am nagsten ewrn K. G. geschrihen haben, daz si vnserm
genedigen Herrn Herezog Alhreobten auf seiner Gnaden begern
ain Volkeb einlassen werden, das ewr K. G. wol vernomen hat, vnd
in was form vnd mayoung das bescheben sey, des ewrer K. G. zevn-
derrichten gehen wir ewren K. G. zuversten. Als der henant vnser
genediger Herr Herezog Alhrecht mit seiner Gnaden Volkeh, vnd
mit zuesehühen der von Wienn vnd ettlicher annder Landtlewt die
zwen Täber auf der march, davon dem lanndt grosser schaden be-
scheben ist, gewunnen, vnd als auf funfhundert da gevangen sind, hat
sein gnad fürgenomen dieselheu gevangen gen Wienn zehringen, vnd an
Burgermaister, Richter vnd Rat begert, daz man seinen Gnaden die
soldner als auf acht hundert zu Rossen vnd zefuess, die pei der tat
gewesen sind, zu Wienn welle einlassen, vnd In vergunnen, auf drey
oder auf vier tag zubeleiben, wan sein Gnad wolt da mit In vberain
werden, sew entriehten, abvertigen vnd verrer sebikehen. Es wolt
oueh sein Gnad dafür sein, ewrn K. G., vnserm gnedigen Herren Her-
ezog Sigmunden, vnd allen Inwonern der Stat an allen sehaden da
sein solden; solh seiner Guaden begern hat der Burgermaister mit-
sambt dem Richter, Rat, genanten vnd der gemain auf das trewist im
pesten fürgenomen vnd gewegen, vnd naeh gelegenhait uller saehen
das einlassen des volkchs seinen furstlichen gnaden mit fueg nicht bahen
mugen ahslahen, auch angesehen, daz die Stat zu Wienn ains
solhen oder merern volkchs wol mag gewaltig sein, wie-
wol sich solh der Soldner abvertigung ettlich tag lenger verczogen hat,
17. April so hat si doeh sein fürstlich Gnad an montag nagstvergangen ahgevertigt
1458.   vnd an der Stat sehaden von dann gesehickeht, vnd ob ewrn K. G. iehts
          anders wer fürbracht, so ist doch die saehen in dem form, vnd in

kainer andern weis gehanndelt; das mugen wir ewrn K. G. warlich
zusagen.

Item. So hat auch dieselben vnser Herren vnd frewnt angelangt,
daz hie red endstonden sullen sein, Wie Durgermaister, Richter vnd
Rat nicht sullen gewalt haben, sunder was ettlich mit Irn anhengen
fürnemen, dem muss nachgegangen werden, vnd das grosse vnaynikait
zwischen dem Durgermaister, Richter, Rat, genanten vnd der gemain
sein sullen; Also sein wir aus Rat, genant vnd gemain gesandt, ewr
K. G. davon ze vnderrichten, ob nu solhs ewrn K. G. wer fürbracht,
so mugen ewrn K. G. warlich zuesagen, daz der Durgermaister,
Richter, Rat, genant vnd gemain in allem fürnemen gancz aynig sein,
vnd kain zwietrecht in disen dingen nicht haben, vnd das man auch
dem Durgermaister, Richter vnd Rat in allen pillichen dingen gancz
gehorsam ist, vnd getrewen peystand tut, vnd ob hinfür icht frömdikait die von Wienn berürund an ewr K. G. gelangen oder anbracht
wurde, Bitten wir mit aller vndertenigkait, ewr K. G. geruch solhs
nicht zugelauhen, Wan wir ye nicht anders hanndeln vnd tun wellen,
dann als wir ewrn K. G. vnd den andern vnsern gnedigen Herrn zugesagt haben.

Allergnedigister Kaiser, vns ist auch bevolhen, ewr K. G. auf
das hochst vnd diemutigist mit aller vndertenigkait ze bitten, daz
sich ewr K. G. auf das schirist, so es gesein mag, gen Wienn geruech
zefugen, alsdann ewr K. G. vor von den von Wienn in geschrifft, vnd
durch vnser vir als Sanndtpoten auch diemutielelch gepeten ist, vnd
was wir vns daselba von gemainer Stat wegen gegen ewrn K. G. zu
ewr aller dreyer Gnaden bewarung mit huet vnd andern fürsehung
der Stat zuegesagt vnd erpoten haben, des sey wir noch zumal willig
vnd daz wir als sanndtpoten nach emphelhnuss Durgermaister, Richter
Rat, genanten vnd der ganczen gemain ewrn K. G. auch yecz trostlich zuesagen, Wan wir ye gut getrawn, vnd hoffnung haben, so ewr
K. G. gen Wienn kome, daz sich dann all sachen zu frid vnd gemach
vnd zu allem gut schikchen werden, vnd ob halt icht vnrat oder widerwertigs dem Laude fürgenomen wer, das wurde aus solher ewrer
K. G. gegenburtikait, vnd ewr aller dreyer Gnaden aynikait ganncz
rallen vnd erlegt, vnd was wir dann zu solher aynikait dienn kunnen
und mugen, des sein wir willig vnd gehorsam als getrew vndertann
Irer geneiligisten Hersehafft, vnd hitten in aller diemutikait, ewr K. G.
geruech solh vnser werbung vnd anbringen im pesten versten, vnd

gnedicleich aufnemen; das wellen wir vmb ewr K. G. als vmb vnsern
allergnedigisten Herren willigeleich vnd gern verdienn.

E. 21. *Wie vnser genedigister Herr, der Kayser darauf geantwurtt,
vnd auch die in geschrifft gehen hat denselben sandtpoten also
lauttund:*

Auf der senndtpoten Burgermaister, Richter, Rat, genanten vnd
gemain der Stat zu Wienn anpringen vnd werbung yeez am pbineztag
vor dem Suntag Jubilate hie in der Newnstat beschehen, Stet vnsers
allergenedigisten Herren N. des Römischen Kaisers Antwurt, als her-
nnach begriffen ist.

Am ersten, von lrs Jnlassens wegen des volkchs, so zu Wienn
nach dem vnd des Lannds veint gen Wienn gepracht sein worden
durch die von Wienn auf das ersuchen Herezog Albrechts, seiner
K. G. bruder beschehen ist:

Antwurt sein K. G., das es sein K. G. ganez dafür helt, was lrn
halben darinn gehandelt worden ist, daz solbs im pesten beschehen
sey, vnd sein K. G. hat auch ain gevallen, daz die Lanndsveint vmb
lr verschulden gestrafft worden sein, vnd kunfftigklich gestrafft wer-
den, was auch sein K. G. darezu fürdern sol, damit lannd vnd lewt in
frid vnd gemach hleiben, des ist sein K. G. willig.

Sein K. G. begert auch darauf, daz die von Wienn solh volkcb
hinfür nicht inlassen, vnd sich in solhem also balden, daz daraus
seiner K. G. Lannden vnd lewten vnd der wirdigen Stat Wienn nicht
schimph, vnrat, noch schaden ergee.

Item auf den artikel lrer werbung, drinn sy sich entschuldigen,
ob icht an vnserm allergenedigisten Herren N. dem Römischen Kaiser
gelangt hete, daz sy in Vnsynikait Burgermaister, Richter vnd Rat,
genant vnd gemain sein solten, daz sein gnad des nicht glaub & wann
sy sinig vnd in willen sein, sich erberlich vnd redlich zu halten &.

Antwurt seiner K. G. Sein K. G. hore zumal gern, daz sy in
guter synikait seinn, vnd hab auch daran, als pillich ist, ain hohs ge-
vallen, wann sein Gnad wol betracht, wo sy ainig sein, daz destpaz
seinn Gnaden, auch dem fürstentumb Osterreich, In vnd der wirdigen
Stat Wienn zu gemainen nucz gedienut werde, darezu dann sein K. G.
willig ist, lr genediger Herr vnd fürdrer zesein, vnd pitt sy auch mit
sunderm vleiss, das sy in guter synikait bleiben, vnd ln sein K. G.

vnd seiner Gnaden gerechtikait treulich empholhen scin lassen, a:s In das vnd alles guten scin gnad vertrawt, das wil scin K. G. genedigklich gen In erkennen.

Item auf das sy pitten, daz vnser allergenedigister Herr, der Kaiser, sich gen Wienn fug, so schirist das gesein muge & vnd erpieten sich willig vnd gehorsam als getrew vndertan Irer genedigen Herschafl zedienn zu aynikait der Herren vnd sein K. G. trostlich zu bewaren.

Darezu antwurt sein K. G. Sein K. G. hab ain gevallen an solhem Irm pitten vnd erbieten, vnd dankeb In Irs guten gehorsamen willens. Sein K. G. hab auch vor gen der von polen, so vor, vnd den, die yecz hie gewesen seinn seiner Gnaden hinüberkunfl mündlich, vnd durch brief red gehabt, in maynungen sich dahin zufügen als Römischer Kaiser vnd furst von Osterreich an sunder aufsaczung der unczal vngererlich, daz auch sein gnad in willen sey, den beredten vnd ausgeschriben Lanndtag auf floriani, schiristkunfftig zuhaben nachzukomen, vnd binüher sich zu fügen als Römischer Kaiser vnd fürst von Osterreich vngeverlich, als vor stet, mit seiner Gnaden Gemahel, seiner Gnaden fürsten, frewndten vnd erbern Lanndtlewten, hofgesinl vnd dienern. Vnd sein K. G. siecht gern seiner Gnaden bruder vnd Vetter auch also dahin vngeverlich zukomen, vnd da zesein mit Irn frewndten, Lanndtlewten, Irer erblanndt Hofgesint vnd dienern, Doch das dieselben seiner Gnaden Bruder vnd Vetter nicht infürn, oder da haben seiner K. G. vnd seiner lannd vnd lewt offen vnd entsagt Haublveinl, nachdem derselben Infürung, Inkunfl vnd wanung zu Wienn nicht wol zu frid, gemach vnd gemainen nucz dienut. Dann sein K. G. maint sich des gar aufrichtigklich, fridlich vnd frewntlich zu halten, also das aller pillikait an seinen Gnaden, ob got wil, nicht abgangk sein sol.

Item als yecz seiner K. G. bruder Herczog Albrecht vor dem egemelten Lanndtag sich herüber in die Newnstat vermaint zufügen, begeret sein K. G. in dem guten vertrawn, das sein Gnad zu den von Wienn hat, daz sy ettlich der Irn vom Rat, genanten vnd gemain auch hersehikeben zubelffen vnd zuraten die sachen zum pesten, vnd in gute aynikait zukeren zu gemainen nucz.

Item auf das sebreiben von Hungern vnd von Wienn geton, vnd seinen K. G. durch die poten fürgehalten von des Eyczinger wegen, stet seiner K. G. antwort also, daz sein Gnad gern sech vnd begerl

auch des vleiss zu haben, damit derselb Eyczinger noch ledig vnd zu
verhorung vnd Rechtt gelassen werd auf das erpieten seiner frewnt-
schafft vnd anderr, die von seinen wegen sich annemen, denn sein
Gnad ye gern die sachen also gehalten wolt werden, das widerwertig-
kait, schimph, schad vnd vnrat in fürstentumb Osterreich vnd nemlich
gen der Stat Wienn vermiten beliben, die doch aus solhem, wo anders
frömbds Hanndl man gepraucht, wachsen möchten.

Item sein K. G. bat auch bevolhen den Poten, daz sy sagen Bur-
germaister, Richter, Rat, Genanten vnd gemain, wie seiner Gnaden
bruder lewt in seiner K. G. merkchten, als Medling vnd andern enn-
den auf seiner K. G. grunt gelegt seinn, vnd da seiner Gnaden lewten
merklich schaden, vnezucht tun, vnd sein K. G. main auch, sy veraten
wol, das solhs nicht gut sey, red pillcich abgestellet wurde, wann
solher hanndl klain dient zu frewntschafft vnd frewntlichen tägen vnd
teydingen.

LXXV.   *Also hat vnser Herr, der Kaiser der Stat geschriben, daz sy*
22. April   *etlich von In zu seinn gnaden senndten solten vor dem landtag.*
1458.

Erhern, weisen, getrewn, lieben. Als wir mitsamb vnserm lieben
Bruder vnd Vettern, Albrecht Erczherczogen, vnd Sigmunden, Her-
czogen zu Osterreich & von der lannd vnd leut, vnd nemlich des für-
stentumbs Osterreich wegen, so weilent vnser lieber vetter, Kunig
Lasslaw, dem Got genedig sey, hinder sein gelassen hat, ains ge-
mainen landtags auf sand florians tag schiristkunfftigen daselbs zu
Wienn zehaben, geschriben haben, lassen wir ew wissen, das sich
da zwischen der egenant vnser lieber bruder zu vns vnd dem vorge-
nanten vnserm lieben Vettern here fugen wirdet in maynung, sich hie
mit vns, vnd dem benanten vnserm lieben Vettern aus vnser aller
dreier erblichen gerechtikait zu den bemelten Herrscheften vnd
Launden zevnderreden. Davon begern wir an ew mit vleiss vnd ernst,
daz Ir etlich des Rats, Genanten vnd gemain fürderlich vnd auver-
czieben her zu vns schikchet, da ezehelffen mitsambt etlichen des
vorbenanten vnsers fürstentumbs Osterreich Landtleuten die wir
darumb auch ervordern, weg fürezenemen, damit wir all drey vmb
die berürt gerechtikait in ainikait komen, vnd vnser Haws Osterreich
bey seinen gerechtikaiten vnd altem loblichen Herkomen, auch Landt
vnd lewt in frid vnd gemach beleihen mugen, als Ir vns, ew selbs,

vnd lannden vnd lewten des schuldig seit. Daran tut Ir vns gut ge-
vallen, vnd vnser ernstlich maynung, wir wellen das auch genedigk-
lich gen ew erkennen. Geben zu der newen Stat an Sambs-
tag vor sand Jorgentag. Anno dni LVIII°. Vnsers &.

Commissio &.

Den Erbern & Burgermaister & zu Wienn.

Wie herr Oswalt vnd herr Stephan gebrüder von Eyczingen   **LXXVI.**
vnserm Herren, dem Kaiser geschriben habent von hern Vlreichs   **18. April**
venkchnuss wegen. **1458.**

Allerdurleuchtigister Kaiser, allergenedigister Herr vnser willig
vndertenig dinst geruch ewr K. G. von vns genedigklich zu wissen.
Allergenedigister Kaiser, als wir ewrn K. G. vormaln menigermal ge-
schriben, gepeten, vnd potschafft getan haben, daz ewr K. G. darob
wér, als Römischer Kaiser vnd der eltist von Osterreich, vnsern
Herren Herczog Albrechten daran ze weisen vnd darob ze sein, damit
sein gnad vnsern bruder hern Vlrichen von Eyczing aus seiner
Gnaden Venkchnuss ledig gelassen hiet, das sich aber also vncz here
verezogen hat, vnd nicht beschehen ist, nach solhem genugsamen
Rechtpot, als wir auch ander vnserr Herren vnd frewndt von Hungern,
von Bebem, von Osterreich, vnd von Mèrhern von vnsers pruders
wegen getan haben, das vns alles nicht gehollffen hat, vnd
sunder vnser freihait nicht geniessen haben mugen, vns haben auch
vil aus etlichen lanndten geschriben, vnd hoch ermont, wie das zu-
gee, auch das new vnpillich bedunkeb, das vnserm bruder das Recht
also verezogen sull sein, vnd das wir so gar nichts darezu tun, dabei
sew sehen vnd erkennen, das wir gern sehen, das vnser pruder tod
wér, vnd vns das gut blib, vnd solhem spot wir vncz here also haben
leiden müssen, vnd auch ewr K. G. vnd die andern vnser baid Herren
von Osterreich, auch ewr aller dreir gnaden lannd vnd lewt, darinn
angesehen Bitten wir noch ewr K. G. welle vnsern Herren Herczog
Albrechten noch daran weisen, vnd darob sein, damit sein Gnad vnsern
bruder ledig lass, vermaint aber vnser herr Herczog Albrecht vnsern
bruder spruch nicht zu vertragen, das dann vnser bruder vor ewrn
K. G. als Römischen Kaiser, eltisten von Osterreich, vnd obristen
Richter der Kristenhait, vnd vnser freihait Rechtens mug gesein.

Beschech aber des nicht, so mag ewr K. G. vnd menigklich versten,
daz wir erenthalben vnsern bruder in solher venkebnuss willigklich
nicht lenger gelassen möebten, vnd wir pitten darauf ewr K. G. ge-
nedige verschribne antwurt; das wellen wir vmb ewr K. G. vnder-
tenigklich willigklich verdienn. Geben an Eritag nach Ti-
burcj. Anno dui LVIII°.

Oswalt vnd Stephan gebrüder von Eyezing.

Auf des egenanten vnsers Herren des Kaysers schreiben vnd
seiner Gnaden antwurt den sendpoten gegeben habent mein Herren
geschriben Herczog Albrechten vnd Herczog Sigmunden, ob das Ir
begern vnd gevallen auch sey, so will man aus Rat, Genant vnd ge-
main hinüber gen der Newnstat schiken, Also habent dieselben fürsten
dem Rat geschriben, als bienach bemelt ist:

Von Gots gnaden Albrecht Erczherczog vnd Sigmund Herczog zu
Osterreich.

LXXVII. Erbern, weisen, lieben, getrewn. Als Ir vns geschriben habt,
26. April wie vnser gnediger lieber Herr bruder vnd Vetter N. der Römisch
1458. Kaiser an ew begert hab, ewr Ratspoten zu sein K. G. her zu sen-
den, des vergunnen wir ew wol, doch das vns daz an vnserr gerechti-
kait an schaden sey. Geben zu der Newnstat an Milichen
(nach?) sand Jörgen tag. Anno LVIII°.

D. duces p. d. Jacobum Trapp.

Den Erbern & zu Wienn.

E. 22. Vnd darauf sind bin vber in die Newnstat zu vnserm gnedigisten
Herren, dem Kaiser, zu Herczog Albrechten, vnd Herczog Sigmunden
geschikcht worden aus Rat, Genant vnd Gemain:

Herr Jacob Starch, Burgermaister.
Her Fridreich Ebner.
Cristan Wissinger, des Rats.
Niclass Ernst.
Wolgang Holubrunner, genant.
Sebastian Zieglbawser.
Valtein Lieblhart, der gemain.

Vnsers gnedigen Herren, Herczog Albrechts ausschreiben des LXXVIII.
landtags, der hie auf sand florians tag sol gehalten werden*). *20. April*
1458.

Albrecht &.

Erbern, getrewn, lieben. Als weilent vnser licher Herr vnd Vetter
Kunig Lassla, dem got gnedig sey, mit tod abgangen ist & (mit
Friedrich's und Sigmund's Ausschreiben gleich). Geben zu Wienn
am phincztag vor sand Jorgen tag. Anno dni LVIII°.

D. Archidux in consilio.

Den Erhern & Burgermaister & zu Wienn.

Zu dem Landtag sind geordent:

Aus Rat.

Herr Jacob Starch, Burgermaister.
Her Fridreich Ebmer.
Thoman Swarcz.
Kristan Wissinger.
Stephan Tengk,

Genant.

Niclas Teschler.
Wolfgang Hertting.
Niclas Ernst.
Wolfgang Holnbrunner.

Gemain.

Sebastian Zieglshawser.
Valentin Liebphart.
Gabriel Steger.
Hanns Hirss Eisner.

Wie vnserm gnedigsten Herren, dem Kayser von der Stat LXXIX.
zugeschrieben ist worden von wegen seiner Zukunft. *3. Mai 1458*

Allerdurleuchtigister & zuvor. Wir tun ewrn k. Gnaden zu
wissen, daz wir auf ewr Gnaden emphelhen mit vnserm genedigen

---
*) Chmel, Regg. 3586.

Herren Herezog Albrechten geredt haben, daz sein Gnad die kriegs-
leut vnd die Behem, seiner Gnaden soldner vor der Stat gelassen hat,
vnd mit nieht, das die in die Stat komnn sullen, als vns das sein Gnad
genedigklich zugesagt hat, vnd wellen auch fürbaser der khainen
mer herein lassen, ausgenomen, was landtleut sein. So haben wir
auch ewrn K. G. vnd ewrer Gnaden Gemahel, die Römisch Kaiserin,
vnserr allergnedigisten frawn mit Herberg fürgesehen, Ewr K.
Maiestat zu Petern dem Strasser, vnd vnser genedi-
giste frawn, die Kaiserin zu hern Hannsen Steger, vnd
nach dem daz vnser genediger Herr Herezog Ludweig von pairn
nachent pey ewrn Gnaden sein möcht, als ewr Gnad mit mir, dem
Burgermaister verlassen hat, So haben wir seinen Gnaden
Herberg geben in des Kornmessen Haws gegen ewrer
Gnaden Herberg vber, das mag ewrer K. G. mit demselhen
vnserm genedigen Herrn, Herezog Ludweigen reden lassen, ob
lm die gevelligklich sey, wann man lm nach seiner Gnaden begern
sein alte Herberg hestellt vnd zugericht hat; dann auf ewrer K. G.
begern, daz man ewrer k. Maiestat vnd vnsern gnedigisten frawn,
ewrer Gnaden gemahl zu bewarung hinüber volckh entgegen sehikchen
sullen, das scinn wir ewrn K. G. zu solher zukunft gar willig, vnd
wellen ewrn k. Gnaden entgegen sehikchen auf VIII^c person zu
Rossen vnd zufussen, oder mer, darezu mag sich ewr K. G. verlassen,
vnd pitten mit aller diemutigkait, ewr k. Maiestat welle vns ewrn K. G.
zukunfft zwairer tag vor wissen lassen, damit wir vns durnach ge-
richten mugen; das wellen wir vmb ewr K. G. vnderlenigklich gern
verdienn. Geben zu Wienn an des heiligen Krewcz tag
Invencionis. Anno dni LVIII°.

Burgermaister & zu Wienn.

LXXX.   *Darauf hat vnser Herr der Kaiser seiner G. antwurt geschriben.*
5. Mai 1458.   Fridreich &c.

Erbern. Als Ir vns geschriben habt, wie Ir nach vnserm
bevelhen mit vnserm lieben Bruder Herezog Albrechten geredt
habt, daz er die kriegsleut vnd die Behem vor der Stat ge-
lassen hat, daz Ir der auch fürbazer kain mer in die Stat lassen
wellet, vnd wie Ir vns, vnd vnser liebe Gemahl, vnd vnsern lie-
ben Swager, Herezog Ludweigen von pairn mit Herberg
fürgesehen vnd auf achthundert person zu Rossen vnd zufussen

geordent habt, vns die entgegen zeschikchen, vnd begert darauf ew
vaser Zukunft zwairer tag vor wissen zelassen; haben wir vernomen,
vnd haben in solhem ewrm Abreden vnd fürsaez der Krigsleut vnd
Beheim halber, auch bestellung der herberg vnd Ordnung der, so
vns entgegen komen sullen, ain gut gevallen, vnd dankchen ew des
zumal vast, vnd begern an ew mit ganczem Vleiss, daz Ir der bemelten
kriegsleut vnd Behem hinfür kainen inlasset, damit wir, die vnsern,
vnd Ir selbs an ewrem leib vnd gut destpas besichert bleiben. Dann
von vnsers lieben Swager, Herezog Ludweigs herberg wegen
wellen wir das mit seiner frewntschafft hie bereden lassen, vnd ew
seinen willen darin verrer verkünden; wir sein auch in willen, vnser
treflich Rêt fürderlich hinüber zu ew zusennden, vnd vns alsdann mit
vnserr lieben Gemahl pald binnach zefügen, vnd ew solh vaser kunft
zu guter Zeit vor wissen lassen, dadurch Ir vns das vorberürt Volkeh
entgegen senndten, vnd darnach gerichten muget. Geben zu der
Newnstat an freitag nach sand Florians tag. Anno dni
LVIII°. Vnsers &.

           Den Erbern &.

   An Sambstag nach sant Pangreczen tag ist der Kayser   *E. 24.*
mit seiner Gemahl her von der Newnstat belait vnd hie mit dem Hei-   *13. Mai*
ligtum vnd procession schön empbangen worden, als daz seiner Gna-   *1458.*
den wirdigkait zimbt hat, vnd paid fürsten, Herezog Albrecht, vnd
Herezog Sigmund sind In auch entgegen geriten.

Die hernach geschriben Artikel sind die acht vnd vierzig, so   *E. 25.*
von den vier stênden der luntschaft darczu geben aynig worden,
vnd habent die vnsern gnedigisten Herren, den Kayser, Herczog
Albrechten, vnd Herczog Sigmunden von osterreich in Herczog
Ludweigen von Hairn gegenbürtikait bracht in Petern des
Strassers Haus, an Eritag nach sand Pangreczen tag.   *16. Mai*
       Abgedruckt in Chmel, Material. II, 153 sqq.   *1458.*

   Vnd solh begern ist den Herren fürbracht worden, vnd haben
sich des verwilligt gnedikleich zetun.
   Item in den egenanten Zeiten hat die Lanndtschaft als vndetei-
dinger zwischen den fürsten teglich geredt bin vnd here von der Re-
girung wegen, Soverr, daz des Kaysers erpieten stund, also das er
maint als der elter die Regirung zu haben.

Des Kaisers erpieten stet also, das er maint, als der älter die
Regirung zu haben vmb der vrsachen willen, so vor von seinen kai-
serlichen Gnaden geluutl habent, vnd seczt seinthalben die sachen zu
der lantschafft also, das sy ain snezal darezu geben, zehen, sechczehen,
mer oder mynner, daz die versuchen, Sy gütlich vmb die Regirung
zuverainen, ob er allein Regirn sull, oder Herczog Albrecht allain,
vnd ob der gütigkait nicht verfolgt wurd, so seczt er vns zu lrer
erehantnuss.

Herczog Albrechten vnd Herczog Sigmunden maynung, das sy
der sachen fürdrung begerten vnd mainten, baid fürsten, daz Sy zuge
oder verlengen nicht mugen gewarten, wann Herczog Albrecht kein
Regirung hab, vnd doch die lannd der fursten von Osterreich vil, vnd
nur drey Person seinn; Herczog Sigmund sey not, sich anhaim ze-
fügen, sunderlich yecz der lanndthalben zu Swahen, soll nu die lant-
schafft darezu etllich geben, damit wurd die sach verlengt. Aber also,
daz die lantschaft morgen auf ain stund gevordert werd an die ge-
wondlich stat, das dann sein kaiserliche Gnad sein gerechtikait der
Regirung halben, darumh dann yecz allain der stos ist, fürbring; des-
gleichen baid fürsten auch, vnd die lantschafft miteinander erkennen,
welher vnder In allain Regirn sull, damit die sachen fürderlich zu
ende kom.

Item es habent auch des Kaisers Rät anpracht von der potschaft
der Sechs Stet in mörhern vmb trost vnd hilff. Item ain potschaft
von hern Steffan, vnd hern Oswalten von Eyczingen von Irs bruders,
herrn Vlreichs von Eyczing venkchnuss wegen; Item von der Stat
Igla wegen, die Herczog Albrecht so sul ingenomen haben, des sich
der erwelt zu Behem beklagt vnd maint, es sey Im lieber, das das
Kunigkreich zu Behem werd angriffen von dem Haws von Osterreich
denn daz er, oder daz kunigreich zu Behem den anfang gemacht hiet.

18. Mai
1458. Das ist also geredt worden am Phincztag vor Phingsten hincz
den weissenprüdern.

Item an dem egenanten phincztag nach mittags, als die Herren
von den vir partbeyen darezu gegehen besamet warn zu dem von
19. Mai
1458. Maidburg, vnd wurden aus deu sachen reden, was sy auf den freytag
morgen an die Lanntschafft pringen wolden, da komen vnsers gene-
digisten Herren, des Kaisers, Räte zu In, vnd redten von vnsers gene-
digisten Herren, des Kaisers, wegen. Als mein gnediger Herr,
Herczog Albrecht sein sach von der Regirung wegen an gemaine

lanntschafft gesaezt hat ze Irer erkanntnuss, Bedeucht nu die Herren,
das das formlich nucz vnd gut sey, so well das vnser Herr der Kaiser
nach dem grossen vertrawn, so sein gnad zu In hab, von gemainer
lanntschafft auch nicht seczen, damit darinn kain pruch, noch abgangk
so seinen kaiserlichen Gnaden nicht sol erfunden werden, wann er
sey ye genaigt zu aynikait, frid vnd gemach, vnd gemainen nucz des
Lannds fürczenemen, vnd zu betrachten, als ain genedigister Herr.

Item darnach kam die Lanntschafft wider zusamen vnd mainten,
wie der fürsten begern nicht gleichstunde mit dem des Kaiser, ob
das die Lanntschafft formlich, pillich vnd zimlich däucht, So welt das
sein ka. Gnad von der lanntschafft auch nicht seczen, ob er pillich
allain regirn solt, So saezten die fürsten Ir begern gancz an alle aus-
czüg zu der lanntschafft, die yecz hie wer vngeverlich von der Re-
girung wegen; vnd darumb begert die lanntschafft an den Kaiser, das
er sein begern in geschrifft geben solt, desgleichs an die zwen fürsten,
das sy Ir begern auch in geschrifft geben solten, so wolten Sy daruber
siezen, ob sy sich der sach mochten annemen, wann sy däuchten
sich allezu ring vnd klain verstentig darczu sein, das
sy zwischen solhen fürsten vmb nach, die Ir fürstliche
wirdigkait vnd Regirung antreffen, aussprechen solden.
Des verwilligten sich die fürsten all drey, vnd haben auch der Kaiser
sein begern, Herczog Albrecht vnd Herczog Sigmund Ir begern in
geschrifft der lanntschafft geben hincz den Augustinern im hof an
freytag nach sand Urbans tag, als die hernach geschri-   26. Mai
ben stent.   1458.

Item als von den vir stenden des lannds mit vnserm Herren dem
Kaiser, vnd Herczog Albrechten vnd Herczog Sigmunden beredt ist
worden, das sy all drey an montag vor sand Petronellen   29. Mai
tag vmb achte mit einander als die erben in Ir purkch hie gen, vnd   1458.
die innemen solten, daz sy also teten, vnd gingen zu einander in des
Marschalh Haws, yeder fürst mit ainer klainen anczal seins volkchs,
vnd wurden dabey aus den vir stenden des lands, aus yedem stand
acht person, vnd daselbs ward In von ersten von hern Rudigern
von Starhemberg gesagt, seind Sy der sachen vmb die Regirung
vnd Infürung in Ir fürstlich gesesse vnd tailung der Zimer, wie das
geschehen solt, zu der lanntschafft gesaezt hieten, Also pat er vnsern
Herren, den Kaiser vnd die fürsten, vnd wer auch der landschafft bei
vnd willen, vnd ain grosse notdurfft, sunder für Ir aller Gnaden, das

10 *

Sy aneinander versprechen sollen, fridlich miteinander in die Purgk zugeen, daz Sy auch also nach guter bedechtnuss, die vnser Herr, der Kaiser daruber ber zusagten, vnd mit Irn fürstlichen hantgehunden trewn aneinander versprochen die wort, die Irn Gnaden in geschrifft vorgehalden wurden, also lauttund:

Der fürsten geloben vnd Vertrostung.

E. 26.   Als yecz die Herren all drey Irn Ingang in die Purgk tun sullen auf die herednuss von der lantschafft beschehen, Ist vmb desselben willen, der Lantschafft gemaint, das die Herren geneinander mit Irn fürstlichen gelübdung trostung tun sullen, das Sy all drey durch Sy, oder die Irn darinn frewntlichen wonen vnd sich halten, vnd kainer gen dem andern nichtz vnfrewntlichs in Vnguten fürnemen, noch tun, Sunder Ir yeder dem andern darinn an schaden sein durch Sy, vnd die Irn, als vor stet. Auch dhains gedrangs, noch vnpillichs gepreuchen, sunder sich gütlich miteinander halten, vnd dem allen als betaidingt ist, redlich frewntlich, vnd aufrichticlich nachgeen sullen, vnd wellen getrewlich vnd vngeverlich.

Vnd als sy die gelub teten, vnd vor auch mit hern Niclasen drugkseczen, der die Purkch innhet, geredt ward, wie er dev den Herren allen drein abtreten soll, da ginngen Sy all drey binden durch das Marschalh Haws in die Purkch, vnd schawten die sagrer, turn vnd ander gemäch, die verpetschadt wurden, vnd funden die gleich vnd vnverhalten, vnd darnach ward der drein fürsten an ainer Zedl verlesen die auseczaigung der Zimer in der Purkch. Von ersten vnserm Herren, dem Kaiser das Zimer gen sand Michel vber von dem Newn turn vncz gar herumb an die Cappellen vnden vnd oben, vnd die kuchen pey dem turn, vnd der keller gen dem Tor vber mitsambt der gruben vnder der Cappellen. Item Herczog Albrechten das Zimer mit dem Turn pey widmer Tor, vnd den andern Turn zenagst an der kappellen, vnd ain kuchen zenagst dem Tor, Item Herczog Sigmunden die lang Dürnicz gartenhalbon, das stubel vnd die kamer daran, die kuchen zenagst dem Prunn; So sullen auch den fürsten allen drein gemain sein, von ersten das Türndl auf dem Tor, das Purgtor, vnd die hindern Stegprugk, der Prunn, die zway Mushaws, der Garten, Padstuben vnd die Cappellen, vnd was an den gemainen stukchen zu pessern not geschicht, daz sullen sy, die drey fürsten,

ausrichten angever, vnd des haben die fürsten selbs Zedl vnder Irn
Secreten aneinander geben.

Kaisers Fridreichs Hindergang der Lanntschafft gegeben. E. 27. a.

Wir Fridreich von Gots Gnaden & Bekennen für vns, vnser
erben vnd Nachkomen, fürsten ze Osterreich, vnd tun kund offenlich
mit dem brief allermenniclich. Als durch den klöglichen Abscbaid
weilent des durleuchtigisten fürsten Lasslawen zu Vngern, zu Behem
& Kunig, Herezogen zu Osterreich vnd Marggrafen zu Merhern &
vnsers lieben Vettern vnd fürsten vns, auch die Hochgeborn fürsten
Albrechten vnd Sigmunden, Erzherezog vnd Herezogen zu Osterreich
& vnser lieb bruder, vetter vnd fürsten desselhen Kunig Lasslaws
land vnd fürstentumb, vnd sunderlich des fürstentumbs Osterreich
erblichen anerstorben, vnd wir all drey des eingangs hie in das fürst-
lich gesess der Purkch vnd vnser wonung darinn durch vnser ge-
maine vnd getrewe lanntschafft desselhen vnsers fürstentumbs Oster-
reich niderhalb vnd ob der Enns yeez hie besamet frewntlichen ver-
tragen, vnd verainet, vnd auch der Regirung gehorsam von den vir
stenden des Landes nach altem herkomen aufezenemen, der Lehen-
schafft, Besaezung der Gesloss vnd Embter, Oberkait der gerichtt vnd
ander stukch halben dieselhen fürstlich Regirung antreffend etlich
frewntlich vorred, vnd doch der stukch halben noch zu volliger aini-
kait vnd entlichen austrag nicht komen seyn, daz wir angesehen haben
das gross vnd hochvertrawn, so wir zu denselhen Ersamen, Edeln vnd
Erhern, Weisen, vnsern lieben Getrewn Vnserr lantschafft der vir
stend in Osterreich niderhalb vnd ob der Enns tragen, vnd seinn der
bemelten Zwayung vnd Irrung mit willen vnd guter vorbetrachtung,
auch zeitigem Rat vnser fürsten, Rete vnd lieben Getrewn auf die-
selben vnser lantschafft, was der auf vnser ervordern herkomen yeez
hie, vnd noch vor entschaidung der sach auf solh vorbemelt vnser
ervordrung herkomen werden, oder ob etlich abtretten wurden, den-
noch auf dieselben beleibunden vnd kunfftigen, als yeez gemelt sint,
rugeverlich, williclich lautter vnd gënezlich komen vnd gangen, vnd
in vns der zuentschaiden ganezen volligen gewalt vnd macht geben
haben, vnd gehen auch wissentlich in krafft des briefs. Also daz Sy
vnser yedem in seinen fürbringen, briefen, vrkundnn, kuntscheften,
red vnd widerred, vnd was yeder tail maynet zu seiner gerechtikait

zugeprauchen vnd zugeniessen, verbörn vnd versuchen sullen vnd
mugen vns vmb die vorberürten Irrung vnd stukch frewtlich mit aller
tail willen vnd wissen vberain zebringen; ob des aber in sinem, oder
menigern Artikeln also in der gutikait nicht volg gesein mocht, vns
alsdann in denselben stukchen mit Irer rechtlichen erkanntnuss darumb
zu entschaiden, vnd was dann dieselb vnser lanntschafft, als oben
gemslt ist, zwischen vnser aller dreir in der gutikait mit vnserm
willen vnd wissen daraus machen, oder ob des in sinem, oder mer
artikeln nicht vervolgt wurde, alsdann zu Recht sprechen werden,
dahey sol es genezlich beleiben an all auschög vnd waigrung, vnd
geloben auch das bey vnsern kaiserlichen wirden für vns vnd all vnser
erben vnsern halben genezlich zevollförn vnd zuhalten, vnd dawider
nicht zetun in dhain weis getrewlich vnd vngeverlich. Mit Vrkund &.

E. 27. b. Wir Friedreich & bekennen als wir auch die Hochgeboren fürsten
Albrecht vnd Sigmund von denselben Gnaden Erczherrzog vnd Her-
czog zu Osterreich, vnser lieb bruder, vetter vnd fürsten der Irrung,
so noch zwischen vnser der Regirung des fürstentumh Osterreich vnd
anderr stükch halben sind, auf die Ersamen, Geistlichen, Edeln vnd
vnser lieb Getrewen N. die Prelaten, Graven, Herren, Ritter vnd
Knechtt, vnd die von Stetten den henanten fürstenlumbs Osterreich
niderhalb vnd ob der Enns genezlich komen vnd gangen sein, vns
darumb zu entschaiden, Wann wir In darinn gancz vertraut haben
nach laut der Hindergang brief darumb ausgangen, daz wir In allen
samentlich, vnd yedem besunder bey vnsern kaiserlichen wirden ge-
loht vnd versprochen haben, geloben vnd versprechen auch wissent-
lich in Kraft des briefs, ob sy in der gutikait, oder mit dem Rechten
vns entschaiden, daran wir in aim, oder mer stukchen nicht gevallen
gewynnen wurden, daz wir, vnser Erben, vnd nachkomen denselben
vnsern lantlewten allen vnd yedem besunder, die sich dann der sachen
annemen, vnd vns entschaiden werden, auch allen Irn erben vnd nach-
komen darumb nicht dester vngnediger, veintter, oder vngünstiger
werden, noch des gen In in rach, noch in ander vngnedig weg nicht
suchen, noch yemands andern zetun gestatten sullen, noch wellen in
dhain weis vngeverlich. Mit Vrebund &.

LXXXI. *Herczog Albrechts Versorgbrief von des drittails der Regirung,*
10. Mai *so Im Herczog Sigmund hat vbergeben.*
1458.
     Wir Alhrecht von gots gnaden, Erczherczog zu Osterreich, ze
Steir, ze Kernden vnd zu Krain, graf zu Tyrol, bekennen als das

fürstentumb Osterreich niderhalb vnd ob der Enns von weilent vnserm lieben Herren vnd Vettern, Kunig Lasslawen loblicher gedachtnuss an den allerdurleuchtigisten fürsten, Herrn Fridrichen, Romischen Kaiser, zuallenzeiten merer des Reichs, vnsern gnedigen Herren vnd Bruder, vns, vnd den hochgeborn fürsten, vnsern lieben Vettern Herczog Sigmunden erblich gevallen ist, vnd vnser ieglichem ain drittail daran geböret, vnd wir mit dem yeezgenanten vnserm lieben Vettern Herczog Sigmunden vnd er mit vns ainig worden vnd vberkomen sein in solher mass, daz derselb vnser Vetter Herczog Sigmund vns seinen tail der Regirung des obgenanten fürstentumbs Osterreich, so Im darzu gepürt, vbergeben hat, daz wir die nu furbaser haben, vnd ausrichten mugen, in allen sachen, die an ainen Landesfürsten, als an die obern hand zu Regirung sullen gelangen, gehören, vnd geezogen werden, angeverd. Was Im uber von Geslossen, Hersebeften, lewten, gütern, nuezen, güllen, Rennten, Mewtten, Zoln vnd welherlay das sey, varend oder ligend ausserhalb solher Regirung gelegen zu seinen tail zustoen, vnd ausgeezaigt werden, die sullen Im beleiben, vnd er vnd sein erben sullen vnd mugen die innemen, nuezen, niessen, besoezen vnd entsoezen, vnd damit handeln, tun vnd lassen nach seiner notdurfft vnd gevallen an Vnser vnd mennigclichs von vnsern wegen Irrung, Hindernuss vnd Widersprechen. Darauf sullen vnd wellen wir die lewt geistlich vnd weltlich vom Adel, vnd ander in des benanten Vnsern Vettern tail des fürstentumbs Osterreich mit Stewren vnd Raisen nicht beswern: Es sey dann, das solhs durch ain ganeze lantschafft, vnd des yeezgenanten fürstentumbs gemainem notdurfft willen fürgenomen werde, als dann von alter herkomen ist. Es sullen euch alle brief, gelubde vnd beredlnuss zwischen dem obgenanten Vnserm Vettern vnd vnser gemacht vnd bescheben vmb hilff, oder beystand aneinander zeton von des obgenanten vnsers Herrn vnd Vettern Kunig Lasslaws verlassen land, lewt, hab vnd guts wegen ganez ab, kraftlos vnd vernichtet, vnd ainer dem andern deshalben verrer nicht schuldig, noch phlieblig sein, vnd ob solb brief von vns so fürderlich nicht mochten vbergeben werden, So sullen sy doch, wo sy fürbaser fürkomen, vnser yeglichem an schaden seyn, doch demselben vnserm Vettern darinn vorbehalten, ob yemant In von seinem obgenanten drittail des vorgenanten Anfals dringen wolten, oder In daran beschedigen, so sullen vnd wellen wir dann als ein Regierender fürst Im hilflich vnd beyge-

stendig sein, solhem zu widersten, alles vngeverlich. Mit Vrkund des
briefs mit vnserm anhangunden Insigel. Geben zu Wienn an
dem heiligen Auffertabend nach Kristi gepurt XIIII vnd in
dem LVIII Jar.

Dominus Archidux in consilio.

<table>
<tr><td>10. Mai
1458.</td><td>Herczog Sigmunds Vbergab seines drittails der Regirung
Herczog Albrechten.</td></tr>
</table>

Abgedruckt bei Kurz, Fridrieb IV., I, 279.

E. 28. *Was mittel vnd weg zu der gutikait die Luntschafft fürgenomen,
vnd vnsern gnedigisten Herren fürgehalden habent.*

Der erst weg.

Das vnser gnedigister Herr, der Romisch Kaiser vnd Herczog
Albrecht baid miteinander Regirn, ainen Rat, ain Kuneley, ain Lant-
marschalh, ainen Haubtmann ob der Enns, vnd ainen Hubmaister ha-
ben, der all nuez vnd Rent zu der dreir Herren handen einnemen,
vnd doz die globen dem Romischen Kaiser zu Ir aller dreyr handen
In Irer selbs, oder Irer Anwalt gegenbürtikait, vnd so ainer, oder mer
derselben Ambtlewt verkert, vnd ander an Irer Stat genomen wurden,
daz die auch globen in massen als vor stet.

Item, daz vnser gnedigister Herr, der Romisch Kaiser von sein,
vnd Herczog Albrechten wegen alle lehen, geistliche vnd weltliche
leihe, ausgenommen was gnaden lehen seinn, die sol sein k. G.
ainsten leihen, vnd zum andern mal Herczog Albrecht leihen.

Item daz all Phleger vnd Ambtlewt Ir aller dreyr Gnaden, oder
ob ainer, oder mer nicht bey land wärn, Irn Anwälten, dem sy des gewalt
geben werden, geloben, vnd so der Herren ainer, oder mer in ains,
oder mer gesloss einreiten wolten, der oder die sullen eingelossen
werden, alsofft sy des begern, vnd darinn sein an der andern schaden
vngeverlich, das auch kainer an des andern willen vnd wissen
kainen krieg von kainem Gesloss, noch von dem lande anfahe.

Item all nuez vnd Rennt sullen den drein Herren gleich zusten,
yedem ain drittail, vnd sullen Sy all redlich geltschuld von Iren Vor-
dern herrürund beczallen. Es sullen auch all redlich verschreibung
von denselben Irn Vordern ausgangen bey kreften beleiben.

Item daz den andern stukchen vnd artiklen Irn Gnaden von der lantschaff in den mittlen auch den stukchen, die lantlewt antreffend nachgangen werde.

Item ob auch die Herren phantschaff odes leihgeding miteinander ahlosen wolten, daz mugen Sy tun; wer aber, daz Sy das miteinander nicht tun wolten, so mag das ainer aus In tun, vnd das innhaben mit den Rechten, vnd in massen, als er davon abgelost wirt.

Der ander weg.

Daz vnser allergenedigister Herr N. der Römisch Kaiser hieniden im Land Osterreich niderhalb der Enns die Regirung haben, alle lehen, geistliche vnd weltliche, leihen, oberkait der Gerichtt vnd anders in der Regirung gehört, geprauchen soll.

Item all Phleger vnd Amhtlewt im land Osterreich niderhalb der Enns sullen seinen kaiserlichen Gnaden zu seinn vnd vnsers gnedigen Herren Herczog Sigmunds handen geloben, also, daz vnser gnediger Herr Herczog Sigmund einreiten hab in die Gsloss, als offt er das begern wirdet, doch seinen kais. Gnaden an seinen zwain tailn an schaden, desgleichen sein k. G. einreiten muge Herczog Sigmunden an seinem drittail an schaden, auch Ir kainer kainen krieg von kainem Gesloss, noch von dem land anvahen an des andern villen vnd wissen vngeverlich; daz auch demselben vnserm gnedigen Herren Herczog Sigmunden der drittail der nuez vnd Renat niderhalh vnd ob der Enns geval, als sich denn Ir aller dreir Gnaden des vor miteinander betragen haben; vnd so sein K. G. ainen oder mer phleger oder ambtlewt verkern, vnd ander nemen wolt, das sol heschehen mit des benanten Herczogs Sigmunden wissen vnd willen, vnd dew geloben zu Ir baider handen, als oben stet.

Dann vnser gnediger Herr Herczog Albrecht sol haben alle Regirung im Land ob der Enns, alle lehen, geistliche vnd weltliche leben, leihen, oberkait der Gerichtt vnd ander zu der Regirung gehorund gebrauchen, gleicher weis, als vnser gnedigister Herr. der Römisch Kaiser hieniden im Land.

Item all Phleger vnd Ambtlewt im land ob der Enns sullen seinen fürstlichen gnaden zu seinen vnd vnsers gnedigen Herren Herezog Sigmunds handen geloben, also daz vnser gnediger Herr Herczog Sigmund einreiten habe in die Gesloss, alsofft er das begern wirdet, doch seinen fürstlichen gnaden an seinen zwain tailn an schaden,

desgleichen sein fürstlich Gnad einreiten muge Herczog Sigmunden
an seinen drittail an schaden. Auch Ir kainer kainen krieg von kainem
Gesloss, noch von dem lande anfahe, an des andern willen vnd wissen
vngeverlich, daz auch denselben vnserm gnedigen Herren, Herczog
Sigmunden der drittail der nucz oder Rennt niderhalb vnd ob der
Enns gevall, als sich dann Ir aller dreyr Gnaden des vor mitteinander
betragen haben; vnd so sein furstlich Gnad ainen oder mer phleger
oder amhtlewt verkern, vnd ander nemen wolt, daz sol beschehen mit
des heuanten Herczog Sigmunds wissen vnd willen, vnd dew globen
zu Ir halder handen, als vor stet.

Item daz sein K. G. Herczog Albrechten halt zu Rat vnd diener,
vnd im vmb erstattung der Regirung vnd zu Ratsold jërlich geb sechs,
siben oder acht tausent phunt.

Item ob auch vnser gnediger Herr, der Romisch Kaiser nider-
halb der Enns, vnd vnser gnediger Herr, Herczog Albrecht ob der
Enns phantschafft oder leibgeding ablosen wollen, daz mugen sy tun,
vnd das alsdann innhaben inmassen, als die, davon das abgelost
wirdet.

Item die andern stukch vnd Artikeln in dem fürgehalten mittl
also auch beleiben.

Der dritt weg.

Daz vnserm gnedigisten Herren, dem Kaiser das land niderhalb
der Enns mit Steten, Geslossen, Renten, nuczen vnd gülten, Leben-
schaften vnd aller zugehörung, nichts darinn ausgenomen, zustee vnd
beleib sein lebtëg gancz zu regirn.

Vnd desgleichen das land oberhalb der Enns Herczog Albrechten
sein lebtëg zustee vnd beleib, vnd darumb daz sein haiserlich Gnad
das land niderhalb der Enns, vnd Herczog Albnechten das land ob der
Enns gevallen, vnd damit auch all anvordrung, so Herczog Albrecht
der Cilischen sach vnd der geltschuld halben, auch Herczog Sigmunds
anvordrung des Todvals von dem von Cilj herruerend gen seinen
K. G. gancz vallen vnd abseinn; daz dann sein k. Gnad vnserm gne-
digen Herren Herczog Sigmunden vmb seinen drittail der nucz vnd
Rent bic vnd der Cilischen sachen halben genügig mach mit geslossen,
gulten oder gelt, vnd ob Sy sich darumb nicht synen möchten, in

wew Sy dann stössig wurden, des bey der lantschafft, so yecz bie ist,
beliben vnd In darinn vertrawen.

Item auch den artikel von der lantschafft fürgehalten Iren Privilegien vnd ander stukch halben nachgegangen werde.

Item ob Ir aller dreyr Gnaden der obgeschriben weg ainer gefallen wolt, vnd doch in ainem oder mer Artikel darinn begriffen abgang hieten, das sy dann derselben Irrung halben der Lantschafft, so yecz bie ist, gancz vertrauten, vnd der bey In beliben.

Auf die drey weg durch ain Lantschaft vnsern gnedigisten   E. 29.
Herren dem Kaiser hewt am Mittichen vor sand Johans tag zu   21. Juni
Sunwenden fürgehalten.   1458.

Des ersten wegshalben, der auf im tregt gemainschaft der Regirung ist vor menigermal verstanden, das derselb weg nicht zu gemainem nucz vnd ordenlicher Regirung dient, aus erczelten vnd gemelten vrsachen, darumb so lasset sein K. G. denselben tag ansten, vnd ist seinen k. Gnaden nicht füglich.

Zum andern weg. In ain ausczaigen ettlicher Jar dienent beder land, ob vnd vnder der Enns, als dann das die geschrifft, der hewt vbergeben mittel durch die lantschaft innhalt, darinn die Regirung vnserm Herren dem Romischen Kaiser des lands vnder der Enns, vnd Herczog Albrechten ob der Enns zugeniessen sind:

Stet seiner kaiserlichen Gnaden antwurt also, wie sein kaiserlich Gnad sich vormals, als solh mittl im Brobsthof seinen Gnaden fürgehalden sein, verwilligt vnd erboten hat, sunder mit Vermeldung Steyr vnd Newnburg ob der Enns, auch der glübd von phlegern vnd Ambtlewten, der geslossen ob vnd vnder der Enns Herczog Sigmund halben zetun, zweifelt seinen kaiserlichen Gnaden nicht, ain lantschaft hab das verstanden vnd vernomen.

Daneben ain dritter weg auf lehtag beder Herren dienent angeczogen wirdet in mittweis auf mayoung, das vnser Herr, der Romisch Kaiser frey niderhalb der Enns regiren, vnd das land innhaben sull mit Steten, Gslossern, Renten nuczen vnd gulten, lebenscheften vnd aller zogehorung nichts darinn ausgenomen zustee vnd beleib sein lebtag gancz zu regiren.

Vnd desgleichen das land ob der Enns Herczog Albrechten sein lebtag zustee vnd beleib.

Item daz damit alle anvordrung, so Herczog Albrecht der Cilischen sach vnd der Geltschult halben, auch Herczog Sigmunds anvordrung des Todfalls von dem von Cili heruurund gen seinn K. G. gancz vallen vnd absein, daz dann sein K. G. vnserm gnedigen Herren Herczog Sigmunden vmb seinen drittail der nucz vnd Rent hie vnd der Cilischen sach halben genûg mach mit geslossern, gülten, oder gelt, vnd ob Sy sich darumb nicht gezynen mochten, in wew Sy dann stossig wurden, des bey der lantschaft, so yecz hie ist, beleiben, vnd In darinn vertrawn.

Darczu ist seiner K. G. antwurt, der dritt weg sey vassl entlich, vnd hab auf Im ain auszaigung auf lebtag der Herren, vnd sein K. G. hab sich vor gen der lantschaft auf Irn guten Vleiss, den Sy der sachen halben haben, aufriticlich gehalten, vnd In hoch vertraut, vnd tue das noch vnd In zu willen, damit die sachen gefûrdert, vnd zu gutem ende gebracht mogen werden.

Maint sein K. G. von dem dritten weg auch nicht zuseczen, sunder In darinn für ander zuverfolgen, also das Steir, auch das Gsloss Newnburg auf dem In bedacht werden, die bey seiner K. G. landen beleiben zulassen.

Sein K. G. hat sich auch erboten, Steyr zu erstatten mit ainem andern Gsloss, gelt oder nucz nach Rat der lantschaft, desgleich vmb Newnburg, oder das dasselb Gsloss Newnburg in Irer handen beleib in massen vnd davon hewt geret vnd vermelt worden ist.

Item daz in dem Verkummern oder Verkauffen der Gsloss oder gült yecz ain saczung vnd anslag beschehe, wie yeder vom andern das nemen soll, damit in solhem kunfftige Irrung vermiten werde, vnd es darinn gehalten werde mit verkummern vnd verkauffen, ob das von der Herren ainem fürgenomen wurde nach lautt der artikl vor darumb von der lantschaft im Brohsthaws vbergeben.

Item gen Herczog Sigmunden zu handeln nach Rat der Lantschaft, stet seinen K. G. ze willen.

Item daz in allweg die redlichen schuld von den drein Herren vnd Irn erbtail beezalt vnd gericht worden nach Rat vnd erkantnuss der lantschaft.

Item wo solh mittel beslossen werden, nachdem die auszaigung auf lebtag innhalten, daz das bewêrt werde durch vnsern Herren den Rom. K. aus kaiserlicher macht vnd mit verwilligung Ir aller dreir Herren, daz solh taiding auszaigung oder tailung kunftielich dem loblichen Haws Osterreich an seinen freyhaiten, gnaden, gestiften, gerechtikaiten vnd altem lohlichen Herkomen kainen schaden, abgang noch pruch pring in ainig weg; daz dann sein K. G. willig ist.

Item daz Ansagen der lantschaft beschehen von der hestetigung lrer freyhait vnd alten loblichen herkomen sol hesten in scinen kreften.

Item varah ist gemelt, ain notdurft zu sein, daz die nucz vnd Rent ob vnd vnder der Enns gegeneinander vberslagen vnd gewegen werden, damit die Herren vnd die lantschaft als taidinger sich desterpas wissen in den sachen der egemelten mittl nach pillichem zuhalten.

Der fürsten antwurt.   E. 30.

Daz vnser genedigister Herr der Ro. Kaiser vnd unser gnediger Herr Herczog Albrecht bede miteinander regirn, ein Rat, ein Canzley, ein Lantmarschalh, ein Haubtmau ob der Enns vnd ainen Hubmaister haben, der all nucz vnd Reont zu der dreyr Herren handen einnemen, vnd das Sy geloben aflen dreyen Herren persondlich, oder in des abwesen (in der) fürsten Anwelde hande an desselben fürsten stat, vnd so ainer, oder mer derselben amhtlewt verkert vnd ander an lrer stat genomen wurden, daz der oder dieselben auch geloben in massen, als vor stet.

Item ob nn yeczund von tods wegen Kunig Lasslabs zu eingankeh ainer newen Herschafft alle lehen sich gepurn zu emphahen, was nu derselben lehen durch manes vnd besiczer derselben, die vor Kunig Lasslabs Tod die hesessen haben, sich zu emphahen gepördet, als von abgangs wegen Kunig Lasslabs, dieselben lehen alle sol vnser gnediger Herr der Kaiser von seinen vnd Herczog Albrechts wegen verleihen, doch also, daz die manschaft gelobe vnd swer, baiden fürsten, Kaiser vnd Herczog, geleich mit aller gehorsamb vnd gewerlikait an Vortail oder vnderschaid angever.

Item was aber sider Kunig Lasslahs tod lehen ledig worden wérn, sullen gleich von peden fürsten gelichen werden, doch welher in geistlichs lehens gewer komen sey, daz der also geruber beleih.

Item was aber hinfür lehen ledig wurden von Gnaden, oder von erblichen vallen nach lehensrecht, sy sein geistlich oder weltlich, damit sol es also gehalten werden mit namen, das yeglicher fürst alsen Moneid solh lehen nach seinem gewissen vnd notdurfft verleihen,

vnd sol vnser Herr, der Kaiser anfahen seinen Manadt auf den Montag
Julii achiristkünftig, vnd dann vnser Herr Herczog Albrecht den
Monadt Augsten, vnd also yetweder sich seins monedts geprauchen,
vnd sol also von Moned zu Moneid für vnd für baider fürsten lebtag
gehalten werden an intrag vnd Irrung desselben andern angeverde.

Item die andern Artikeln des ersten wegs sullen also beleiben
vnd besten, als sy gesecat sein, ausgenomen den lezten von der Ab-
losung wegen phantschaft oder leihgeding, das solh gehalten werden,
als hernach geschriben stet.

Item ob der dreyr fürsten ainer wolt in phantschaft oder leih-
geding losen, oder abbringen, das sol er dem andern verkünden, also
das er bey der vndertaiding gesein mug, durch sich selhs oder sein
potschaft, vnd sich erkünnen, wie die Verschreibung gegründet oder
herkömen sey, auch ah die phantschaft oder leibgeding mit ganczer
Summ, oder mynner abgelost oder vergunnen werde, damit der ander
fürst, ob er auch zu seiner gerechtikait komen wolt, nit geurtailt
wurde awerlich villeicht, dann ob das phant noch in des vordern
besiczers handen beliben wäre, also das alle vortail vnd geverde
darinn vermiten worden.

Item als nu vnser Herr Herczog Alhrecht durch solh obgeschri-
ben wege ainen ganczen drittail der gewaltsam in gemain inwirffet,
darumb seinen Gnaden ain erstattung billichen beschiecht, solb erstat-
tung wil sein gnad zu der lantschaft seczen.

Item hie zu Wienn vmb aintrechtikait willen, das der Statrichtter
durch die drey fürsten auch gesuczt werde yeder fürsten ainer ain
Jar, der ander das ander Jar; doch soll ain yeder Richter, durch
welhen fürsten er gesecat werde, allen drein fürsten awern den ge-
wondlichen aid, so sich vber das Ambt gepürt, vnd soll vnser Herr
der Kaiser dicz Jars auheben.

Item daz yeglicher fürst seinen Anwalt im Rat hab, als das vor
Zeiten auch also gehalten worden ist.

    E. 31.   *Der Lantschaft fürnemen gen der Herschaft.*

Als die lantschafft auf den Aulas Irer gnedigisten Herrschaft nu
in den vergangen tägen sich hoch vnd vast gemuet vnd gearbait, vnd
menigen weg vnd fürnemen, die sachen in der gutikait zuverainen,
Irer gnedigisten Herschaft fürgehalten vnd anbracht hiet, der kainer

zu der gutlichen bericht aufgenomen wäre, vnd doch die lantschaft
gross hoffnung gehabt biet, der weg ainer wurd zu der gutikait Irer
aller dreir Gnaden Verainigung aufgenomen, des aber nu bishere nit
beschehen ist, sunder Ir aller dreir Gnad auf den Anlas nu fürtter vmh
den Rechtspruch andringet: darauf mag Ir aller dreir Gnad wol ver-
sten, daz die lantschaft kainerlay schuld, wo das gerel oder fürbracht
wurde, darinn tragen oder haben wil noch solt, nach dem vnd Sy so
gross mue vnd arbait, ainikait zuhetrachten in den sachen vleissiclich
weg der gutikait dargelegt hat, als das Ir aller dreir Gnad gar wol
merkchen mag, vnd hilt die lantschaft gar diemuticlich, Ir aller dreir
Gnad welle noch der gutikait weg fürnemen, vnd sich frewntlich
rberain bringen, als sy des Irn gnaden vnd der lantschaft wol schuldig
sein, darczu dann auch die lantschaft nach allem vleissigen Vermo-
gen, Rat, hilff vnd arbait vnverdrossenlich darinn tan wellen, als sy
der Iren Gnaden, auch In selbs wol schuldig sein. Wurde aber ye die
gutikait gancz erlegt, vnd dem Rechtspruch nach Inhalt des Anlass
begert nachezekomen, so ist der lantschaft in anfang des Anlass von Ir
aller dreir Gnaden zeitiges Rats phlegen vergnnnet, des sy auch noch
also zu suchen vnd Ratslagen In begern zuvergunnen, nachdem als die
sach an In selbs merklich gross vnd gar trefflich erkennt ist, vnd daz
Sy auch durch solhen zeitigen Rat gen Ir all dreir Gnaden In selbs
vnd menielich an allen enden mit solhem Irm Rechtspruch erherlich
wol besten mugen. Vnd begert darauf die Lantschaft, In von Irn
Gnaden aller freyhait, tailbrief, vrkund vnd Kuntschaft, Vidimus, oder
sunst bewert abgeschrift zugeben, vnd auch alle red vnd widerred in
der sach vergangen nach Irer notdurfft in geschrifft zeantwurten,
darauf dann die lantschaft notdurfftliclichen Rates phlegen mag.

Vnd darauf ist auch der lantschaft maynung Im peasten welle das
Ir aller dreir Gnad aufnemen, daz durch Ir aller dreir Gnad darauf
ainen Hubmaister halde, der zu Ir aller Gnaden hannden alle Rent,
noca vnd gult im land ob vnd niderhalb der Enns innemen, vnd davon
alle geslosser vnd Stet hewarn solde. Auch von denselhen Renten vnd
Gülten alle porgschaft vnd kost in der sachen notdurfft Ratsuchen
bestellen vnd ausrichten, vnd daz auch Ir aller dreir Gnad in der zeit,
ee vnd der heschehe dem land in seiner widerwertikait, wo des not
wirdet, hilff, Rat, heistand vnd beschirmung beweisen vnd tun welle,
als Sy des Irn Gnaden vnd dem land wol schuldig sein, darinn In
auch die lantschaft als getrew rnderlann vnd willig gehorsam

hilflich beistand beweisen wellen, als sich von pillikait wol-
gepüret.

Item vnd in was fürsehung vnd seherm Ir aller dreir Gnad das
land in der zeit, ee der Reehtspruch geschiecht, nemen vnd seczen
wellen, hegert die lantschaft ze vnderricht werden.

Item auch so wolt der lantschaft wolgevallen, daz in der zeit, ee
vnd der Rechtspruch beschehe, weder Stet, merkcht, Gsloss, land
noch lewt durch Ir aller dreir Gnaden ainen oder mer vmb Huldigung
vnd geluhniss auf sein gerechtikait zetun nicht angesucht, sunder daz
solhs also bis auf die offnung des Rechtspruchs angestellt wurde, Als
des Ir aller dreir Gnaden vormalen ainen anfang diser sach von der
lantschaft ain geschrift geben ist, darzn dann daselbss Ir aller dreir
Gnad ain gut gevallen gehabt, vnd des der lantschafft ain zusagen
getan hat.

Item auch so begert vnd hitt die lantschafft, Ir aller dreir Gnad
welle In Ir Privilegy, freyhait vnd gerechtikait, die nu ainen anfang
diaz lanttag Iren Gnaden ain Zetl mit Irr Inhalt geantwurt ist, gnedic-
lich bestellen, vnd confirmiren, als sich des selbs Ir aller dreir Gnad
zetun verwilligt hat.

Item auch Ir Gnad welle in der Zeit Lantrecht orniren vnd be-
siezen lassen.

Das alles bringt die Lantschaft an Ir aller Gnad im pessten, vnd
bitt auch diemuticlich, Ir Gnad welle das also gnediclich von In auf-
nemen.

F. 32.

25. Juni
1458.

An Suntag nacht nach sand Johanns tag ze Sunwenden sind
vnsers gnedigen Herren Herezog Albrechts fusknecht vnd soldner
durch den Zawn zu sand Tibolt herein geslossen, vnd als zwischen
zwain vnd drein gen tag hat der Nunkelrewtter mitsambt In das Steg-
tor, als man in dasselb Kloster *) get, ablassen, vnd sind heraus ge-
lauffen mit Irn gespanten Armbsten auf die Hütter in dem Polwerch
des tors daselbs vnhewarter sachen, vnd haben die daselhs genött,
daz sy In haben müssen geloben, gehorsam zu sein zu vnsers Herren
Herezog Albrecht handen, vnd haben da dasselb Tor geoffent, damit

---

*) Das Kloster St. Theobald auf der Laimgrube, früher von Clarisserinnen be-
wohnt, durch K. Friedrich IV. 1451 an Joh. Capistran und seine Brüder des
reformirten strengeren Ordens 8^d Francisci übergeben.

ander desselben vnsers Herrn Herezog Albrechts gernisig vnd zufussen herein geriten, gangen vnd gefarn sind, vnd in derselben zeit vnd stund haben derselb Herezog Albrecht vnd Herezog Sigmund widmerter bey der purkch aufhakchen lassen, vnd sind in dem harnasch dapey gestunden, vnd Ir volkch alles herein gelassen, daran vnser allergenedigister Herr, der Kaiser merklich missvallen gehabt hat; vnd die Stat hat das nicht vnderkomen mugen, darumb, das die fürsten selbs in aigner person da gestanden sein.

Darnach ist die sach der fürsten in ain beredung komen, als hienach geschriben stet.

Vermerkcht die Beredung, so zwischen vnserm Allergnedigisten Herrn N. dem Romischen Kaiser, auch vnser gnedigen Herren Herezog Albrechts vnd Herezog Sigmunden von Osterreich als von wegen des erblichen Anfals weilent von vnserm gnedigisten Herren, Kunig Lasslaxen löblicher gedechtnuss herrürund an Eritag vor Petri et Pauli durch die lantschafft nach Inhalt des Anlass mit willen vnd wissen ausgangen beschehen ist.

27. Juni 1458.

Abgedruckt in Chmel Materialien, II, 151 sqq.

Also hat man gesworn den drein fürsten in Brobsthof an Mitichen sand Peter vnd sand Pauls abenndt Anno dni LVIII°

LXXXII. 28. Juni 1458.

Ir werdt swern dem allerdurleuchtigisten Fürsten vnd Herren Herrn Fridreichen, Romischen Kaiser zu allen zeiten mörer des Reichs, Herczogen ze Osterreich, ze Steir &. Auch den Hochgeporen fürsten Herezog Albrechten, Erczherezog, vnd Herezog Sigmunden, Herezogen ze Osterreich, ze Steir & vnsern gnedigisten Herren als Rechtten naturlichen erbherren, Ir yedem zu seiner gerechtikait gehorsam vnd gewerttig zesein, Irn frummen zetrachten, vnd schaden zewenden solanng, vnncz in der gutikait oder mit Recht ausfindig gemacht wirdet, wem die Regirung hie in der Stat billich zugepüret nach laut der beredunss darüber durch die lantschaft zwischen der Herren beschehen getreulich vnd vngeverlichen.

Vnd nach dem Schwern habent all drey fürsten in des Drobst Gesindstuben N. dem Burgermaister, Richter vnd Rat die Verwesung der Embter vnd Ratbesiczen wider empholhen zu verwesen in massen, als vor, vnd vuser gnedigister Herr N. der Kaiser hat daselbs Hannsen Angervelder Richtter den pan verlihen, wiewol er den vor von vnserm gnedigen Herren Herczog Albrechten gehabt hat.

29. Juni 1458.   Item am Phincztag sannd Peters vnd sannd Pauls tag ist vuser gnedigister Herr Kaiser Fridreich vnd sein Gemahel wider von dann in die Newnstat geriten.

1. Juli 1458.   Darnach an Sambstag nach sand Peters vnd sand Pauls tag komen zueinander in das Rathaws besammet Rat, genannt vnd gemain, vnd da liess man sew hörn die abred zwischen vnserr gnedigisten Herrschafft von der Lantschafft auf den Anlass beschehen ist, als vor stect.

Wie Sigmund Maroltinger zu Haubtmann ist aufgenomen.

Wir Jacob Starch &.

6. August 1458.   Geben zu Wienn an Suntag nach sand Stephans tag im heil. Anno dni LVIII°. *).

Vermerkt, wie sich vnser gnedigist Herren, Kaiser Fridreich und Herczog Albrecht, seiner Gnaden pruder von Newem miteinander geaint vnd gerichtt habent von der Regirung wegen.

21. August 1458.   Geben zu der Newnstat an Montag vor sand Bartlmes tag des heiligen Zwelfpoten. Anno dni LVIII°.

Abgedruckt bei Kurz, K. Fridrich IV. I, 283.

LXXXIII. **24. August 1458.**   Wie Herczog Albrecht die Burger hie Irer gelübd vnd aid ledig gesagt hat.

Wir Albrecht & Embieten den Ersamen, vnsern getrewn lieben N. dem Burgermaister, Richtter, Rat, genanten vnd der ganczen gemain der Stat zu Wienn vnser gnad vnd alles gut. Wir tun ew zuwissen, daz wir vmb frid vnd gemachs, besunder auch vmb gemains nucz willen ewrer vnd anderr zu dem fürstentumb Osterreich vnder der Enns gehöreud, vns mit vnserm gnedigen lieben Herren vnd bruder, dem Romischen Kaiser vertragen vnd verainiget haben, also daz wir alles vnsers Regirenden gewalts an der Stat zu Wienn abtreten vnd den an sein kaiserlich Gnad wenden vnd keren

---

*) Die Urkunde fehlt in der Handschrift.

sullen vnd wellen, vnd darumb bevelhen wir ew allen, vnd yeglichem
besunder ernstlich gepietende, daz Ir dem genanten vnserm gnedigen
lieben Herren vnd bruder ein Erbhuldung tut, vnd Im erblich gewertig
seit, mit allem regirendem gewalt, des Ir vns von vnsern vnd
vnsers vettern, Hercezog Sigmunds wegen phlichtig seit. Vnd wann
Ir das also getan habt, so sagen wir ew nw alsdann vnd dann als nun
aller buldung vnd phlicht, die Ir vns getan habt, oder phlichtig seit,
gancz vnd gar ledig vnd mûssig. Mit Vrkund des briefs. Geben zu
Karonewnburg an sand Bartholomes tag. Anno dni Quin-
quagesimo octavo.

Gewaltbrief von Kaiser Friderichen an sein Rät, die Huldigung   LXXXIV.
vnd aid von der Stat aufczenemen.   22. August
                                                                 1458.
Wir Friedreich &. Bekennen, doz wir den Ersamen, vnsern
lieben getrewn Vlrichen Riedrer, lerer beder Rechten
vnd Tumbbrobst zu Freising, Hannsen Vngnad, Mui-
ster Harttungen von Cappellen, auch lerer beder
Rechten, Jorgen von Tscherneml vnsern Räten vnd an-
dern vnsern Räten vnd Anwälden in Osterreich, so yecz zu Wienn
sein, volle macht vnd gewalt geben haben, vnd geben auch wissent-
lich in kraft des briefs, von den erbern, weisen, vnsern getrewn
lieben N. dem burgermaister, Richtter, Rat, gennnt vnd gemain der
Stat zu Wienn gehorsam vnd aid un Sy von vnsern wegen als Lan-
desfürsten vnd Herren zuerrordern vnd zenemen an vnser stat, vnd
in vnserm namen in aller form vnd mass, als ob wir persondlich da
wern, vnd die nomen solten vnd mochten, vnd was sy darinn handeln,
das ist vnser wille vnd gut gevallen. Mit vrkunt des briefs. Geben
zu der Newnstat an Eritag vor sannd Bartlmes tag
nach kristi gepurt im virezehenhundert vnd Aehtvndfunfezigistem,
Vnsers Reichs im Newnczebenden vnd des Kaisertuumbs im Siben-
den Jar.

Aid gemainer Stat hie zu Wienn.   LXXXV.

Ir werd swern dem Allerdurleuchtigisten fürsten vnd Herren
hern Fridrichen, Romischen Kaiser, zuallenzeiten merer des Reichs,
Hercezogen zu Osterreich, zu Steir, zu Kernden vnd Krain & vnserm
allergnedigistem Herren, als ewrem naturlichen Landesfursten vnd
Erbherren, vnd seiner Gnaden leiberben, das Sun sein, gehorsam

11 *

vnd gewertig zesein, Irer gnaden frumen zutrachten, vnd·schaden zewenden nach allem ewrem vermugen treulich vnd vngeverlich.

Herczog Sigmunden, seiner kaiserlichen Gnaden Vettern vnd seinen Erben, das sun sein, an der gerechtikait seins drittails der nuez vnd seinen Inreiten vnvergriffenlich.

Item zu melden, daz solh Herczog Sigmunds Inreiten seinen kaiserlichen Gnaden an seiner ganezen vnd volligen Regirung im land vnder der Enns allenthalben, auch an seiner kaiserlichen Gnaden zwain drittail der nuez anschaden sey.

(Item die gemain von der Stat hie hat aber vnserm allergenedigisten Herren, dem Kaiser persondlich gesworn den vorgenannten aid im Raithaus (!) an Eritag vor Ascensionis Domini Anno cius-
25. Mai dem M° CCCC° LX'''.)
1460.

LXXXVI.   Aid des Rats.

Ir werd swern vnserm allergnedigisten Herrn Hern Fridrichen, Römischen Kaiser, zuallenzeiten merer des Reichs, Herczogen zu Osterreich & als ewrem natürlichen landesfürsten vnd Erbherren, vnd seiner Gnaden Erben, daz Sun sein, den Rat hie der Stat zu Wienn treulich zu verwesen, Irer gnaden frumen in allen sachen zutrachten vnd schaden zu wenden nach ewrem Vermugen, vnd ainem yeglichem, dem Armen, als dem Reichen ain gleichs Recht ze sprechen, auch die Schul, die Lerer, Maister vnd Studenten hie zebeschirmen vnd zehalden bey Irn Gnaden vnd freyhaiten treulich vnd vngeverlich.

E. 33. *Auf vnsers gnedigisten Herren N. des Kaisers begern vnd*
fürbringen, so sein Gnad an gemaine Stat tun lassen von
ainer verschreybung wegen des Gelts, so die Stat (tun solt) gegen
dem Kunig von Pehem, der diecczeit mit seinem Heer in dem
Veld bey Asparn mit seiner macht gelegen ist, vmb ain Summ
gelts tun solt, darauf die taiding, das er aus dem lannd ziehen
30. Septemb. *sol, gemacht sol sein. Actum an Sambstag nach sand Michels*
1458.   *tag. Ao dni LVIII.*

Item der stat antwort ist also. Allerdurleuchtigister Kaiser vnd Allergnedigister Herr. Als ewr k. G. durch ewr Gnaden Rët an vns hat begern vnd bringen lassen, daz wir vns gegen N. dem kunig von Pehem verschreiben solten vmb ain Summ gelts, darauf die Taiding

gemacht sol sein, Allergnedigister Herr, Nu haben wir varmalen
ewrn k. G. vnser gross unligund notdorfft vnd geprechen in der
Newnstat vnd hie aigenlich erczelen lassen, daz wir sider abgang
vnsers gnedigisten Herren, Kunig Lasslabs seliger gedechtnuss mit
solduern, Potscheffen, vnd auch zu behütung vnd zurichtung
der Stat vnd in ander notdurftig weg vnser gnedigisten Herr-
schafft zu dinst vuczher mer dann acht vnd zwainczig Tausent
phunt phenning ausgeben haben, darinn die lantschafft mit vns
kain mitleiden gehabt hat. So sey wir auch in merklicher gelt-
schuld, das auch auf virzig tausend phunt phenning bringt, vnd von
mererm tail grossen dinst ierlich geben müssen. Darczu so haben wir
vor merkliche vel-Jar, vnd yecz zway nacheinander gehabt an vnsern
weinwachs, daz vns zemal vast zu verderben kumbt, vnd vnser
grösste narung davon haben sollen. So haben sich die krieg allent-
halben so lang begehen, daz der Purger, Kaufman, Handwercher
vnd ander Inwoner der Stat mit Irm kaufschacz vnd anderr handlung
die Jarmärkt nicht haben besuchen, noch ain land zu dem andern
fridlichen gearbaiten hat mugen.

Es ist auch merklich gelt mit der Türken Rays vnd ander An-
sleg, Heiratsiewr N. der Kunigin von Polan, vnserr gnedigen fraun
ausgeben worden, dadurch die Stat in solhe grosse geltschuld vnd
abnemen komen ist, das alles wir ewrn k. G. als vnserm allergnedi-
gistem Herren vnd landesfürsten durch des pessten willen fürbringen,
ewr k. Majestat ein wissen hab vnser grosse merkliche notdurfft vnd
geprechen, so vns vnd gemainer Stat anligund sind. Wann solten
wir das ewrn k. G. versweigen, das mocht vns kunstlich gen ewrn
Gnaden vermerkchen pringen, als ob wir Vrsacher wern, daz die
Stat durch vns in solhe Armut vnd verderhen komen wer.

Darauf so piten wir mit aller diemutikait, Ewr k. G. welle solh
vnser erczelt notdurft vnd geprechen gnediclich ansehen, damit wir
solher Porgschafft vertragen beleihen, das wellen wir vmb ewr k. G.
mit aller vnderienigkait gern verdienn.

Allergnedigister Herr, Aber nachdem der krieg vnd die absag
dew lantschafft alswol berürund ist, als vns, verstet nu ewr k. G.
daz wir mit der lantschafft vmb solb beezalung der geltschuld icht
schuldig sein mit zeleiden, daraus wellen wir vns nach gelegenhait
der sachen, als wir ewrn Gnaden vor erczelt haben, nicht seczen,
dadurch nyemant fürnemen mug, daz wir frid vnd gemains nuczs

des lands Irrer oder Verhindrer sein wolden. Darauf bevelhen wir uns ewrn k. G. als vnserm allergnedigisten Herren.

Wie getaydingt ist worden zwischen vnsern allergnedigisten Herren, dem Kayser, vnd herrn Gorgschiken, kunig zu Pehem do er mit seinem Heer im land gelegen ist.

October 1458.

Abgedruckt bei Chmel, Materiallen II, 161.

CXXVII.
. Novemb.
1458.

Das hat man gerufft am sambstag vor sant Elspetentag.

Nach hevelhnuss vnd gescheft vnsers allergnedigisten Herren des Röm. Kaisers, seiner Gnaden pruder, herezog Albrechts vnd seiner Gnaden Vettern Herezog Sigmunden tut man zewissen allen vnd yeden, die verschreibung oder schuld zehaben mainent von weilent loblicher gedechtnuss Kunig Albrechten vnd Kunig Lassla herrürend, vmb was sach daz sey, daz sy solh lr verschreibung vnd schuld melden, fürbringen, horn vnd schen lassen zwischen Weinachten vnd Liechtmess schiristkunfftigen heer gen Wienn für die egemelten vnsern allergnedigisten Herren den Kaiser, Herezog Albrechten vnd Herezog Sigmunden, oder lr Rët vnd Anwölt, die Sy darezu hie haben werden, sich darinn zu erkunden, vnd der ain wissen zu haben, darauf vleis bescheben sol mit denselhen klagern sich gutlich zu betragen, ob des aber nicht gesein mag, darinn ergen zulassen nach Rat vnd erkanntnuss der Rët vnd landlewt, was Recht ist, Welh auch zu den obgerürten Zeiten vnd tëgen solh lr verschreibung vnd schuld, als vor stet, nicht fürbrechten, den wellen die benant vnser Herren, der Rö. Kaiser, Herezog Albrecht vnd Herezog Sigmund füran darüber zetun nichtz schuldig, noch phlichtig sein augever, darnach ain yeder sich wiss zerichten.

Anno domini Quinquagesimo Nono.

Von der Soldner wegen.

Vermerkt das fürnemen, so Burgermaister, Richtter vnd Rat der Stat hie zu Wienn mit einander getan habent von der fuszknecht vnd Soldner wegen, die hie aufgenomen vnd bestelt werden, daraus Lannde vnd Lewten vnd der Stat merckchlicher schad ergen mocht.

Von ersten haben sy fürgenomen, daz all die, dy Soldner sein vnd hie wonhafft sind, für den Rat gevordert, vnd In da gesagt vnd verpoten sol werden, daz sy sich in kainen dinst, noch sold verpflichten, auch kainen sold aufnemen, noch kainen soldner hie belégen, noch hie bey In aufenthalten lassen an willen vnd wissen vnsers allergnedigisten Herren, des Romischen Kaisers, oder seiner k. G. Anwëlt vnd Rët, vnd des Burgermaister vnd des Rats, Welhor aber dawider tet, den wurde man darumb swërlich straffen vnd mit weihen vnd kinden von der Stat tun.

Item es ist auch fürgenomen, welh ab dem lanod, oder andern enden herkomen, Sy sein Edel oder Vnedl, vnd soldner hie aufnemen wellen, oder aufnemen, oder die, die an den Sold komen wollen, daz die daz nicht tun an vnsers allergnedigisten Herren, des Ro. Kaisers, oder seiner kais. Gnaden Anwëlt vnd Rët, vnd an des Burgermaisters vnd des Rats erkantnuss, wissen vnd willen. Welich aber das dawider täten, die wirdet man ze handen nemen, vnd swërlich darumb straffen.

Item welher Burger, Inman oder wirt in der geistlichen oder in der Edelleut oder Irn Hewsern gestattet, soldner aufezenemen, oder die darinn sich hesamen liess, vnd das nicht anprecht an vnsern allergnedigisten Herren, den Rom. Kaiser, oder seiner k. G. Anwëlt vnd Rët vnd den Burgermaister, den sol man auch zuhanden nemen, vnd darumb swërlich straffen an alle gnad, w an die maist sambnung der soldner in der Edelleut Hewsern heschiecht.

Item man soll auch vleissiclieb bestellen bey den Stettören vnd auf der prugken, wo soldner aus der Stat vber die prugken gen, oder reiten an Vrlaub, als vorgemelt ist, den sol man aufhalden, vnd zu hannden nemen.

Item es sol auch menielich verpoten sein, kainerlay Zewg, Harnasch, Pöchsen, Pulver, pheil, Armst, oder andere weer aus der Stat zu füren an sundere erkundtnuss, als vor steet.

Item die vorgeschriben Artikel sind offentlich berufft worden

17. Februar an Sambstag vor Remluiscere in der Vassten.
1459.

E. 35. *Die hienachgeschriben Artikel sind anpracht an vnsern gnedigisten Herrn, den Kaiser in der Newnstat durch den Burgermaister, Hern Fridrichen Ebmer, Holczer, Niclas Ernst, Mei-*

6. März *linger, Gabriel Steger vnd Waldner feria tercia post Letare.*
1459.

Allerdurleuehtigister Kaiser, gnedigister Herr. Als vns ewr K. G. von der Stetstewr wegen her errordert hat, ewr Gnad sovil dorinn gehandelt ist mit Innemen vnd ausgeben der ze vnderrichten.

Allergnedigister Herr. Damit ewr k. G. vnderweist mag werden, haben wir hie ain aufschreiben, als es in ewr Gnaden Ambtpuch geschriben vnd verrait ist. Auch dapey Emphelhnuss vnd geschefft von den Anwelten vnd Rëten den vir Partheyen darezu gegeben Raittung. Quittung, vnd das ewr k. G. gnedielieben horn welle.

Item zum andern von Graf Lassleb von Pösing wegen hat ewr k. G. ewrer Gnaden Anwëlten vnd Rëten, auch vns gen Wienn geschriben, daz wir vns gegen demselben von Pösing zuverhör vnd in antwurt geben, vnd nach pillichen dingen darinn handeln sollen &. Gnedigister Herr, geben wir ewrn k. G. zuversten, daz derselh von Pösing kainerlay vordrung, noch zuspruch zu vns vnd gemainer Stat hat, sunder sein vadrung ist zu der Pöllin vnd Irm Sun, den Perman, als vns der von Posing menigermal darumb geschriben hat, dieselben schreiben ewr Gnad horn welle. Darauf wir Im geantwurt haben, hab er zu dem Vnsern icht zusprechen, so welle Im die Pöllin vnd der Perman Rechtens sein an pillichen steten &. Solten wir vns auf solhs gegen dem von Posing in antwurt oder verhor geben, mag ewr k. G. wol versten, das gemainer Stat merkchlich schad daraus gen möcht, wan wir gar vnpillich vns für ander, die dann die vadrung berürt, antworten wurden. Aber so die Vnsern zuverhör oder zurecht fürgenomen werden, so sey wir In willig, beistand zetun, sovil sy vnser darczu begern.

Item zum dritten von Jorgen des Schekchen wegen, der dann ettlich akcher zu Grefflen aofgeben, vnd ain Teich zegraben angefangt hat, daraus der Stat merklicher schad erging, so Im solhs gestalt wurde, vnd wider vnser freihait wêr, als wir auch darumb ettlich schreiben haben, die ewr Gnad auch horn mag, vnd bitten ewr k. Maiestat welle vns dabei halten.

Item zum virden, vns zweifelt nicht, ewr k. G. sey wol erindert, das wir in gross merkliche Geltschuld komen sein, die alls auf Vir vnd vierzig tausent zwai hundert zwelf phunt phenning pringent, darin sint begriffen XV^m VIIII^c XLVII. Pfund LXX den., die wir das vergangen Jar in notdurfften der Stat, besunder in den Zwileuffen, die gewesen sein, vber aller nuez vnd Rent der Stat auf vns haben entlehen müssen, die wir den merern tail zu den nagstvergangen Weinachten solten bezalt haben, vnd noch zu den kunfftigen sand Jorgen tag schuldig sein zubeczalen. Nu vermugen wir der ye nicht zubeczalen an ainn gemainen anslag, den wir vnder vns in willen haben anczeslahen, alsdann vormalen zu notdurfft der Stat offt beschehen vnd angeslagen worden ist, das bring wir darumb an ewr k. G., das wir das mit ewrn Gnaden wissen tun wellen.

Item zum funften, ewr k. G. hat vormaln wol vernomen, das mer dann drittail der Stat der Geistlichen vnd Edelleut ist; so haben ettlich purger namhaffte vnd gute Hewser zu Wienn, vnd siezen in andern lannden, vnd verlassen solhe Iro bewser Inlewten, die arm sein. Nu das dieselben auslendischen Burger Irs Hofezins von In bekomen, vnd so man ansleg tut, so hat ewr Gnad vnd gemaine Stat merklichen abgang, das ain purger nicht mit aigem Rukchen darin siezt, das man doch in andern Steten so lang nicht geduld hiet vnd vnczher geduld haben. Darauf haben in willen ewr Gnaden vnd gemainer Stat ze nucz fürczenemen denselben Burgern, die ausserhalb der Stat vnd in anndern landen gesessen sein, zu schreiben, das Sy Iro Hewser mit aim Rukchen besiczen, oder die in ainer Zeit, die In sol benennt werden, verkauffen. Geschech aber, das Sy des nicht, (teten) sunder derselben Hewser zu Irm frumen geniessen wolten, das nicht ewr k. G., vnser noch ain gemainer nucz wêr, so wolten wir derselben auslendischen Burger Hewser, die in der Stat, oder Vorsteten gelegen sein, mit wissen verkauffen, vnd solh geld zu derselben Auslender

handen erlegen. Wan wir an ain Stewr Anslagen wacht Zirgt io
ander weg merklichen Abgang haben, als das ewr K. G. selbs wol
versten mag, vnd dieselben bewser in merklich abpaw komen, der
sy nur geniessen wellen, die sust wol gepawt wurden, solten Sy mit
aigem Rukchen darinn siczen.

Item von der vngewonlichen fürpaw wegen, die abzetun, als
das dann vormaln bey Zeiten vnserm gnedigen Herrn Kunig Lass-
laben seligen auch fürgenomen werden ist.

Item von des aufslags wegen, das ewrn k. G. Renten, nuczen
vnd gülten, nemlichen an ewrn Gnaden Vngellen vnd Mewtten, vnd
vns merklichen schaden pringet, bitten wir, Ewr K. G. welle solh
anfslag abschaffen, vnd vns als ewr Gnaden vndertan gnediclich
darinn bedenkchen, das wellen wir vnderteniklich vmb ewr k. G.
verdienn.

Item von des Abts zum Schotten, des Brobats zu sand Dorothe
vnd der Mawrbacher weinfür vnd weinschenkchen wegen in der Stat,
die da handlen mit weinschenkchen, das wider vns vnd der Stat
gerechtikait ist.

*LXXXVIII. Wie vnser Herr, Kaiser Fridreich die Stat aufgevodert hat
mit seinen Gnaden zu ziehen zu seiner Kronung gen Hungern
mit CCC zu rossen, vnd V^c zu fussen [*]).*

29. März
1459.

Fridreich &.

Erbern weisen getrewn lieben. Als ew wissenntlich ist, das
wir vns auf ansuchen vnd begern ettlicher namhafter geystlicher vnd
weltlicher des Kunigrelchs Hungern der ganezen Kristenhait vnd va-
serm lobliehen Haus Osterreich, zu eer vnd nucz, auch von gemaios
frids willen, ewrr vnd annder vnser erblichen lannd lawoner, vnd
aus andern redlichen vrsachen vmb desselb Kunigreich, vnd sein
regierung vnd gewaldsum, auch vmb don kunigklichen nam, in dem
namen des allmechtigen Gots angenomen haben, lassen wir ew wis-
sen, daz wir vns in kurcz in das benant vnser Kunigreich zefugen,
des mit ewrer vnd ander der Vnsern hilf vnd beystannd zevnderwin-
den, vnd der kunigclichen Kronung, als sich gepürt, lobliech nach-
ezezegen maynen. Begern wir an ew mit fleiss vnd ernst, das Ir vns

---

[*]) Chmel Regg., Nr. 3686.

ewselbs vnd dem gemainen Haws Osterreich zu eern vnd vmb ge-
maines frids willen ewer vnd anderr der vnsern drewhundert wer-
licher zerossen, vnd funfhundert zefussen mit Harnasch, weer, vnd
anderr notdurft, als in ain Veld gehort, wolgeczeugt vnd zugericht,
unterreziehen ordnet. Also wann wir ew um nagssten darumb anlan-
gen werden, das die dann auf vnd berayt seinn, mit vns in dasselb
vnser Kunigreich zu loblicher emphahung der heiligen Kron zeczie-
hen, vnd Vns darinn billich vnd beystenuttig zesein, als Ir des Vns,
ewselbs, vnd gemainen nucz, vnd frid lannden vnd lewten, schuldig
seit, vnd wir vns des zu ew vnczweifenlich verlassen. Daran tut Ir
vns gut gevallen, vnd wir wellen das genediclich gen ew, vnd ewren
Kynnden erkennen, vnd zu gut nicht vergessen. Geben zu der
Newnstat an phincztag nach dem heyligen Ostertag.
Anno dni LVIII. Vnsers Kaysertbumbs im achtten, vnserr Reich des
Römischen im Newnczehenden, vnd des Hungrischen im ersten
Jaren.

Den Erbern & Burgermaister & zu Wienn.

Das habent Niclas Lebhofer vnd Hainreich Hinderpach gewar-   E. 36.
ben an vnsern gnedigisten Herren, den Kaiser, auf einen
Glaubbrief an Montag vor Tiburcj vnd Valerianj.   9. April
                                                        1459.

Allerdurchlauchtigister Kayser vnd aller Genedigister Herr.
Als ewr K. G. in ewr Gnaden schreiben an vns begert CCC zerossen
vnd V^c zufussen mit wegen wolgeczeugt, als dann zu ainem Veld
gehort, wann Vns ewr K. G. vorder, das wir dann berayt vnd mit
ewren Gnaden aufsein, der sich dann ewr k. G. zu vns vermaint zu-
lassen, als dasselb ewr k. Gnaden schreiben mit mer worten innhalt,
der wir dann in aller diemutigkait emphangen vnd aufgenomen
haben.

Allergenadigister Kaiser, tun wir ewrn k. G. zewissen, das wir
in grosser merklicher geltschuld sein, vnd gross merklich ausgeben
in den lewffen von der Stat wegen getan haben, als das vor an ewr
K. G. wol gelangt ist, derselben geltschuld wir yecz zu sund Jorgen
tag haben müssen als auf M^m Pfd. in gold vnd in Müncz, der wir
an ainem genanten anslag, den vns ewr Gnad erlaubt hat, nicht zu-
wegen pringen mugen.

Item so wër auch merklich notdurfft, das wir die Stat nach soli-
chen lewffen, die yecz vorhanden sein, mit weer, greben, zeug vnd
andern notdurfften zuricbteten, Auch die speisten, ob ichtz auskäm,
daz wir dann nach notdurfften fürgesehen vnd bewart wërn. Aber ewr
k. G. sol wissen, das kain berait gelt vor banden nicht ist, noch in
der kamer nichts haben.

Item so ist alles volkch zemal notig vnd armm, das macht der
vnfrid, das nyemant zu, noch von der Stat sein Handel vnd gewerb
getreiben mag. So haben wir auch meniger Jar an den weingarten
Vel Jar gehabt, das vns zemal in grosse armut bracht haben, vnd ob
ainer yecz von solicher seiner grossen notdurft gern ainen oder
menigern weingarten verkauffet, So sind sy zemal vnwirdig, das er
die an merklichen schaden nicht mag an werden.

Item so ist auch grosser abslag worden an den wein, die wir
auf den gartneren haben, der sich yederman hat gedrost vnd das
macht, das nicht ain anczug hie gewesen ist, als andere Jar ist ge-
wesen, wann die gesat vil gellts in das lannd pracht, vnd wegen des
aufslags wegen wider aus dem lannd gefürt habent, vnd bitten noch
diemutigklich, als vor, Ewr k. G. geruch den aufslag noch gnedigk-
lichen abzeschaffen, dann so wär noch zuhoffen, der anczug wurd
gut, damit die lewt zu gellt kemen.

Item so sind all weingartarbeit yecz empbör, darezu yederman
merklich gellt bedorf, vnd nach grossem schaden angreifft, damit
ainer sein weingarten vnpawt nicht lass, wann sollt ainer die vnpaut
ligen lassen, alsdann versehenlich offt ainer von armut wegen tun
muss, daran nem ainer driveltigen schaden, wann die weingartten
für vnd für gepaut mussen werden, sy geraten oder nicht, anders so
wurden si öd vnd verwüebst.

Darumb, allergenedigister Herr! Rueffen wir an ewr k. Maiestat,
vnd bitten auf das allerdiemutigist, so wir ymer kunen vnd mugen.
ewr k. G. geruch solich vnser merklich geprechen genedigklichen
anzeseben, vnd vns die anczal des volkchs genedigklichen ze ringern.
So wellen wir dennoch, wie wol das diezmals an Vnsern Vermugen
nicht ist, ewrn k. G. zu eren füren C zu rossen, vnd CCC zefussen
wolczeugt mit wagen vnd andern notdurfften, so darezu gehort, vnd
wann die ewr k. G. haben wil, vns nin tag vnd Zeyt darumb zu be-
nennen, vnd zuverkonden, damit wir mit solichem volkch mugen
berayt werden, vnd darnach wissen ze richten.

Wann ewr k. G. selb mag versten, so wir das Volkch frü
bestellten, das dann Jr sold vnverdienter für vnd für ging, des die
stat zu merklichen schaden kem, vnd ewren Genaden wẽr dennoch
nichts damit gedient; So wir aber die Zeit vnd den tag wissen, so
wissen wir vns darnach zu richten, mit ewren k. G. aufzesein.

Vnd getrawn ewr k. G. werd vns darinn genedigklich fürnemen
vnd bei solichen gesten lassen von solicher vnser obgemelter notdurfl
wegen, das wellen wir vmb ewr k. G. mit aller vnterlenikait allezeyl
gern verdienn.

Wie darnach vnd auf solh anpringen gelassen hat an CC ze LXXXIX.
Rossen vnd CC zefussen. 11. April
Friderich &. 1459.

Erbern, weisen, getrewn, lieben. Als wir ew um nagsten ge-
schriben vnd begert haben, vns zu emphachung vnserr kunigklichen
Kron vnsers Kunigkreichs Hungern CCC zu Rossen vnd V^c ze fussen
füren vnd zeschikchen, darauf Ir yerz vnser getrewn Niclasen Leb-
hofer, ewren Ratgeswornen, vnd Heinreichen Hinderbach ewren Stat
Kamrer zu vns geschickcht habt, vnd begert, ew die selben Summ
zeringern, vnd ew erhiell, vns mit hunderten zerossen, vnd dreyn-
hunderten ze füssen zedienen; die haben das mit fleiss an vns pracht,
vnd wir haben solich obligund notdurfl gemainer Stat wol vernomen,
vnd die angesehen, vnd ew die obgemelt Summ der VIII^c in II^c ze
rossen, vnd CC ze fussen wolgeezeugt bestellet, vnd vns die zu der
benelten krönung mitschikchel, So wellen wir ew die Zeit vnd Stat,
wann vnd dahin die komen sullen, zeitlich verkünden vnd zewissen
tun, in hoffung ob des not beschheche. Ir werdel ew mitsambt ann-
dernn den vnsern hoher angreiffen, vnd vns dann nach ewru ver-
mugen ze dienste werden, vnd darinn handlet, als wir des vnezweif-
fenlichs sunder getrawn zu ew haben. Daran tut Ir vns sunder gut
gevallen, das wir gen ew genediclich wellen erkennen. Geben zu
der Newnstat an Mitichen nach dem Suntag Miseri-
cordia domini. Anno dni L nono, Vnsers &.

Den Erhern & Burgermaister & zu Wienn.

Anno domini Quinquagesimo nono an Eritag vor sand Ju- E. 37.
hannstag zu Sunnwenden haben vnsers Allergnedigisten Herren, 19. Juni
des Romischen Kaisers Rẽt an die Stat begert von desselben vnsers 1459.

gnedigisten Herren wegen, daz wir, damit den Veinten widersland
getan werde, von der Stat hie volkeh hinüber gen der Newnstat
schikchen sollen nach vnserm vermugen mit wēgen, mel, Speis vnd
allen notdurften, als darezu gehoret, vnd sollen dennoch mit
besaezung der Türn, Törr vnd Zewn hie zu Wienn nichtz dester
mynner tun vnd fürsehen.

Darauf sind mein Herren, der Burgermaister, Riehtter, Rat vnd
ettlich der genanten vnd aus der gemain, die zu ordnung der Stat
geben sein, ainer antwort zu tun aynig worden also:

Allerdurleuchtigister Kaiser vnd genedigister Herr. Als ewr kais.
Gnad begert hat, daz wir volkeh hinuber gen der Newnstat schiekeben
sollen nach vnserm vermugen mit wēgen, mel, Speis vnd allen not-
durften, als darezu gehort, damit den Veinten widersland getan
mocht werden, vnd solten dennoch mit besaezung der Türn, Törr
vnd Zewn der Stat hie nichtz dester mynner tun.

Allergnedigister Kaiser, wir hoffen vnd getrewn, ewr kais. Gnad
sey wol eingedenkeh, daz wir ewrn k. G. vor meniger mal erezelt,
vnd anbracht haben die grossen menigveltig geprecben, die der Stat
anligund sein in vil stukehen vnd monigerlay weg, dadurch die Stat
vast abgenomen hat, vnd tēglich abnymbt. Nu wērn wir willig, ewr
k. G. willen vnd begern zuvolbringen, so ist das siecher an vnserm
vermugen niehtt, auch nachdem vnd die Stat weit ist, vnd vil volkeh
zu bewarung bedorff, vnd bitten mit ganezem diemutigem vleiss, Ewr
k. G. welle an den fussknechten, so wir nachbegern ewr k. G. hinüber
geschikebt haben, diezmals ein genügen haben; ob aber ewr k. G.
ain gemains aufervordern in ain Veld zu widersland den Veinten tun
wirde, darinn wellen wir ewrn k. G. willig sein nach vnserm ver-
mugen, als die getrewn vndertonen ewer K. G. Davon so pitten wir
auf das diemutigist wir ymmer kunnen vnd mugen, Ewr k. Maiestat
welle solh vnser antwurt in pesten versten, vnd gnediclichen auf-
nemen, das wellen wir vmb ewer K. G. vndertenigclichen gern
verdienu.

LXXXX.   Hört vnd sweigt.

Es gepeut vnser allergenedigister Herr, der Romisch Kaiser,
auch der Burgermaister, Riehtter vnd Rat der Stat zu Wienn, vnd
sag das ain Man dem andern, das nyemaut In Gugl, oder Guglzipfl

verpuntten mit waffen oder haken auf der gassen gen sol, vnd wer
daruber begriffen wirdet. Er sey geistlich oder weltlich, Edl oder
vnedl, vnd sunder wenn man begreifft, der weinper aus weingertten,
die nicht sein sind, tragt oder nymbt, den wil man anvallen, als ainen
schedlichen Man, vnd darumb swörlich straffen an alle gnad; ob auch
geschech, daz man dem gericht widerstand tun, vnd solich, die ver-
handlet hieten, nem, vnd davon helffen wolt, so sol ain yeder purger
vnd Inwoner der Stat dem Gericht zulauffen, vnd peistant tun, damit
solich vmb Ir myssetat gehandhabt vnd gestrafft, vnd die Burger vnd
maniclichs gwalts vnd verderbens vnd schadens vertragen beleiben.
Es sol auch ain yeder Purger, der sein haus zu ainer kaderej hinlet,
sich derselben kaderej abtun zwischen hynn vnd sand kolmanstag
anvercziechen, vnd die fürbaser nicht mer halten, wer des aber nicht
entut, den wil man auch so swörlich darumb straffen.

Gerufft an phineztag vor sand Michels tag LVIIIto.   27. Septemb.
                                                              1459.

Vermerkt der Lantleut anbringen, als Vil der yecz zu Stok-
cheraw gewesen sind, vnd Ir potschaft mit gannczem gewalt   16. Novemb.
da gehabt habenn.   1459.

Abgedruckt bei Chmel, Materialien II, 184 sqq.

c Cod. Ms. bibl. Caes. Vindob. Jur. 157.

bis auf folgendes:

Vergesset nicht Hern Hannsen Holowersy sachen. Item des
franawer vnd vnsern Herren Kaiser vmb ain geloitt.

Das schreiben, wie die Herren, Ritter vnd Knechtt von Stok-   XCI.
cheraw der Stat hie geschriben habent zu komen auf der heiligen 1. December
dreir Kunig tag gen Gelestorf.   1459.

Ersamen vnd weis, vnnsern dinst in gutem willen bevor. Als ew
wol wissentlich ist von der grossen hochen mangel vnd geprechen
des ganczen lannds, darumb wir dann yecz zu Stokcheraw peyeinander
gewesen sein, vnd davon geredt, als Ir hieinne an aider Zedl vernembt,
soll gross mangel vnd geprechen wir vor mitsambt vnsern genedigen
Herren, des Romischen Kaisers Rët. das Lanndlewt sein, vnd durch
Irn vnd vnsern Rat vnd beistandt an vnsern gnedigisten Herren, den
Romischen Kaiser pracht, vnd vns sein Gnad da genediclich zugesagt

hat, solhen grossen mangel vnd gepreeben des ganezen lannds ze-
wennlten, das vnezther nicht beschehen ist, vnd darauf vnser frewnt
vnd sendpoten geschikeht heten zu sein K. G. vmb Glaitt, das vns
aber sein K. G. zwischmalen abgeslagen hat. Also haben wir yecz
am Jungisten geschriben sein K. G., als Ir an der abgeschrifft hieinne
vernemen werdet, vnd sein darauf ains tags ainig worden auf der
boiling dreyr kunig tag gen Gelesdorff zekomen, Also bitten wir ew,
auf den hemelten tag nicht aus zu beleiben, vnd ewr trefflich Senud-
poten mit ganezem gwalt dahin zesenden, vnd mitsambt Vns ainig zewer-
den als die laonllewt, vnd aineu gemainen nucz lannden vnd lewten
betrachtet, damit solh verderben vnserr vnd ewr vnd des ganczen land *)
des schuldig seyt. Das wellen wir gern vmb ew verdienn, damit ain
gemainer nucz des ganezen lannds dureh ew nicht gehindert werde.
Geben zu Stokeberaw an Sambstag nach sand Andres
tag. Anno dni LVIIII°.

Herren, Ritter vnd Kneehtt die yecz zu
Stokeberaw bey einander gewesen sind.

Den Erbern, fürsichtigen vnd weisen, Burgermaister, Richter,
Rat, Genanten vnd der Gemain der Stat zu Wienn.

XCII.

Wie Sy dem Kaiser geschriben haben.

Allerdurchleuchtigister Kaiser vnd allergenedigister Herr, vnser
willig vndertenig vnd gehorsam dinst sein ewrn K. Gnaden voran
berait. Als wir vnd ander ander lanndlewt, der yecz etlich bei vns
zu Stokeberaw nicht gewesen sind, am nagsten zu Wienn, als wir pey
ewrn K. G. gewesen sein, die hochen vnd grossen gepreeben vnd
verderblich scheden, dew mit newung dem ganezen Lannd anligend
sind, mit aller vndertanikait gepeten als vnsern allergenedigisten
Herrn vnd Landesfürsten, dew genedigelieh zewenutten vnd abzetun,
das vnezt her nicht gewennt ist, vnd auch als das vormaln ewrn K. G.
die lanndlewt in geschrifft gegeben habent, darauf wir vns zueinander
gefügt haben gen Stokeberaw, vnd von der vnd ander geprechen
wegen des Lannds vns miteinander vnd darezu geordent vnser frewndt,
hern Reinprechten von Eberstorff vnd Jorgen von Sew-
senegk, dew an ewr K. G. widerumb zebringen, vnd aber ewr
K. G. mit aller vndertanikait zepitten als vnsern allergenedigisten

*) Scheint zu fehlen: gewendt ward, als Ir vns, ew vnd dem ganczen lannd.

Herren vnd landesfürsten, Solh verderbung vnd newung des lannds
gnediclich abzetun vnd zewentten, darumb wir nun zwischmalen
ewrn K. G. geschriben, vnd vndertaniclich gepeten haben, vnsern
benanten frewndten vnd Sandpoten sicherhait vnd gelayt zegeben,
vnsern geprechen vnd mangel des ganczen lanndes Osterreich an ewr
K. G. zepringen, vnd auch noch ewr K. G. mit aller vndertanichait
zepitten, Solh newung vnd verderbung des ganczen lannds abzetun,
Solh sicherhait vnd gelayt ewr K. G. zwischmal auf vnser pet abge-
slagen hat, vnd doch wissentlich ist, das ewr K. G. vnd ewrn Gnaden
Vorvordern den lanndlewten gelayt gegeben habent wenigermal. Es
habent auch vnser frewndt vnd Sandpoten ewr K. G. von vnser aller
wegen mit aller vndertanikait pitten sullen, all ladung vnd Rechtt auf-
zubehen auf den lanndtag, den ewr K. G. ausschreiben wirdet, damit
ewrer K. G. als Herr vnd Lanndsfürst, auch die lanndlewt in dem
Rechten beleiben, als das von ewrn K. G. vordern herkomen wër.
Wir haben auch mit dem Rosenbart geredt, daz er sein krieg, den
er gen Behem vnd merhern hat, ohtue vnd steen lass vnezt auf sand
Jorgentag, der sich des auch verwilligt hat. Also solten Vnser frewnd
vnd sandpoten auch an ewr K. G. geworhen haben, vnd ewr K. G.
mit aller vndertanichait gepeten, daz ewr K. G. den Kunig von Behem
auch besandt, damit sein Gnad vnd seiner lantlewthalben dew nach
noch gütlich auf den benanten tag an steen liess, So sein wir willig
gewesen vnd noch zu dem Kunig von Behem mitsumbt ewrer K. G.
potschafft aus vns zeordnen vnd zeschikchen, Ob es ewrn Gnaden
gevallen wër, damit die sachen in gutliehem Austand vnezt auf die
zeit kchem vnd belib, also bitten wir noch ewr K. G. mit aller vnder-
tanikait, ewr K. G. solh potschafft zu dem benanten Kunig von Behem
zeschikchen, dadurch ewr K. G. lanndt vnd lewt in frid vnd gemach
gehalten werden. Auch hat vns ewr K. G. geschriben von des fro-
nawer wegen, das wir auf sein ausschreiben gen Stokeheraw nicht
komen solten. Nun haben wir auch vnsern benanten frewndten vnd
sandpoten bevolhen, an ewr K. G. zebringen, das wir auf sein aus-
schreiben nicht dahin komen sein, Sunder von der obberürten gepre-
chen des ganczen lannds vnd vnsern wegen. Aber der franawer
hat vns zu Stokebcraw anhracht, wie ewr K. G. seinem Bruder, hern
Gerharten fronnawer das gesloss Ort verkaufft hab, das nu
erblich an In komen sey, (und nun) an In ervordert hab, das ewrn K. G.
abzetretten, vnder dem sich vil wort zwischen ewrn kaiserlichen Gnaden

12*

vnd sein von dem anderm begeben sullen haben, dadurch er ewr K. G.
vndertanielich gepeten hab, daz Im ewr K. G. ain Richter orden vnd
schaff, der Im ladung geb auf ewr K. G von Ort vnd anderr seiner
sprüch wegen, als auf sein Herrn vnd landesfürsten in Osterreich,
das Im ewr K. G. abgeslagen hab, vnd nu ewr K. G. In mit ladung
für ewr K. G. vnd ewrer Gnaden Rët fürnemb, Also heten wir vnsern
benanten frewnden vnd sandpoten auch bevolhen, ewr K. G. zu pitten,
solh ladung abzetun, was wir dann darezu raten vnd dienn kunden,
damit der fronnawer mit ewr K. G. gütlich veraint wurd, das wërn
wir willig zetun. Mocht aber sollhs nicht gesein, das dann ewr K. G.
Im ain Richter ordnet, vnd seezet, der Im ladung auf Ewr K. G. geb
als auf ain Herrn vnd landesfürsten von Osterreich, nach dew er der
vor begert hab, damit das Lanndurecht gehalten werd, als das von ewrn
Gnaden vorvordern herkomen ist, wenn wir doch vngern iezzit gen ewrn
K. G. fürnemen wolten, das wider ewr K. G. als Herren vnd Landesfürsten
gerechtikait des lannd wër; nach dew ewr K. G. vnnsern benanten
frewnden vnd Santpoten nicht gelayt hat geben wellen nach vnserm die-
mutigen gepet, So mag doch ewr K. G. versteen, das wir vnsselbs vnd
dem ganezen land des schuldig sein, vns an Verderbung, vnd pei allem
herkomen des lannds ze halten, vnd haben fürgenomen ainen tag, vns
in dem lannd zueinander zuffigen auf der heyligen dreyr Kunig tag
gen Geleadorf, damit vnsern Herren vnd frewnd, die yeez zu Stok-
cheraw pey vns nicht gewesen sein, vnd doch der merer tail des
Adels Ir santpoter mit ganezem gwolt bey vns gehabt habent, vnd
doch solh hoch saechen an Ir selbs person nicht gefüglich ze handeln
wër, vns miteinander zuunderreden vnd ainig zewerden, ewr K. G.
mit aller vndertenigkait ze bitten, damit vns ewr K. G. als Herr vnd
Landesfürst halt, als ewrer K. G. vorvordern Vnser Vorvordern ge-
halten haben, vnd vns das genedielich von ewrn Gnaden zugesagt ist;
woll aber ewr K. G. als Herr vnd landesfürst zwischen hie vnd der
heiligen dreyr kunig tag schirist kunfftigen ainen gemain lanndtag
der landschafft ausschreiben vnd halten, So wërn wir noch willig,
darezu zekomen, Also das ewr K. G. dew lanndlewt mit Rechtlichen
geleitten nach allen notdurfften fürseeh, welh sein dann begern wur-
den. Wir bitten auch ewr K. G., das Ir als Herr vnd Landesfürst dew
strassen beschirmen vnd beretten wellet, damit sich nicht verrer Vn-
rat, verderbung vnd krieg des lannds erheb, vnd solh teg gehalten
mugen werden, vnd bitten darauf ewr K. G. als vnsern allergenedi-

gisten (Herrn) vnd Landesfürsten diemuticlich mit aller vndertenikait,
ewr K. G. welle das gannez lannd vnd vns in dem allen genediclich
halten, das wellen wir vmh ewr K. G. mit aller vnderlanigkait gern
verdienn. Auf das Alles hitten wir ewr K. G. vmh ain genedige Ver-
schribne vnd vnverezogne antwort pey dem gegenwürtigen hern
Casparn Sulezpekchen. Geben zu Stokeheraw &.

Die Zedl des gemain schreiben der notdurfft des Lannds.   XCIII.

Item von des Lannds Rechten wegen, daz das nicht gehalten,
oder gehandlet wirdet, als von seinen kaiserlichen Gnaden Vorvordern,
von den fürsten von Osterreich gehandlet vnd gehalten ist worden.

Item von der Münss wegen, das die nicht gehandelt wirdet, als
sich des seiner kaiserlichen Gnaden Vorvordern mit menigern briefen
verschrihen vnd geordent hoben.

Item von der aufsleg wein, salez, Traid vnd annders, damit das
Lanndt arm vnd Reich mit solher newung groslich beswert wirdet.

Item von des Landesfrid wegen, das die strassen vnd die In-
woner vnd Gesst beschedigt vnd heswert werdent, damit ain lannd
zu dem andern nach seinen notdurfflen nicht gehondeln vnd gewan-
deln mag.

Item von der Juden wegen, dus die khain handlung noch Glayt
im lannd haben sullen zu Osterreich, als des Kunig Albrecht loblicher
gedechtnuss die lanndlewt hegnad hat.

Item von der lehen wegen, das vns die sein K. G. genediclich
leich, vnd die lehen ruffen lass, als das seiner Gnaden vorvordern
getan hohent, vnd auch bestell, damit die lanndslewt in der kanczlei
nicht heswert werden, vnd auch lr lehen in Geschrifft antwurten, vnd
nicht in briefen, als das von Alter ist herkomen.

Item auch von aller verschreybung wegen, so von seinen kaiser-
lichen Gnaden wegen, vnd allen andern fürsten von Osterreich aus-
gegangen sind, genediclich halt.

Item das vns auch sein K. G. alle vnsre Gnad, Ere, wird vnd
freihait genediclich bestätt, in was stand er sey, als das von alter ist
herkomen.

Item das vns auch sein K. G. vnsern verdienten sold vnd Gelt-
schuld von Kunig Lasslawen loblicher gedechtnuss, vnd anderr fürsten
von Osterreich, seiner Gnaden vorvordern genediclich entricht, als

vns dann das alles sein kaiserlich Gnad mit sambt seinom Bruder rnd
Vettern bei dem nagsten Lanndtag zu Wienn zugesagt hat.

XCIV.   *Dem Kaiser von der Stat vmb Rat ze bitten.*

3. December   Allergenedigister Kaiser vnd genedigister Herr, vnser willig
1459.   vndertenig vnd gehorsam dinst zevor. Wir tun ewrn K. G. zu wissen,
das vns die Herren, Ritter vnd Knecht, die yeez zu Stokchraw bei-
einander gewesen sein, geschriben habent, vnd derselb Ir brief erst
hewt komen vnd geantwurt ist, darinn auch ein abgeschrifft ligt, wie
Sy ewrn K. G. schreiben, vnd ettlich Artikel das gemain geprechen
des lannds, als das alles ewr K. G. an den abgeschrifften hirinne
beslossen vernemen wirdet. Bitten wir mit ganezor diemutikait, ewr
K. Maiestat welle vns in den sachen genedicliehen Raten, wie vnd
wes wir vns gegen vnsern milburgern, den genanten vnd der gemain,
den wir solha noch niehl verkündet haben, vnd gegen den
lanndlewten in den sachen handeln sullen; das wellen wir vmb ewr
K. G. mit aller vndertanikait gern verdienn, wann ewr K. G. gene-
dieliclich mag versteen, das wir solh schreiben vnsern mitburgern vnd
der gemain nicht verhaben mochten. Geben zu Wienn an Mon-
tag vor sand Barbara tag. Anno LVIIII.

                                                   Burgermaister & zu Wienn.

XCV.   *Darauf ein Antwurt.*

5. December   Fridreich &.
1459.   Erbern, weisen, getrewn, lieben. Ewr schreiben von ettlicher
lanntlewt fürnemen wegen, so zu Stokchraw durch Sy sol beschehen
sein, vnd die ingeslossen Copi dieselben vnd auch die von Coln be-
rürend haben wir vernomen. Nu ist vns ain schreiben vorderlag von
den egenanten Landlewten komen, darezu wir vnser antwurt getan
haben, als an ew wol gelangen wirdet, vnd begern, bevolhen ew auch
der egemelten sachenhalb nichtz zehandeln, noch die weiter zuver-
7. December. künden, sunder vnser kunft damit zewarten, als wir dann, obgot wil,
yeez an freitag zu Wienn sein, vnd alsdann der vnd anderr vnsrer
vnd ewrer notdurft halben zu gemainen nucz vnd frumen des fürsten-
tumbs Osterreich mit ew reden, vnd nach Rat vnd pillichen handeln,
vnd vnsern willen vnd maynung zuerkennen geben wellen, vnd tut

darinn dhain anders nicht, das ist vnser ernstliche maynung. Geben
zu der Newnstat an Mitiehen vor sand Niclas tag. Anno
dni LVIIII°. Vnsers &.

Commissio &.

Erber, fürsichtig vnd weis, vnser dinst in guten willen bevor. **XCVI.**
Als wir ew verschriben haben, anrürund des lannds sachen, haben
wir vernomen, das dieselb vnser geschrifft an gemaine Stat nicht
komen ist. Wër dem also, so bitten wir ew mit sunderm vleiss. Ir
wellet noch gedenkchen, das dasselb vnser fürnemen an gemaine Stat
bracht werd, dabei Ir vnd gemaine Stat versteen mugt, das wir nichts
vnpillichs fürgenomen haben vnd vngern fürnemen wolten anders, dann
des lannds gemain nucz vnd alts Herkomen ewrs willen. Bitten wir
ain verschriben antwurt pey dem gegenwürtigen poten. Geben zu
Stokchraw an Mitiehen vor sand Niclas tag. Anno LVIIII°. *5. December 1459.*

Die Herren, Ritter vnd Knecht, vnd auch
Ir Anwält, so yecz hie sind.

Den Lanndtlewten gen Stokchraw. **XCVII.**

Edeln, vessten, günstigen, lieben Herren vnd frewnt, vnser willig *8. December* vnd frewntlich dinst zuvor. Als Ir vns yecz geschriben habt, wie ewr *1459.*
vorders schreiben, so Ir vns getan habt, noch nicht an gemaine Stat
komen sull sein & haben wir vernomen, vnd lassen ew wissen, das
wir sulh ewr schreiben an vnsern allergenedigisten Herrn, den Romi-
schen Kaiser pracht haben, der sich als nechten hergefügt, vnd sein
Hochwirdig Ret vnd lanndlewt her gevordert hat, mit den wil sein
kaiserlich Gnad des lannds notdurfft genediclich fürnemen vnd be-
trachten als vnser genedigister Herr vnd Landesfürst nach dem pessten,
damit sulh vnd ander geprechen lannd vnd lewten gewendet werden.
Geben zu Wienn an Sambstag an vnser lieben frawn
tag Conecpeionis Anno dni LVIIII°.

Burgermaister & zu Wienn.

Den Edeln Herren, Rittern vnd Knechten, die yecz zu Stokche-
raw sind, vnsern günstigen Herren vnd frewnten.

*Von casunder phenbert wegen, den man einen Vuilnkauff seczen
solt auf die Münsz, daruber dem Kaiser antwurt getan hat.*

Allerdurleuchtigister Kaiser vnd allergenedigister Herr. Als vns
ewr K. G. hevolhen hat, allen vailn dingen ain gleichen kauf zu seczen
& Also geruch ewr K. Maiestat zu wissen, das vns nichts lieber wër,
denn das wir solh ordnung kunden oder mochten betrachten. Wann
es zu vordrist für vns burger wër, nach dem vnd wir von Akcherpaw
vnd viech nichts aigens auf dem land haben, des wir vns betragen
mochten, Sunder alle ding auf dem markebt hie kauffen müssen nach
gelegenhait der zeit, vnd des herfürns der gesst, also das wir darinn
kain vortail haben vnd alle phenbert, welcherlay die seind, als hoch
müssen heben, als die frombden. Doch so sein wir nach ewrer K. G.
geschrifft vnd begern mitsambt ettlichen der genanten vnd aus der
gemain mil vleiss darob gesessen, vnd notdurftiklich daraus geredt,
vnd finden menigerlay Irrung, die vns in den sachen begegent, dar-
durch alle vaile pheubert aufslag gewynnen, vnd nicht wol stët kauf
geseczen mugen, vnd ist das die erst Irrung:

Das Lannd Osterreich hat von alter hergepraucht klaine Münsz,
als phennig vnd helbling, damit sich menielich, Edel vnd Vnedel,
geistlich vnd weltlich, vnd auch die gesst habent betragen, so der
aber yecz vorhanden ein wenig ist, Sunder allain die krewezer vnd ein
wenig klain gelt, des sich doch der pawman, auch die Gesst, die Ir
gut vnd war herfürnt mitsambt vns betragen müssen, solchs ist ain
merkliche vrsach des aufslags, wann so ain armer man kauffen will
vmh ain phennig oder Helbling, nach dem vnd in alter gewonhait her-
komen ist, so hat er der klain Münsz nicht, gibt er dann ain krewezer
aus, so hat man Im das vbrig klain gelt vber den phennig oder helb-
ling her aus nicht wider zugeben, wann der klain münsz ist zu wenig,
das macht zumal grosse Irrung vnd tewrung, wann die Münsz der
krewezer ist dem gemainen mann gar zu swër, Es wër dann das
klaine Münsz, als phennig vnd helbling daneben ging, so mocht man
in allen dingen dester pesser aufsehen haben.

Item die ander vrsach ist, nachdem vnd die Krewezer vber-
flussigklich geslagen werden, vnd klaine münsz, als oben geschriben
stet, daneben ain wenig get vnd vorhanden ist, daran haben all hand-
lund lewt, kauflewt vnd pawrn ein Verdriessen, vnd sind sein von

alter ber nicht gewont, vnd von solher vrsach wegen der Vberflüssi-
kait der Krewezer, so wellent sy nur verkauffen vmb das golt, vnd
nicht vmb Münsz, das macht den gulden steigen vnd pringt grosse
tewrung.

Item zum dritten. Alle handlung in dem land zu Osterreich, vnd
alle rayttung ist gemacht auf das phunt, vnd nicht auf das golt, nach-
dem vnd silbreine Münsz von alter darinn geslagen, vnd irn gankch
gehabt haben, wann in dem Lannd zu Vngern, vnd in vellisehen
lannden ist gemainklich alle Zalung mit gold, vnd nicht mit münsz,
vnd seind nu yeder man hie im land verkauffen wil vmb das gold, vnd
nicht vmb Münsz, das macht den guldein steigen, vnd ist wider ge-
mainen nuez, vnd darumb so kan noch mag hart ein steter kauf ge-
seezt, noch gemacht werden.

Item zum Virden. So man klaine Münsz als phennig herbringt,
wie wol die an dem korn geringer ist, denn die Krewezer, vnd bait
ein merklicher tail, so geyt man doch gern vmb hundert phunt der-
selben klain münsz hundert vnd sechezehen phunt Krewezer, das
macht nichts anders, denn das die geest vnd die pawrn vnd all In-
woner des Lannds der klein Münsz gewont haben, vnd sunderlich zu
allem weingartpaw, darezu man Ir dann vil bedorff, vnd solhs macht
die Krewezer nachdem vnd Ir mer ist, denn der klain münsz, vnwir-
dig, vnd pringt grosse tewrung.

Item die fünft vrsach ist, daz das gemain volkch, als wol die
geest, als die Inwoner des lannds merkliche grüplung vnder den
krewezern habent, nachdem als die au menigern enden geslagen wer-
den, vnd verwidern der ettlich zu nemen, vnd solh grüplung macht
zumal grosse Irrung vnder den Krewezern, wann es begibt sich oft,
das die ninvaltigen lewt vnd halt ander, die der Münsz nicht erkennen,
vnder aim phunt krewezer bey zwainezig krewezern oder mer
ausswerffen, das dann den guldein auch steigen macht.

Darumb, Allergenedigister Kaiser, wie wol wir solhe Irrung der
münsz, so vor berürt ist, aigentlich merkchen vnd alln vailn steten
kauf Irrung, ydoch so haben wir dennoch ettlich weg für vns genom-
men, die zu gemainem vailn kauf dienn, aber an K. G. hilf vnd scherm
mugen wir die hart hindurch pringen, vnd sind das die weg:

Von erst von des fürkaufs wegen, der ist so grass nicht allain
von den hieigen, halt von den auslendern, die alle ding auf dem lannd
vnd hie fürkauffen, das nyemant ains gleichen phenberts von In

bekomen mag. So aber solber fürkauff auf dem laand gewert vnd
verpoten wurd, also das yeder man sein war selber müst herfürn, es
wär von essunden dingen, oder andern vailn kauf, so moebt man von
denselben ain gleichs phenbert haben, wann sy darausz bie nieht
zern mugen, als die fürkewffl. So wellen wir den hieigen auch wol
ordnung seezen, vnd maeben, damit der fürkauff hie auch vermiten werd.

Item wir vnd auch vnsere vorvodern haben menigveltiklich ge-
redt vnd ordnung geseezt, solben fürkauff zuverkomen vnd peen
darauf geseezt, also wer solbe war herpreeht, vud sunder-
lieh von essunden dingen, das die an offem pleez sollen gefürt
werden, vnd da in der gemain, vnd nieht haimlich in den Hewsern
solten verkaufft werden. So biot ein yeder solbe vaile phenbert wissen
zu vinden, vnd wer des nieht tet, dem solt man solhe war zu der
stat handen nemen, vnd vervallen sein, als dann ettwe offt gesehehen
ist. Aber die Herrn, darunder dann dieselben gesessen sind, den solh
gut genomen ist worden, haben der Stat geschriben, ettwen drolieh,
ettwen mit gepet, damit es widergeben ist worden, vnd solber für-
kauff ist der grossisten stukeh ains, die da tewrung maehen, vnd das
an hilf ewrer K. G. hart mugen vnderkomen vnd wennden.

Item wir haben auch in kurezen zeiten wol ordnung fürgenomen
vnd geseezt den Vnsern hie, wie Sy sich in Irm gewerb halten sollen
nach laut vnser Stat freybait vnd gereehtikait, vnd haben das auch
hindurch nieht mugen rekehen, wann in ettlichen stukeben hat ewr
K. G. die saeh auf Ir vupillieh unbringen auf geschoben, vns gen
denselben zuverboren, das aber wenig nuez hat praeht, Sunder die-
selben vnd ander wider solh vnser pillich fürnemen auf vnser frey-
bait sind in Irn vupillichen Haudlungen dadurch nur gesterkeht vnd
aller vailer kauf davon gehoebt worden.

Item es ist auch nemlich wol geredt vnd betraeht worden, so
ewr K. Maiestat ain offens rufen liesz tun, das meniklich, was von
essunden vnd sleehten dingen der Verkauffer nach der münsz, vnd
nieht vmb das gold, ausgenomen hohe vnd swere phenbert, als guldeine
tücher, Samad oder von Seiden Gewant, darezu man der guldein
bedorff, vnd die den gemainen mann nieht berürten, vnd das auch
ewr K. G. klaine Münsz neben den krewezern ewr gnaden gewaltsam
gerueb zualahen lassen. Auch was vnd welherlay krewezer man
nemen solt, so wesst sich ain yeder darnaeh zurichten, vnd mit solhem
stelen saoz vnd newung der Münsz moeht man dester pas ein stelen

vnd beleiblichen kauf seczen, vnd wēr als wol für die gessl, als für
die Inwoner des lannds, vnd der guldein kem so hoch nicht, dann wann
ainer sein war vmh münsz, die da zunemen berufft wēr, ye verkauffet,
so kauffel ain gassl vmh dieselben münaz ander war hinwider, die
Im rechl wēr, vnd aus dem lannd fūret, vnd die gesl kēmen dester
lieber ber mit Irm gut, das aber also, so die Münsz in solher Irrung
vnd nicht heleiblich ist, nicht gesehehen mag.

Davon, allergenedigister Kaiser, nach solher Irrung, die wir
vinden in den dingen, als vor gemelt sind, vnd auch von des fürkaufs
vnd ander snezung wegen, das wir die an ewrer K. G. hilf vnd scherm
nicht zu weg pringen mugen, davon so hitten wir diemutiklich, ewr
K. G. welle vns rugk vnd scherm genediclich halden, was wir in den
dingen seczen, das das sein fūrgang hah vnd gewin, damit der fūr-
kauff gewert werde, das wellen wir vmh ewr K. G. vndertenikbich
gern verdienn. A° LX°.

(Ruffen.)

Nu hört vnd sweigt.

XCIX.
5. Februar
1460.

Es gepent der allerdurchleuchtigist fürst vnd Herr her Fridreich,
Romischer Kaiser, zuallenezeiten merer des Reichs, zu Hungern, Dal-
macien, Croacien & Kunig, Herezog zu Osterreich, zu Steyr vnser
allergenedigister Herr, seiner Gnaden Landmarschalch, auch der Bur-
germaister, Richter vnd Rat der Stat hie zu Wienn aller meniklich,
in was stand vnd wesen Sy sein, vnd sag das ain man dem andern,
das nyemant pey tag noch pey nacht mit Armbsten, Wurfhakchen,
kolben, Spiess, noch mit anderr verpotner vnezimlicher wer, noch
verpunden auf der gassen gen, reyten, noch farn sol, vnd das auch
nyemant nach der pirglokken hei der nacht an ain offens liecht auf
der gassen geen sol. Es sol auch kainer in den Hewsern vnd Herhern
die Studenten nicht spillen noch kartten noch gestatten in den lewt-
hewsern siezen lassen in dhain weis; wer das vberfert oder dawider
tut in ain oder menigern artikel, den wirt man zu hannden nemen,
vnd darumh swerlich straffen an alle gnad.

Gerufft an Eritag vor sand Dorothea tag. Anno LX.

Hort vnd sweigt.

C.

Es mag meniklich versten, das der fürkauf in essunden phen-
berten merklich tewrung macht, darumh hahent mein Herren N. der

Burgermaister, Richter vnd der Rat von der Stat hetracht fürgeno-
men vnd gepoten, das alle essunde phenbert, die man berfürt, des
ersten an den placz gefürt, daselbs verkaufft, vnd auf tewrung nicht
ein geseczt, noch ein gelegt sullen werden, vnd welher begriffen
wird, der solhe essunde phenbert fürkaufft, der solh darumb gepüsst,
vnd dasselb gut zu der Stat hannden genomen werden.

Item mein Herren habent auch vir erber Mannen daraufgeseczt,
die auf solch vnd ander fürkauf sehen werden an allen pleczen.

Item, was wegen mit essunden phenbert her in die Stat gefürt,
das die pey den Törrn aufgeschriben sullen werden ain yeder furman
pey seinem namen, vnd was phenbert er fürt, vnd daselbs hey dem
tor sol Im der Mautter oder sein diener sagen, das er solhe seine
essunde phenbert an offen markcht oder placz fürn, daselbs vailhaben
vnd meniklich ain rechts phenbert geben sol. Wurde er aber daruher
das den fürkauffern geben, oder an offen Markcht, oder placz nicht
fürn, so wurd man Im solhe essunde phenbert nemen zu der Stat
hannden.

Item all Burger vnd Inwoner der Stat hie geistlich vnd weltlich,
auch vnsers genedigisten Herren, des Romischen Kaiser Hofgesind
sullen solhe essunde phenbert gwalt haben zu kauffen an den markcht
tegen vor den Auslendern vnd gessten, Aber auch nach mittag mugen
Auslender vnd gesst solhe essunde phenbert wol kauffen.

Aber kain fürkauffer sol solhe essunde phenbert weder vormit-
tags, noch nach mittags nicht kauffen.

Item die Gessti, die hie nach mittags am markcht traid kauffen,
oder ander essunde phenbert, die sullen das aisgeunds aus der Stat
fürn an Ir gewar, vnd hie nicht einschüten, noch einlegen in kainer
weise.

Item was die hieigen Inwoner vnd Hunrayrer, kes, smalcz, hüner,
ayr, vögel, Hannen, wilpret & oder ander essunde phenbert herfürnt,
oder herbringent, die sullen ay auch am placz hie vailhaben vnd ver-
kauffen, vnd damit nicht neben, noch vnder den gessten siczen, noch
sten in kainer weis.

Welh aber vnder den gessten siczen oder sten wurden mit Irn
vaillen phenherten, die wil man swerlich darumb püssen, vnd diesel-
ben ire phenbert nemen zu der Stat hannden.

Item die pekchen sullen pekchen nach dem Melkauf, als sy sich des
vor verwilligt habent nach der Stat Ordnung, die In geseczt ist.

Item fleischakcher, schuster, sneider, zemstrikeber, kursner,
ledrer vnd all ander hantwercher sullen sich in Irm hantwerch schid-
lich halten, und meniklich gleichen kauff geben, vnd lon nemen. Wer
des nicht tet, den wurd man darumb straffen.

Item die Vischer sullen auch Ir gerechtikait vnd Ordnung Irs
hanntwerchs halden, vnd gleichen kauf geben, welher des nicht entut
den wil man auch darumb püssen.

So sind das die Vir, die zu dem aufsehen des fürkauffs geor-
dent sind :

> Veit Schatawer.
> Oswalt Sweygker.
> Larencz Panholcz, Oler.
> Sigmund Teglich, Oler.

An Montag nach sand Scolastica tag ist die Ordnung von Rat   E. 38.
vnd genanten gemacht worden.   11. Februar
1460.

Item zu obristen Hauhtlewten der Stat sind geseczt worden in
der Stat vber alles volkch.

Karinthianorum	Conrat Pilgreim.
	Sebastian Ziglshawser.
Lignorum	Niclas Lehhover.
	Valtein Liephart.
Stuharum	Niclas Teschler.
	Pompflinger.
Scotorum	Fridreich Gerunger.
	Hanns Odenakcher.

Item die obgenanten Haubtlewt sullen selbs yeder in seinem
Virtail ordnen, vnd In ander haubtlewt vnd Rotmaister seczen, die In
dann gehorsam sein sullen, wenn sy die auf ervordernt yeder in seinem
Virtail, oder ordnen in die türn, vnd vnder die Törr.

Item man sol auch in yeds virtail ordnen zwen erber mannen,
die in yeds haws, vnd zu ainem yeden Hawswirt gen, vnd ernstlich
sagen sullen, das sich ein yeder mit traid, mel vnd speis, weur nach
notdurfften in seinem haws fürsehen sol.

Item dieselben sullen auch denselben wirten sagen, wer sein
haubtlewt sein, vnd das sy denselben auch gehorsam sein sullen, vnd

das sy auch das fewr vnd fewrstet in lrn hewsern hewarn und für-
sehen sullen, vnd wen sy haben in lrn hewsern, das sy die wissen zu
verantwurtten.

Item darczu sind geordent worden den Wirten vnd Innlewten
das zusagen:

Karinthianorum	Hanns Gruntreich.
	Gilig Waldner.
Stubarum	Gilig Knah, vnd
	Michel Kirstain.
Lignorum	Veit Schatawer.
	Hans Renhart.
Scotorum	Caspar Pilgreim vnd
	der Moller.

Vor Stubentor: Peter Mukkel. Hanns Schonhawer.
Vor Kernertor: Jorg Winkehler vnd Hamleber.
Vor Widmertor: Linhart Kerner vnd Andre Ladner.
Vor Scottentor: Jacob Pumperl vnd Jorg Hager.
Vor Werdertor: Hanns Een vnd Erhart Furter.

Also hat man yedem man gesagt:

Man tut ew zuwissen, das Ir ew fürsecht mit traid, mel, Speys,
weer, harnasch, vnd das fewr vnd fewrstet treulichen bewart, auch
was ew mein Herrn, Burgermaister vnd Rat, oder ewr hauhtlewt mit
aufvordern, oder ander notdurfft mit ew schaffen, dem seyt gehorsam,
vnd man wird in aim Moneid wider zu ew komen, vnd das beschawn
vnd aufschreiben, fund man ew vngehorsam, so wurd man ew swer-
lichen darumb pussen.

Vnd ob Ir icht vernemen oder horn wurd, daraus vnserm gene-
digisten Herrn, dem Romischen Kaiser oder der Stat hie schaden
ergenmocht: das sullet Ir auch bey ewrn aid anbringen vnd offenharn,
vnd wer nicht Burger recht gewunnen vnd gesworn hat, der sol das
noch tun anverzichen. Wer das auch nicht tet, den wirt man darumb
pussen an alle gnad.

CI.
16. Februar
1460.

Hort vnd lust.

Ew gepeut vnser allergenedigister Herr, der Romisch Kaiser,
das yeder man, arm vnd reich die Vngrischen vnd ducaten guldein

wechsel nem, vnd geb ainer von dem andern ye ain guldein vmb zwai phunt phenning, vnd nicht hüber, vnex auf die new Münss vnd ander seiner Gnaden saezung vnd Ordnung; dieselb new Münss dann in kurez irn fürgang haben wirdet, Auch yeder man allerlay phenbert in ainem gleichen kauff gebe, vnd dawider nicht getan werd pey seiner kaiserlichen Gnaden swern Vngnad vnd straffung an leib vnd gut zu vermeiden.

Geruft un Sambstag sand Juliana tag.

Schreiben von Ort aus dem Veld.

CII.
26. Februar
1460.

Allergenedigister Herr. Wir lassen auch ewr K. G. wissen, daz vns yecz von guten frewnten warnung vnd war kuntschaff komen ist, das mer als sechezehen oder aebezehen hundert man auf vns ziehen, vnd warlich auf bewt oder morgen fru mit vns treffen wollen. Bitten wir ew K. G. diemuticlich, vns bei tag vnd nacht anvereziehen zu hilff komen, damit ewrn K. G. auch vns nicht schimpb vnd schad daraus ergeen, Wann es ye an dem ernst ist. Wir sein auch in ganczem Vertrawn, vnd ergeben vns ewrn K. G. als dy ewrn, Ewer K. G. welle vns in solhen als die, die von wegen ewr K. G. leib, leben vnd gut darlegen, genediclich als die ewrn hierinn bewarn, vnd anvereziehen pei tag vnd nacht, so maist ewr K. G. mag, zu hilf komen, dann wir vns gancz in solhem ewrn K. G. bevelhen vnd verlassen. Geben zu Ort an Eritag dem Vaschung tag. Anno LX.

E. K. G. gehorsam.

Hanns Frodnacher.
Durian Balganthe.

Absag Gamaretten Fronawer von Ort wegen.

C. III.
27. Februar
1460.

Wir Burgermaister, Richter, Rat, Genant vnd Gemain der Stat zu Wienn Tun ew Gamaretten fronawer, vnd den, so Ir zu Ort in dem Gesloss habt, oder haben werdet, auch den, die dasselb gesloss wolten helffen reten, zewissen, das wir nach begern vnd ervordrung des allerdurchleuchtigisten fürsten vnd Herren, hern Fridreichs Römischen Kaisers, zuallenzeiten merer des Reichs, zu Hungern, Dalmacien, Croacien & Kunigs, Herczogen zu Osterreich & vnsers genedigisten

Herren vnd Landesfürsten als seiner Gnaden vnderlanen von desselhen gesloss wegen hylff vnd peystand tun wellen, vnd ob daraus ew, den ewrn, oder den, die ew zu redlung desselben gesloss fürdrung tun wolten, von vns oder den vnsern icht widerging, darumb wellen wir ew allen von ern vnd Rechtens wegen nichts schuldig sein. Mit vrkund des briefs besiglt mit vnserm klainen aufgedrukten Stat Insigl. Geben zu Wienn am Mitichen in den ersten vir tagen der Vasten. Anno LX⁰⁰.

CIV.
2. Februar
1460.

Fürsichtig, erber vnd weis, vnser dinst in gutem willen bevor. Wir tun ew zu wissen, das wir vnser frewnde zu vnserm allergenedigisten Herren, dem Romischen Kaiser geschikt huben durch solher merklicher notdurfft vnd geprechen des gannezen lands, Als wir ew solchs vor awch zugeschriben, vnd auf was maynung vnser frewndt mit vnserm genedigisten Herren, dem Kaiser reden vnd anbringen werden, schikch wir ew hicinn beslossen die Artikel, die Ir vernemen werdet, darauf wir zu ew gut hoffnung vnd getrawn haben, Ir werdt solhs fürnemen mitsambt vns zu herezen nemen, vnd pey vnserm Herren, dem Kaiser guten Vleis haben vnd tun, damit vnser frewnde von sein kaiserlichen Gnaden gnedielich gehort vnd abgeschaiden werden, nach dew das vnser vnd des gannezen lands notdurfft ist, das wellen wir gern vmb ew verdienn. Geben zu Gelesdorff an vnser frawn tag der Liechtmess. Anno dni LX.

Herren, Ritter vnd Kneeht, so yeez zu
Gelesdorf sein.

Den fürsichtigen, erbern vnd weisen, den Genanten der Stat zu Wienn.

CV. *Vermerkt das anbringen an vnsern allergenedigisten Herren den Romischen Kaiser des gancen Lands Mangel vnd geprechen.*

Item von ersten von des Landesrechten wegen, daz das nicht gehandelt vnd gehalten wirdet, als pey sein K. G. vorvordern herkomen ist, das es nicht mit Herrn, Ritter vnd knechten des lands zu Osterreich allain besetzt wirdet.

Item ob yndert ain landtman oder meniger vor vnserm allergenedigistem herrn, dem Rom. Kaiser berechten wurd als vor ainem Herrn

vnd Landesfürsten in Osterreich, das dann das Recht im Land mit
Herrn, Ritter vnd Knechten weseezt wurd, das auch sein Gnad kain
Recht vor seinen Gnaden vnd vor dem Marschalch auf hueh noch
schüb an haider tail willen vnd wissen, damit das Lanndrecht beleih,
als von alter herkomen ist. Auch ob ain Landtmann zu seinen K. G.
icht zu sprechen hiet, das Im dann sein K. G. orden vnd seez ain
Richter als ain Landesfürst von Osterreich, als dann vormaln die für-
sten von Osterreich auch das getan haben, vnd das derselb Richter
ain geadelter Lanndtmann sey, vnd das auch dasselb Recht mit Herrn,
Ritter vnd Kuechten des lannds besezt werd, vnd nicht mit geistli-
chen noch Gosten heschech, als von alter auch herkomen ist.

Item ob auch sein K. G. als ain landesfürst von Osterreich zu
ainem lanndtman icht zu sprechen hiet, das sol sein Gnad tun vor dem
lantmarschalch, vnd ladung auf In nemen, als dann das seiner Gnaden
vorvordern auch getan haben, als fürsten von Osterreich.

Item das auch sein Gnad orden Recht besiezet Herrn Ritter vnd
knecht des lannds zu Osterreich, damit nyemant verkurczt werd, mit
gleicher anczal, als dann das vor an sein K. G. pracht, vnd von alter
herkomen ist.

Item von der Münss wegen bitten wir, Ewr K. G. well nach
Rat der lanndtlewt mit dem ohristen Kamrer, dem Münssmaister vnd
den Hausgenossen ain Münss ordnen, schaffen, vnd bestellen nach lautt
der verschreibung, die von ewrn K. G. vorvordern vnd ewrer Gnaden
ausgangen, (fürsten von Osterreich,) wie die Munss gehandelt sol wer-
den, kchlerlich ausweisen, als dann das auch von alter herkomen ist.
Darumb wir dann den Vngelt, arm vnd reich, auf vns genomen haben,
wenn all krieg, Rauh vnd prannt das lannd nicht so
hoch erermet hat, das allain die Münss vnd noch täglich
beschiecht, vnd ewr K. G., auch die lanntlewt ain grassen Mangel
vnd abgangk an Mewten vnd Zollen, Renten vnd nuczen haben. Wer
vormaln LX Pfd. gelts gehabt hat, der hat nicht zechne.
Es ist auch yeez kain gemainer kaufslag im lannd nicht,
wenn allain die swer Münss aufkauffen vnd die Ring
darinn das doch verpoten ist pey verliesung leibs vnd
guts, darumb die landlewt vnd die hawsgenossen ge-
freyt sind, das der wechsel allain der Hawsgenossen
ist, vnd nyemants anders, damit sew die Münss dem
land behalten mugen, wann das land ander Gold vnd

silber Arezt nicht hat, wenn allain die saezung der
Münss, wenn solt das nicht gewenndt werden, so ging arm vnd
Reich verderbnuss daraus, vnd pitten, ewr K. G. well ansehen Got zu
vodrist vnd erung des gunnezen lannds, vnd wel das genedigklich
verkern vnd wenndten nach Hat der Landtlewt vnd der obristen
Kamrer, Münssmaister vnd der Hawsgenossen, darinn man dann ewrn
K. G. wol redlich weg fürhalten mag, vnd wellen das mit aller vnder-
tanikait gern vnd williclich verdienn, als vmb vnsern gnedigen
Herren.

Item von der aufsleg wegen Wein, salez, traid vnd anders, da-
mit das lannd arm vnd reich mit solher newung gröslich beswert
wirdt, das gnedigklich wenndt vnd abschaff, wann das den lanndt-
lewten ain grosse beswerung ist, vnd von alter nicht herkomen ist.

Item das vns auch sein K. G. alle vnsere Gnad, Eer, wird vnd
freyhait genedigklich bestett, in was stand er sey des adels, als das
von alter herkomen ist, als das sein Gnad, seiner Gnaden bruder
vnd Vetter vns zugesagt haben.

Item von der lehen wegen, das vns die sein K. G. genediklich
leich, vnd die lehen ruffen lass, als dann das seiner Gnaden Vorvodern
getan haben, vnd auch bestell, damit die landlewt in der kanczley
nicht beswert werden, vnd auch In Ir lehen in Geschrifft antwurten,
vnd nicht die lehenbrief, als dann von alter ist herkomen, vnd wer
auch seine lehen mit der hannd emphahen well, das die auch sein
K. G. genediclich leich.

Item von des landsfrids wegen, das die Strassen vnd die Inwoner
vnd Geast nicht beschedigt vnd beswert werden, damit ain land zu
dem andern nach notdurfften gehandeln vnd gewandeln mugen.

Item das sich der fronawer des Rechtens seiner sachen halben
erpoten hiet für dy lantschafft Osterreich Herrn Ritter vnd Knecht,
ob vnser Herr der Kaiser das Recht abslug, so erpiet sich für vnser
genedig Herren Herezog Albrechten vnd Herezog Sigmunden zu Recht,
vnd für Ir lanndlewt ob der Enns, Herren, Ritter vnd knecht.

Item ob das seinen K. G. auch nicht füget, ob gut wer, das er
sich seiner erpoten hiet zu Recht für den Kunig zu Behem vnd seiner
Gnaden Rät.

Item das sich daneben erpoten hieten die lanndtlewt zu Recht
vor vnserm genedigen Herren, dem Kunig von Behem in der mass
vor hieten sich erpoten für die lanndtlewt in Osterreich zu komen.

oder für vnser genedig Herren Herczog Albrechten vnd Herezog Sig-
munden von Osterreich vnd Ir lanndtlewt ob der Enns, ob das gericht
meb lannds recht aus gennt, oder gehandelt wurd, oder nicht, ob sein
K. G. solbe Rechtpott abslueg, so sein die lanndlewt willig für den
Kunig von Behem mit Im für Recht zekomen, ob solher Rechtpott ge-
nugsam wër, oder nicht, oder ob sein K. G. pillich aufnem oder nicht.

*Wie die Herrn, Ritter vnd Knecht, so yecz an dem tag zu Gun-
derstorff bey einander gewesen sind, dem Rat her geschriben
haben, etlich mit vollem Gwalt auf den Sambstag vor Letare
gen Wulderstorf zeschikchen.*

5. März
1460.

Abgedruckt bei Chmel Materialien II, 104.

Desgleichs haben sy geschriben den Genanten vnd der Gemain,
Desgleichs haben sy geschriben den Zechmaisteru, kürsnern,
Sneidern vnd Schustern.

Vnd den vorgenanten Rat, den genanten vnd der Gmain briefen
sind geantwurt worden an Mitichen vor Letare.

19. März
1460.

Darnach an freitag vor Letare ist mein genedigister Herr der
Romisch Kaiser persondlich mit seinen Hochwirdigen Rëten, da Bur-
germaister, Richter, Rat, genant vnd gemain bey einander besamet
worden, von solhs egemelten schreibens wegen komen, vnd hat da-
selbs sein antwurt auf solh artikel, so In die landlewt fürgenomen
haben, aigentlich erczelen lassen durch Maister Vlreichen
Riedrer, Tumbrobst zu freysing, als hernach artikelweis be-
griffen wirdet:

21. März
1460.

Abgedruckt bei Chmel Materialien II, 107.

*Also hat die Stat den Herrn, Ritter vnd Knechten gen Wulders-
torf geantwurt auf Ir schreiben.*

CVI.
23. März
1460.

Wolgeporn edeln vessten lieben Herrn vnd frewnd, vnser willig
dinst zuvor. Als Ir vns yecz ewr brief zu geschickt, vnd darinn me-
nigerlay stukch angerürt habt, vnsern allergenedigisten Herrn, den
Rom. Kaiser als landsfürsten berürund, vnd begert, die vnsern zum
tag gen Wulderstorf zu schikchen: solhs haben wir an sein K. G.
pracht, vnd sein K. G. hat vns an dem nachstvergungen freitag in
vnserm Rathaws, da er selbs persondlich pey vns Hat, genanten vnd

13*

gemain gewesen ist, darauf berichten lassen seiner gnaden maynung
vnd willens, als Ir das an der abgeschrifft hieinne beslossen vernemen
werdet, dapey bevolhen, vnd mit vns verlassen, das nicht not tu, das
wir ymand der vnsern zu solhem ewrm tag senden, wann sein Gnad
als Herr vnd Lanndsfürst genediclich darinn handeln welle, dabey wir
es diezmals als die gehorsamen seiner Gnaden vndertan vngeverlich
beleiben lassen, vnd bitten ew mit ganezem vleiss als vnser lieb Herrn
vnd frewnde, daz Ir die saehen also ankern wellet, damit Ir in gehor-
sam vnd in aynikait beleibt gen seinen K. G., damit krieg, schaden,
Vnral vnd merer Kumer, der daraus lannden vnd lewten wachsen
mocht, vermiten, vnd vnderstanden werden; das wellen wir vmb ew
vnd ewr Yeden besunder willielich verdienen, vnd was auch wir darezu
gedienn kunnen, das sey wir zumal willig. G e b e n z u W i e n n an
S u n t a g L e t a r e z u M i t t e r v a s t e n. Anno LX°.

Burgermaister & zu Wienn.

Den wolgeborn Edeln Vessten Herren, Rittern vnd Knechten, die
   yecz auf dem tag zu Wulderstorf sein, vnsern lieben Herren
   vnd frewnten.

CVII.
28. Marz
1460.

Also haben die Herren, Ritter vnd Knecht zu Wulderstorff dem
Rat, Genanten vnd Gemain der Stat geschriben.

Vnser willig dinst wisset bevor, Ersamen Vessten weisen lieben
frewnd vnd Gunner. Als wir ew am nagsten gesebriben vnd gepeten
habn, ettlich aus ew mit volligem gwalt her zu vns gein Wulderstorf
auf den nagstvergangen Sambstag zeschikehen, vnd hie mitsambt vns
fürnemen, von des grossen verderbens vnd geprechens wegen, damit
wir, Ir vnd allermenikliih in dem lannd, arm vnd reich, merklich da-
mit bekumert vnd beswert sein, darauf Ir vns yecz geantwurt vnd
geschriben habt, wie Ir solhs an vnserm allergenedigisten Herren N.
den Romisehen Kaiser pracht vnd wie sein K. G. hewt achttag in ewrm
Rathaws selbs persondlich bei ew, da Rat, Genanten vnd Gemain bei-
einander gewesen sein, vnd wie ew sein K. G. darauf seiner Gnaden
maynung vnd willens vnderrichten hab lassen, dieselb maynung Ir
vns in ewrm brief zugeschikeht habt, haben wir vernomen. Tun wir
ew zuwissen, daz vns sein K. G. auch selbs her auf den tag mit vil
swern, herten vnd vngenedigen Verpietung geschriben hat, Dasselb

seiner K. G. schreiben vielleicht nueb wol an ew gelangt ist, vnd ob
aber das nieht an ew gelangt wẽr, so schikchen wir ew hieinne he-
slossen desselben seiner K. G. abgeschrifft, auch die antwurt, so wir
seinen K. Gnaden darauf tun, die Ir vernemen werdt, vnd nicht darumb
von solher antwurt wegen, sunder wir wissen ew in solher vernunfft,
das Ir wol wisst, daz wir in den saehen nichts anders für vns nemen,
wenn den gemeinen nuez, vnd die warn lauttern vnd ganezen gerech-
tikuit. Bitten wir ew mit besunderm Vleiss, Ir wellet noch vmb die
grossen notdurfft vnd geprechen vnser vnd ewrer aller vmb die Ar-
likel, so wir ew vnd andern Steten vnd auch allen lanndtlewten zu-
geschriben haben, mit vns darinn steen, Raten vnd helffen, als Ir
des ew selbs, lannd vnd lewten schuldig vnd phlichtig seyt, vnd sun-
derlich wellet pey seinen K. G. daran sein, damit wir vnd Ir all, auch
vnser arm lewt aus solhem grossen Verderben vnd geprechen erhebt,
auch das solhs genediclich gewenndt, vnderkomen vnd abgetan wer-
den, das wellen wir gern vnd williklich vmb ew verdienn. Geben
zu Wulderstorff an freitag vor dem Suntag Judica
in der Vassten.

> Die Herrn, Ritter vnd Knecht des fürstentumbs Osterreich
> Inwoner, die yeez hie auf dem tag zu Wulderstorf bei
> einander seinn.

> Den Ersamen Vessten Namhoften vnd weisen N. dem Burger-
> meister, Richter, Rat, Genanten vnd der ganezen Gemain der
> Stat zu Wienn, vnsern lieben frewnten vnd Gunnern.

Wie vnser allergenedigister Herr, der Romisch Kaiser den   **23. März**
Herren, Rittern vnd Knechten, so auf dem tag zu Wulderstorf   **1460.**
beieinander gewesen seinn, geschriben hat.

Abgedruckt bei Chmel Materialien II, 187.

Wie die Herren, Ritter vnd Knecht, so auf dem tag zu Wul-   **28. März**
derstorf beieinander gewesen sein, vnserm allergenedigsten   **1460.**
Herrn, dem Romischen Kaiser, geschriben habent.

Abgedruckt bei Chmel Materialien II, 201.

E. 39.   An Montag anpracht In die Tiburcij et Valeriani in Oster-
14. April   reyrtagen.
1460.

Allerdurleuchtigister Kaiser, allergenedigister Herr. Wir pringen
ewrer K. G. an die notdurfft vnd geprechen, so yecz von grossen tew-
rung wegen in der Stat sind, vnd sich von tag zu tag groslichen mern,
das sich erhaben hat von der Münss wegen, vnd darnach aus dem
Verpot, so ettlich lanndlewt den Irn getan haben, Welich her zu der
Stat fürn, den well man an leib vnd gut swerlich straffen. Sich hat
auch solh tewrung yecz vast gemert aus dem, das dy Münss solt
gerufft sein worden vier phenning für ain, vnd ain
krewczer für ain phenning ewrer Gnaden newen münss,
als das an ettlichen ewrer Gnaden Ambten gehalten wirt, dadurch die
gessl die wein uns dem lannd nicht fürn wellen. Allergenedigister
Herr. nach dem als ain grosse gemain hie in der Stat ist, die all merk-
licher notdurfft bedurffen, Ist nu daraus in der Stat gross geschray
vnder armen vnd Reichen erstanden, nachdem als die Statlent mit der
münss in dy vmbligunden kunigreich vnd lannd kain gewerb, noch
arbait, noch vnfrids wegen nicht gehaben mugen, vnd von Mangels
wegen solher Münss kaynerlay notdurfft zu der Stat praeht wirdet,
das meniger handlunder man vnd Hantwurcher veyrt, vnd all sein
diener hat müssen varn lassen, daraus vnder dem volkch hie grosse
klag des schadens vnd verderbens gehort wirt; vns ist auch nemlich
angelangt, wie dy Hern dy Geslosser auf wasser vnd auf lannd allent-
halben vmb die Stat haben vast zurichten, vnd darezu Irn lewten an-
sagen lassen, in Veld zu ziehen. solten sich nun auch solh krieg be-
geben, vnd das der Stat durch die vmbligunden geslosser dy strassen
wurden verlegen, So mag ewr K. G. wol versten, wie lang man solhen
abgang in ainem solhen grossen gemain, so von geistlichen vnd weltli-
chen hie sein, erleiden mocht, vnd ist groslichen zu besorgen, das sich
merklicher schaden vnd vurat daraus begeben moeht. Das pring wir an
ewr K. G. als vnsern genedigisten Herrn vnd landesfürsten, vnd als wir
des von Vnser ayd, so wir ewrn K. G. vnd der Stat geswern haben, schul-
dig sein, vnd ruffen ewr K. G. an diemutiklich. mit aller vndertenikait,
solh geprechen gnediclichen zu vndersteen vnd zu wennden. Als vos
des ewr K. G. schuldig ist, wann solt des nicht geschehen, so ist
merklichen zu besorgen, sich mochten hie grosse Vbel daraus ergeen,

darumb getraw wir ewrn K. G. als vnserm allergenedigisten Herrn
ewr Gnad werd die Stat vnd vns all darinn genediclichen fürsehen,
das well wir vmb ewr K. G. vnderteniklichen vnd williklichen
verdienn.

Anpracht an Eritag nach Tiburci vnd Valeriani in Oster- E. 40.
ceyrtagen. 15. April
1460.

Allerdurleuchtigister Kaiser vnd allergenedigister Herr. Als ewr
K. G. begert hat verrer vnderriehtung, warumb solh tewrung worden
sey, Allergenedigister Herr, Nu hat ewr K. G. vor in vnserm anprin-
gen wol verstanden ettlich merklich sach, das die tewrung von der
geringen Münss wegen erstanden sey, Wann solh tewrung an
aller notdurfft, so die leut hedurffen, vnd an kaufmanschafft in kains
menschen gedechtnuss nye gehort ist worden, sunder
ewr Gnaden lannd Osterreich hat vormaln allezeit gute Münss gehabt,
damit alle vaile ding, auch aller gewerb vnd handl von allen vmbli-
gunden landen, auch von verrern fromhden landen enhalb vnd her-
derhalh des mers vnd des Reins in das land her sind gefurt vnd ge-
pracht worden von der guten Münss wegen, die man in
vil landen werd gehalten hat, das yecz pey der geryngen
Münss nieht gesein kann vnd mag, wann khainer nymbt gern
vmb gute war seiner frucht vnd kaufmanschafft so ge-
ringe münas, darumh doch ain yeder in andern landen silber vnd
gold gehaben mag. Also ist auch ain sunder grosse vrsach der tew-
rung, das ewr K. G., auch die, den ewr K. Gnad solh münss erlaubt
hat, das dieselben geringen münss so vnmesslich vil
geslagen, vnd heer in die Stat vnd das lannd pracht hahen, vnd
teglich pringent, das den lewten zu grossem verderben kumbt. Auch
pringt das grossen Mangel vnd tewrung hie an teglichem vailkauf,
daz ewr K. G. an die Ambter ausgeschriben hat ain krewezer für ain
pheoning, vnd vier phenning für ain phenning der newen münss ze-
nemen. Item aus solher tewrung nymht meniklich an seiner weinwachs
grossen vnd verderblichen schaden mit dem, das sich die lewt
vnder dem pirg nicht enthalten mugen, sunder merk-
lich verlauffen sind, wann die pawleut nicht Speis, noch Irr
noidurfft gehaben mugen, vnd die weingerten vasst vngepawt yez
ligent, vnd kunfftigklich vngepaut ligen werden. Item so mugen

von der krieg wegen dy Äkcher enhalb Tunaw nicht
angepaut werden das auch kunfftlielich sunder tewrung pringen
wirdet. Item wo die Vnsern im lannd vnd ausser lanndes mit der
Münss hinkoment, so wil man ln darumb nichts zukauffen
geben. Item darumb weltent auch die frömbden nicht
herkomen, vnd lr gut zurerkauffen nicht berbringen,
das auch sunder tewrung bie macht. Item vnd alle die weil nicht
ain münss fürgenomen wirdet, die ains guldein werd
ist, als von alter ist herkomen, so ist vnmuglich, das
die tewrung mug gewendet werden. Darumb piten wir mit
ganezer diemutikait auf das hoelist wir kunnen vnd mugen, ewr K. G.
geruch noch genediklich darezu gedenkchen vnd tun, damit ewr kais.
Gnad die sach genedielich wel fürnemen vnd halten, als es vormaln
bey ewrn kais. Gnaden vorvordern fürsten von Osterreich vnserr ge-
nedigen Herren gehalden worden ist, damit wirt alle tewrung vnd vn-
frid erlegt, daz wellen wir vmb ewr kais. Gnad als vnsern allergene-
digisten Herrn vnd landesfürsten vndertänielichen vnd mit willen gern
verdienn. Solt das nicht geschehen, so ist merkehlichen zu hesorgen,
das sich vil vbels daraus begeben, die ewr K. G. Stat hie zu merk-
lichen schaden vnd verderben komen mochten.

17. April
1460.   *Anpracht an phincstag nach Tiburci vnd Valeriani.*

Allerdurleuchtigister Kaiser vnd allergenedigister Herr. Als vns
ewr K. G. vor an Montag vnd darnach an Eritag auf vnser anbringen
geantwurt vnd anweisung an vns begert hat der Artikel, die Münss,
tewrung vnd krieg berürund sind.

Von ersten von der Münss wegen, wie solher schaden vn-
derkomen wurde, Allergenedigister Herr, an kunnen wir des laider
nicht, wie gern wir das tun wolden, wann der schaden ist nu vorhan-
den vnd vnwiderhringlich, wann nu der geringen münss an
vnser schuld das land vol ist, dadurch gold, silber,
vnd allto Münss aus der lewt gewalt ersehepht, vnd
das land in verderben pracht vnd komen ist.
Yedoch bedeucht vns gut vnd füglich, daz ewr k. Maiestat be-
stellet, das nu fürbaser in allen Münsshöfen kain ge-
ringe Münss mer geslagen, sunder das gute Münss hie
geslagen wurde nach alten herkomen, die den wert

des guldein an silber in In hielte, daz dadurch notdurfft der Speis, Handlung der lewt vnd arbaiter wider in das lannd kêmen, daraus ewrn K. G., auch ewrn Gnaden lannden vnd lewten lob, ere vnd nucz vnd frumen gieng. Geschicht das nicht, so ist zu fürchten, das daz land nicht gepawt, vnd die lewt sich darinn nicht ernern mugen vnd gancz in schaden vnd verderben komen.

Dann als ewr gnad menigermal berürt hat, wie die Hawsgenossen hie nicht haben münssen wellen & Allergenedigister Herr, mainen die Hawsgenossen, soll die Münns fürgenomen sein als vor zu ewrn K. G. vnd ewrer Gnaden vorvodern zeiten nach laut Irer freyhait beschehen ist. Sy wern des allezeit willig gewesen vnd noch willig, als sy das vormallen ewrn K. Gnaden in Raittung vnd in geschrifft aigentlich fürpracht habent, des denn ewr K. G. noch Ir Zedl pey ewrer Gnaden handen habe, dadurch ewr K. G. wol verstannden hat vnd versten mag, das sy in solher weis vnd erlaubnuss, andern geschehen. nicht füglich haben münssen mugen, noch des in solher Mass zukomen möchten.

Dann als ewr K. G. maint, das solh tewrung nicht der Münss schuld sein sold, darumb wenn ewr K. G. offt mit vns geschefft Ordnung des vailen knuffs fürezenemen, ewr Gnad sech auch das noch gern.

Allergenedigister Herr, haben wir vor ewr K. G. menigermalen, auch sunderlich die Hawsgenossen schrifftlich vnd mundlich fürprecht, die weil solh vnordnung vnd geringerung der Münss sey, vnd nicht ein stäte vnd beleibliche Münss, als vor ye vnd ye in dem land loblichen gewesen ist, fürgenomen vnd aufgeworffen werde, so sey nicht muglich, das kainerlay vailkauff von den hogsten vncz auf die nideristen phenwert nymer mug geseczt werden, als man das an den Ruffen der Münss vmb den Guldein, die nie sind gehalden worden, wol mag erkennen.

Item als ewr K. G. hat antwurten lassen, wie wir tewrn wein schenkchen vmb zwelf vnd virezehen & darauf geben wir ewrn K. G. zu versten, so man schenkcht vmb zwelf, so pringt ain fuder wein acht vnd virezig phunt

phenning, dorinn ist nicht mer, dann acht lot silber,
ob die mark pey ainen halben lot bestunde, die sind
dreyr Guldin vnd ains halben Ort wert, vnd da wir die
wein gepaut haben, da haben wir Münss für zeben
guldein hin aus geben, also verlur ainer pey syben
guldein an ainem yeden fueder wein, vnd vorczeiten,
so ainer uin fuder wein verkaufft oder verschenkebt
hat ain achterin vmb vir phenning, das precht XVI Pfd.
den., in dem ist gewesen XLVIII lot silber, das ist zu
sechsmaln so vil, als in den yeczgenanten XLVIII Pfd. dl.
soll sein, vnd dennoch so ain annder gute Münss
aufgeworffen, vnd die gegenwürtig Münss verrufft
wurde, so musst man desselben gelts gar vil vmb
ain gerings gut an werden, das meniger, der der
Münss vil in seiner Gwalt hat, in verderhlich scha-
den kumbt.

Auch allergenedigister Herr, so frid vnd ainikait in dem
lannd wär, vnd ewr K. G. den aufslag, so ewr K. G.
yecz auf die Ambter hat getan, abtet, so wër zu hoffen,
das man allerlay Speis, fleisch, Kaufschacz vnd ander
notdurfft her in die Stat vnd das Lannd dester mer
füret, als dann vor beschehen ist, es fürten auch die
gesst Ir wein, die sy gekaufft habent, oder noch
kauffen wurden, aus dem lannd, das aber also, so der auf-
slag nicht abgeschafft, noch aynikait in dem lannd betracht vnd ge-
macht wirdet, nymer gesein mag, vnd all koufflewt vnd gesst
enphrombden sich von der Stat vnd dem lannd, vnd
suchent ander weg in andre lannd vnd herschafft mit
Irm handel vnd gewerb, die hart berwider precht mag
werden, vnd daraus zumal land vnd lewten grosser schad auferstet,
vnd kunftielich aufersteen wirdet, vnd ewrer Gnaden Rennt vnd guli
dadurch merklich abnemen vnd geringert werden, vnd piten diemu-
tiklichen; ewr K. G. geruch solh vnser gut bedunkchen genediclichen
aufczenemen, vnd im pesten zuversten, auch die gering Münss gene-
digelichen schaffen abzetun, das wellen wir vmb ewr K. G. mit aller
vndertenikait williclich verdienn nach allem vnserm Vermugen.

Vermerkcht der Stat geprechen von der Münss, teurung vnd E. 42.
Hungers wegen, so den Röten ist anpracht in der von Passaw
hof an Mitichen vor Petronelle. 28. Mai
1460.

Hochwirdiger fürste, Edeln, vessten, genedigen, lieben Herrn.
Wir geben ewrn Gnaden zu erkennen vnnser merklich geprechen, die
vns anligund sind.

Von ersten von der sworczen Münss wegen haben wir
vnnsern allergenedigisten Herren, den Romischen Kaiser vor ettli-
chen langen tagen menigermal unpracht, was vbels vnd
schadens sich daraus begeben mug, vnd sein K. G. diemuticlich ge-
beten vnd angerufft mitsambt seiner Gnaden hochwirdigen Röten
darinn zu sehen, damit die allenthalben vnd myner gemünst wer
worden, daez aber vnezher nicht gescheben ist, wie wol sein K. G.
der nu zu münssen aufgehört vnd abgeschafft hat,
ydoch so wird sy an anndern cnaden für vnd für ge-
münst, vnd alle in die Stat pracht. Nu ist Ir so vil
worden, vnd als gering, daz Ir nu nymundt mer nemen
wil, weder auf dem lande, noch hie, vnd wie wol wir
noch vnser wein darumb schenkchen, so wil man der-
selben Münss von vns widerumb nicht nemen, vnd
mugen der weder gen weingarten, noch in kainen an-
dern vnsern notdurfften nyndert anwerden, vnd pey
solher vberflussikait der geringen münss mag sich weder der purger,
der hautwercher, noch der gemain man nicht betragen, noch nichts
seinen frumen damit schaffen, vnd solhs pringt zumal grosse tewrung
vnder Reich vnd arm. Wann man vns vmb die Münss nichts zu wil
fürn, wo dann die Vnsern mit der Münss hinkomen, so mugen sy
darumb nichts kauffen, vnd also müssen die leut gross hunger vnd
mangel dapei leiden. Nu ist ain gemaine red auf ersten den
vnder der gemain hic, vnd habent auch das offentlich
in vnser gegenbürtikait geredt, ob vnser allergene-
digister Herr der Kaiser solhs nicht wenden well,
des sy doch zu seinen K. G. nicht hoffen, so mugen sy
solhs hungers vnd verderbens nicht lenger dulden,
vnd wellen auch nicht lenger laiden, das sey Ir may-
nung. Wann sy mugen, noch wellen hungershalben ye

nicht sterben, noch Ire kinder verkauffen, noch auf
die strassen von In seczen, als dann vnezher ge-
schehen sey vnd wie wol wir van gemainer Stat wegen vns swer-
lich angriffen haben, vnd ain merkliche Sum traids vnd Ochsen ge-
kaufft, vnd die gemain vnczher damit aufgehalten haben, vnd noch
villeicht auf ain kurcze zeit aufhalten mochten, vnd so das nu ver-
triben wirdet, so mugen noch kunnen wir in den sachen verrer nichts
tun, wann es an der Stat vermugen nicht ist, vnd ist zu besorgen, soll
solhs nicht vnderkomen werden, des wir doch zu seinen K. G. nicht
hoffen, so mugen sich sachen dadurch begeben, die vn-
widerbringenlich wurden, vnd nach dem vnd vnser allerge-
nedigister Herr, der Rom. Kaiser menigermal der gemain hat lassen
zusagen, ob wir icht mangels oder geprechens hieten, die mochten
wir in geschrifft anpringen, die woll sein K. G. trewlich wennden als
genediger Herr vnd landesfürst, vnd auch vns bey vnsern freihaiten,
Statuten, Gnaden vnd altem Herkomen genediclichen halten. Auf solhs
hat die gancz Gemain begert, vnd erostlich mit vns verlassen, das
wir zuvoran den Artikel von der münss, tewrung vnd hungers wegen
mitsambt andern artiklen vnd geprechen der Stat seinen K. G. an-
bringen sollen, des wir vns dann auf solhs swer anruffen der Gemain
verwilligt haben, vnd darumb, genedigen Herren, so bringen wir die
sach an ewr Gnad, nachdem vnd vnser allergenedigister Herr, der
Ro. Kaiser ewrn Gnaden die bevolhen hat auszurichten.

Item so geben wir auch ewrn Gnaden zu erkennen, das vnsers
genedigisten Herrn des Kaisers Ambtleut an dem aufslag
des salczs vnd weins, vnd an den Mewtten nicht an-
ders nemen, dann guldein, oder weiss phenning, vnd
so ainer der Münss oder guldein nicht hat, so halten
sy die war an den Mautsteten zu phant, durch solhs
willen macht man mangl am zu fürn, vnd das kauf-
recht der wein, damit wir vns vnd all Inwoner des
lands ernern solten, ist damit erlegt, vnd sunderlich
den Burgern in den Steten pringt das verderblichen
schaden, wann vil kauffleut gewesen sind, die wein
wolten kaufft, vnd Ir gold vnd gelt wider von dann
gefürt haben.

Item das all kauffleut hie in der Stat müssen verderben vnd nu
ain tail verderben sein von wegen der grossen vnd verderblicher

hanndlung der Gesst, wenn die gesst vnd die legrer die habent allen handl mit allerlay pbenberten, mit venedigischer war, mit allem dem, das den Hantwercbern zugehoret, vnd kauffent auf alles Silber vnd Gold, vnd fürn das aus dem land, Si saigern auch alle Münss, die swern fürn sy aus dem land, die geringen lassen sy in dem lunnd, vnd was seez vnd ruffen geschehen, das ist alles nur für die gesst, vnd wider die burger.

Item so sich auch vnser allergenedigister Herr, der Römisch Kaiser mit den lanndlewten verainet, vnd zu gutem eunde pracht wurden, so wurd durch solh verayniguug fürgenomen gute mün s, vnd die gering Münss vernicht, vnd wurd allenthalben in dem land guter frid, vnd in solhem frid vnd verayniguug wurden die gesst wider in das land arbeitten, vnd alle nurung vnd notdurfft zu der S'at bringen, vnd wider von dann fürn, vnd also wurden alle phenbert wider in Irn rechten kauff komen, als vor, auch der Guldein vnd das silber wurden wider in Irn alten kauff bracht, vnd wurd die lewrung vnderkomen; das dann für vnsern allergenedigisten Herrn, auch laud vnd lewt vnd für arm vnd reich wer, vnd das auch sein kaiserlich Gnad an allen seinen Mewtten vnd Ämbtern abschuff alle Newikait, vnd Mewtt vnd Zoll zenomen, als die von alter herkomen, vnd genomen sind worden.

Darauf bitten wir ewr Gnad diemutielich mit vleiss, Ir wellet vnsern allergenedigisten Herrn, den Ro. Kaiser dar an weisen, auch weg gedenkehen, damit solher Irsail der Münss ganez erlegt vnd aller obgeschriben geprechen vnd Artikel gewenndt werden, vnd das auch sein kais. Maiestat genedielich welle ansehen, das wir vns an sein K. G. vorvordern fürsten von Osterreich, vnd seiner K. Maiestat ulbeg gehalten haben als geborsam vnd getrew vndertan.

Wann sein K. G. wiss wol, wes er vns als seiner Gnaden vndertanen als Herr vnd Landesfürst schuldig vnd phlichtig sey.

Sein Gnad wiss auch wol, wie wir bey seiner K. G. fürsten von Osterreich vorvordern in gnaden vnd in aufnemen genedielich gehalten sein.

Sein K. G. wiss auch, in was grossem abnemen vnd schaden die Gemain der Stat hie zu seiner K. G. zeiten yecz komen sey, als das denselben seinen Gnaden vor manigveltielich schrifftlich vnd mündlich erczelt vnd fürbracht ist, solhen schaden, den meniklich hie empbungen hat, der sey bey vnsern zeiten vnerseheezlich.

Also bitten wir vndertanigklich, daz sein K. G. solh merklich vnd
gross geprechen genediclich vnd fürderlieh vndersteen vnd wennden
welle. Wann gescheeh des nieht, so mochten sich daraus swere vnd
grosse vbel begeben.

Dabej sind gewesen, vnd darczu erwelt die Artikel anzepringen

Burgermuister.	her Oswalt Reicholf.
Richter.	Zieglhawaer.
her fridreich Ehmer.	Meilinger.
Potl.	Niclas Ernst.
Teschler.	Michel Weiss.
Wissinger.	Tengk.
Maister Mert guldein.	Westerndorffer.
Swarcz.	Aschpckeh.
	Peter Weiss, Tischer.
	Kasehawer.
	Michel Anthofer.
	flvrer.
	Linhart Puder.
	Vlreich Vogel.

Jorg Rauchmair.
Scherrübel Slosser.
Goltperger Satler.
Rudolf Huter.

E. 43.

**31. Mai
1460.**

*Auf der Stat fürbringen habent vnsers genedigisten Herren
des Kaisers Ret geantwurt au sant Petronellen tag am
phingstabent.*

Auf die fürgehalten Stukeh vnd Artikel durch die von Wienn N.
dem von Passow vnd andern vnsers allergenedigisten Herru des Ro-
mischen Kaisers Reten, so yecz hie sind, Ist von In daraus also geredt
vnd geantwurt worden.

Von erst des Stukeh halben, die Münss berürund & Zweyfell
nicht sein K. G. auch meniklich verstee wol, das gut wär, das der
geringen Münss allenthalben aufgehort wurde ze münssen, vnd ou
seiu K. G. an seinen Münssteten der aufgehort hat,
vnd mit den, so von seinen Gnaden gefreyt sind zu

mänssen, zereden, derselben geringen münss aufze-
horn, auch ander Münss zu mänssen nicht zugebrau-
chen, vnd mit In, wie dann des stat gefunden wurde,
ainig zu werden; woll oder moeht des aber nicht gesein,
das dann sein K. G. mit In reden liess, daz sy hie münss-
ten, vnd Ir münss gebandelt wurde durch den Obristen
Münssmaister vnd die Gesworn der Münss, als seiner
K. G. münss geslagen wirt; ob sy des auch nicht tun
wollen, so moeht sein K. G. redlich vrsaeb haben, In
nicht verrer gestatten zu mänssen, vnd solih Ir frey-
hait abzenemen.

Item ob In sein K. G. hie für sich selbs die Münss ver-
legen, vnd fördern wolt, daz stat bey seinen K. G. Wolt aber
sein K. G. das nicht gemaint sein, vnd des den Hawsgenossen,
ob sy sich des annemen wollen, vergunnen, daz stat auch
bey seinen K. G. Ob sy aber des auch nicht vermoehten, noeb tun
wolten, als dann sein K. G. yedem mann erlaubte, auf
ain zeit ze mänssen, doeb albegen mit den gesworen
Obristen Münssmaister vnd andern geordenten bie zu
der Münss in dem Münssbaws.

Item zu fürdrung der Münss, vnd damit die an ain pessern gank
praeht wurde, auf seiner K. G. verwilligen ist sunderlich auf ain
solchen weg geredt, ob sein K. G. ain schaden dulden wolt,
daz dann sein K. G. die newen Münss heraus gäb, ett-
lich zeit vmb die gering münss auf ain zeit oder ain
anczal ettlicher tausent phunt in ainem werd, daz die
lewt damit auch nicht beswert werden, damit die gering Münss ver-
triben, vnd die new vnder die leut kom.

Item das auch sein K. G. bestelte vnd ernstlich darob wär, daz
kain ringe münss mer her gefürt, vnd was der her-
praeht, genomen wurde zu seiner Gnaden hannden.

Item den andern Artikel, wie man an Mewtten, Zollen vnd aufslag
nicht anders, dann gold oder die weiss münss nemen welle & ist In
geantwurt, nach dem die weiss Münss nu geruflt, vnd ains tails aus-
geben, vnd doch nueh nicht so vil ist, daz man der ain genugen hab,
darumb nu, wo man die nicht gehabon mag, gold genomen mu(n)ss
werden, das sy nu selbs auch Irn Rat darinn segen, den an sein K. G.
zepringen. Darauf sy geantwurt haben: Wo sein K. G. auch vir

der swarczen oder ain krewezer, wie dann die be-
ruffung beschehen ist, an Mewtten, Zollen vnd auf-
slegen nemen, so wurd man wein, traid vnd annder kauffmanschafft
widerumb aus vn:l in das land fürn, vnd solher tewrung dester fügli-
licher gewenndt wurde.

Auf den dritten Artikel von der gesst hendlung wegen & Ist In
fürgebalten, das sy den pas erlewttern, vnd mit wew, vnd wie sy nicht
handeln sullen, das in geschrifft geben auf verrer anbringen an
sein K. G.

Auf den virden Artikel, die aynung mit den lanndlewten berü-
runt & Ist In gesagt, wie sich sein K. G. in anfank gar genedigelich
gen der lanndschafft erpoten hab, Sy genedigelich zu halten, vnd alles
das tun wolt vnd getan hab, als genediger Herr vnd landesfürst tun
solt, vnd sich in albeg geen In erpoten aller pillikait, auch nicht vrsach
geben, noch geben wolt, solh mutwillen wider sein K. G. fürezeneme-
men, als In dann das ettwe offt auch fürgebalten sey; So hab auch
sein K. G. kain taiding der sachen nie abgeslagen, vnd auch noch
nicht abschlach, auch kain pruch vnd aller pillikait abgang an seinen
K. G. nie erfunden sey, vnd noch nicht erfunden sull haben, sunder
sich der albeg erpoten hab, vnd erbiete als nicht zweyfel sey, Sy
sells versteen vnd wissen, wann sein K. G. dem legaten, dem Kunig
zu Beheim vnd Herczog Albrechten vergunnet hat, in den sachen zu
taidingen, Aber sy haben Herczog Albrechten nicht wellen vergunnen,
sich in die ziehen vnd zetaidingen, vnd die Ret versteen wol, daz gar
gut wer, damit sein K. G. mit In in guter aynikait stunde, vnd gehor-
sam von In hiet, darezu sy mitsambt In gern geholfen, geraten sein
wolten, sovern füglich weg vnd mittel gefunden moehten werden.

Auf den fünften Artikel die Newikait vn den Mewtten vnd Ambten
abzeschaffen & ist auch pesser lewtterung in geschrifft zu geben be-
gert worden, des Sy sich zetun erpoten haben.

Hochwirdiger fürst, genediger Herr vnd die andern vnsers aller-
genedigisten Herrn, des Römischen Kaisers Ret.

Als vns ewr Gnad ret, als vns ewr Gnad ewr Gnaden fürnemen
auf vnser der Stat notdurfft in geschrifft geantwurt, vnd daraus zu
vns begert habt, vnser maynung vnd gut bedunkehen auf ze merkehen.

Genediger Herr. Nu hat ewr Gnad vnser vnd der Stat notdurfft
in geschrifft wol vernomen, was ewr Gnad darauf wais zu raten vnd

fürsenoemen an vnsern allergenedigisten Herrn, den Romischen Kaiser
zebringen, damit solh vnser notdurfft vnd geprechen genediclichen
gewendet werden, des wellen wir seinen K. G. vnderlenigelichen
dankchen, Wann vns fügt nicht zu raten in sachen, die
wider der Stat freihaiten solten gehandelt werden.

Dann als ewr Gnad erlewtterung ettlicher Artikel, die kaufsleut
vnd kaufmanschafft, auch aufslcg an den Mewtten vnd Zollen antref-
fend begert habt, desselben Artikel wäru yeez zu lankch
aufzuschreiben. Aber so vnser allergenedigister Herr, der Ro-
misch Kaiser herkomen wirdet, wellen wir die seiner kais. Maiestat
rubringen.

Wie der Kunig con Beheim Vnserm allergenedigisten Herrn   CVIII.
dem Kaiser con der Lanndllewt wegen geschriben hat.   30. Mai
                                                         1460.

Dem allerdurleuchtigisten fürsten, hern fridreichen, Romischen
Kaiser, zu allenczeiten merer des Reichs, zu Hungern, Dalmacien,
Croacien & Kunig vnd Herczogen zu Osterreich & Embieten wir Jorg
von Gots gnaden, Knnig zu Beheim vnd Marggrave zu Merhern vnser
frewntschafft vnd dinst. Allerdurleuchtigister Herr vnd Swager, Wan
vns die geprechen vnd vnwillen, so zwischen ewren durleuchtikait,
vns derselben ewrer durleuchtikait Lanntschafft zu Osterreich nye
lieb gewesen sein, als Ir durch vnsers manigveltig schreiben, auch
muudlich botschaft wol vermerket habt, wie wol vns das villeicht
durch ettlich anders verkert ist worden, wie dem, so haben vns vnser
Rät, die wir am Jüngsten bey ewr durleuchtikait gehabt haben, zu
erkennen geben, daz Ir solh geprechen vnd vnwillen auf vns stellen,
vns zu willen die ergeben, vnd der hemelten ewrer lantschafft gene-
diger Herr sein wollet, das wir vnd ew in vleis dankchen, vnd fugen
ewrer durleuchtikait zu wissen, das aus den Herren vnd der
Ritterschaft derselben ewrer lanntschafft yezund pey
vns gen prag trefflichen ersehinen sein, gen den wir
vnsern vleis getan, vnd Sy daran gewcist haben, daz Sy sich gen ewr
durleuchtikait als getrew lanndllewt gehorsamlich halten wollen in
hofnung, Sy werden vns des vervolgen, vnd wir seezen auf kaynen
zweyvel, ew durleuchtikait werde dem, so vns vnser geschikten Räte
von ewrn wegen zugesagt, vnd des ein verschribne Zetl beipraecht
haben, nachvolgen. darauf geruch ewr durleuchtikait mit ewrn Ambt-

Fontes VII.   14

lewten vnd andern den ewrn zu schaffen vnd zu bestellen lassen, das daruher den egenanten lanndleuten kain schad getan, noch zugefügt werde. Als wir sy des dann auch vertrost haben, bittend des alles ewr geschriftlich antwurt. Wann wir in maynung sein, vnser trefflichen Rete nach sand Johanns tag Sunibenden schiristen anverczieben in ewrn kaiserlichen Hof zuvertigen, den wir in berelb geben wellen, irn getrewn vleis anzukern, die ohgemelten geprechen vnd vnwillen nach verhorung der Stukch geneinander ewr durleuchtikait in gevallen verrer vnd weiter gutlichen abzutragen, zu stellen vnd binhey zu legen, vnd warinne wir derselhen ewrer durleuchtikeyt in dem vnd andern gewilkefarn kunten, das teten wir gern. Wir pitten auch ewr durleuchtikait sunderlich, die welle ewr lanntschafft zu, auf vnd wider von dem tag, der gehalten sol werden, mit glaytt vnd sicherhait verfangen, vnd vns das bey disem vnserm boten sehrifftlich zusenden. Gehen zu prag an freitag nach dem Suntag Exaudi vnnsers Reichs im dritten Jare.

Commissio propria dni Reg. in consilio.

Dem allerdurleuchtigisten fürsten (ut supra) vnserm lieben Herrn vnd Swager.

Anima.

Auch bitten wir ewr durleuchtikait, die welle vnser Prelaten vnd Herrn, die wir zu dem tag vermainten zu schikchen, auf anderthalb hundert pherd mit glait notdurfftielichen versorgen, vnd vns des ain glaitzbrief zusenden. Wir haben auch mit dem Zmyel von Vetaw vnserm lieben getrewn ernstlich schaffen lassen, das er stille siezen, vnd khainen zugriff tun sulle, denn was er getan hat, ist an Vnsern willen vnd wissen heschchen. Also geruch ewr durleuchtikait desgleichen mit ewrer lantschafft zu bestellen, das sy auch kainen zugrif auf den egenanten von Vettaw tun, noch Im schaden zufugen, bissohauge die sachen verfügen vnd abgetragen werden.

Vermerkcht die Ordnung, so von dem Rat, Genant vnd Gemain   *E. 45.*
die darezu geben sein, betracht vnd gemacht haben zu bewarung
Vnsers Allergenedigisten Herren, des Ro. Kaisers vnd aller der
sein, auch vnsers genedigisten Herrn des Kunigs von Beheim
botschafft, vnd ettlicher lanndleut, die yecz zu dem tag her-
komen sullen & au phincztag vor sand peters vnd sand pauls   *26. Juni*
tag. Anno LX°.   *1460.*

Burgermaister, Richter vnd der gancz Rat.

Von den genanten vnd gemain:

Reicholf.	Wolfgang Salczer.	Michel Wenynger.
Zieglhawser.	Tanhawser.	Progentel.
Niclas Ernst.	Purkhawser.	Poschendorffer.
Arnold Galander.	Wisler.	Hanus Eon.
Tengk.	Gilig Waldner.	Hanns Aschbckch.
Thyrm.	Jorg von Ror.	Linhart Kerner.
Menesdorffer.	Oczestorffer.	Jorg Winkehler.
Holnhrunner.	Gilig Ilyener.	Kramer vor Stuhentor.
Odenakcher.	Jorg Rauchmair.	Hager vor Schottentor.

Von ersten, das die haubtleut in den vir virtailn der Stat yeder
sein Rotmaister sol ervordern, vnd den sagen, das er mit den, die in
seiner Rot sein, aigentlich sol reden, vnd von In ain wissen hab, daz
Sy in guter warnung vnd darezu gehorsam sein, wann sy gevordert
werden, daz die willig sein zu komen anvereziehen, dahin sy von Irn
Rotmaistern gevordert werden.

Item den haubtleuten sol auch empholhen werden, daz Sy die
Torr, Turn vnd polhorch sullen bewarn vnd peseczen mit lewten tag
vnd nacht nach notdurfften.

Item die Sturmglokchen sol auch hesoczt vnd mit den erbern
Hannsen Gruntreich vnd Hannsen Viregken hewart wer-
den, vnd in Hut huben sullen.

Item es ist fürgenomen, ob des not wurde, daz man des nachts
auf der gassen ain Schkart haben sol.

Item des tags sol man auch in ettlichen Hewsern geharnascht
leut halden, ob des not wurde.

14 *

Item man wirt bestellen vnd ernstlich reden mit den pekchen vnd den fleischhakchern, das die notdurfft prot vnd fleisch haben, vnd ain gleichs phenbert geben sullen.

Item das man in vngewondlichen Gasthewsern, in Herrn Hewsern vnd purgerhewsern nicht gastum bald, denn in den gewondlichen Gasthewsern, die vor darezu fürgenomen sind.

Item das auch ain yeder Gastgeb sein Gesst alle nacht in Geschrifft zubringen sol ainem Burgermaister.

Item das bestelt werd, daz der prunn am graben sein gang vnd wasser hab von meniger notdurfft wegen.

E. 46.
2. August
1460.

Von des Auflags wegen hat man anbracht an Vnsern allergenedigisten Herren, den Romischen Kaiser an Sambstag vor sand Stephans tag Inrencionis.

Allerdurleuchtigister Kaiser vnd Allergenedigister Herr. Als wir vormaln menigermal vnser nemliche potschafft pey ewrn Gnaden in der Newn Stat gehabt haben von wegen des Aufslags auf die wein, vnd ewr K. G. daselbs vnd auch hio mit aller diemutikait gepeten haben, denselben aufslag genediclich abzetun, vnd auch daselbs erzelt den grossen merklichen schaden, den gemaine Stat davon hat; Nu werden wir yeez aber durch genant vnd gemain vesticlich angedrungen, ewr K. G. yeez aber an zeruffen, nachdem vnd es ain Newikait vnd von alter nicht herkomen ist, das dann ewr K. Maiestat denselben aufslag noch genediclich geruch abzuschaffen. Also bitten wir ewr K. Maiestat von gemainer Stat wegen, ewr K. G. well ansehen den grossen merklichen vnd verderblichen schaden, den dann gemaine Stat dadurch hat, vnd denselben aufslag genediclich geruch abzetun. Wann ewr K. G. sol wissen, das die Stat von weinwachs vor zeiten merklich hat aufgenomen, wann man jerlich merklich wein von hynn gefürt, vnd sich ain yedert genert damit hat. Aber sider der Aufslag darauf komen ist, habent die Gesst zumal wenig wein hie gehebt, vnd das allain von des aufslags wegen, also daz wir vnser wein ierlich nach grossem vnserm verderben müssen vnwerden. Wann die wein, die man yeez schenkcht vmb zehen, zwelf oder virezehen, da wirt ainem aus ain fuder wein kaum VII Guldein, das ain selbs zehen zu pawn gesteet, vnd so man die wein von vns nicht fürt, so mugen wir ir mit schenkchen allain hie nicht vertreiben, noch anwerden, wann sich menniklich

hie auf wein legt geistlich vnd weltlich. Es ist auch sunderlich ein
grosse fürsorg darinn, solt der aufslag nicht abtan werden, so wur-
den die Gesst weg fürnemen auf die frankehen wein
vnd Elsazz, auch die von Beheim vnd Merhern, gen
Vngern, die doch albeg ye vnd ye der Osterwein zu
kauffen hie gepblegen vnd geprauoht habent, und so
dieselb nu in gewonhait damit komen, vnd solh frombd
weg lerneten vnd fürnemen, so wurden sy hinfür den
Osterwein zumal nichts achten; vnd so ewr K. G. den auf-
slag hinfür genediclich wurd abschaffen, so wer es zu spat vnd hulf
dann zumal nichts, wann die in ober launden wurden des frombden
trankehs gewan, daz sy der Osterwein zumal nichts wurden achten,
vnd also so musten wir vnd auch all andern ewrer K. G. Stet vnd
Merkcht ganez verderben, vnd die weingarten vnpawt lassen liegen,
wann der maist handel im launnd Osterroich ist allain
mit der weinwax, des sich dann ain yeder vnezher redlich vnd
erberlich damit genert hat, sich, sein weib vnd kinder, das aber also,
so der aufslag beleiben solt, nicht geschehen mag. Darumb, allerge-
nedigister Herr, solh merklieh verderben ewrer Gnaden Stet vnd
Merkcht geruch ewr K. G. zewennden, vnd den aufslag genedigklich
abzeschaffen, damit sich ain yeder genern mug, als von alter herkomen
ist. Das wellen wir vmb dieselb ewr K. Maiestat mit aller vnderteni-
kait willielich verdienn.

Antwurt vnsers allergnedigisten Herren, des Romischen Kaisers   E. 47.
den Lanndtleuten, so von Herrn, Rittern vnd Knechten yecz   6. August
zetegen hie gewesen sein auf die hernach bemelten Artikel.   1460.

Zum ersten von der Müuss wegen hat sein K. G. auf die
gewilligten Ordnung vnd Münssung, der sein K. G. yeez hie aus
merklichen vrsachen ze Rat worden, vnd durch sein Gnad mit den
Hawsgenossen verlassen worden ist, den egemelten Landlewl-
ten Versorgnissbrief, auch dapey den vorgemelten
Hawsgenossen auf solh abberürte verlassne Ordnung
vnd Münssung seiner K. G. schermbrief gevertigt vnd
bevolhen zugehen, als das dieselben brief daruber
ausgangen lautter inhaltend, daran dann dieselben
lanndtlewt vnd Hawsgenossen gevallen gehabt haben.

Item von des lanndsreehten wegen ist sein K. G. noch
willig, den Herren, Rittern vnd Knechten, welh sein
Gnad darczu haben mag, irn sold zugeben, das Si pey-
siczer sein, vnd das lanndreeht fürdern vnd scher-
men mit Irer hilf vnd Rat in allen notdurfften als von
alter herkomen ist, damit das lanndsreeht mit Herren, Rittern
vnd Knechten des fürstentumb Osterreich beseczt werde, vnd sein
aufriehtigen Gang haben mug mit vermeidung vnpillieher
schub, alles treulich vnd angeverde.

Item sein Gnad ist auch willig, den Lanndsfrid bestellen,
gehalten zewerden, als davon geredt ist mit Verpietung des
aufhalten frombder, vnerkanttner, vnd die nicht Herrn
haben, in der steten prot, dinst vnd sold Sy sein, auch
den nachzekomen, vnd den Lanntriehter zu derselben
straff zeseczen, auch mit Irer hilff dem Lanntmar-
schalch vnd lanntriehter scherm vnd rugken darinn
zehalten vnd wann es zu schulden kumbt, das mit
ainem Haubtman vnd lewten an die Marich zu legen,
das bewarung gescheeh, als von alter herkomen ist.

Item von der fohen wegen, wie davon geredt ist, ist willig
sein K. G. die zu leihen, vnd auch in den anvellen sich darinn ze
halten, als lehens vnd lannds Recht, vnd es von alter herkomen ist,
angeverde.

Item von der Juden wegen maint sein K. G. nicht zu
halten mit wonung vnd irn gewerben im land, als sich des offt sein
K. G. gewilligt vnd aufriehtielieh darinn sieh vnezher gehalten hat.

Item von der hestelligung wegen der freihait, wie
sein Gnad sich vor darinn erpoten hat, also ist sein K. G. noch willig,
wo solh vermelt freihait fürbracht werden, die zu horn, vnd als gene-
diger lanndsfürst vnd Herr noch pillichen zu bestetten, es sey in ge-
mayn, oder in sunderhait.

Item von der wegen, die Verschreibung von sein
K. G. oder seiner Gnaden vordern, oder ander an-
verordrung haben, es sey vmb geltschuld, oder Sold, ist auch
willig sein K. G. dieselben darinn genediclieh zehorn, vnd vergunnen
der potschafft des Kunigs von Beheim zwischen baiden taillen yecz
zereden vnd ze taidingen, vnd gleicher mittel zu ainikait In für ander
zuvervolgen, vnd wo sein K. G. sich mit denselhen seins tails gutlich

nicht betragen mag, die mugen sein Gnad mit gewondlichen Rechten
darumb anlangen, des In fürderlich stat getan werden sol, wie sich
das gepürt, vnd von alter herkomen ist. Desgleichs sein K. G. gegen
den, die seinen K. G. iebt zetun schuldig werden, sich auch Rechten
benugen lassen wil, als vor stet, also daz yeder tail des Rechtens, vnd
nicht gwalts, noch vnrechtens geprauch.

Item von des aufslags wegen & Ist wol vernomen, aus
was notdurfften vnd wie mit Rat der im pessten ist angesehen wor-
den vngeverlich nyemant im land zu sundern gedrung kumbt, es auch
an das, daz mer lanndleut sich zu tegen zu seinen K. G. fügen werden,
als, obgotwil, in kurez heschehen sol. Ist sein K. G. der, auch anderr
merklichen sachen halben in willen, die Lanndtschafft zuvordern in
gutem fürsacz, das aus pesserung solhs aufslags vnd von andern not-
durfften zu gemainen nucz der lanndt vnd lewt weiter geredt vnd ge-
handelt werde.

Item als der fronawer vngehorsamer seinen K. G. vnd
dem Rechten gefunden wirdet, vnd alle rechtliche erpietung
mer, dann pillich ist, gen Im beschehen wider lanndsrecht des Kriegs
geprauoht &. Begert sein K. G. noch wider denselben als vngehorsamen
lanndtman seinen Gnaden heistand zetun, vnd In zu pillicher gehorsam
zebringen, vnd helffen, das vnrecht zu wern, vnd das Recht, vnd ge-
main des lannds fride zu fürdern, als Si des seinen K. G., In selbs,
auch lannden vnd lewten wol schuldig sein, denn wo yemand Si drung
wider landsrecht, sein K. G. wolt darinn mit Irer hilff vnd Rat gen
ainen yeden zum Rechten ze genediger scherm Lanndlesfürst vnd
Herr sein. Beschehen zu Wienn an sand Sixt tag. Anno
doi LX°°.

Der fleischhakcher Ordnung vnd fürnemen, wie Sy mit der wag E. 48.
daz fleisch verkauffen sullen, angefengt an Sambstag nach vnser 15. August
frawn der Schidung. Anno LX°°.   1460.

Durch gemains nuczs willen, Reicher vnd armer, nach Innhalt
fürstlicher brief, damit die gemain Stat gnediglich fürgesehen vnd
gefreit ist. Ist von dem Burgermaister, Richter, Rat, Gnunten vnd
der Gemain am Liechtensteg vnd die Gew fleischakcher
am Graben daz fleisch verkauffen sullen mit der wag,

*) Scheint zu fehlen: geordent worden, dass die fleischakher.

als Rindreins, Sweineins, Kelbreins vnd Kastrawneins
in der maynung, als hernach geschriben stet.

Von ersten sollen geordent werden zwen erber frum
Mannen, die auf solh sach sehen sullen, vnd allen vleiss
tun, damit dem fleischkauf nach der wag treulich werd nachgegangen,
vnd dieselben zwen sullen haben lren sold von der Stat, damit die
sach dester aufrichtielicher werd wolbracht.

Item dieselben zwen sullen all freytag sein an dem
Viehmarkt, vnd sich daselbs aigentlich erkunden des
kaufs alles viechs, als wol von den hieigen, als den
frombden. Desgleichs so Jarmarkt sein in dem Sumer, das
sy dann daselbs lr kuntschafft haben sullen durch sich
selbs, oder aber durch ander gewiss lewt, was die
pessten Oehsen, die Mittern vnd die geringsten gelten.

Vnd wann sy dann solh kewf wissen, vnd aigent-
lich erinndert werden, dann so sullen sy den kauf
seczen nach Rats Rat vnd nach gelegenhait des kaufs
des Viechs, der Zeit, vnd auch der gut des fleischs,
wie ain yeder fleischaker ain phunt fleisch sull vnd mug
geben, dadurch der fleischacker an schaden vnd mit
gleichem vnd bescheiden gewin, der redlich vnd zym-
lich ist, besten vnd sein aufkomen gehaben mug, vnd ob
Sy zu solher seczung ain flaischakeber zu In nemen
wolden, der den kauf mitsambt In treulich vnd an all
arglist seez, daz mugen Sy tun. Sy sullen auch den
kauf vir stund im Jar seczen von ostern vncz auf
phingsten, von phingsten vncz auf sand Michels
tag, von sand Michels tag vncz auf Weinachten, vnd
von Weinachten auf Vaschang.

Item es sullen auch all fleischakeher als wol die
gesst als die hieigen, lr stete wag vnd gewicht haben
in den Penkehen, vnd pey dem stokeh, vnd dasselb lr
gewicht lassen zymenten, dadurch die lewt armer vnd
reicher nicht betrogen werden. Es sullen auch die
zwen, die darezu gesaczt werden, auch lr wag vnd
gewicht haben, vnd all wochen ainst mit den fleischak-
cher ableihen, ob Sy lre recht gewicht haben, oder
nicht. Sy mugen auch das fleisch, daz von In von den

penken tragen wirdet, in sunderhayt abwegen,
vnd wo sy dann vnecht wag funden, so sol dann
derselb oder dieselben fleischakcher der Stat
zu pen vervallen sein ain halb phunt phenning.
alsofft das geschiecht, vnd dem Statrichter
LXXII dn., darauf dann des Richter dienermitsambt
den zwain herrn treulich aufsehen sullen, vnd
das, darumb yedem mann gleiche vnd rechte
wag geben werde, vnd sullen auch das fleisch
hoher nicht verkauffen, den es In geseezt wir-
det, pey der vorgeschriben peen.

Item vnd ob sich die fleischakcher solhs snezs
des fleischkauffs beswert deuchten, daz mugen
sy pringen an den Burgermaister vnd den Rat,
die sullen dann zu den zwain ordnen vir aus Iu.
des Rats, die sullen denn seben auf den kauf des
viechs, oder ob sein not wirdet, ettlich Ochsen
kauffen von gemainem gut der Stat, vnd selbs
lassen slahen wegen verkauffen, vnd also mit
den fleischakchern ain abteihung vnd ain trews
vberslahen tun, vnd dann nach solher ahteibung
ainen gewondlichen vnd trewen aufsaez tun,
wie man das phunt geben sull vnd mug, damit
den fleischakern, noeb gemainen Volkch kain
beswerung dadurch nicht gescheeh treulich
vnd vngeverlich.

Item vnd als oben geredt vnd Ordnung gemacht ist von des
Rindfleisch wegen, also in solher maynung sol treulich nachgegangen,
vnd kauf nach dem phunt gesezt werden, vnd das Kelbrein.
Kastrawnein vnd Sweinenfleisch nach gelegen-
hayt der Zeit vnd auch des kaufs des Viechs in
maynung als vor berürt ist.

Item es sullen auch all fleischakcher auf dem
Rindfleisch, kelbrein, kastrawnen vnd Sweinen
all wochen den zwain Herren treulich zusagen,
wievil yeder Viechs hah, das Im dann in sunder
zu slahen gepürt, Auch zusambt der zwayn Herrn
erforschung des kaufs alles Viechs, was solh

Viech gestet, daraus sich denn die zwen Herrn mit
dem saez des kaufs dester paser vnd aufrichtilicher
wissen zu balden, vnd solb zusagen sol geschehen
treulich vnd an all arglist.

Welher fleischakeher aber also nicht gleich zu-
sagt, es wär ain hieiger, oder ain gast, auf welher
hantirung des volkehs, als vor berürt ist, das ge-
schech, der geb der Stat zu gemainem nuez, alsofft
er das vherfert, IIIPfd. dn. oder er fleischwerch nicht,
weder er selbs, noch die sein, noch nyemant anderr
von den seinen wegen in ainem ganczen moneid, ward
er aber mit fleischwerch hie in der Stat zu treiben
darnber begriffen, der geb der Stat zeben phunt pben-
ning, oder fleischwerch nicht ain gancze Quatember.

Item es sullen auch die zwen Herrn den fleischbak-
chern vnd gesten benennen zin gelegne Stat, do sy
dann beyeinander sein werden, ob sew ichts an sew
bringen werden, daz sy sew dann beicinander vinden,
damit ainer nicht waiger auf den andern, vnd das die
fleischbakcher in Irn notdurfften fürderlich gehört,
vnd In ausrichtung getan werde.

Item es sullen auch die zwen Herrn seczen allen
kaufdes Mels, seind sy doch sold von der Stat hahen,
vnd dem auch treulich nachgeen nach Ordnung vnd
gelegenhayt der Zeit, vnd auch des traids kaufs durch
gemains nuez willen armer vnd reicher in der Stat,
vnd ob sich ain vhrige tewrung begeb in dem traid,
daz Sy sich dann trewlich erkennen, von was vraach
das sey, vnd wie das nach Irm anbringen an den Bur-
germaister vnd Rat gewendt vnd vnderkomen, oder
aber ain saezung darinn gemacht werd.

E. 49. *Saezung der Phenbert zu Wienn auf die new Munss VI ss. dn.*
3. *September für ain guldlein, an Mitichen vor Vnser frawn tag Nativitatis.*
1460.   *Anno LX^{mo}.*

Abgedruckt bei Chmel, Materialien II, 388 sqq.

Milich vnd Milichraim.

Item ain echtern Milich nicht vber ij dn.

Item ain balbe Milich nicht vber j dn.

Item ain Quartl Milich nicht vber 1 Helbling.

Item ain echtern Milichrawm nicht vber x dn.

Item ain halbe Milichrawm nicht vber v dn.

Item ain quertl Milichrawm nicht vber v helbling.

Vnd das nyemant kains valsch darinn phleg pey
grosser pen.

Item das man auch das krawt verknuffen sol, als das gesezt ist,

Item das auch all Hunrayer Smalez, ayr, kes, verknuffen sullen,
als von alter ist herkomen, vnd als In gesezt wirdet.

Item das nyemant kain fürkauff in essunden dingen treiben sol.

Item wer die saezung nicht hielt, den wil man swerlich straffen.

Anno domini LX°° an Sambstag vor des heyligen Kreweztag   CIX.
Exaltacionis ist das Beruffen von der Münss wegen beschehen.

Es gepewt der Allerdurleuchtigist fürst vnd Herr, her Fridreich 13. Septemb.
Romischer Kaiser, zu allen zeiten merer des Reichs zu Vngern, Dal-   1460.
macien, Croacien & Kunig. Herczog zu Osterreich, zu Steyr & vnser
genedigister Herr. Als seiner Gnaden Hnwsgenossen hie
zu Wienn ain newe weisse Münss yecz angefengt ha-
bent ze münssen mit dem Krewez, der Stat schilt, ye
sechs schilling für ain guldein, vngrischen guldein
oder ducaten, vnd für ainen Reinischen guldein funft-
halben schilling phenning, das nu hinfür meniklich den
guldein also geb vnd nem für sechs schilling phenning derselben newen
weissen münss, so sein K. G. am nagsten vor der hat
slahen lassen, vnd Kunig Albrechts vnd Kunig Lasslas
seliger gedechtnuss weisse münss ainen für drey Helb-
ling. Auch in kewffen vnd verkewffen, vnd allerlay ander handlung,
welcherlay die sein, dieselb Münss also nem nach der saezung der
vailen phenbert, die von dem Burgermaister, Richter vnd Rat auf die
Münss geordent vnd gesezt sein. Ob aber yemandts mit Münss,
die auf dasselb Ir zaichen geslagen wer, begriffen
wurde, der sol an leib vnd gut darumb gepessert wer-
den, als Recht ist. Es sol auch nyemant, er sey geistlich oder

wertlich, edl oder vnedl des wechsls hie geprauchen, noch treiben,
wenn allain die Hawsgenossen zu der Münss, als von
alter herkomen ist, vnd sunst nyemandt erlaubt sol
sein mit silber vnd alter Münss zehanndlen in wech-
selweise. Es sol auch das Saygern der Münss den
Hausgenossen vnd aller menigklich verpoten seyn
pey der hochsten pen, vnd sol nyemant, er sey gast,
oder purger, oder in was stand oder wesen er sey,
vngemachts oder geprochen silber, noch altte Münss
aus dem land füren pey der pen vnd verliesung leibs
vnd guts, ob auch yemant freibrief hiet silber, gold
oder alte Münss zukauffen, zu wechslen oder aus dem
land zu füren, die sullen hinfür ab sein, damit die
new weiss münss gefürdert, vnd die gering Münss aus-
gerewt werde. Wer aber dawider tet, das wissentlich wurde, den
wil man darumb straffen an leib vnd gut an alle gnad.

CX.
23. Septemb.
1460.

Gerufft an Eritag vor sand Michelstag. Anno LX⁓.

Es gepewt vnser allergenedigister Herr, der Ro. Kayser & seiner
Gnaden Burgermaister, Richter vnd Rat der Stat hie zu Wienn ainem
yeden, in was stand oder wesen er sey, nyemand ausgenomen, vnd
sag das ain Mann dem andern, das man ainem yeden Maister
Mawrer, oder Zymmerman von sand peterstag in der
vasten*) vncz auf sand Gallen tag**) nicht mer ainen
tag zu lon geben sol zu der Derr, denn xxiiii dn. vnd
ainem gesellen xx dn. vnd von sand Gallen tag vncz
auf sand Peters tag in der vasten ainen tag ainem
maister xx dn. vnd ainem gesellen xvi dn. zu der Derr,
vnd ainem tagwereber x dn., vnd ainem Mortermacher
xi dn. auch zu der Derr, vnd ainem Ziegldegker auch
zu der Derr vin tag XL dn. vnd ainem, der Im zutregt
xx dn., vnd sullen all solh arbeiter Ir frustukch vnd
vntarn essen pey dem stokch, da sy arbaiten, vnd nur

*) 22. Febr.
**) 16. Octob.

ain halbe stund dapey siezen, vnd sol auch kain lonher weder frustukch, noch vntarn geben, vnd welh des also nicht gehorsam sein, vnd mer lons haben wolten ainem tag, denn vorgeseezt ist, oder die da mer geben, die wil man swerlich darumb straffen. Auch sol ain yeder die Ordnung der gesaczten vailen kauffs halten, vnd ain gleichs phenbert geben menigklichen, wer das nicht tet, den wil man auch swerlich darumb straffen.

Item die Vorsprechen sullen ainen gleichen vnd beschaiden lon nemen von den lewten, als das Ir ordnung innhelt, vnd die nicht beswern in kain weis. welher aber die lewt beswern wurde, den wil man auch darumb straffen an alle Gnad.

Die Behemischen Herrn vnd Rête haben geworben die maynung, als hernach stet.   E. 50.

Zum ersten entschuldigen Sy den Kunig, daz er die Lanndlewt yeez zu Prag an sich in seinen scherm genomen hab. Wann es auf das ermanen der freyhait vnd guldein Wull, auch das geschefft weylend Kunig Lassla beschehen in willen vnd maynung, die seinen kaiserlichen Gnaden wider zu geben, Also daz sein Gnad In tue, was sein K. G. zu tun schuldig sey.

Zum andern, daz der Kunig furgenomen hat yeez auf sand Merten tag [*]) ain Herezug zetun in das Kunigreich Hungern zu hilff dem Yakra, in dem sey Petermaister, Bot des Mathiaschen gen Prag komen vnd gewilligt, in ainem tag der sachen halben zu Olmunez auf den nagsten sand Niclas tag [**]) zuhalten, dadurch der vorgemelt Herezug angestelt worden sey.

Zum dritten begert, das sein K. G. etlich der seinen mit ganczem gewalt zu dem bemelten tag gen Olmunez schikch, dahin die egemelten Osterreichischen lanntlewt auch komen wurden, da zuversuchen, die sachen zwischen sein K. G., vnd Ir gutlich zuveraynen, ob das aber nicht gesein mocht, das dann daselbs geredt, vnd von persoanlichen zusamen komen beder Herrn, Kaisers vnd Kunigs auf ainen andern tag.

---

[*]) 11. Norber.
[**]) 6. Decbr.

E. 51.   *Antwurt des Kaisers.*

Als der Kunig von Behem vnd Markgraf zu Merhern sich der lantlewt von Osterreich ungenomen hat auf maynung, die seinen K. G. wider zugeben, also, ob In sein K. G. icht schuldig wär ze tun, das In das sein K. G. entrichtet, Ist seiner K. G. antwurt, das sein K. G. in gutem Vertrawn ist, der Kunig von Behem werde sich seiner K. G. lantlewt entslagen, vnd In die ledig lassen, Wann sein K. G. die halten well bey alten freyhaiten vnd gerechtikeyten vnd altem Herkomen des launds zu Osterreich also, das sy gen seinen K. G. auch tun als getrew vnderton vnd gehorsam lantlewt, vnd ob sein K. G. In iehts schuldig ist zetun, darinn wil sein K. G. nach Rat seiner lantlewt vnd Rete hanndlen, als sich sein K. G. des menigermallen vor erpoten hat zetun.

Vnd wann das also in vorherürten maynungen beschiecht, wil dann der Kunig von Behem das seiner K. G. yemant zu Im schikch, ist sein K. G. willig zeschikchen, vnd in guter hoffnung, sein kunigklich Gnad werde sich in disen dingen also halten, als er des seinen K. G. schuldig ist.

E. 52.   Allerdurleuchtigister Kaiser vnd allergenedigister Herr. Vns zweifelt nicht, ewr K. G. sey wol ingedenkch vnser menigerew anbringen, das wir ewru K. G. zu erkennen geben haben, die merkchlich geltschuld, dahinder ewer Gnaden Stat Wienn komen ist, vnd auch wie die Inwouer, ewr Gnaden vndertan, hie in grassew armut vnd vast in abnemen der narung komen sein, vnd noch täglich komen, aus vrsachen, der ain tail ewru K. G. erezelt sein, als ewr K. G. noch vernemen wirdet.

Item von erst : Wie die Stat in grosser geltschuld sey, ist das ain vrsach, das wir ettlich Jar vil Soldner zu Rossen vnd zefussen gehalten haben, offt ain Jar mer versoldnet ist worden, dann die Stat vermugen hat, sunder in der vnaynigung ewrer aller dreyr Gnaden hie Soldner zu Rossen vnd ze fussen gehabt haben, darauf vns zu sold vnd schaden mer dann viiii° guldein gangen ist an die Soldner, die wir vnez her gehabt, vnd noch auf vns haben, darauf ain merkchliche Summ gelts gangen ist, vnd den merern tail auf vns entlehent haben.

Item so sein wir in grosser notdurft vnd in Armut komen mit
dem, das die Weinwachs ettliche Jar nicht geraten
haben, daran hie vnser aller narung leyt. Vert hieten
wir ein Weinjar gehabt, so ist kain kaufrecht gewesen
der Münss vnd des aufslugshalben, dadurch wir zu grossen
verderben komen sein, vnd maniger ist dem Hewr ain fuder wein
worden, das in LXXX oder C Pfd. dn. gestet, vnd dennoch kain kauf-
recht darumb haben mug. So hat auch der Kaufman, der
Burger, der Hantwercher in ettlichen Jarn kain
handeln mugen gehaben vnfritzhalben, das nyemant in
den lewffen andre lanndt vnd die Jarmerkt hat mugen besuchen, das
auch grosse armut hie gemacht hat; Also das ain Burger, der vor drey
Knecht gehabt hat, der vermag yeez nicht ain, desgleichen die Hant-
wercher, die vor vir oder funf knecht vermugen haben, der hat ain
oder gar kain. Wann vorezeiten ist der Stat vast gescheunt
worden, also das wir aus der Stat, noch an ander ennd
an die andern Stet nicht ausezogen, noch Soldner ge-
schikebt haben, noch begert ist zeschikchen. Allerge-
nedigister Herr. Nu haben wir yeez vnser Soldner in das vird Moneid
davor, vnd ligen auf vas, wiewol doch mit In vnezher nicht vil ausge-
richt ist, so gestet es vns vil, vnd haben doch nicht gelt, vnd Ir Rot-
maister seyn yeez vmb gelt hie, vnd sein In schuldig drey wochen
sold, Bitten wir ewr K. G. well ansehen sulh vnser notdurft, vnd vns
genediclich vergunnen, vnser Soldner abzevodern, Wann wir sicher
der zu solden nicht lenger vermugen; so dann ewr K. G. ye hilf vnd
peystand an vns begert, so wellen wir mitsumht den andern von den
Steten als pald als ander mit vnser anezal berait sein, das wellen wir
vmb ewr K. G. mit aller vndertenikait gern verdienn.

Allergenedigister Kaiser, vns gelangt auch vil an, wie der Kunig
von Behaim, auch der Mathiasch vnd ander im willen haben, ain Her-
ezug zetun, vnd wissen doch nicht an welhe ende. Nu mag ewr
K. G. vnd auch ewr K. G. lohlich Röt wissen, das wir nicht
wissen; solt aber solhs nicht sein, so ist die Stat zu notdurft nicht
zugericht, als dann des ain sunder grosse notdurft wer, so wir
dann solh zurichtung gern töten, so sey wir ye in grosser armut vnd
geltschuld, das wir des nicht vermugen. So mag auch ewr Gnad ange-
langt sein, das hie ain volkch ist, des nicht mangls phlegen
hat, solten aber solh gewaltig Herezug her auf vns geraten, so

mochten wir den an ewrer Gnaden sundrew merkchliche Hilf nicht
widersteen, als wir gern teten, vnd ewrn Gnaden, vnd gemainer Stat
des schuldig wërn. Davon so bitten wir als diemutigist wir immer
kunnen vnd mugen, Ewr K. Maiestat welle mit ewrn Hochwirdigen
Röten darauf gedenkchen, damit wir in dem gnedielichen fürgesehen
werden, vnd vnser maynung im pesten versten, vnd von vns gnedielich
aufnemen, als wir des ain sunders getrawn vnd hofoung zu ewrn K. G.
haben; das wellen wir vmb ewr K. G. als vmb vnsern allergenedigi-
sten Herrn mit aller vndertenikait gehorsamlich verdienn.

225

Anno domini LXI^{mo.}

Allerdurchlewehtigister Kaiser vnd allergenedigister Herr. Als   *E. 53.*
vns ewr K. G. bevolhen hat ain beruffen zutun von der Münss wegen
nach laut ewrer Gnaden bevelhnussbrief, solhem beruffen sein wir ge-
horsamklich nachgegangen.

Allergenedigister Herr. nach solhem beruffen ist vil Irrung vnder
den Inwonern vnd den gesten hie auferstanden mit dem, das alle die
hie im Land enhalb vnd herdishalb der Tunaw, vnd aus andern lannden
notdurfft herfürnt, kain andre Münss nemen wellent, denn gold oder
wiener phenning, vnd wir mugen auch die auslender, noch ander, die
hendl hie treiben, vnd Ir war herfürnt, nicht darezu nötten, das Sy
andre Münss nemen wellen, Wann vil der sind, die Irn lewten ver-
pieten, das Sy kain andre Münss nemen sullen vmb Ir war, die sy
herfürnt, dann goldein oder wienner phenning. Auch so hat sich
merkehlich murmel vnder dem volkch hie erhebt darumb, das maniger
nach dem beruffen Münss genomen hat, der man von Im nicht nemen
wil, vnd vmb kaynerlay war widervmb anwerden mag, vnd dapey gross
mangl haben müssen.

Item so get yez das weingartpaw an, darezu man teglich merkeh-
lich vnd gross gut ausgeben muss, dieselben weinezürl vnd arhaitter
vnder vnserm gepot nicht sein, vnd kain andre Münss nemen wellen,
dann wienner phenning, dadurch das weingartpaw geligen muss,
das vert merklich in abpaw der Münsshalben komen ist, solt darauf
ewr K. G. solh Irrung der Münss nicht vnderkomen, so müssen vnsere
erb verderben, vnd wir in armut vnd verderben komen.

Item als man dann auf ewr Gnaden emphelhnuss vaillen kauff
gesezet, vnd noch teglich grossen vleiss darinn, hat, solher vailer
kauff wird durch solher Irrung der manigveltigen Münss geirt, vnd mag
nicht stet gehalten werden, als der zu gemaynem nucz fürgeno-
men ist.

Item die Münss wirt an vil enden geslagen, dadurch der guldein
steigt, vnd wirdig ist, vnd wir haben kain handlung, dadurch wir zu
gold komen, vnd vnser notdurfft ausgerichten mochten. Also haben

15 *

wir beswёrung der guldein, vnd der Münss halben. Darezu mugen
wir vnser wein nicht an werden, der kaufman vnd der Hantwercher
Ir gewerh nicht treiben vnfridshalben; so mugen auch die Vnsern in
andre lannd nicht handeln, die das gold vor zeiten herpracht haben.
Darauf, allergenedigister Herr, bitten wir mit allem vndertenigem
Vleiss, ewr k. Maiestat welle genedig weg fürnemen mit frid vnd der
Münss, damit wir also nicht verderben, vnd vns vnder ewrn k. Gnaden
ernern, auch zu dinst vnd aller gehorsam siezen vnd beleiben mugen;
Wann solt solh Irrung nicht vnderkomen werden, des wir doch zu
ewrn K. G. nicht hoffen, so wurd man weder traid, fleisch, noch ander
notdurfft nicht herpringen, vnd sider des beruffen hat der traidmarkt
merklich abgenomen, vnd das volkch hie nicht in die leng notdurfft
haben wurde.*

Allergenedigister Kaiser, vns gelangt auch vil an, wie der Kunig
von Behem, auch der Mathiasch in Vngern, vnd ander in willen haben
Herczog zulun, vnd wir wissen doch nicht an welhe end. Nu möcht
villeicht ewr K. G. vnd ewr Gnaden löblich Ret wissen & &.

(Der Üherrest ist dem Schlusse des vorigen Anbringens durchaus gleichlautend.)

Damit sind geschikcht in die Newnstat zu vnserm
Herrn, dem Kaiser, die das sein Gnaden anpringen
sullen, Niclus Teschler Münssmaister, vnd Thoman
Swurcz, baid des Rats an Suntag vor sand Scolastica
tag. Anno LXI°°.

8. Februar
1461.

CXI.   Hort vnd sweigt.

Es gepewt mein Herr, der Burgermaister, mein Herr, der Riebter
vnd der Rat von der Stat allermenigklich in was stand oder wesen
Sy sein, vnd sag das ain Man dem andern, das Nyemant, weder pey
tag, noch pey nacht mit verpotten vnczimlicher weer, noch verpunden
in pawrnklaid, noch in ander maynung auf der gassen gen, reiten,
noch varn sol, das man In nicht erkennen sull, vnd das auch nymant
nach dem Horn plasen pey nacht an ein offens liecht auf der gassen
gen sol. Wer dawider tet, den wirt man zuhenden nemen, vnd darumb
straffen als ain Verreter vnd ain schedlichen man an leib vnd
an gut.

12. Februar
1461.   An Phineztag nach Scolastice. Anno LXI°.

Am Eritag, sand Tiburczen vnd sand Valerianstag habent die   E. 54.
Herrn N. der Burgermaister, Rich(ter) Rat, genant vnd Gemain   14. April
der Stat hie zu Wienn dem von Gurgk vnd andern vnsers ge-   1461.
nedigisten Herrn N. des Kaisers Reten ain solhe antwurt in
geschrifft im Rathaws getan.

Genedigen Herren. Als vns ewr Gnad von Vnsers allergenedigi-
sten Herren des Kaisers wegen anpracht hat, wie sein Kaiser-
lich Gnad Herrn Yskra zu ainem haubtman des lands
hab aufgenomen, das wir dem hilff vnd peystand tun sollen &.
Genedigen Herrn, nu wais ewr Guad wol, das wir Vnserm allergene-
digisten Herrn, dem Kaiser nach seiner genaden emphelhen menig-
ermaln auf gewesen sein für ander, wie wol vns
zugesagt ist, das von Prelaten, Herren, Rittern vnd
Knechten vnd andern in Veld zogen sollen sein, des
nicht geschehen ist, vnd seind vnser allergenedigister Herr, der
Kaiser schreibt den Prelaten, Herren, Rittern vnd Knechten vnd den
von Steten, das die Herrn Yskra, seiner Gnaden Haubtman sullen
hilf vnd peystand tun, Wann nu dieselben landlewt vmb den
peystand aynig worden, so wellen wir mitsambt den-
selben mit vnserm peystand handeln, als getrew vndertanen
seinen K. G. schuldig sein; uns dem verstet ewr Gnad, das
wir vns anders, in sunderhait an dieselb gemain lannt-
schafft, solhs beistands nicht annemen mugen.

Am Phincztag nach sand Tiburcij vnd sand Valerianstag kom   E. 55.
in den Rat der Hochwirdig fürst, her Vlrrich, Bischolf zu Gurgk, 14. April
her Hanns Rarbacher, Her Hanns von Pellendorf, vnd Her   1461.
Hanns Müleelder, vnd prachten da für ain geschrifft Ir fürne-
men auf der Stat antwurt, die sy In getan hieten, als vor stet,
vnd laut dasselb fürnemen also:

Als Ir vns auf vnser begern von Vnsers allergenedigisten Herren,
des Römischen Kaiser an ew getan, hern Giskra als seiner Gnaden
haubtman wider den fronawer, vnd sein helffer hilff vnd peystand
telun, geantwurt habt, haben wir vernomen. Nu wisst Ir wol, wie sich
der fronawer vnd sein helffer mit offem krieg, vnd grosser vnd merk-
licher Beschedigung lannd vud lewt, verbindrung des gewerbs vnd

hanndls auf wasser vnd auf lannd bisher gehalten haben vnd noch
halten, vnd sich auch nun herwerts genehet, vnd verrer, als zu
besorgen ist, nehen, vnd der Stat hie vnd ew gemainklich, armen vnd
Reichen verderblichen schaden zuzziehen mochten; dadurch so hat
vnser allergnedigister Herr, der Romisch Kaiser ew vnd andern seiner
K. G. gehorsamen vndertanen zuhilff vnd zutrost fürgenomen, ain
geraisig Volckh aufezenemen vnd zehalten, dem benanten fronawer
vnd seinen helffern widerstand zetun, vnd zu solhem den obgenanten
Herrn Giskra zu seiner K. G. Haubtman geseczt, vnd dapey den Pre-
laten, Grafen, Herren, Rittern vnd Knechten, vnd den von Steten ge-
schriben, Im darezu hilff vnd peystand zetun, als Ir aus seiner K. G.
brief vernemen mugt, vnd darauf begern wir an ew, als dann vor auf
solh maynung vnser begern auch gewesen ist, das Ir in solhem dem
vorgenanten Herrn Giskra vnserm allergenedigisten Herren, dem Ro-
mischen Kaiser zu eern, ew selber zenucz fürnem vnd aufenthaltung
wider den fronawer vnd sein helffer hilff vnd peystand tut, als Ir seiner
K. G. vnd ew selbs des schuldig seyt. Wann Ir selbs wol verstet vnd
wisst, das mit gemainer lanntschafft swär wer nach
gelegenhait der krieg vnd leuff, so yecz vorhannden
sein, auch nach dem sich ettlich lantlewt wider sein
K. G. seczen vnd halten, sopald in dem ichts verfenk-
lichs fürezenemen vnd möcht ew vnd der Stat hie
zelang vnd zespat werdon, vnd merklicher schad dadurch
den Veinten aufersteen. Das wirt sein K. G. gen ew allen vnd ewr
yedem vnd ewrn kindern genedigklieb erkennen vnd was sein K. G.
ew vnd andern seinen gehorsamen Vndertanen zu trost darezu tun sol,
des ist sein K. G. auch willig, vnd wil darinn nichtz sparn, wie wol
das sein K. G. von nuczen vnd Renten des lannds nichtz vermag
hindanezerichten.

CXII.
26. März
1461.

*Wie vnser gnedigister Herr, der Kaiser, herrn Giskra zu haubt-
man aufgenomen hat.*

Wir Fridreich von gotz Gnaden, Romischer Kaiser &c. Embieten
den Erwirdigen, Ersamen, Edln vnd Vnsern lieben Getrewen, allen
Preleten, Grafen, Herrn, Rittern vnd Knechten, vnd den von Steten,
Merckhten vnd allen andern vnsern vnderlanen vnd getrewen vnsers
furstentumbs Osterreich, den der brief geczaigt wirdet, vnser Gnad

vnd alles gut. Als vns, ew vnd vnsern lannden vnd leuten mutwillich-
lich von Gambrechen*) fronawer vnd sein Helffern merklich
schimph vnd schad zugefugt wirdet von vnsers erbs wegen an alles
Recht vnd wider vollige erpiettung, so wir menigermal vnezher getan
haben. Also haben wir vnser, ewr vnd der Vnsern notdurfft darinn
betracht vnd fürgenomen, solhs ye nicht lenger zugedulden, noch ew
vnd anderr die vnsern zuverlassen, vnd haben darumh den Edln vnsern
lieben getrewen Janen Giskra von Brandis vnsern Hat zu vn-
serm Haubtman, den Veinten widerstand zetun, nach zeitigem Rat auf-
genomen, der darinn verwilligt, vnd sich hoch erpoten hat, treulich
darinn zedienn, vnd Im ans vnserm Hove ainen geraisigen Zewg zuege-
ordent, vnd sonst darumh getan. Also hegern wir an ew mit sunderm
Vleiss, hevelhen ew auch ernstlich, vnd wellen das Ir Im zu solhem
widerstand den Veinten zu gemainem nucz vnser, ewrselber, vnd
vnserr lannd vnd leut gehorsam trostlich helffen, beystand tun, vnd
aufsein wellet mit aller ewr mucht, als wir ew des vertrawen, damit
wir, ir, vnd ander die Vnsern solhs mutwillens vnd schadens vertragen
beleihen; daran tut Ir vns sunder gevallen, vnd wir wellen das kunf-
tigklich mit gnaden gen ew erkennen vnd zugut nicht vergessen.
Gehen zu Grecz an Phineztag vor dem heyligen Palm
tag. Anno LXI°°. Vnsers Kaisertumbs im Zehenten Jar.

Commissio domini
Imperatoris in consilio.

Wie die hernachgeschriben Herren des Rats vnd die Genanten,   E. 56.
die darczu geben sein, mit ainem yeden Haunvirt vnd desselben
Inlewt geredt habent an Mitichen nach des heiligen krewcz tag. 6. Mai 1461.
     als das erfunden ist. Anno domini LXI°.

Stubarum.	Karinthianorum.	Lignorum.	Seotorum.
Teschler.	Burgermaister.	Ehmer.	Pöll.
Kerner.	Conrat Pilgreim.	Mstr. Mertgulden.	Starch.
Gera.	Schonprugker.	Niclas Ernst.	Haiden.
Stadler.	Lainhacher.	Hanns Kanstorffer.	Lebhofer.
Gnant.	Gnant.	Gnant.	Gnant.
Menestorffer.	Wisler.	her Osw. Reicholf.	Gerunger.
Swancz.	Jorg Rauchmayr.	Meylinger.	Thiem.
Gwerlich.	Jorg Pranperger.	Zieglshauser.	Gsmechl.

*) Statt Gamaret.

Gnant.   Gnant.   Gnant.   Gnant.

Praitenweidacher.	Gruntreich.	Th. Sibenburger.	Rexttinger.
Pomphlinger.	Steph. Püsenberger.	Kaschawer.	Hanns Een.
Tunhauser.	Michel Rutenstokch.	Augustin Plum.	Aschpekch.
Holnbrunner.		Ladendorffer.	
Perman.			

Lieber Nachtpawr. Ir seyt besant, die leuff sind yecz swër, vnd man sagt grosse ding vnd fürnemen, die auf die Stat hie süllen fürgenomen werden. daraus vnd gemainer Stat gancz verderben an vnsern Eren, leib vnd gut beschehen mocht, vnd es wirt mit manigen ainfaltigen Mann geredt, das vnser veint mit demselben anlegent, damit sy manigen in Zaghait pringen wolten, auch manigen vorhalten, wie durch ettlich weg vnd ander Herschafft Ir notdurfft pas zu wegen pringen mochten. Sy suechen auch weg, wie Sy vnder vns Zwitrecht machen wolten, als Ir das vormaln an ettlichen schreiben vernomen habt, damit sy dann hinder vns vnd vnser gut komen mochten, das sy zu herrn wurden, vnd wir In verderben komen, vnd vnser Hewser vnd güter besiczen mochten: habent mein Herren fürgenomen, das sy all als frum lewt, die Ir vnd der Stat eer nicht verliesen, sunder obgotwil die behalten vnd meren wellen, vnd globen drauf all meinander pey dem Aid, dem wir vnserm genedigisten Herrn N. dem Kaiser vnd der Stat gesworn haben, das wir trew vnd gehorsam tun wellen nach vnserm pesten vermugen, vnd ain yeder seinen Inman vnd diener daran weisen, vnd für In versprechen sol, vnd sult ew auch mit wer vnd Speis fürsehen, vnd ob Ir von yemant vernembt, das der solt zu schaden komen, das Ir das anpringt, vnd darumb so begernt mein Herren, Rat, gnant vnd gemain, die zu der Ordnung geben sein, das Ir In sollts gelobt zuhalten, vnd das Ir auch zu zurichtung vnd ander notdurfft der Stat den Haubtleuten gehorsam weilet sein.

E. 57.   *Die hienach geschriben notdurfft der Stat vnd Artikl sind an*
vnsern genedigisten Herrn, den Kaiser pracht, vnd damit auf
ain Credencz gen Grecz gesannt worden Niclas Teschler, Müns-
maister, Sebastian Zieglshawser vnd Maister Vlreich Griessen-
18. Mai   *pekch, licenciat in geistlichn Rechtn an Montag vor sand Helena*
1461.   *tag. Anno LXI°.*

Allerdurleuchtigister Kaiser, allergenedigister Herr. Als ewr K. G. vnsern herren vnd frewnden, dem Burgermaister, Richter vnd

Rat, vnd den Burgern gemainklich zu Wienn verschriben hat, wie der durleuchtig hochgeborn fürst Herezog Albrecht, Erczberzog zu Osterreich & vnser genediger Herr sich in kurczen tögen aus ewr K. G. Rat vnd dinst gemüssigt hab, vnd wie die lewf in disen zeiten etwas seltzam vnd sorglich sein. Darauf ewr Gnad begert hat, ernstlich bevelhund, ob der egenant ewr Gnaden bruder von sein selbs, oder ewr Gnaden vettern, des hochgeborn fürsten Herezog Sigmunds wegen, oder derselb Herezog Sigmund auch vnser genediger Herr für sich selbs die bemelten vnser herren vnd frewndt, die burger zu Wienn vmb Inlassen ersuchen worden, daz sy sich darinn bewärlich halten, vnd nicht vberlewten noch vbersterkchen, noch dieselben ewr Gnaden pruder vnd vetter an pesser ewr aller verstentnuss inlassen, damit ewrn K. G. daraus nicht schymph noch schad ergee, als sy ewrn K: G. vnd In des verphlicht vnd schuldig sein. Daran tun sy ewrn Gnaden gut gevallen, vnd sey ewr Gnaden ernstliche maynung; haben vnser frewnt diemutikltch vernomen.

Allergenedigister Herr, solhen geschicht haben vnser herren vnd frewnt nicht gern gehort, vnd seben nichtz lieber, wenn pruderliche aynigung zwischen ewrn K. G., vnd ewr Gnaden bruder, aber auf solh ewr Gnaden verkündung vnd bevelhen, daz sy ewr Gnaden bruder von sein selbs, noch Herezog Sigmunds wegen, noch denselben vnsern Herren Herezog Sigmunden nicht inlassen solten, so daromb ersuechung gescheech, an pesser ewr aller Gnaden verstentnuss, Genedigister Herr, seben vnser Herren nichtz liebers, Wenn daz sich ewr aller dreyr Gnad in aller frewntlicher gutikait durch ewr Gnaden frewnt vnd Rät vertrugen vnd verainten, Wann In wēr als den vndertanen ewr Gnaden gar swēr, daz si sich in zwayung ewr Gnaden, als der pruder vnd vettern ichts handleren oder insezen solten, nach dem in Irer verphlicht vnsers genedigen Herren Herezog Sigmunds drittail der nucz vnd Inreiten vor gehalten ist, des sy denn zudenezeiten ewr K. G. vnd ewr Gnaden bruder, Herezog Albrechtz letzten veraynigung von demselben vnserm gnedigen Herren Herezog Sigmunds vermont worden sein, vnd wolten sich ye gern halten, das si in vnpillichen nicht vermerkeht wurden, daraus sy an Irn ern mit ichte solten vermaylligt werden, vnd ewr K. Maiestat werd solh Ir potschafft in gut versteen, vnd genediclich aufnemen, Wann si mayn sich gen ewrn

K. G. nach allem lrm vermugen zehalten, als die getrewn vndertanen ewrn k. Gnaden schuldig vnd phlichtig sein.

E. 58.   *Der Stat notdurfft, wie die vnserm gnedigisten Herren dem Kaiser ist zugeschriben worden.*

Allergenedigister Herr. Als vnser herren vnd frewnt ewrn K.G. vor menigermaln lr aller merkchliche vnd grosse notdurfft vnd schaden geschrifftlich vnd mundlich anpringen haben lassen, darauf sy genediger antwurt von ewrn K. G. gewart haben, vnd nicht worden ist, vnd vns aber bevolhen haben, der Stat merkchliche vnd grosse notdurfft vnd verderben der lewt daselhs ewrn K. G. anzebringen, vnd tunt denselben ewrn Gnaden aber zu wissen, das sew in manig wege angelangt hat das fürnemen vnd ansleg auf ewr K. G. mit Heerczugen von Vngern, Beheim, Osterreich vnd Bairn geschehen sollen für ewrn Gnaden Stat zu Wienn, die mit drein Heren sol belegt vnd genott werden.

Allergenedigister Herr. solt das also beschehen, so mocht daraus ewrn K. G. vnd Stat, auch landen vnd lewten verderblicher vnd grosser schaden géen, das ewr Gnaden genediclich geruch zu vndersteen. wann wir sein mit narung vnd notdurfft der lewt, noch mit Zurichtung der Stat nicht darezu geschickt vnd solher gewaltiger Herezug vnd fürsleg. damit die Stat belegt werden mocht, lang ezeit aufezehalten, vnd ewr K. G. mag wol gedechtig sein der grossen scheden vnd verderhen, darein die burger gemainklich komen sind von creten in der zwitrecht vnd vnaynikait ewr K. G. vnd der andern fürsten vnser genedigen Herren vncz auf ewr aller dreyr verainigung. Item darnach mit dem Veld vnd Herezug vnsers gnedigen Herren Herezog Albrechts gen Newnburg vnd Laa. Item in das Veld für den Ledwenko, Item in das Veld für Ort, darnach in Veld gen Kornewhurg. Stain vnd Krembs. Item in Veld für Cystorff vnd yecz aber für Cystorff da wir vnser Soldner haben, mit den berürten Stukchen ist die Stat mit solden, scheden, zerung, zug in schaden komen vmb ain merklich gelt. Item das Anlehen der VI⁰ guldein vnserm Herren Herezog Albrechten, dievns ewr Gnad schuldig ist, vnd vns die genediclich wäder beczaln sol. Item so ist die Stat mit der geringen Münss vmb ain gross gut ermer worden.

Item so ist die Stat von der Krieg wegen des fronawer mit dem, das alle phenbert in tewrung komen sein, auch von der Irrung, daz die kauflewt inner vnd ausser lannds auf lannd vnd wasser nicht haben zue vnd von der Stat gearbaitten mugen, auch von aufsleg wein vnd salcz, vnd von Irrung wegen, das man der Stat essund notdurfft nicht hat zufürn mugen, des auch die Stat vnd Burger gemainclich ermer worden sein vmb ain grosse Sum, in dem meniger solhen schaden vnd verderben genomen hat, des er nymermer mag vberwinden, daraus die Stat plos an notdurfft der lewt vnd an gelt ist, nach dem das vergangen Jar ain gross vel-Jar an der weinwachs gewesen, vnd die Virding wein in vnser gewalt beliben sein.

Allergenedigister Herr; nach solhem grossen verderblichen schaden, solten nu Heerczug vnd Veld für ewr K. G. Stat zu Wienn geschehen vnd belegert werden, den wurd man an ewr K. G. heschirmung vnd hilff hart mugen widersteen, wann der erst mangl ist, das die Stat mit notdurfft der Speis vnd allen essunden phenberten nicht ist fürgesehen, vnd haben in allen Hewsern besichten lassen, vnd haben grossen mangl funden, vnd so wir mit den lewten geschafft haben, daz sew sich auf zeit mit speis vnd notdurfft fürsehen sullen, die sprechen, Sy haben nicht gelt, vnd sein so xere verdorhen, daz Si solh notdurfft auf zeit nicht zu kauffen haben.

Darumb allergenedigister Herr, nachdem wir mit ewrn K. G. vnser leib vnd gut manigvelticlich in ewr Gnaden dinst nicht sparn, sunder darinn für ewr K. G. menig flais getan haben, vnd noch teglich tun für ander meniklichen im land, vnd hinfür nach vnserm vermugen ewrn Gnaden gern tun wellen, so welle ewr Gnad genedig weg fürnemen, dadurch vnser frewnt heschirmung gewynnen, vnd das solh Heerczug gewennt, oder den durch ewr K. G. notdurfftiger widersland geschech, das wellen vnser Herrn vnd frewnt vmb ewr K. Maiestat vndereniclichen vnd williclichen verdienn; solt das nicht beschehen, so mocht ewr K. G. Stat, launden vnd lewten daraus verderhlicher schaden ersteen, wann ewr Gnad wol mag versteen, solt die Stat gewalticlich erlegt werden, vnd so ain solhe grosse Gemain hie nicht notdurfft gehaben mocht, wie lang die an narung aufgehalten mocht werden.

Antwurt vnsers allergenedigisten Herren, des Kaisers auf dew anbringen zu Grecz durch die sendpoten getan.

Ewr anbringen vnd werbung von ewrer Herren vnd frewnt wegen hat vnser allergenedigister Herr wol vernomen, vnd vor dem allen ist sein K. G. warlich erinndert, solhs guten Vleiss vnd vernuftigs fürnemens vnd ordnung, so ewr Herrn vnd frewnt auf maynung pesser aynigung vnd gemainer Stat fürsehung in die Greben, vnd mit vernewtem glub getan haben, daz sein K. G. zu suuderm danckb aufnymbt, vnd solhs gen gemainer Stat genediclich erkennen vnd in gut nicht vergessen wil.

Dann auf das schreiben, so sein K. G. gemainer Stat yecz getan hat, das da innhalt, wie sich seiner K. G. bruder, mein genediger Herr Herczog Albrecht in kurezen tégen von Rat vnd dinst gemüssigt hab, vnd wie die lewf yecz seltzam vnd sorglich sein, vnd tut auch meldung von des Inlassen wegen Herczog Albrechts vnd Herczog Sigmunds bayder meiner genedigen Herren &.

Tut sein K. G. ew zu pesser verstentnuss zu wissen, das sich seiner K. G. pruder aus Rat vnd dinst gemüssigt hat darumb, daz er seins Solds vnd der Vell, so Im zu seinen tail aus dem kamergricht gepürn, nicht beczalt vnd ausgericht sey. Nu ist sein K. G. mit demselben seiner Gnaden pruder Herczog Albrechten vmb all sachen frewntlich vertragen vnd gericht nach laut brieflicher vrkund vnd verschreiben, so darumb ausgangen sein. Vnd als sein K. G. nu solhs vrlauben nemen von Rat vnd dinst, auch verdechtnuss solber verpintnuss, so derselb Herczog Albrecht mit manigerlay fürsten sein K. G. zu kunftigen schaden getan, gemerkt vnd gedacht, hat sein K. G. sein Poten vnd brief geschickt zu Herczog Albrechten, vnd an In begert, selber persondlich zu Im auf füglich tég vnd gelegen Stel zekomen, mit Im selbs aus solhen sachen sich zevnderreden, oder seiner K. G. Rét dahin zeschicken. Darauf mein genediger Herr Herczog Albrecht geschriftlieb geantwurt hat, wie er ain Rais zu Herczog Sigmunden, seinem Vettern zelun fürgenomen hab, vnd sey yecz wegfertig, also daz er den sachen yecz nicht mug nachgeen, aber alspald er herwider köm, so welt er das gern tun, vnd daz sein K. G. solh sein antwort inn peasten vnd genediclich aufném, vnd alspald derselb mein genediger Herr Herczog Albrecht herwider kom von Herczog Sigmunden, schikcht sein K. G. aber sein geschrifftlich Potschafft zu seinen Gnaden, solhen tag zuscezen, vnd demselben mit Ir selbs Person nachzekomen; mocht des nicht gesein, das er dann seiner K. G. Rëten glaytt zuschrib, so wolt sein K. G. sein Rät dahin vertigen. Darauf dann derselb mein genediger Herr Herczog Albrecht nur mündlich dem poten geantwurt hat, er hab seiner Rët pey Im nicht, vnd mug dem yecz nicht nachkomen, vnd hat auch den Rëten kain glaytt zugeschikcht.

Vnd darauf hat sein K. G. ewrn herren vnd frewnten yecz geschriben, ob sy derselb seiner K. G. pruder, mein genediger Herr Herczog Albrecht vmb Inlassen ersuchen wurde, daz sy sich darinn bewarlich halten, nicht vberlewtten vnd vberstarkehen, noch die an Ir aller pesser verstentnuss inlassen solten &c.

Auf das Stukch nach volliger vnd ganczer seiner K. G. antwurt ward von meiner Herren von Wienn wegen seiner K. G. geantwurt: Si wessten nu wol die Geschicht seiner K. G. vnd seiner Gnaden pruder, meins genedigen Herren Herczog Albrechts, vnd westen sich von seinen Gnaden mit dem Inlassen nu wol zehalten, wann sy Im nichts verphlicht noch gesworn wërn, vnd wolten den also nicht inlassen an Ir haider Gnaden pesser verstentnuss, vnd fragten darauf verrer sein K. G. Ob Ir Herren vnd frewnt von meinem genedigen Herren Herczog Sigmunden vmb Inlassen ersucht wurden, wes vnd wie si sich darinn halten solten. Antwurt sein K. G.: Oh nu solh ersuchung durch meinen genedigen Herren Herczog Sigmunden geschechen, so solt man In mit ainer beschaiden anczal, als mit XX oder XXX Personen, oder dapey, die den burgern erkannt vnd vertraulich wërn, vnd der si gewaltig sein mochten, inlassen, doch vnentgolten seiner K. G. an seiner Gnaden ganczeu vnd volligen Regirung.

Item auf solhs ward sein K. G. verrer angerufft vnd gepeten, sein K. G. solt mer vnd trefflicher Rët vnd ander erkant frum Volkch in disen lewffen den von Wienn zu hilf vnd trost geo Wienn schikchen oder legen, damit Si sich dester pas vnd hewarlicher in den sachen halten mochten, wann Si ye an seiner K. G. nichts anders tun wellen, denn als getrew vndertan gen Irm allergenedigisten erbherrn vnd landesfürsten mit allem Irm Vermugen verphlicht vnd schuldig sein zetun.

Darauf ward geantwurt. sein K. G. wolt selber in aigner person kurczlichen zu Wienn sein, vnd sich daselhs gen den von Wienn

halten als genediger Herr vnd landesfürst. Des dy sanntpoten der
von Wienn vndertoniclich vnd vleissiclich gedankt habent, vnd sehent
nichts liebers, dann das sich sein K. G. selbs persondlich zu In füg.

Item von der sechs Tausent guldein schuld ist geantwurt, wie
sein K. G. yecz ye nicht gelt hab, die auszerichten
von ander merkeblicher ausgab wegen, so sein Gnad auf sold vnd in
ander weg in den lewffen ausgeben mues. Aber sein K. G. well den-
noch nichts dester mynner sich genediclich darinn beweisen, vnd
wil vmb dieselb schuld der Stat versеczen Ambt,
Mautt oder vngelt, wo man anezaigen tut ausserhalb
der Stat Wienn, vnd hat sich verwilligt zu verschrei-
ben den Vngelt zu Klosternewnburg alle Jar vmb
VII^c Pfd. dn. bis so lang, das die Sum beczalt wirdet &
nach inhalt des briefs, so wir haben.

Item Maister Merten Guldein ist auch geschriben entslagbrief.
Item was sich sunst mit worten in Disputirn pegeben hat, mag man
auch gedenkchen.

E. 60.
23. Mai
1461.
Item darnach am phingstabent sein mein herrn von Wienn zu
vnsern allergenedigisten Herren ervordert, vnd den ist da fürgehalten,
nach dem vnd sein K. G. ain Münss in der Newnstat,
zu Greez, Kernten vnd Krain nach Rat seiner lanndd-
leut' fürgenomen hat, die an korn vnd aufczal mit der
Münss zе Wienn als gut vnd gleich bestentig ist, vnd
sein K. G. sich in kurczen tegen hinaus gen Wienn ze-
fugen vermaint, als zu seinen getrewn vnd gehorsamen,
vnd zu aufnemen der Stat, auch zu hilf vnd genodigen
peystand vnd trost seiner Vndertan daselbst zu belei-
ben, seinen k. hof da zehalten fürgenomen hat, vnd auch
ettwevil seiner K. Gnaden Lanndlewt mit Im binausprin-
gen wirdet, die sich Irer gült betragen müssen vnd wer-
den, vnd darumb so sein K. G. zu ausrichtung seiner
Gnaden hof, vnd dieselben lanndlewt Irer zerung
Wienner Münss füglich nichtain benugen haben mugen,
Begert vnd Bitt sein K. Gnad, das die von Wienn mit gu-
tem Vleiss daran vnd darob sein welln, damit solh
seiner K. G. Münss, (so) in der Newnstat, Greez, Kerndten

vnd Krain geslagen wirdet als gut vnd gleich bestentig
an korn vnd aufcxal, als die Münss zu Wienn gemaine-
lich von In genomen werde, damit sich sein K. G. auch
die lanntleot daselbst gemainer Stat ze hilf vnd aufnemen gehalten
mugen, das wil sein K. G. als genediger Herr vnd landesfürst gen
seinen gehorsamen vndertanen genediclich erkennen.

Auf das ist seinen K. G. geantwurt, wie die von Wienn wellen
solh seiner K. G. begern an Ir herren vnd frewnt bringen, vnd in den
sachen guten Vleiss haben, vnd daraus reden, vnd so sein K. G. hin
aus kumbt, was si dann seinen K. G. ze willen vnd gevallen darinn
mugen tan, das wellen Si gern tun.

Item es ward auch da geredt, sein K. G. pet yccz vleissiclich
vnd wolt nicht gern mit der Hertl vnd ernstlich darinn schaffen,
darumb wart begert, das man dester pas darinn vleis hiet.

Item den Giskra sol man von seiner K. G. wegen fürderlich
frewnllich gunst beweisen.

Anbringen an vnsern allergenedigisten Herren, den Romischen
Kaiser von den Lunndlewten, so yecz zu Melkch peyeinander
gewesen sind.

Am ersten zu sagen seinen K. G. Ir gehorsam, willig vnd vnder-
tenig dinst.

Darnach, wie Si angelangt hab, das vnser genedigister
Herr, Erzherczog Albrecht von Osterreich sein
lanndschafft ob der Enns auf den Montag nach sand
Erasm tag nagstkünftig ain Veld gen Enns rekomen
aufgepoten habe, sich mit In vnd andern herab in das
land zefügen, auch andern ennden geworben vnd ge-
stelt, in maynung sich des lanndes bienyden vnder-
steen, daraus nun ir baider Gnaden, auch Irn landen vnd lewten
grosser vnrat vnd vnherwindlicher schaden vnd verderben ersten
wurde. Also haben Si vm des pessten willen, als Si dann Ir baider
Gnaden vnd dem lannd wol schuldig sein, sich zueinander gefügt,
auch etllich annder lanndlewt bernefft, die dann Ir potschafft pey In
gehabt haben, vnd in Rat funden vnd fürgenomen, Ir potschafft zu Ir
paider Gnaden zetun, vnd die nu zu seinen K. G. geordent bittent
sein K. G. diemuticlich, ob icht Irrung zwischen Irer Gnaden wärn,

das Si sich darumb gutlich miteinander betragen vnd ainen, damit Si
nicht in solh hertikait gegen einander geraten, vnd das lannd nicht
so gar verderbt werde, Angesehen das Ir Gnaden von dem
lannd den namen, vnd das erst lunnd Irer Gnaden sey,
wann was dieselben lanndlewt darezu raten vnd dienn kunnen, damit
die sachen nicht zu weiterm vnrat kome, sein Si gar willig vnd wellen
das mit vleiss tun, vnd getrawen Irer Gnaden Bayderseyt werden sich
auch darinn genediclich halten vnd beweisen, vnd bitten auch, ob Ir
Gnaden ainer dem andern icht schuldig wer von Gerechtikait oder
frewntschafft wegen, das Sy sich darumb frewntlich miteinander durch
Irer frewnt Rat, oder ander Ir rudertan ainen lassen, damit solhs für-
nemen, daraus vnrat entsteen mag Ir baider lannd vnd lewt, vertragen
beleiben.

Desgleichen auch zu werben an Herczog Albrechten.

CXIV.
17. Juni
1461. Fürsichtigen Ersamen, weisen, sunder genedig lieben Herren.
Mein willig gehorsam dinst allezeit bevor. Ich lass ew wissen, das
am nagsten Montag saud Veits tag zu Melkch beslossen
ist also daz das fürnemen, so um nagsten zu Melkch betracht ist,
fürgang hat, vnd die botschafft zu vnserm Allergenedigsten Herren,
dem Römischen Kaiser, auch zu vnserm genedigen Herren, Herczog
Albrechten ist darauf abgevertigt mit dem Zusacz, das auch an
Ir baider Gnad zebringen ist, wie dreyrlay Volkch im
lannd lig. Ir baider Gnaden Volkch, vnd des fronawer
Volkch zu merkchlichem verderblichem schaden Lannd
vnd Lewten, vnd darauf Ir baider Gnad zebitten, das Si
darob sein vnd genedig ordnung machen wellen, damit
solh volkch dem Lannd vnd Lewten füran an schaden
sey, vnd zu solher potschafft zu meinem genedigen Herren Her-
czog Albrechten gen Lincz ist von Steten geordent herr
Sebastian Zieglsbawser, vnd wann aber auf dem obgemelten
tag ze Melkch vnder andern fürgenomen ist, ain tag von freitag vber
acht tag hin wider gen Melkch zekomen, hat den Reten wolgevallen
vnd geraten, das Maister Mert Guldein zu Melkch darauff warten sull,
vnd Ich mitsambt den Reten herabziehen. Ich wolt selber hewt pey
ewrn Gnaden gewesen sein, so wil mich Herr Hanns von Rorbach
von Im nicht lassen, sunder er wil, das Ich auf In wart, vnd mit

Im gen Wienn reyt, das well ewr Gnad im pessten aufnemen. Dat. z e
Pa den an Mitichen nach Viti. Anno dni LXI⁻.

Ewrer Weisbait &

vnderteniger diener

Maister Vlreich Griessenpekch.

Den fürsichtigen, ersamen, weisen, Burgermaister, Richter vnd
Rat der Stat zu Wienn, meinen sunder genedigen lieben
Herren.

Vermerkcht was auf dem Tag zu Korneuburg fürbracht vnd   E. 61.
erczelt ist an Mitichen nach sant Veits tag Anno LXI⁻.   17. Juni
                                                               1461.

Von erst hat vnser genediger Herr von Gurgk horn lassen das
schreiben des tags, so vnser allergenedigister Herr, der Romisch
Kaiser daselbshin gen Kornewnburgk gelegt hat.

Darnach hat er lassen horn ain besiegelten Gwaltbrief von dem-
selben vnserm allergenedigisten Herrn dem Ro. Kaiser ausgegangen,
was auf demselben tag von den vir parthein der Lanndschafft fürge-
nomen wurd, daz dann der von Gurkh vnd ander seiner K. G. Rät
ganez gwalt solten haben, solhem fürnemen nachzegeen vnd zevolfürn.

Item auf solben gwalt vnd ausschreiben des Lanndtags bracht
der von Gurgk für, vnd erczelt mit worten: Als nu yeez haugeezeit
beschedigung des lannds geschehen wörn durch den fronawer vnd
ander, vnd merklichen schaden getan bieten vnd noch teglich teten.
Es wör auch zu besorgen, das merklich Inczug in das lannd ge-
schehen mochten durch den Kunig von Beheim, den Mathiaschen, auch
durch vnsern genedigen Herren Herczog Albrechten, vnd das lannd
noch vester beschedigen mochten. Nu hiet sein K. G. geschriben
allen Prelaten, Herren, Rittern vnd Knechten vnd auch den von Stelen
nyderhalb der Enns, der aber der mynist tail da wer, vnd wie wol der
tag gelegt wör an sand Veits tag, doch so hiet sein Gnad damit ver-
ezogen vncz auf den Mitichen, vnd das von zwayerlay vrsach wegen,
aine, ob der Lanntschafft iebt mer in derczeit wörn komen, die ander,
ob die andern, die auf dem tag zu Melkkch wörn gewesen, sich zu
dem tag herab gefugt hieten, vnd seind dann yeez von Lanndlewten
nicht mer da wörn, so wolt sein Gnad vnd auch die andern Rät nichts
dester mynner handeln auf die empfelnuss vnsers allergenedigisten

Herrn, des Ro. K., vnd begern von seiner K. G. wegen, das wir, alsvil der lanntschafft da wern, sein K. G. solten raten, wie solhem fürcekomen wär, damit solh Inezugens vnd verderbens Lannd vnd Lewt widerstanden wurden, vnd was dann sein K. G. auch darezu helfen vnd raten sol, es sey mit Volkch, oder in andern wegen, das sey sein K. G. zumal willig.

Item sein Gnad liess auch horn das fürnemen, so die Lanndschafft zu Melkch auf den ersten tag fürgenomen vnd potschafft geordent hieten, aine zu vnserm allergenedigisten Herren dem Rom. Kaiser, die ander zu vnserm genedigen Herren Herezog Albrechten, als dann die werbung Irer potschafft ausgeschriben, vnd dicemal verlesen ward, vnd liess auch darauf horn ain schreiben, so Im von Melkch komen was, das sich die Lanndschafft zu Irer baider Gnaden zu reyten beliben wärn, vnd wurden auf den tag gen Kornewnburg nicht komen.

Item sein Gnad liess auch horn ain Absag von dem Coczko vnd seinen Helfern vnd dienern ausgegangen, vnd lauttat vnserm allergenedigisten Herren, dem Ro. K. vnd allen den seinn, vnd was er schaden tun mocht, damit wolten Si Irer bewart haben, vnd was das die Vrsach der Absag vnder andern worten, wie Im von demselben Vnserm allergenedigisten Herren ettwas zugesagt vnd versprochen wär, des er aber vnezber nicht hab mugen bekomen, als dann versehenlich dieselb Absag ewrer weishait auch geezaigt mag werden, darinn ewr weishait der Vrsach klörlich mag vnderricht werden. Sein Gnad liess auch darauf horn ain abgeschrifft, wie Im vnser allergenedigister Herr, der Ro. K. auf die Absag widerumb geschriben hiet, das sein Gnaden vmb solhs nicht wissen wär, vnd was sein K. G. in demselben seinem schreiben erbietung tut, ist versehenlich, man werd ewrer weishait dieselb abgeschrifft auch zaigen vnd horn lassen, vnd sein K. G. hat auch daneben geschriben ettlichen namhafften Herren zu Behem vnd zu Merhern, den Coczko daran zu weisen, damit solb absag vnd krieg abtan werd.

Item zum lesten lies sein Gnad auch horn ainen brief von hern Stephan Eyezinger auch ainer Absag geleich, vnd darauf ain schreiben, so Im die Ret widerumb getan haben. Dieselben zwuy schreiben Si ewrer weishait versehenlich auch zaigen vnd lesen

lassen werden, wann die menigerlay stukch innhalden, die lankch zu
schreiben wërn.

Vnd als wir die sach all vernomen, da truten yede parthey be-
sunder in ain spruch vnd bedechtnuss, die Prelaten auf ainem tail,
Herren, Ritter vnd Knecht auf den andern, vnd wir die von Steten
vnd merkchten auf den drittentail, vnd wurden da vnsers tail ainer
antwurt aynig in sulber form, als sein furstlich Gnad vnd auch die
andern Rët in dem ersten Artikl an vns begert hieten, das wir seiner
K. G. raten solten, wie solhen kriegen vnd Inezugen fürezekomen
wër, dadurch land vnd leut als gar nicht beschedigel wurden. Nu
sehen ir aller Gnad wol, das vnser der mynnist tail da wër, als daz
sein furstlich Gnad auch gemelt hiet. Nu wërn die sachen merklich
vnd swër, also daz wir vns solhs Rats auswendig der andern von
Steten vnd merkchten nicht kunden noch mochten annemen, vnd heten
Ir aller Gnad, daz si solh vnser antwurtt im pessten aufnemen, vnd
zu arg nicht merkchten, doch ee wir die antwurt tëten,
giengen wir zu den Prelaten, vnd horten Si in Irm
fürnemen auch, do was Ir fürnemen vnd das vnser
ain maynung.

Aber die vom Adl heten ain besunder fürnemon
auf maynung, als wir ewrer weishait in sundern
erezeln wellen.

Denn auf die andern Artikeln, als von des tags wegen
zu Melkch stund vnser antwurt, Seid Si potschafft geordent hieten
zu Ir paider Gnaden, so wër zu hoffen, oder Si wurden auf baiden
tailen solhen vleiss tun vnd bahen, damit Ir paider Gnad in pesser
verstentnuss vnd aynikait komen wurden vnd mochten, vnd hieten an
solhem Irm fürnemen ain gut gevallen, wann wir hoffen zu got, dem
Almechtigen, oder Si wurden ettwas guts aurichten.

Dann von des Coczko wegen, seind Im vnser allerg.
Herr, der Rom. K. auf sein absag widerumb, vnd auch den andern
Behemischen vnd Merherischen Herren geschriben hiet noch inhalt
seiner K. G. brief, so wer zehoffen, oder die Herren
wurden In duran weisen, auf seiner K. G. erbietung,
oder die sach mochtt auch zu ainen guten komen, vnd
liessens vnsernthalben dapei steen.

Dann von Herrn Stephans Eyczinger wegen, seind
Si Im als vnsers allergenedigisten Herren, des Ro. K. Rëte geschriben

16*

hieten, lm solt alles daz volgen, des sich dann sein K. G. gegen hern
Vlreichen Eyczinger verwilligt hiet, mit anderr erpietung nach innhalt
lrer Gnaden brief, so wẽr zehoffen, oder er wurde glimph-
lich vinden lassen vnd mocht auch noch zu ainem
guten komen, vnd solh vnser maynung vnd fürnemen der dreir
Artikl sonndern die andern partheyen auch darauf, doch als wir Si
am ersten gehort heten, do warn vnser aller maynung gleich,
vnd baten die Rẽt, daz Si bei vnserm genedigisten Herren, dem Ro.
K. darob wẽrn, daz sein K. G. als gnrdig wer, vnd weg fürnemen,
damit solher krieg vnd lrrsal abtan wurd, dadurch sich sein arm
vndertanen, geistlich vnd werltlich, dester paser genern mochten, vnd
zu frid vnd aynikait kẽmen, daz wolten wir all vmb dieselb sein
K. Maiestat in aller diemutikait williklich vnd gern verdienn.

Vnd als wir solh antwurt teten, da traten die Rẽt zueinander vnd
heten ain gute bedechtnuss, darnach tet vnser guediger Herr
von Gurgk ain antwurtt, als hernach berürt ist, also:

Lieben Herren vnd frewnt, wir daukchen ew all vnd yedem be-
sunder an stat vnsers allergenedigisten Herren des Ro. Kaisers, daz
Ir so willig vnd gehorsam gewesen seit, heer auf den tag zekomen,
das wellen wir seiner K. G. zuschreiben, der sol das in gnaden gen
ew erkennen, vnd in gut nicht vergessen.

Denn als Ir oben vermelt habt, wie Ir ain gross vnd gut gevallen
habt an dem fürnemen, so durch die Lanndlewt in Melckh betracht
vnd fürgenomen sei, begern wir an stat vnsers allergenedigisten
Herren, des Ro. Kaisers, daz Ir vns ain zusagen tut, ob Ir
des seinen K. G. verhelffen wellet, vnd ob Ir ew
seiner K. G. balden wellet.

Darauf namen wir des ain bedechtnuss, vnd wurden einer ant-
wurt aynig: Seind den Sendpoten nichts anders empholben wẽr wor-
den, denn daz Si Ir paider Gnad mit allem diemutigen vleiss biten
solten, daz sich Ir baider Gnad frewntlich miteinander verainen, vnd
in pesser verstentnuss komen solten, denn sy noch vnez her gestan-
den vnd gewesen sein, was wir nu zu solher aynikait Irer paiden
Gnaden gedienn, helffen vnd raten solten, daz wolten wir gern tun,
vnd wẽrn auch des willig, vnd als wir der antwurt aynig wurden, do
liessen wir die Prelaten vnd auch die vom Adel mit lrer antwurt für-
komen, da was Ir antwurt vnd vnser fürnemen ain may-
nung, vnd teten auch die antwurt yeder besunder in gleicher lautt

vnd maynung, vnd alsdann die Prelaten vnd auch die vom
Adel auf das ander stukch, ob wir vns seiner K. G.
halden wolten, kain antwurt nicht täten, do liessen
wir es auch ungesten, wie wol wir doch auch ainer
antwurt aynig wurden. Vnd also schieden wir all tail frewnt-
lich ab vnd gingen voneinander.

Vonn Prelaten.

Brobst von Newnburg.
Abt von Schotten.
Brobst zu sand Dorothe.
Prior von Maurhach. *)

Vom Adel.

Der von Kunring.
Der von Rappach.
Her Haidenreich Drugksecz.
Her Hanns Mülvelder.

Vonn Steten.

Die von Wienn.
Von baiden Newnburg.
Die von Prugk.
Die von Hainburg.
Von Medling.
Von Berchtolezdorf.

*Wie vnser allergenedigister Herr, der Ro. Kaiser Herren vnd
Prelaten, vnd den von Steten in pehem von des fürnemens vnd
vnfrewntlichs willen, so si mitsambt Herczog Albrechten sten
sullen, geschriben hat.*

CXV.
8. Juni
1461.

Wir Fridreich von Gots gnaden Romischer Kaiser. & Erbieten
den Erwirdigen vnd Ersamen, den Bischoven vnd Prelaten, vnsern
lieben andechtigen, auch den Wolgeborn Edeln vnsern vnd des Reichs
lieben getrewn Graven, Herren, Rittern vnd Knechten, den von den

---

*) Simon H. Helndl, von Klosterneuburg, Martin von den Schotten, Stephan von
Landskron von S. Dorothea und Martin fl. von Mauerhach,

Stelen vnd Merkchten vnd allen andern Inwonern des Kunigreichs zu
Behem vnser gnad vnd alles gut. Erwirdigen, Ersamen, wolgeborn,
edeln vnd lieben getrewn, nachdem vns zu menigermaln angelangt
hat, ettwas fürnemens vnfrewntlichs willens wider vns, auch vnser
land vnd lewt, darinn der durleuchtigist Jorg Kunig zu Behem & vnser
lieber Swager vnd Kurfurst mitsambt dem Hochgebornen Albrechten
Erezherezog zu Osterreich vnd zu Steir & vnserm lieben pruder vnd
fürsten sten sol, haben wir seiner lieb vnd frewntschafft schreiben
lassen, vnd vns gegen seiner lieb erpoten, als deaselben vnsers
briefs innhalt hernach geschriben stet vnd lauttet von wort zu
wort also:

Wir Fridreich & Embieten dem durleuchtigisten Jorgen Kunig
zu Behem, vnserm lieben Swager vnd Curfürsten vnser frewntschafft
vnd alles gut. Durleuchtigister lieber Swager vnd Curfürst, vns ist
offt vnd vil fürkomen, wie das Ir mitsambt dem Hochgebornen Albrech-
ten Erezherezogen zu Osterreich vnd zu Steyr & vnserm lieben
Pruder vnd fürsten, vnd ettlichen andern in betrachtung vnd fürnemen
sten solt, vnd zuverhelffen sachen wider vns zesuchen, vnd darumb
vns, vnser lannd vnd lewt mit krieg anzelangen, solhs aber von ewrer
lieb vnd frewntschafft bisher vnd Ir vns gewont seyt, vnd wir in be-
sundern frewntlichen vnderreden vnd verstentnussen gegeneinander
verschriben sein. In vnser gmüt nicht hat komen mugen, Angesehen
auch solh besunder Eer, wird vnd frewntlichen willen, die wir ew in
menig weg beweiset haben, Auch nicht sachen wissen, darumb einich
zweyung oder vnwillen zwischen vnser vnd ewr sein, oder sich be-
geben solten, noch auch zwischen vnser vnd dem vorgenanten vnserm
pruder, noch andern. Aber wie dem allen nach dem wir dann von
gotlicher gnad vnd schikchung als Romischer Kaiser ein ohrist Haubt,
ordenlicher Richter vnd rechter Herr des Rechtens vnd der gerech-
tikait in allen werltlichen sachen sein, gepürt vns solh vnser kaiserlich
Oberkait vnd gwaltsam auch gegen vnsselbs vnd ainem yeden von
vnser vnd des heiligen Reichs gemains frids vnd der gerechtikait we-
gen zugeprauchen, als sich das nach gestalt vnd gelegenhait ainer
yeden sach gepürt, vnd darumb ob ewr lieb vnd frewntschafft icht
spruch oder vordrung von ewr selbs wegen zu vns ze haben ver-
mainte, vmb was sachen das wër, so sein wir willig, erpieten vns auch
des gegen euch mit disem vnserm Kaiserlichen offen brief, wo wir
darumb miteinander gutlich nicht veraint, oder vertragen werden

mochten mit Recht ausfündig lassen zemachen, wes yeder tail dem
andern von pillichait oder Rechtens wegen schuldig vnd phlichtig sein,
wie das am fürderlichisten geschechen mag. Desgleichen wir vns gegen
dem vorgenanten vnserm pruder vnd fürsten, vmb was er zu vns zu
sprechen oder zusuchen zehaben vermaint auch haben erpoten, vnd
hoffen, das ewr lieb vnd frewntschafft vnd meniclich, wo das für-
kumbt, versteen vnd erkennen sol, das wir vns damit gegen euch vnd
demselben vnsern pruder vmb was lr, oder er, vnd lr yeder besunder
zu vns zusprechen zu haben vermaint, vollieliich vnd genugsamklich
haben erpoten, in massen vns das von vnser kaiserlicher Oberkait des
heiligen Romischen Reichs vnd des Rechtens wegen gepürn mag, vnd
nicht notdurfftig sey, einichs vnwillens oder vnfrewntlichs fürnemens
daruber gegen vns, vnsern Lannden vnd Lewten zu gebrauchen.
Darumb so begern vnd ervordern wir an euch als Romischer Kaiser
von vnser kaiserlicher Oberkait gewalsam vnd des Rechtens wegen,
ermonen euch auch damit als vnsern vnd des heiligen Rom. Reichs
gesworenen Kurfürsten aller der phlicht, der lr vns als Romischen
Kaiser verphlicht vnd gewont seyt, das lr solb obgemelt vnser vollig
erpieten gutlichs vnd rechtlichs austrags aufnemet, vnd daruber an
gutlichen oder rechtlichen austrag alles des lr zu vns zesprechen zu
haben vermaint, vns, vnsern lannden vnd lewten nichtz in gut, noch
in vnwillen zufügen, auch des dem egenanten vnserm pruder noch
andern wider vns, vnser Lannd vnd Lewt nicht verhelffet, noch ye-
mands von ewrn wegen zuverhelffen gestattet. Als wir nit zweyfeln,
lr nach solhem egemelten vnserm erpieten selbs vnsel des vns vnd
ewch selbs von vnser, des heiligen Reichs vnd der gerechtikait wegen
schuldig vnd phlichtig seyt. Geben zu Grecz an Sambstag
nach sand Erasm tag mit vnserm kaiserlichen aufgedruktem In-
sigl besigelt, nach Christi gepurde virezehenhundert vnd im Ains-
vndsechezigisten, vnserr Reich des Romischen im zwayvndzwain-
czigisten, des Kaisertumbs im zehenten, vnd des Hungrischen im
dritten Jarn. *)

6. Juni
1461.

    Also vnd auf das lr dann als glider vnd vndertanen der loblichen
Kron vnd des Kunigreichs zu Behem, die mit lrn Regalien, lehen-
schafften, Mansebafflen, ern vnd Wirden von vns vnd dem heilige
Romischen Reich zu rechten fanlehen rüret, vnd als Romischen Kaiser

---

*) Ludwig Ral. Mss. X, 571.

von vnser kaiserlichen oberkait des heiligen Romischen Reichs vnd des Rechtens wegen gewont seyt, so begern vnd ervordern wir an euch als Romischer Kaiser von vnser kaiserlicher Oberkait, gwaltsam vn r' des Rechtens wegen, ermanen euch auch als vnser vnd des heiligen Ro. Reichs vndertan von wegen der egemelten Kron vnd Kunigreichs aller der Phlicht, der Ir vns als Romischen Kaiser von vnser kaiserlichen Oberkait des heiligen römischen Reichs vnd des Rechtens wegen schuldig vnd pbliehtig seyt, das Ir den vorgenannten vnsern Swager vnd Kurfürsten daran weiset, das er soll obgemelt vnser vollig erpieten gutlichs vnd rechtlichs austrags aufnem, vnd euch daruber nyemants wider vns, vnser Lannd vnd Lewt bewegen lasset. Als wir nicht zweifeln, Ir nach solhem egemelten vnserm erpieten selbs verstet, des vns, auch euch selbs vnd der wirdigen Kron zu Behem von vnser, des heiligen Reichs vnd der gerechtikait wegen schuldig vnd pbliehtig seyt. Geben zu Grecz an Montag nach sand Erasemtag mit vnsern kaiserlichen aufgedruktem Insigl besigelt nach Cristi gepurde vierzehenhundert vnd im Ainsvndsechezigisten, vnser Reich des Romischen im zwayvndzwainezigisten, des Kaisertumbs im zebenten vnd des Hungrischen im dritten Jarn.

8. Juni 1461.

Ad mandatum domini Imper. in Consilio
Vlricus Welezlij, Canczellarius.

Desgleichen ist auch geschriben worden den von Merbern.

*E. 62.
22. Juni
1461.*

Antwurt vnsers gnedigen Herren Herczog Albrechts auf der Landleut, die zu Melkch sind gewesen, anbringen an Montag sand Achacj tag zu Lincz.

Her Ruger von Starhemberg, als Ir mit ewern mitgesellen von der landleut wegen, so yecz zu Melkch pey einander sein, an mich geworben habt, hab ich vernomen, darinn habt Ir drew stukch berürt, vnd dieselben erczelet sein Gnad, vnd vermainet, das der von Starhemberg die mit mer worten anpracht hiet, als die dann geraut hieten, vnd was darauf seiner Gnaden antwurt also: Was sein Gnad sider abgang Kunig Lasslabs, seiner Gnaden Herr vnd Vettern seligen, lanndten vnd lewten des fürstentumbs Osterreich biet kunnen vnd mugen gedienn zu Ern, nucz vnd frumen mit den landlewten aufgewesen, es sey auch sein Gnad noch genaigt vnd willig, was er dem lannd vnd lewten noch füren noch gedienn kunn vnd mug zu Ern, nucz vnd frumen, das well sein Gnad gern tun.

Dann auf die andern Stukch vnd verrer vnser werbung gab sein Gnad antwurt, das sein Gnad die lanndschafft ob der Enns vnd vnden herauf erfordert vnd besandt hiet, so die nu zu seinen Gnaden komen wurden, so wolt sein Gnad vnser herbung an new bringen, vnd sich mit In daraus vnderreden, vnd vns dann antwurt wissen lassen.

Darauf sagt der von Starhemberg seinen Gnaden, das die Lanndlewt auf den nagsten freitag wider gen Melkch komen wurden, auch die Herren vnd Sanndpoten, so si zu vnserm genedigisten Herren, dem Romischen Kaiser der sachen halben gesannd bieten. Wolte nu sein Gnad fugen vnd gevallen, das er dann seinen Gnaden Antwurt auch dahin wissen liess.

Darauf gab sein Gnad also antwurt: Wir mochten selbs wol versteen, das er die lanndlewt so pald nicht gehaben mocht, aber alspald Sy zu seinen Gnaden komen, so wolt er vnser werbung an new bringen, sich mit In daraus vnderreden, vnd dann herrn Ruedigern von Starhemberg seiner Gnaden antwurt zu sennden vnd wissen lassen.

Darauf ward sein Gnad von vns gepeten, das dann sein Gnad den Lanndlewten ein genedige vnd gutige Antwurt gerucht getun, das wellen die Lanndlewt vnd wir sambt In vmb sein fürstlich Gnad vnderteniclich verdienn, damit zwischen Ir baider Gnaden nicht mer, noch grosser herttikait erstunden.

Vnd schieden also ab.

Also hat man Vnserm allergnedigisten Herren dem Kaiser geschriben vmb Rettung vnd Zuschub der Stat.

CXVI.
28. Juni
1401.

Allerdurchleuchtigister Romischer Kaiser vnd genedigister Herr. Vnser Vndertenig willig dinst ewrn K. G. zevor. Als ewr K. Malestat yecz ewr Gnaden Böten die absag, so ewr Gnaden bruder, der hochgeborn fürst, Herczog Albrecht, Erczherczog zu Osterreich & vnser genediger Herr ewr K. G. getan, vns wissen haben lassen, desgleichen haben auch her Heinreich von Liechtenstain vnd sein bruder, auch der Koska vnd ander abgesagt, das wir nicht gern gehort haben, vnd lassen ewr K. G. wissen, das vns teglich anlangen die grossen, swärn lewff, zurichtung vnd herczug

so wider ewr K. Maiestat vnd sunder auch auf die Stat hie fürgeno-
men sein von Hungern, Behem, Osterreich, Pairn,
Merhern vnd andern lannden, vnd daz auch der obgenant
vnser genediger Herr Herczog Albrecht mit den land-
lewten vnd andern auf den nagsten Eritag in Veld
rukchen, desgleichen auch die enhalb Tunaw zu Veld
ziehen werden. Wann aber die Stat an zurichtung zu wer merkch-
lichen mangl hat, vnd wir vermugen die in so kurczen zeiten nicht
zurichten, noch solh prechen wennden, als wir gern tâten.

Allergenedigister Herr, haben das vnd all ander der Stat notdurft,
geprechen, auch vnser verderblich schäden, so wir in menigerlay
weise nu lange zeit gehabt haben, ewrn K. G. zu menigermaln mund-
lichen vnd schrifftlichen verkünt vnd anpracht, vnd ewr gnad allezeit
angeruft, die genediclich ze wennden vnd nach dem als nu solh für-
nemen wider ewr K. G. vnd sunder auf die Stat sein, so ist von solher
krieg vnd tewrung wegen die gemain hie mit notdurften vnd speis
nicht fürgesehen, nachdem die Hochwirdig schul doctores, maister,
studenten, priester, auch hantwerchslewt vnd vil ander armbs volkch
hie ist, darczu so lest man yecz auf dem wasser noch auf der Tunaw
der Stat gar luczl Speis zugeen. Solt ewr k. Maiestat nicht gnedig
wege zu beschirmung vnd Rettung der Stat fürnemen, vnd das darüber
die Stat gewaltigklichen mit solhen herczugen belegt vnd bekumert
werden, so mag ewr K. G. wol versten, wie lang sich ein solhe menig
Volkchs an narung aufhalten mocht, daz verkunden wir ewrn K. G.
als vnserm allergenedigisten Herren sunder darumb, das ewr
Gnaden gemahl, vnser allergenedigiste fraw, die
Kaiserin mit vnserm Jungen gnedigen Herrn, ewr
Gnaden Sun, vnd ettlichen ewr Gnaden Rêten, vnd
die egemelt wirdig schul hie sein, daz ewr Gnad solhs
gnedigklich zu herczen nem, auch ansech, das die Stat hie ain
haubtstat ewrs fürstentumbs Osterreich ist, vnd mit
grossen goczdinsten, Heilthum vnd loblichen Kirchen, stifftungen
gaistlichen vnd weltlichen fürgesehen vnd geczirt ist für ander Stet,
auch die dinst, so wir von der Stat ewrn K. G. vnd aller ewr Gnaden
vorvodern so gar loblich vnd williglich nach allem vnserm Vermugen
von leib vnd gut getan, haben das ewr K. Maiestat das alles für augen
nem, vnd gnedigklich bedenkch, damit ewr Gnad genedige fürschung,
beschirmung vnd Rettung tue. Als sich des K. G. gen vnsern Sent-

poten mundlich, auch in ewrm kaiserlichen schreiben gen vns gene-
digklichen verwilligt hat. Solt nu die Stat daruber (mit) so swerlich ber-
czogen belegt, vnd mit bunger oder anderm gwalt genött vnd betwun-
gen werden, so moeht sich merklich störung der Stat, auch an goez-
dinst, zir vnd heiligtum nach vnserm verderblichen schaden begeben.
Darumb pitten wir, ewr K. G. welle vns in dem allem gnedigklich
fürseben, als vns des ewr K. G. als vnser gnedigister Herr vnd Lannds-
fürst schuldig vnd phlichtig ist; daz wellen wir gen denselben ewrn
K. G. vndertenigklichen willigklich verdienn. Geben zu Wienn an
Suntag vor sand Peters vnd sand Pauls tag. Anno dni LXI°.

        Ewr K. G. Maiestat vnderlenigen

                Burgermaister, Richter, Rat,
                Genant vnd Gemain der Stat zu Wienn.

Allergenedigister Herr. Wir lassen ewr K. G. wissen, der Herrn
Giskra fus Volkch yeez merklichen schaden tun, vnd auszieben in
die Dorffer den armen lewten zu lunez, Strissing vnd andern Ir Viech
pey nacht nement, vnd berauben die armen lewt, das nymbt sicher
vor In ist, darauf welle ewr K. G. gedenkchen, das gnedigklich ze
wennden, das wellen wir vmb ewr Gnad mit aller vndertenigkait gern
verdienn.

Herczog Albrechts von Osterreich Absag dem Kaiser.

    Dem allerdurleuchtigisten fürsten vnd herren, herrn Fridreichen
Romischen Kaiser & Herczogen zu Osterreich, ze Steyr & lass leb
Albrecht Erczherczog zu Osterreich, ze Steyr, ze Kernden vnd ze
Krain, Grave zu Tirol & wissen. Ir seyt wol vnderricht, wie in dem
lannd zu Osterreich niderhalb der Enns vnezher pey zeiten ewrer
Regirung meneherlay frombder lewf vnd Krieg, damit dasselb lannd
in swerlich verderben vnd schaden komen ist, sich begeben haben;
Dadurch etlich der Lanndlewt in merklicher Zal zu aufrur wider ew
vnd in frombd scherm vnd gewaltsam komen sein, nit mit kl a i n e r
s m a c h v n d s c h a d e n d e s l o b l i c h e n H a w s s, g a n c z e s
St a m e s v n d n a m e s d e r f ü r s t e n von O s t e r r e i c h, das alles
gutlichen nyderzulegen hab ich mit merklichem meinem Kosten vnd
darlegen ze menchem mal ew durch geschrifft vnd mein Botschafft
ersucht, die saeben in pesser weg vnd stand zebringen, des Ich aber

nicht vӧlig an ew haben mugen vinden, Vnd besunder so hab ich mich
auf ain zeit vncz gen sand Polten gefügt vnd mein Potsebaſſt zu ew
getan gen Wienn, vnd gepeten, so ich ymer hobist hab mugen, mir
noch vergunnen darein zetaidingen, dadurch zerrüttung des lannts
vermiten wörde; da mir aber alle teyding abgeslagen vnd geantwort
wurde, das Ir dieselben suchen all zu dem durleuchtigen fürsten,
Herren Jorgen Kunig zu Beheim & gesaezt hettend, durch solb frombd
furnemen es darczu komen, das ain merklich anezal derselben lannt-
schaſſt aus ewrer gehorsam als ains fürsten von Osterreich in frombd
scherm vnd hand komen ist, vnd nu das nicht vnderkomen wēre, ain
ganczer abvall desselben Lannds von vnserm Stamen vnd namen sich
begeben het. Das Ich aber dem loblichen Hawss Osterreich vnd dem
ganczen Stamen vnd namen nicht schuldig gewesen pin zuzesehen,
vnd hab es durch Rat, Hilſ vnd Pete meiner Herren vnd frewndt
derczu pracht, damit dieselhen Lannd vnd Lewt, so aus vnsers namen
vnd Stamen gehorsam ganez komen wēren, wider in des loblichen
Hawss Osterreich Hannden vnd in mein gehorsam komen sein, die ich
auch also aufgenomen, vnd in meiner gwalt hab, vnd dadurch das
obgemelt lannd nicht also zu zerüttung vnd verderben, sunder in ay-
nikait ainer redlichen aufrichtung, Regirung vnd loblicher stand, als
das von alter herkomen ist, nachdem wir all vnsern namen vnd wirde
dauon haben, praebt werde, So will ich vndersteen den an-
dern tail des ganczen Lannds Osterreich niderhalb
der Enns mit veld leger, oder wie ich das sunst am
fuglichsten bekomen mag, durch goez bilſ, der aller
gerechtikait heget, zu meinen hannden zebringen, vnd
was sich in solchen sachen durch mich vnd alle die, so mir heistand
tun werden, hegibt, Es sey mit nam Raub, Prant, Totsleg, nottung
aller ewr lannd vnd lewt dem Hawss Osterreich zugehorend, Will ich
gegen ew, allen den, so ew beistand, Rat oder Hilſ tun, auch gegen
allen lannden vnd lewten ewr Regirung dem Haws Osterreich zuge-
horend mein fürstlich ere, vnd allen meinen helffern Ir ere bewart,
vnd ob ich iebt mer bewarung bedorſſt oder notdnrſſtig wurde, wil ich
hiemit auch getan haben. Doch so nym ich in dise meine Absag aus
alle vnd ygliche des heiligen Romischen Reichs Kurfürsten vnd für-
sten, geistlich vnd weltlich, Prelaten, Graven, freyen Herren, Ritter
vnd Knecht, Stete vnd auch Vndertan, die ew dann von ewr erblichen
fürstentumb vnd lannd wegen nicht zugeborn, wenn mein maynung

niebt ist, das dieselben in diser absag vnd Vehde sullen begriffen sein,
des ich mich hiemit beczeug mit disem meinen offen brief mit meinem
zerugk aufgedrukten Insigel. Geben zu Lyncz an freitag nach
sand Veitstag. Anno dni LXI*.

Der Lanndleut Absag.   CXVIII.

Dem allerdurleucbtigisten fürsten vnd Herren, Herrn Fridreichen,
Römischen Kaiser, zu allenczeiten merer des Reichs & lass ich N.
wissen, Als der durleuchtig Hochgeboren fürst vnd Herr Her Herczog
Albrecht Erczherczog zu Osterreich & mein genedigister Herr vnd
Lanndsfürst ewrn K. G. nach Innhalt seiner Gnaden brief abgesagt
hat, Also will ich ich dem benanten meinem genedigisten Herren, Erez-
herczogen Albrecht als seiner Gnaden getrewr lundtman gehorsam
sein vnd beistand tun, vnd ob sein fürstlich Gnad iehtz mit mir schafft,
oder hinfür schaffen wurde, das wider ewr Gnad, ewr erbliche Lannd
vnd Lewt vnd alle die ewrn mit Raub, Prant nam, wie sich das be-
gabe, oder moechte sein wurde, darinn will ich mein Ere bewart haben,
vnd ob ich iehl bewarung bedorfft, oder notdurfftig wurde, wil ich
aueh hiemit getan haben. Doch so nym ich in diser meiner Absag aus
alle vnd ygliche des heiligen Römischen Reichs Kurfürsten vnd für-
sten, geistlich vnd weltlich, Preluten, Graven, freyen Herren, Ritter
vnd Knecht Stete vnd Vndertan, die dann ew von ewr erblich fürsten-
tumb vnd Lanndt wegen nicht zugehorn, wann mein maynung nicht
ist, das dieselben in dieser Absag vnd Vehde sullen begriffen sein,
Des ich mich hiemit beczeug mit disem meinem offen brief mit meinem
zerugk aufgedruktem Insigel. Geben &.

Von der ledigen Knecht wegen, die nicht Herren vnd dinst hie   CXIX.
haben, von den, die Rumor machen, vnd die Kirchverten ziehen
aus der Stat.

Geruft an sand Virelchs tag.   4. Juli 1461

Es gepewt vnser allergenedigister Herr, der Romisch Kaiser &
seiner Gnaden Burgermuister, Richter vnd Rat der Stat hie zu Wienn,
allermeniclich, in was wesen oder stund er sey, vnd sag das ain man
dem andern, was lediger knecht hie sein, vnd nicht Herrn vnd dinst
hie haben, die sullen sich vnverezichen aus der Stat heben, vnd welh

daruber hynnen begriffen werden, die wirdet man zu handen nemen, vnd darumb swerlich straffen. Welher aber Rumor hie anbub, vnd ainen Burger, Inwoner oder ander laidigen vnd slahen wolt, dem sullen die nachtpawrn daselbs all zulauffen, helffen vnd weistand tun, damit solh Rumor vnd laydigung werd vnderstandan, Welh aber solh laydigung hülfen zu vndersten vnd zuluffen, die sullen dem Gricht darumb nichtz sebuldig sein, Welh aber des zuseben, vnd solh laydigung vnderkomen mochten, vnd des nicht teten, die wurd man swerlich darumb straffen. Es sol auch kain Purger oder Inwoner kirchverten oder anderswohin von der Stat reyten, varn noch zieben, an ains Burgermaisters Vrlaub vnd wissen, Welher aber des nicht gehorsam sein wolt, den wil man auch swerlich darumb puessen.

CXX. *Also hat vnser allergnedigister Herr der Kaiser der Stat auf Ir*
5. Juli 1461. *bet omb bewarung derselben Stat, als enhalb an dem plat be-*
griffen ist, geschriben vnd geantwurt.

Fridreich &.

Erbern, Weisen, getrewn, lieben. Ewr schreiben vns yecz getan mit vermeldung menigerlay geprechen vnd bet (so Ir) von gemainer Stat wegen darinn tut, haben wir vernomen, vnd tun ew zu wissen, daz wir zum widerstant der Mutwilligen Veintschafft, so vns von vnserm hruder vnd ettlichen andern vupillich vnd vbergarvollige vnsere erpie- tung gelimphs vnd rechtens begegent wider hinaus gen Osterreich yecz den Yskra, vnsern hauhtman vnd Rat gevertigt, vnd vns mit der von Posing, Ellerbacher, Pemkircher vnd Grafenegker bewarben, vnd merklich darumb auf die egemelten die vnsern, das Sy sunderlich aufsein, vnd hinaus mit Volkch sich fugen, darlegen getan haben, vnd das stetlich tun müssen, vnd suchen auch allenthalben im Reich, hierinn vnd andern enden hilff vnd peystant, getraun auch mit hilff gocz auf ewr vnd anderr vnserr getrewen, solhen groben muthwillen vnd vnrechten loblich zu widersten. Wir wellen auch, ob got wil, in kurezen tegen pey ew davor sein, vnd mit Rat ewr vnd Auderr der Vnsern stetlich fürnemen vnd tun alles, das zu guter bewarung, ordenlich widerstant, frid, gut vnd gemainen nuez komen vnd gedient mag vns, ew vnd Andern den Vnsern. Davon begern wir an ew mit sundern Vleiss, bevelhen ew

ach ernstlich, in disen lewffen trostlich hall, vnd der mu vnd vleis
nit verdriessen lasset, denn Ir von vns ye nit verlassen sullet werden,
wir wellen auch ewr trew dinst, loblichen peystand vnd der geduld,
so Ir mit vns in den widerwertikaiten habt, zu danckh vnd gut nicht
vergessen, sunder kunftiglich gen ew vnd ewrn kindern genedielich
erkennen. Geben zu Grecz an Suntag nach sand Vlreichs
tag. Anno dni LXI^{mo} Vnsers Kaisertumbs im zehenten Jare.

Denn von des Gyskra fusvolkch wegen haben wir mit Im ver-
lassen mit denselben vnd andern den sein, so in vnserm sold vnd dinst
ligen, das sy die Vnsern nit beswern, sunder beschirmen, vnd wegs
gedenkchen, sich zelegen auf vnser vnd vnser lannd
vnd lewt reint güter, der wir menigen alleathalben
vmb ew haben, denselben ansecxen schaden vnd abpruch tun nach
dem hochsten, auch darumb geschriben vnsern Reten davor das gen
dem bemelten Giskra vnd andern den Vnsern Vleiss zehaben, hoffen
wir, Ir wert darezu tun, auch Raten vnd helffen nach dem pesten,
darumb tut Ir vns ye danknem gevallen.

Wie Herczog Albrecht der Stat zugeschriben hat von Melkch. **CXXI.**
                                                      9. Juli 1461.

Albrecht von goez gnaden Erczherczog zu Osterreich &.

Erbern, Weisen, Getrewn, lieben, Wir haben lang zeit mit ge-
trubten gemüt zugesehen des verderblichen sehudens, damit das
loblich fürstentumb Osterreich seind der zeit der Regirung vnsers
Herren vnd bruders, des Romischen Kaisers, manigvaltigklich beswert
worden ist, vnd wiewol wir denselben vnsern Herrn den Kaiser offt
ersucht haben, solh frombdikait vnd beswerung der lannd vnd lewt in
pesser stand zukern, vnd vns erboten, darunder gutlich zu laidingen,
das vns albeg abgeslagen, vnd kain gutigkait von Vnserm Herrn vnd
bruder, dem Kaiser, mir vervoligt worden; Sunder albeg in seiner
Hertigkait vnd fürnemen bestanden ist durch solh strengigkeit es
darczu komen mocht sein, das nach dem vnd Reich vnd arm also vn-
willigklichen vnd vnezimlichen gedrungen wurden, ain gancer abfall
von dem loblichen Haws Osterreich geschehen mocht sein. Nu solt
Ir warlich gelauben, das wir solher vnordnung nicht aus verachtung
oder liderlichkait alslang zugeschaut haben, sunder in guter hoffnung,

das vnser Herr, der Kaiser solh swer Regirung abtun wurd, vnd als
wir ye kain walgrung in den dingen beruffen, haben wir vns nach Rat
vnserr frewnt die obgemelten sachen vnderstanden zu vnderkomen,
vnd vns gen vnsern Herrn vnd bruder, dem Kaiser, nach Innhalt der
Ingeslossen notl bewart, vnd darauf also zuverkomen mit der hilff des
almechtigen Gut vnd vnser Herrn vnd frewnt solh beswerung der
lannd vnd lewt zu wenden, vnd die gross beswerung, so mit ew vnd
andern fürgenomen wirt, abzestgen, dann wir warlich vnderricht wer-
den, das etlich mit wegen vmbgeent, die ew zu hohem schaden vmb
ewr leib vnd gut, vnd die wirdig Stat in zerstorung bringen möcht,
das vns doch ye, nach dem vnd die Stat aller fürsten von
Osterreich herez ist, von ganczem vnserm gemüt laid wäre.
Davon so begern wir an ew mit sunderm ernst, das Ir ew etlich tag
noch enthalt, vnd ew kainerlay beswerung, es sey durch schaczung,
oder ander vnpillich anmutung zuezihen lasset, So wellen wir vns in
kurcz in ainer nähe zu ew fügen, vnd verrer ew weg fürhalten, dapey
Ir versteen mocht, das durch vnser fürnemen land vnd lewt, vnd
sunder Ir zu Rw vnd frid kombt, vnd wider in ewr alt loblich steend
vnd wesen pracht werd, vnd das wir abslang mit vnser zukunfft ver-
hindert sein, hat gemacht, das all Prelaten, Herrn, Ritter vnd Knecht
vnd etlich stet des lands Osterreich, da sy solh notdurfftigklich vnser
fürnemen verstannden, sich auch zu vns tan haben, den allen vnd ew
Ir euch also mitsambt vnserr Herrn bruder, Swager vnd frewnten
den Kunig von Hungern vnd Behem, Herezog Ludwig von Payrn, die
all also vns zu hilff auf dem zug zu vns sein, beistannd tun, vnd ew
nicht verlassen wellen, wie wol wir mit Vnser selbs macht stark genug
sein, vnd zu euch fürderlich komen wellen. Geben Im Veld
vor melken an Phineztag vor sand Margrethen tag.
Anno LXI°.

Den Erbern weisen vnsern getrewn lieben, dem Burgermaister,
Richter, Rate, Genanten vnd der ganczen Gemain der Stat
zu Wienn.

CXXII.   *Also hat man von der Stat Herczog Albrechten geantwurt.*
20. Juli
1461.
    Durleuchtiger, Hochgeborner fürst, genediger Herr. Als vns ewr
furstlich gnad geschriben hat, vnd vns verkündt die Vrsach, darausz
ewr Gnad vnsern allergenedigisten Herren, des Romischen Kaisers,

ewr Gnaden bruder veynt worden sey, ist vns als seiner K. G. vndertanen von herezen laid, das wir ewr baider Gnaden Veyntschafft vnd Ynaynigkait born vnd wissen sullen; denn als ewr fürstlich Gnad in demselben ewr Gnaden brief berürt, wie ewr Gnad warlich vnderricht sey, das ettlich mit wegen vmbgeen, die vns zu hohem schaden vmb vnser leib vnd gut, vnd die wirdig Stat zustorung bringen mochten: Genediger Herr, nu haben wir des kain wissen, das yemant mit solhem hohem schaden vmbgee, Sollen wir aber des ain gewissen gewynnen, wir wolten des mit vnsers allergenedigisten Herrn des Romischen Kaisers billfen treulich gedenkehen zu widersteen, als wir des seinen K. G. vns vnd der Stat schuldig sein. Dann als ewr fürstlich Gnad begert, vns ettlich teg zu enthalden, so well sich ewr Gnad in nehent vnd kurezlich zu vns fügen, Vns verrer weg vorhalten, dapey wir versteen, das durch ewr Gnaden fürnemen laniul vnd lewt, auch sunder wir in rue vnd frid komen, vbd wider in vuser alt lohlich stennd vnd wesen pracht werden, als das ewr fürstlich schreiben mit vner worten innhalt: Genediger Herr, darauf lassen wir ewr Gnad wissen, wenn ewr Gnad in frewntlicher vnd bruderliecber lieb mit vnsern allergenedigisten Herrn, dem Romischen Kaiser stet, des wir zu gut hoffen kurezlichen zu besehehen, so wellen wir vns all gemainklich ewr fürstlichen Gnaden zukunft in nehent hoch erfrewen, vnd solh weg, de da dienen zu aynigkait, frid vnd gemach zwischen ewr baider gnaden, auch ewr Gnaden lannden vnd lewten gern horen, vnd zu solhem vnderteniglichen dienen, als die getrewn vnderlan des benanten vnsers allergenedigisten Herrn, vnd mugen vns auswendig seiner kais. G. willen von solher ewr Gnaden zunehung wegen nicht vervahen, nachdem wir seinen K. G. vnd seiner Gnaden leibserben, das Sun sein, auf ewr Gnaden sunder gescheftbrief gesworn haben, das wir als frum lewt halten wellen. Ob vns daruber zu anderm yemandt dringen, oder beswern wolt, hoffen wir sein K. G. werd vns des genedigklichen vorsein, als wir des ain vnezweifflichs vertraun zu seinen K. G. haben, vnd hoffen auch zu ewrn fürstlichen Gnaden als vnserm genedigen Herrn, vns das nicht vngnedigklichen zuvermerkehen. Das wellen wir vmb ewr fürstlich Gnad williglichen verdienn. Geben zu Wienn an Montag nach sand Margrethen tag. Anno dni LXI^mo.

Burgermaister, Richter, Rat, Genant vnd die
burger gemoinklich zu Wienn.

COPEY-BUCH

CXXIII.
20. Juli
1461.

Also hat man von der Stat dem Kaiser vmb Beystand
geschriben.

Allerdurchleuchtigister Romischer Kaiser vnd genedigister Herr.
Vnser willig vndertenig dinst mit aller geborsam zevor; vnd tun ewrn
K. G. ze wissen, das vns ewr Gnaden bruder yez geschriben hat,
darauf wir geantwurt haben, als das ewr K. G. an den abgeschrifften
hieinnebeslossen, vernemen mag, vnd als wir ewrn K. G. vor zuge-
schriben vnd verkundt haben ettlich absag, vnd wie auch an vns ge-
langt sey die grossen awern lewff, zurichtung vnd Herczug, so wider
ewr K. G. vnd besunder auf vns vnd die Stat hie fürgenomen sein von
Hungern, Behem, Osterreich, Payrn, Merhern vnd andern Lannden.
Allergenedigister Kaiser, solh anlangen hat nu ewr K. G. in des ege-
nanten ewr Gnaden bruder schreiben wol vernomen, das es nu an dem
ist, das wir von lm mit solhem grossen herczugen kurczlich werden
besucht, dem wir an ewr Gnaden bilff vnd trostlichem peystand von
sachen wegen, die wir ewrn Gnaden vor zugeschriben haben, hart
widersteen mugen. Davon so pitten wir mit ganczem Vleiss, ewr
K. Maiestat welle das zu herczen nemen, vnd vns nicht verlassen.
Sunder solh bilff, beschirmung vnd beystand tun, damit solhen gwal-
tigen Herczugen, die auf vns fürgenomen sind, widerstand getan mag
werden, als wir des von ewrn Gnaden gnedigklich vertrost sein, vnd
vns zugeschriben hat, vnd das wir auch von gemayner Stat ewrn K. G.
vnd ewr Gnaden leibserben, das Sun sein, getun vnd gehalten mugen,
als wir ewr K. G. mit glüben vnd aiden verpunden vnd schuldig sein.
Das wellen wir vmb ewr K. Gnad mit aller vndertenigkait, als vnserm
allergenedigisten Herrn vnd Lanndsfürsten nach allem vnserm ver-
mugen alezeit gern verdienn. Geben zu Wienn an Montag
nach Margrethen. Anno LXl°.

Ewr kaiserlichen Gnaden Vndertenig

Burgermaistor, Richter, Rat, Gnant
vnd Gemain der Stat zu Wienn.

CXXIV.
Wie man dem Kaiser geschriben hat von des Yskras Volkchs
wegen, das dem lannd schaden hat getan.

Allergenedigister Herr. Wir lassen ewr Gnaden wissen, das hern
Giskra ewrn Gnaden Haubtman Volkch zerossen vnd zefussen die zu

Kunigstetten gelegen sein, sich her durch den Wald gefugt haben
ruder das gepirg, vnd daselbs die lewt ser vnd vast beschedigen mit
Raub, nam, Prent vnd töttung der lewt. Ir Red sey, als vns ist ange_
langt, wie Sy Irs Solds nicht ausgericht sein, darumb maynen
Sy, das gepirg zu beschedigen, vnd laidingen auch die Sniter vnd
Hawer auf dem Veld, das Sy von solher arbeit lauffen müssen,
damit Sy vns die Stat verlegen, das vns nichtz mag zngefürt werden,
vnd seind Sy Irs solds nicht entricht sein, so mag man die in ewr
K. G. dinst nicht nuczen, daraus dann ewr K. G. schymph vnd scha-
den ergen mag, vnd am lesten mochten Sy sich zu ewr K. G. wider-
wertigen slahen, vnd bitten mit ganczem Vleiss, ewr K. G. welle ge-
nedigklich darob sein, das solh merklich gross scheden vnderstanden
werden, als des notdurfft ist, damit die vnder dem Gepirg sind, vnd
sich ewr Gnaden halten, denselben ewr K. G. nicht widerwertig ge-
macht werden; das wellen wir vmb ewr K. Gnaden mit aller vnder-
tenigkait gern verdienn.

Auch ist vns angelangt, wie Herezog Albrecht mit seinem Volkch
zu sand Pölten sey.

*Darauf hat vnser allergenedigister Herr, der Romisch Kaiser
ain solh antwurt geschriben.*

Abgedruckt in Hormayr Geschichte Wiens II, 117.

15. Juli
1461.

*Aber ain Antwurt, die er dem Rat, Gnant vnd gemain auf Ir
schreiben getan hat.*

CXXV.
19. Juli
1461.

Fridreich von Goez Gnaden &.

Erbern, weisen, getrewn, lieben. Als Ir vns yecz geschriben vnd
abgeschrifft ains schreiben von Herezog Albrechten ew getan, vnd
darauf ewr antwurt zugeschikt habt, haben wir vernomen, vnd lassen
ew wissen, das wir vor solhs seins schreiben auch vnderricht sein
gewesen, vnd haben ew darauf geschriben, vnd vnserr maynung vn-
derricht, als dasselb vnser schreiben nu wol an ew gelangt ist. Wir
haben auch an der berürten ewr antwurt demselben Herezog Albrech-
ten getan ain sunder gut gevallen, vnd sein an ezweifl, Ir werdet ew
aufrichtigklich vnd getreulich vnser halten, vnd nicht verfürn, noch
nyemanden ew wider vns bewegen lassen, als wir Vns dann des, vnd
alles guten zu ew versehen, wir wellen des auch genedigklich gen

17 *

ew erkennen, vnd zu gut nicht vergessen. Wir haben auch bestellet, das sich der Edel vnser lieben getrewen Graf Hanns von Pösing, Johanns Drobst zu fünfkirchen vnd Vlreich Grafenegker mit ainer merklichen anezal Volkchs zu ew kurezlich werden fügen, die dann auch zu guter bewarung Vnserr Stat Wienn, vnd zum Widerstand der Veindt, vnd das des Yskra lewt auf die Veint gelegt, vnd die Vnsern so merklichs schadens vertragen, nach vnserr bevelhnuss vleiss haben werden. Darumb wir dann dem Edeln vnsern lieben getrewen, dem von Ellerbach vnd Pemkircher, so yeez in die Newnstat komen werden, auch bevelhnuss nach dem pesten getan haben. Geben zu Grecz an Suntag vor sand Maria Magdalenen tag. Anno dni LXI° Vnsers Kaisertumbs im Zehenten, Vnserr Reich, des Romischen im Zwayvndzwainezigisten vnd des Hungriseben im dritten Jarn.

Commissio dni Imperatoris in Consilio.

Den Erbern, weisen Vnsern getrewn lieben N. dem Burgermaister, Richter, Rat, den Genanten vnd vnsern Burgern gemainklich zu Wienn.

CXXVI. *Also hat man dem Romischen Kaiser von gemainer Stat wegen*
2.5. Juli *vmb Hilff, Rettung vnd Beystand geschriben pey Hannsen*
1461. *Kanstorffer, Hannsen Tannhauser vnd Mainter Vlreichen*
Griessenpekchen, die mit dem von Gurkch geriten vnd gesent
sein.

Allerdurchleuchtigister Romischer Kaiser, allergenedigister Herr, Vnser willig vndertenig dinst ewrn K. G. vorun berait. Allergenedigister Herr, als wir ewr K. M. menigermaln geschriben haben die swern vnd strengen lewff, so mit Herezugen aus den kunighreichen Vngern vnd Behem, auch besunder ewr K. G. bruder vnd landlewten des fürstentumbs Osterreich vnd andern vnbligvnden lanuden wider ewr K. G. vnd nemlich auf die Stat hie fürgenomen sind, darauf sich nu derselb ewr K. G. bruder ettlieher Stett vnd Geslosser vnderwunden hat, auch vnser anruffen vnd bei vmb genedige Beschirmung als vnsern genedigsten Herren diemutigklich gepeten vnd angeruft haben mit den Vrsachen, die ewr K. G. in vnserm schreiben wol vernonen hat, Allergenedigister herr, darauf hat vns ewr K. G. mensger

genedig vertrostung zu beschirmung schriftlichen, vnd vnsern sent-
poten mundlich getan, nemlich wie ewr Gnad die von Pösing,
Ellerbach, den Brobst von Fünfkirchen, Grafenegker
vnd Pemkircher mit dreintausenten aufgenomen vnd zu hilff vnd
peystand hestellet habet, vnd her Jan Giskra auch mit seinem
Volkch hilf vnd peystand tun solt, vnd wie ewr K. G. hie persondlich
sein welle, Allergenedigister Herr, solber genediger Vertrostung Wir
die gancz gemain zu Wienn vns gancz erfrewt vnd genczlich darczu
versehen vnd verlassen haben; aber die obgenanten von Pö-
sing, Ellerbach, Brobst vnd Pemkircher mit solbem
Volkch nicht komen, vnd her Jan Giskra hat dieczeit
her mit seinem Volkch enhalb des Walds auf dem
Tullnerfeld vnd nu herdishalb des Walds grossen vnd
verderblichen schaden vnder dem Gepirg an Merkten
vnd Dörffern enhalb vnd herderhalb des Wienner
pergs getan, vnd die Stat ist nu mit des Yskra volkch
zusamt ewr Gnaden Veinten Herderhalb vnd enhalb
Tanaw merklich verlegt, vnd sein teglich verlegens
wartlund, nach dem vnser Herr Herczog Albrecht den
Wienner Wald vmb die Stat verhagkt hat, damit wir
von der Stat aus vber den Wald nicht mugen, das man
mit narung zu vns, noch von vns nicht komen mag.
Allergenedigister Herr, darauff ruffen wir noch ewr K. G. an als vn-
sern allergenedigisten Herrn vndertenigklichen vnd diemutigklichen
bittund, ewr K. G. welle vns noch gnedigklichen beschirmen vnd
retten, damit die Stat mit solhen Herczugen so genczlich vnd so ge-
waltigklich nit verlegen, noch das sich auch sunst daraus Infell der
Vorstel, die mit grosser weit ingefangen sein, nicht begeh vnd daraus
verrer störung mit vberfal, Rauh vnd prant der Stat nicht zugeczogen
werd, darin well ewr K. G. noch genedigklich anschen
Vnser allergenedigiste frawn die Romisch Kaiserin
ewr Gnaden Gemahel vnd vnsern genedigisten iungen
Herrn, die hohen vnd wirdigen stiftung der Goczdinst an kirchen
vnd klostern, auch die Stat, die doch das wirdigist
Stukch des Haws Osterreich ist, vnd die wirdigen Vniver-
sitet der schul, auch vnser getrew menigveltig gehorsam vnd willig
dinst, die wir ewrn K. G. vndertenigklich vnd gern getan haben. Aller-
genedigister Herr, solt das nicht geschehen, vnd die Stat daruber

belegt mit Hunger, oder ander ansuchung betwungen werden, da got
vor sey; so mug doch ewr K, G. wol gedenken, nach dem ain grosse
gemain vnd arms Volkch hie ist, wie lang man solhs erleiden vnd zu
solh ewr Gnaden Rettung vnd beschirmung aufhalten mug, vnd ge-
trawn Ewr K. G. welle solh vnser anruffen, hohe ermonung vnd vr-
sach vor Augen, vnd genedigklichen zu Herczen nemen. vnd zu solhem
anruffen kain verczug mer tun, wann wir vns genezlich darauf ver-
lassen; das wellen wir vmb ewr K. M. diemutigklichen vnd willigkli-
chen verdienn. Ob aber ewr K. G. solher vnser pet, an-
ruffung vnd ermonung genediclich, vnd an verezirhen
nicht nachgeen wurd, solt wir nu ieht zu andern ge-
wulligklich gedrungen werden, so well doch dieselh
ewr K. G. ingedenkch sein, das wir das so manigvel-
ligklich schriftlich vnd mundlich an ewr Gnad pracht
haben. Geben zu Wienn an Sand Jacobs tag, Anno LXI^{mo}.

Burgermaister, Richter, Rat, Gnant
vnd Gemain der Stat zu Wienn.

Aber ein schreiben von dem Kaiser, das er vns in vnsere not-
durft nicht well lassen.

25. Juli
1461.

Abgedruckt in Hormayr Geschichte Wiens II, 118.

CXXVII.
30. Juli
1461.

Wie Herczog Albrecht aus dem Veld am Gluthafen der Stat
geschriben vnd zu Im zekomen ervordert hat.

Wir Albrecht von Gotz Gnaden Erzherczog zu Osterreich, ze
Steyr, ze Kernden vnd ze Krain, Grave zu Tyrol & Emhieten den
Erbern, weisen vnd vnsern lieben Getrewn dem Burgermaister, Richter,
Rate, genanten vnd der ganczen Gemain zu Wienn vnser Gnad vnd
alles gut. Vns hat angelangt, wie man zu Wienn offenlich
von vns aufbring vnd ew fürhalte, wie wir den Dur-
gern zu Ybs vnd Tullen, so sich durch frid vnd ge-
mains nucz willen das haws Osterreich zu vns getan
haben, Ir Slüssl zu Irn gemächen genomen vnd Sy der
kainen gewalt haben, wie man auch Ire weiber vnd
töchter Irer ern berauben &. Sult Ir in warhait gelauben, das
der kains nicht beschehen ist, auch solhs vngern yemand gestatten
wolten, nach dem vnd das vnserm Stamen vnd namen nicht zugepürt.

vnd begern darauf mit sunderm ernst an ew, Ir wellet in dieselben
Stet schreiben, vnd ew solher Zicht ab In erkunden, denselben boten
wir auch gelaits genug geben wellen, alsdann Ir in warhait vinden
werdt, das man ew solh vnwarhait auf vns vnpilleich fürpringt. Mer
gelangt vns an, das man in ew pilde, wie wir ainen merk-
lichen anslag auf ew sullen fürgenomen haben,
vnd als wir zu Lincz abergeczogen, sein wir bey hun-
dert vnd achezig tausent guldein schuldig, den wir den
merern tail gen Eger solten verspilt haben, In dem vns
zumal auch nicht gütlich geschiecht vnd sich nicht also erfürt, wann
wir in vnserm gemute nicht anders haben, dann ew gnad vnd alles
gut zuheweisen Ir mugt auch ew bey solhem einpilden, so man ew
von vns tut, dadurch man vns also gegen ew also vngelimphen wolt,
wol vernemen, das solhs durch eytl vnd vnwarhaft zungen beschicht,
die damit zwietrecht machen, dadurch Ir ew als getrew, frum lewt,
die ye an dem Haws Osterreich frid vnd gemaynen nucz gesucht vnd
darezu geholffen haben, den bindern wolt also, das Ir ew zu vns nicht
nayget als zu ewrm Herren vnd fürsten, der frid vnd gemainen nucz
des obgenanten Launds Osterreich mit willigem vnd getrewem gemüte
fürgenomen, vnd mit des almechtigen goez, ewr vnd aller lanntschafft
hilff vermuynt zuvolbringen, vnd wer solh obgerürts ew auf vns für-
haldet, die oder der sullen an zweifel sein, das vns solhs von Im vnd
Io nicht gevallen sol, vnd getrawn ew auch als ainem glied desselben
lannds Osterreich, Ir wellet solhs mitsambt vns zu Herczen nemen,
vnd darin ain Missvallen haben. Sunder so begern wir an ew mit
Vleiss, Ir wellet ettlich aus ew, dem Rate, Genanten vnd Gemaine zu
vns in das Veld mit Gewalt schikchen, mit den wir alsdann ettwevil
vnser notdurfft reden vnd ewr vnd des ganczen Haws Osterreich nucz
vnd frumen betrachten wellen, als wir ew vnd demselben Haws Oster-
reich schuldig sein; wir maynen auch das die, so Ir zu vns schikcht,
diezmals vnsers gelaits nicht bedurffen, wenn wir solhs nicht in wi-
derwertigkait, noch ew zu beschedigung angefangen, sunder ew zu
allem gut, alaverr vnd Irselbs wellet maynen, das wir auch gegen ew
allen vnd yedem in sunderhait genedigelich erkennen vnd zu gut nymer
vergessen wellen. Geben im Veld im Gluthafen an phincztag
nach sand Jacobstag. Anno dni LXI°.

CXXVIII. *Das ander schreiben vnd ervodern Herczog Albrechts in das*
31. Juli *Veld bey Wienn.*
1461.

Albrecht von Goez Gnaden Erczherczog von Osterreich.

Erber weisen vnd lieben getrewn. Als wir ew angestern ge-
schriben vnd vnder mer worten vnsers schreibens begert haben, etlich
aus ew zu vns zu schikchen, darauf wir vns nu in nahent zu ew ge-
fugt haben, vnd begern noch als vor mit sundern Vleiss, das Ir etlich
aus ew Rêt, genant vnd gemain zu vns schikchen wellet, vnd ob Ir
gelait haben wolt, des sein wir ew willig zegeben zu vns vnd wider-
umb an ewr gewar zukumen, wiewol Ir doch des nicht bedörfl, vnd
un gelait zu vns vnd von vns wol sicher komen möcht, wenn wir mit
ew reden wellen von vnsers Herczugs wegen, den wir, als Ir vor me-
nigermal durch geschrifft vnderricht seyt, vmb nichte anders tun, denn
durch gemains nucz willen land vnd lewten, dadurch das Lannd vnd Ir
in frid vnd gemach geseczt wurd, vnd ain yeder in sein wesen vnd Stat,
eren, wirden, gnaden vnd freyhaiten beleih, als das von alter herkomen
ist. Davon so wellet darinn kain Vereziehen haben, daran beweist Ir vns
ain sunder wolgevallen genedigklich gen ew zuerkennen. D a t u m im
V e l d b e y W i e n n a n f r e y t a g n a c h J a c o b j. Anno LXI°.

CXXIX. *Wie von gemainer Stat auf baide schreiben Herczog Albrechten*
4. August *geantwurt ist.*
1461.

Durleuchtiger, hochgeborner fürst, Genediger Herr. Als vns ewr
fürstlich Gnad zwir zu ewrn fürstlichen Gnaden zekomen ervordert
hat, aus ettwas suchen mit vns ze vnderreden, als ewr fürstlichen
Gnaden schreiben innhalten, Genediger Herr, nachdem ewr Gnad vn-
sers allergenedigisten Herren, des Romischen Kaisers ewr Gnaden
bruder veint worden ist, vnd wir seiner K. G. als vnsers allergene-
digisten Herren vnd landesfürsten vnderlan sein nach willen vnd ge-
scheft ewr fürstlichen Gnaden, als wir des ewr Gnaden offen ent-
schlachbrief haben, f ü g t v n s n i c h t a u s w e n d i g seiner
Gnaden wissen vnd willen zu ewrn fürstlichen Gna-
d e n a l s o z e k o m e n, wir wellen uber ewr Gnaden begern seiner
K. G. als vnserm allergenedigisten Herrn verkünden, wirdet nu sein
Gnad willen vnd gevallen darinn haben, so sey wir des willig vnd

hitten ewr fürstlich Gnade vns das nicht vngenedigklich zu vermerck-
eben; das wellen wir vmb ewr fürstliche Gnad, wo sich das in zym-
lichen sachen gepürn mag, williclich verdienn. Geben zu Wienn
an Eritag nach sand Stephans tag Invencionis. Anno
dni LXI°.

Burgermaister, Richter, Rat, genant
vnd Gemain zu Wienn.

Dem durlenchtigen Hochgeborn fürsten vnd Herren, hern
Albrechten, Erczherczogen zu Osterreich & Vnserm gene-
digen Herrn.

Wie Hanns Kanstorffer, HannsTanhawser, vnd Maister Vlreich   E. 63.
Griessenpekch, licenciat geistlicher Rechten, die in Botschafft 11. August
von Gemainer Stat vnd Irer notdurfft wegen mit dem von 1461.
Gurkch zu vnserm allergenedigisten Herren dem Kaiser in pott-
schafft vmb hilff vnd Rettung geschikckt sein, Potschafft her-
wider pracht habent, vnd herkomen sein an Eritag vor vnser
frawn tag des schidung, vnd hat mit kurczen worten also

gelauttet.

Item als wir am Eritag nach sand Jacobs tag vmb die IX. stund   28. Juli
gen Grecz komen, sein wir an demselben tag vmb die fünft stund des 1461.
Abents mitsambt vnserm genedigen Herren von Gurgk für vnsern aller-
genedigisten Herren, den Romischen Kaiser komen, daselbs dann am
ersten der von Gurgk seinen K. G. die lewf, mangel vnd notdurfft des
kriegshalben auf das best vnd trefflichist in vnser gegenhurtikait
erzelt, vnd dapey gar hoch vnd vast den guten Vleis, gehorsam vnd
willig auf sein, wann es not geschiecht pey tag vnd nacht, der von
Wienn seinen K. G. mit emphelhnuss gemainer Stat gar genugsamlich
gesagt hat, daran sein K. G. sunder wolgevallen, vnd vns auch durch
herrn Hannsen Kanstorffer mundlich, der von erst von gemainer Stat
wegen willig vndertenig dinst gesagt als Irn allergenedigisten Herrn,
vnd darnach ewr schreiben geantwurt hat, vnd aber darauf sein K. G.
den Kanstorffer vnd vns von gemainer Stat wegen genediclich gehort,
vnd solh ewr schreiben vnd vnser werbung im pessten aufgenomen &.

Vnd vnser anbringen vnd werbung in geschrifft vnd mundlich
ist vast gleich vnd sam ain ding gewesen mit der werbung vnsers
genedigen Herren von Gurgk.

31. Juli   Item darnach am freitag vmb die fünft stund am Abend hat vns
1461.   sein K. G. durch Maister Vlreichen Riedrer Tumbhrobst geantwort,
vnd genediclich abgevertigt in massen, als hernach geschriben stet.

Lieben frewnd, ewr werbung, so Ir schrifftlich vnd mundlich von
ewrer Herren vnd frewnt wegen an vnsern allergenedigisten Herren, den
Römischen Kaiser pracht habt, antreffund ewr vnd gemainer Stat mangl
vnd notdurfft, die lewff des kriegshalben hat sein K. G. genediclich vnd
iu pessten aufgenomen vnd verstanden, vnd merkcht nu sein K. G. daz Ir
ew all vnd gemaine Stat ze Wienn am anfang diser krieg, so Im der
fronawer, seiner K. G. bruder, Herczog Albrecht, ettlich
lanndlewt, darnach Herczog Ludweig von Bayrn, der von
Görcz vnd anderr aufgerürt vnd gemacht haben, doch wider alles
Recht vnd pillikait aus lautterm mutwillen vnverschulter sachen seiner
K. G. also gehalten vnd treulichen gehorsamlich als getrew seiner
K. G. vndertan gehandelt, vnd ew seiner K. G. gehalten habt,
durinn dann sein K. G. gar gross wolgevallen hat, vnd selb-
vleiss daukch nem ist, vnd wil auch sein K. G. das hinfür gen ew
vnd gemainer Stat, vnd gen ewrn kinden genediklich erkennen.
vnd des zu gut nymer vergessen, vnd getraut sein K. G. darauf, bitt
vnd begert an ew, als an sein getrew gehorsam vndertan, daz Ir ew
noch hinfür seiner K. G. haltet allain, vnd tut als getrew vndertan,
vnd gehorsam, als ew des sein K. G. gancz vertrawt, vnd das gene-
diclich gen ew erkennen will. Ir sullt auch trostlich ewrn Herrn vnd
frewndten zusagen, das Si sein K. G. mit nicht verlassen, sunder In
teglich hilf, zuschub vnd genedig beistand tun wil saverczieben vnd
vnverdriessen, vnd hat darauf meinen genedigen Herren von Gorkch
yecz abgevertigt mit ainer merklichen Summ Gelts, die er mit Im ew
zu trost vnd bilf yecz hinaus schikcht, vnd wil sein K. G. nicht feyrn,
sunder tag vnd nacht gedenkchen ew zu hilf vnd trost gelt vnd Volkch
zeschikchen vnd aufezebringen, auch an andern enuden seinen Veinten
widerdriess vnd widerstand zetun &c. Vnd begert darauf als vor sein
K. G., Ir wellet ew seiner K. G. getrewlichen halten &c.

Item auch so hat ew ze trost sein K. G. sich bestellt mit Volkch
die von Posing, Herrn Giskra, Pamkircher, Ellerbach
vnd Gravenegker, darauf begert vnd wil sein K. G., was nu die-
selben mitsambt den andern seiner K. G. Räten vnd sunder K. G.
Gemahel, vnser genedigen frawn der Kaiserin mit
solhem Irm Volkch zu widerstand der Veint erkennen vnd fürnemen

mit Inlassen vnd auch sunst, das Ir dann darinn gehorsam sein, vnd
auch hilf vnd peistand tun wellet, als des sein K. G, aber vnczweyflich
vertrawn zu ew hat, vnd das in gnaden nicht vergessen wil.

Auch so tët sein K. G. nichts liebers, dann das er selber per-
sondlich pey ew wër, die weil aber sein K. G. nu verstet, das pesser
vnd füglieher ist für ew vnd sein K. G., daz er yeez nicht pey ew
sein, so hat sein K. G. fürgenomen, an ander ende zeziehen, Volkch
vnd gelt aufezepringen, dadurch ew trostlich geholffen vnd peystand,
auch den Veinten widerstand getan werde, darezu solt Ir ew trostlich
verlassen.

Antwurt von gemainer Stat vnd vnsern wegen durch Hannsen   E. 64.
Kanstorffer vnserm Allergenedigisten Herrn dem Kaiser getan.

Allerdurleuchtligister Kaiser, allergenedigister Herr, solher ewrer
K. G. antwurt vnd genedigs abvertigen dankehen wir von gemainer
Stat wegen ewrn K. G. mit ganczem vndertenigen Vleiss, vnd wellen
auch solh genedig antwurt, vnd ewrer K. G. abvertigen vnsern Herren
vnd frewnden verkünden. Es sol auch ewr K. G. sich trostliehen, vnd
nicht anders von vnseren Herren vnd frewnden fürsehen, dann daz Sy
nicht allain mit dem gut, sunder mit irm leib vnd gut meh allem Irm ver-
mugen sich ewrer K. G. allain halten werden, vnd nyemands anders
daran sich ewr K. G. gewisslich vnd trostlich verlassen mag an allen
zweyfel, vnd bitten darauf Ewr K. G. vndertenielich, welle ansehen
die hochsten zway klainat, so ewr K. G. zu Wienn hat,
vnser allergenedigiste frawn, die Kaiserin, ewr K. G. ge-
mahel, vnd vnsern genedigisten Jungen Herren, ewr
K. G. Sun, vnd die Stat Wienn, die das Herez ist in
Osterreich, vnd well auch darauf genedig Weg vnd fürnemen
erdeukehen, dadurch gemainer Stat hilf vnd beistand trostlich getan
werde, so sol ewr K. G. wissen vn zweyfl, das gemaine Stat, arm vnd
Reich von leib vnd gut sich ewr K. G. halten, vnd in disen lewffen
handeln werden, als ewr K. G. getrew vnd gehorsom vndertan Irm
allergenedigisten Herren vnd landesfürsten schuldig sein ze tun &.

Wie der Kaiser Dangksagung der Stat zugeschriben vnd Ir   CXXX.
guten trost geben hat.   6. August
Fridreich &.   1461.

Erbern, weisen, getrewn, lieben. Vns ist aber zu wissen getan,
wie Ir ew bey yeez kurezvergangen tagen gar trostlich von newem

geaint vnd verphlicht haht, pey vnd mit vns als frum zu besteen vncz
in den tod, daz Ir auch gar gehorsamlich ew zum widerstand gegen
vnsern Veinten haltet; daran wir hochs gevallen haben, vnd sagen
ew des grossen dankeh, vnd hoffen auch, Ir werdet starkeh in ewrm
fürnemen, fürsaez vnd guten willen beleiben, als wir dann des vnd
aller trewn ganez Vertrawn zu ew haben, das wellen wir kunfticlich
in sundern Gnaden, gen ew, ewrn Kinden vnd nachkomen erkennen
vnd zu gut nicht vergessen. Geben zu Greez an phineztag
nach sand Oswaltstag. Anno dni LXI°.

Commissio domini Imperatoris in Consilio.

Den Erbern, weisen, vnser getrewn liehen N. dem Burgermaister,
Richter, Rat, den genanten vnd Durgern gemainclich zu
Wienn.

E. 65.   *Taiding Zedl, so yecz im Veld geschehen ist, beschehen durck
des Kunigs von Behem Röt zwisschen dem Kaiser vnd Ercz-
herczog Albrechten.*

Item Wienn die Stat mit allen den Irn sullen in Ruh siezen
gegen vnserm genedigisten Herren Erezherczog Albrechten von Oster-
reich & vnd seiner Gnaden here, vnd vnser genediger Herre vorge-
nant sol die von Wienn vnd die Irn mit gwalt nicht dringen, noch sich
neheter fürslahen Si zu benotten.

Vnser genedigister Herre Erezherczog Albrecht wil der kaiser-
lichen Maiestat vnd den seinen kain Gsloss noch Stat angewynnen.
Wolt Im aber ymand von denselhen Steten vnd Geslossern schaden
zueziehen, des wil sich sein Gnad weren.

Item vnser genediger Herr Erezherczog Albrecht wil alle fuetrung
vnd notdurft des Heres suhen vnd nemen.

Item die Haubtlewt vnd Soldner des Kaisers mit den Irn, auch
die von Wienn vnd die Irn sullen vher die Tunaw vmb kain futrung
schikehen, aber hiedishalb der Tunaw mugen sy die suchen, auch von
zehen pherden vncz auf dreissigk vnd nicht daruber, vnd solhen
futrern sol man kain schaden zueziehen.

Das alles sol besteen als lang, vncz das vnser genediger Herre
Erezherczog Albrecht von Osterreich & des Kunigs von Deheim Röten
auf Ir botschafft vnd begern antwurt gehen wirdet, vnd das ye eer,
ye pesser geschehen sol.

Solhes alles sol beschehen vnserm Herrn, dem Kunig von Behem & vnd seiner Botschafft, so er geschikcht hat, zu gevallen vnd zu eren.

Taidingbrief, so zwischen vnsern Herren Kaiser vnd Erczher- 6. September
czog Albrechten im Veld zu Lachsenburg durch des Kunigs von 1461.
Behem Rët beschehen, geben ist.

Vermerkt das auf hewt &.

Abgedruckt in Kurz Friedrich IV., Bd. II, p. 224.

Vnser willig dinst. Erwirdigen Edln lieben Herren vnd frewnt. CXXXI.
Wir schikchen euch allhie ain aufgesnite Zedl der Abrede vnd Beteid-
ning, die wir alhie zu Holnprunn mit dem fronawer getan
haben, darezu der fronawer verwilligt vnd vns zugesagt hat zu tun,
zu halten vnd zuvolfürn, darnach habt euch zurichten. Datum Holn-
brunn am phincztag nach Marie Annorum &. Ynder des 10. Septemb.
von Sternberg Insigl, das wir ander geprauchen. 1461.

Vnsers allergenedigisten Herren, des Kunigs Rët vnd
Sendtpoten, die zu Wienn gewesen sein.

Den Erwirdigen vnd Edlen, vnsers allergenedigisten Herren
des Romischen Kaisers & Rëte, die yeczund zu Wienn sein.

Taidlng von des frannawer wegen. CXXXII.
10. Septemb.
Nota. die beleidigung, die geschehen ist durch vnsers allerge- 1461.
nedigisten Herren des Kunigs Rët zu Pehem zwischen vnsern aller-
genedigisten Herren dem Romischen Kaiser Fridreichen & Herezogen
zu Osterreich, zu Stewr & vnd dem Gamarethen fronawer des
sachenhalben widerwertikait vnd krieg, der zwischen sein K. G. vnd
des fronawer gewesen ist, also das sein K. G. vnd der fronawer der
haubtsach darumb der krieg gewesen ist pey vnsern allergenedigisten
Herren dem Kunig zu Pehem beliben sein, des sein K. G. auch der
fronawer des wilkürlich hinder sein kunigklich Gnad gangen sein,
vnd wann sein kunigkliche Gnad darumb tag für sich legen wirt, sol
sein kais. Gnad die sein mit ganezer macht darezu schikchen, der
fronawer selbs darezu komen, vnd nach baider Verhorung sein kunigk-

lich Gnad sprechen sol vnd zu entrichtung fürn in der guttigkait oder
Im Rechten.

Item der fronawer sol kain krieg der sachenhalben mer fürn mit
sein K. G. noch mit seinen launden, noch lewten, noch seiner K. Gna-
den lewt vnd vndertan nicht mer beswern, weder mit Huldigung, noch
sunst vngeverlich.

Item die Gefangen, die von paiden tailen gefangen sein, die
sullen gegeneinander all ledig vnd los gelassen werden Inwendig
virczehen tagen, allein vmb Herrn Hannsen von Liechtenberg,
das sol bey der Haubtsach besteen pey vnsern allergenedigisten Herrn
dem Kunig zu Pehem, Was der auch darumb spricht, oder macht,
dapey sol es peleiben, vnd vnser allergenedigister Herr der Romisch
Kaiser, oder seiner Gnaden Räte von hewt phincztag in den Sechs
tagen zu wissentun, ob sein K. G. des also eingeen vnd vervolgen
welle.

Item in der zeit vncz auf den spruch sol der fronawer vnd sein
gesellen, diener vnd leut sicher in seiner Gnaden Steten vnd merkten
reiten, ziehen, haundln vnd wandlen vngeverlich. Dat. Holnbrunn
an phincztag nach Marie Nativitatis. Anno LXI^{mo} mit
zwain aufgesniten Zedln yeglichen tail aine gegeben
haben ainer laut.

CXXXIII.   Antwurt des fronnawer auf des Bischofs von Passaw *)
22. Septemb.   Schreiben.
1461.
Hochwirdiger fürst, genediger Herr. Mein vndertenig dinst sein
ewrn Gnaden voran berait. Ewr Gnaden schreiben mir getan hab ich
vernoomen, vnd fug ewrn Gnaden darauf zu wissen, das ich kainerlay
gewaltsam hie, noch zu Sweinhart mer hab, wenn mir nach ge-
scheft meins gnedigen Herren Erczherczog Albrecht darinn haundln,
doch vnd die Maut hie zu seiner Gnaden handen ist, denn als ewr
Gnad schreibt von wegen der Gefangen, die an hern Jan Giskra
ledig zusagen als ainn Haubtman: darauf fug ich ewrn Gnaden zu
wissen, das mein Zedl, So mir mein die Behemischen Herren geant-
wurt haben lauter innhelt, das all gefangen ynner virczehen tagen
von dato derselbigen redzedl ledig gelassen sullen sein, was auf
paider seit der sein, hindan gesecz Hern Hannsen von Liechten-

*) irrig. statt: Gurkch.

berg. Also bit ich ewr Gnad, Ewr Gnad welle vns dapey beleiben lassen in massen, als die Zedl innhelt, so pin ich willig, dem auch nachzugeen, mir sagen auch mein diener, wann Sy ewr Gnad vnd die andern meins allergenedigisten Herren des Romischen Kaiser & Rǒte ledig sagt, so sein sew ledig, wann sew her Giskro also mit Gluh verpunden hat, also wil ich mit den mein schaffen, das sy auf den nagsten phincztag zu Wienn sein sullen, sagt man sy ledig, so wil ich von stunden denn die andern gefangen mündlich, auch brieflich entgegen ledig sagen, vnd getraw, Ewr Gnad well mich zu dem vnd andern bevolhen haben, das wil ich vndertenigklich gern vmb ewr Gnad verdienn als meinen genedigen Herrn, wenn ewr Gnad sol warlich wissen, das ich ye gern einen genedigen Herren widerumh zuwegen pracht an meinem allergenedigisten Herren, dem Romischen Kaiser. Geben zu Trebensee an Eritag nach Mathey Apostolj. Anno LXI^{mo}.

Gamaret von fronaw.

Dem hochwirdigen fürsten vnd Herrn hern Vlreichen Bischoven zu Gurkch, meinem genedigen Herren.

Vermerkcht die Ordnung, die Rat, (vnd) genant gemacht vnd betracht habent an Montag nach sand Matheus tag, des heiling zwelifpoten vnd Evangelisten Anno dni Sexagesimo primo zu dem lesen, wie man die hinfür haben welle vnd sind von den Genanten darczu erwelt worden der ganez Rat; so hat der Rat aus den genanten auch darczu erwelt:

*E. 66.
28. Septemb.
1461.*

her Oswalt Reicholf.	Augustin Pluem.
Mathes Wisler.	Wilhalm Pekch.
Fridreich Gerunger.	Pekchenhofer.
Hanns Melinger.	Schatawer.
Larenez Swanez.	Kaschawer.
Michel Menestorffer.	Sibenburger.
Peter Gwerlich.	Odenakcher.
Tanhawser.	Westerndorffer.
Holnbrünner.	Rauscher.
Jacob Gsneehel.	Aschpekch.
Hanns Gruntreich.	Niclas Kramer vor Stubentor.
Rauchmayr.	Philipp Egenburger.
Rechwein.	Winkler.
	Hanns Eeen.
	Jacob Haider.

Von ersten von Mosten herein zelassen ist beredt, das ain yeder, der mit der Stat leydet vnd Burger Recht hat, most mag herein fürn, es sey pawmost oder kaufmost, doch dat die an gewondlichen Steten gewachsen sein, vnd kainem mit kaufmost vberhelf, welher aber begriffen wurde, der ainem frembden mit solhen kaufmosten vberhülf, dem wil man dieselben Most nemen, vnd darem swerlich straffen an alle gnad.

Item es sol nyemand Most noch wein knuffen vnd herein fürn, die au vngewondlichen steten gewachsen sein, als enhalb der Tunaw, enhalb der Piesting, enhalb der leytta, enhalb der Vischa vnd enhalb des Walds, wer das vberfert, dem will man dieselben Most oder wein nemen zu der Stat handen vnd darezu swerlich puessen au alle gnad.

Item welher burger most kaufft, die an gewondlichen Steten gewachsen sein, von lewten, die mit der Stat nicht leyden, vnd die herein precht, der sol geben vom fuder 1 Pfd. dn. vnd vom dreyling VI ss. dn., vnd sol auch dieselben kaufmost an sagen in der Stewr pey seinem aid, vnd des sol kainer vertragen sein, sprech aber ainer, er biet niet kaufmost herein gefürt, vnd das er des vberweist wurde, so sullen dieselben Most der Stat verfallen sein, mocht man in des aber nicht vberweisen, so sol er sich mit seinem aid davon nemen, als Recht ist.

Item alsofft ainer ain fuder most kaufft vnd herein fürt, der sol auch alsofft ain halben Mutt waicz oder korn da engegen kauffen, vnd in sein gwalt pringen, damit ain yeder Speis hab in seinem Haws zu seinen notdurfften vnd in welhs gewaltsam man kaufmost vindet, vnd nicht den traid, dem wil man dieselben kaufmost nemen zu der Stat handen an alle gnad.

Item welher Burger sein Mösst, die er in seinen aigen weingerten enhalb Tunaw gelegen erpawt hiet, berein fürn wil, so sol derselb ain kuntschafft, sein brief vnd Insigel oder Gruntzedln pringen desselben weingarten, das die Mosst in seinen aigen weingärten gewachsen sein vnd welher solh kuntschafft nicht hat, noch pringt, dem sol man solh sein pawmost in die Stat, noch in die Vorstat nicht lassen in kainer weise; welher aber sein pawmost daruber an solh kuntschafft her ein precht, so sullen dieselben Mösst der Stat vervallen sein an alle Gnad.

Desgleichs welher Burger enhalb des Walds aigen weingarten hiet, die erblich an In komen wörn, was er Mosst darinn erpawt vnd will die herein fürn, so sol er auch von dem Ambtman vnd Pergmaister derselben weingerten daselbs gesessen in obgeschribner maynung ain kunntschafft pringen, das er dieselben mosst in seinen rechten Erbweingerten erpawt hab, so sol man im dann dieselben Mosst herein lassen. Welher aber sein kuntschafft nicht hiet, noch precht, dem sol man dieselben sein pawmosst berein nicht lassen. Welher aber daruber sein Mosst an alle kuntschafft berein precht, so sullen dieselben Mosst der Stat vervallen sein an alle gnad.

Item ob ainer sein algen weingarten hinliess vmb den dritten Emer, vnd die zwen tail von den bestendlern nem, die sullen auch für kauffmosst angeben vnd verstewrt werden.

Item es sol nyembt bynn in der Stat, er sey geistlich oder weltlich Mosst noch wein kauffen, oder an seiner geltschuld nemen von solhen lewten, die mit der Stat nicht leydent, wer das vberfert, der geb vom fuder VI Pfd. dn. vnd vom dreyling IIII Pfd. dn.

Aber von den priestern, die Recht habent, Ir wein herein zefürn vnd Burger stifft sind, mag ain burger Mosst oder wein wol kauffen an alle peen, doch sol der kauffer die in sein hausung ziehen, vnd in des priesters gwalt nicht ausschenkeben.

Item es sol nyembt Keller noch ander gemech hanndlunden lewten lassen, die mit der Stat nicht leydent, welher dawider tut, der geb zu peen der Stat V Pfd. dn. ausgenomen die gewondlichen Gastgeben, die den Gesten, die Recht habent hie zu handeln, Ire gewelb vnd gemech verlassent.

Item man sol den priestern kainen most berein lassen, denn solh Mösst, die zu vnser genedigen Herren, der fürsten, vnd der Burgerschafft gehornt, den das erlaubt ist, als von alter ist berkomen,

Fontes VII.   18

Welb aber ander Mosst der vnder herein prechten, die wil man nemen zu der Stat handen.

Item man sol kainen Zehent most herein fürn, noch lassen, denn vnsers genedigisten Herrn, des Kaisers, des Brohst zu sand Steffan, des Spitals vnd der Burger Zehent most, die mag man her ein fürn, Welher aber ander Zehentmöst herein precht, dem wirt man die nemen zu der Stat handen.

Item welher Burger ain zehent bestanden hiet von den, die nicht Recht hieten Ir wein herein zefürn, was er solher Zehentmost herein precht, sol er von denselben mosten stewrn, als sich von kaufmossten gepürt zu geben.

Item von der Stewr ist heredt, das man hewr sol nemen vom phunt IIII dn. vnd von ain fuder IIII ss. dn. vnd von aim dreyling III ss. dn.

Item die Ir Stewr vnd Anslag noch nicht ausgericht vnd nicht abprechen habent. Si sein in der stat oder in der Vorstelen gesessen, ist beredt, daz man denselben kainen most sol herein lassen. Sy haben dann Ir Stewr vnd Ansleg gancz beczalt, welh aber nicht mösst hieten herein ze fürn, die sol man darumb phenten.

Item man sol den Herren vnd Hoflewten kainen wein herein lassen, ausgenomen den Räten, den mag man ain Speisz wein herein lassen, vnd nicht zu schenkchen noch zu verkauffen.

Item all ledig knecht, die nicht Statkinder hie sind, vnd nicht Burgerrecht habent, sullen kainerlay heandl treiben, weder mit kauffen, noch mit verkauffen in kainerlay weise vnd welh daz vberfürn, die wil man swerlich straffen vnd das gut, damit Si handelnt, zu der Stat handen nemen au alle gnad, vnd sew sol auch nyemant dareczu hehausen, noch heherbergen, vnd wer dawider tut, den wil man swerlich darumb straffen.

Item es sol kainer Tisch noch penkch an die gassen, noch an die Plecz seczen, welher das vberfort, dem sol der Richter dieselben Tisch vnd penkch nemen, vnd ist dareczu der Stat vervallen V Pfd. dn.

Item es sol kainer den Säwn auf der Gassen, noch vor den Hewsern zu fressen geben, wer dawider tut, dem sol der Richter dieselben Saw nemen.

Item es sol nyemand den lesern mer lon geben, denn aufgesaczt wirdet vnd kain frustukch geben, wer das vberfert, den wil man swerlich darumh puessen.

Item aller furkauf ist verpoten, wo der Richter darauf kumbt, den sol er nemen, als von alter herkomen ist.

Item von des Traids wegen, das man in der Statkassten noch schuldig ist, ist beredt, geschafft vnd verlassen, welher Traid schuldig ist, dem sol man kainen most berein lassen.

Item von der Pfaffen wein wegon & das ist dem Mathes Wisler, dem Egkenperger, vnd dem Praytter empholhen, die das fürsehen, vnd irn Vleiss tun sullen, damit die Priester nicht mer herein pringen, denn die zu Irn stifften gehornt, vnd darczu gestifft sind.

Item es sullen auch die Stewrherren fürsehen, das der von Schotten, hie zu sand Dorothe vnd die Mawrhacher vber Iranczal nieht mer wein herein pringen.

Item von der Zedeln wegen ist beredt, das ainer von ainer Zedl in die Stewr 2 dn. geben sol, aber an den Torrn sol ainer niehtz davon gehen.

Item das kain lediger knecht mer sol aufgenomen werden zu purgor, er hab dann vor ain elich weib genomen.

Item von der Zehentner wegen ist beredt, welh hurgor zehent hesten, mit den sol man reden, das Sie die lewt gutlich vnd schidlich halten, vnd welh Ir diener auf den Zehent gent, den lewten schaden tüten in den weingerten, das derselb darumh werd gestrafft, vnd das auch khain lediger knecht, der nicht ain hurger kind ist, dhain zehent besteen sol.

Item der Hungrischen vnd fromhden wein wegen & ist beredt, das man die nicht herein erlauhen, noch lassen sol in kain weise, welh aber daruber bin begriffen wurden, die wil man auf die erden slahen an alle gnad.

Item das man mit den Vorsprechen reden sol, daz Si von den lewten gleichen lon nemen, als dann Ir Ordnung innhalt vnd berufft ist.

Item das man die Rauchfeng hinder sand Pangreczen, im Tewffengrahen, am Newnmarkt, vnder n

18*

Sailern vnd anderswo allenthalben in der Stat be-
schawen sol, vnd wo pös oder vngewondlich Rauchfeng funden
werden, die sol man schaffen zuwenndten vnvereziehen, dadurch nicht
sehad davon geschech

Item das man mit den Huttern schaffen sol, das Si
Irn vnflat vnd Gerben nicht mer auf die Gassen oder
pleez tragen, noch giessen, vnd welher dawider tut, der sol
alsofft zu peen vervallen sein der Stat 1 Pfd. dn. vnd dem Richter
LXXII dn.

Item das kainer kain laid fürn sol, Sy sey dann ge-
prant mit der Stat zaichen vnd die Recht mass hab,
welher dawider tel, dem sol man die layd nemen, vnd darezu swer-
lich straffen.

Item das man die Loskorn ganez wern sol, vnd
dhain vherstikch nicht intragen.

Nota. Vermerkt das die obgenanten mein Herron, die zu der
Ordnung geben sind des Ainsvndsechezigisten Jars zu fürsehung vnd
bewarung der Törr von der kriegslewff wegen, so noch yeez unge-
richt sein, zu gemainem nuez der Stat betracht, vnd zu yedem Tor
geordnet habent zwen Burger, der ainer ain schreiber sein sol, vnd
vir soldner darezu vnd sind das die Burger vnd Schreiber zu den
Törru anfgenomen des LXI. Jars, als die mit namen hernach geschri-
ben stent.

Zu Newnburger tor.	Rotenturn.	Newn Thurn.
Hanns Ottinger.	Thoman Peheim.	Winkler.
Kristof Weidenbach, schr.	Steffan Hartweiger, schr.	Gilig, schreiber.

Alser tor.	Zu sand Nicla.	Zu sand Tibolt.
Vohurger.	Frankch gesessen daselhs.	Stihenwirt.
Caspar losel, schr.	Vlreich, Schreiber.	Ziriakch, Schreiber.

Werder tor.	Paugker tor.
Vlreich Mayrhofer.	Hanns von Gfel.
Veyt, Schreiber.	Steffan Ryczinger.

Zu der Mosststewr.
her Fridrich Ehmer.
Gewsmid.

Anpringen von Herczog Albrechten Herczuge vnd der Veint CXXXIV.
besamung wegen. 27. Novemb.
1461.

Allerdurleuchtigister Kaiser, allergenedigister Herr, vnser vnder-
tenig willig dinsl ewrn K. G. bevor. Allergenedigister Herr. Wir
haben nu langeezeit ewrn K. G. zukunft mit sunder begir gewart, vnd
hieten diesolb ewr Gnad in solhen sworen lewffen allczeit gern bey
vns gesehen, vnd sehen auch noch nichts liebers, vnd getrawn dadurch
frid vnd gemach dester fürderlicher zuerlangen, vnd fugen darauf ewrn
K. G. diemutielich zu wissen, als wir ewrn K. G. vor auch zugeschri-
ben haben, das der von Pottendorff allem Pirgkvolkch
von vnsers Herren Gnaden wegen Erczherczog Albrechts allenthalben
den Vmbsessen, auch in Merkten vnd dorffern her der halb des
Wienner Walds aufgepoten hat, vnd noch toglich aufpewt vnd
aufervordert, der Nankelreutter enhalb des wienner wald
sich desgleichen auch besambt, vnd merklich Volkch, ge-
raisig vnd fuesvolkch die wochen aufgenomen vnd gemustert hat; so
ervordert der Nankelrewtter des Pirgvolkch zu Nus-
torff, Grinezing, vnd in den dorffern des gepirgs en-
halbs des Toblingpachs in Rohat, vnd maint die alt
Purgk zu Klosternewnburg zu pawn vnd mit der hilff
zuzorichten nach gescheffl vnsers Herren Gnaden,
Erczherczog Albrechts, So haben wir auch gewislich verno-
men, daz die Lanntlewt enhalb Tunaw an hewt zu veld
zu ziehen in maynung, ewr K. G. soldner, auch die an-
dern, so ewr Gnaden soldner gewesen sein, mit ge-
walt aus dem lannd zutreiben; wie auch vnsers Herren
Gnad Erczherczog Albrecht kurczlich sul gen Klo-
sternewnburg komen, vnd ist vns auch wor wissentlich, das
sein Gnad sein treffliche potschafft geschikt hat zu
dem Mathiuschen, der sich nennet Kunig zu Vngern,
desgleichen auch zu dem Kunig von Pehem, dadurch
wir in merklichen sorgen sein, sich möchten daraus wider ewr K. M.,
auch wider ewr Gnaden land vnd lewt krieg erheben, vnd nach dem
wir mit ewr Gnaden widerwertigen Launndtlewten vnd andern allent-
halben vnd in solher nehent vmbgeben sein, mocht vns daraus mit
dringnuss verderblicher schaden ersten, den ewr K. G. gnediclich

geruech zu vndersten, damit wir solher verderblicher scheden ver-
tragen werden, nach dem wir menigere Jore, vnd auch der kriegslewff-
halhen in grossen schaden komen sein, als das ewr K. G. menigvel-
tielich geschriffllich vnd mundlich verkündt worden ist. Allergene-
digister Herr. Alsdann vor dem nagstvergangen lesen
ewr Gnaden Soldner vber Tunaw Irer narung wil-
len zogen sein; da ist In von der Stat wegen nach
geschefft vnser allergenedigisten frawn, der Ro.
Kaiserinn, auch ewr Gnaden Haubtlewten vnd Rēten
zugesagt ob Sy von Irn Veinten gedrungen wurden,
oder daz In aust enhalb Tunaw nicht fuget zube-
leihen, das wir Si wider vber die Tunaw prugken
vnd durch die Vorstat an schaden der Stat vnd der
Burger gemainelich hie lassen wellen. Allergenedi-
gister Herr. Darauf haben wir an saud Katbrein tag den Smy-
koskj vnd dem Hynko mit den andern ewr Gnaden soldnern, so
in Irn Rotten sind, herin lassen als auf zwelfhundert nach geschefft
ewr Gnaden Rēte, so yerz hie sind. Nu haben der Sesyme anstat
sein selbs vnd der andern Rottmaister, vnd die in Irn Rotten sind,
auch begert vber die Prugk vnd hie durch die vorstet durchziehen
zulassen, vnd vns der Gelubd, so in allen getan sey, darauf ermont,
dem haben wir anstat sein selbs vnd der andern aller, die nicht in
ewr Gnaden dinst sein, ain solhe antwurt tan. Wir haben In solh ob-
gemelt zusagen tan dieczeit, als Sy ewr K. G. diener gewesen sein,
wērn Sy die noch, wir welten In das gern halten, aber Sy sein enhalb
Tunaw dieczeit ewr K. G. veint worden nach lautt des briefs, des
abschrifft ewr K. G. hieinne beslossen vindt, Sy haben sich auch
offenlich von ewrn K. G. aus allen dinsten geurlaubt, vnd habent mit
Prant vnd in ander weg Seid merkliche Beschedigung im Lanndt tan;
darumb sey wir Sy nicht schuldig vber die Prugk, noch durch die
Vorstet zulassen, wann wir wissen nicht, was Sy wider ewr Gnad her
derhalb Tunaw anvahen, oder hanndlen wurden: das verkünden wir
ewrn K. G., was ewr Gnad darinn verrer schafft, des sey wir willig,
vnd haben auch das vnserr allergnedigisten frawn der Ro. Kaiserin
auch also verkündt von der Soldner wegen, vnd sein ewr baider
Gnaden antwurt darauf warttund, darnach wir vns wissen zu-
richten. Das wellen wir vmb ewr K. G. als vmb vnsern aller-
genedigisten Herren vnd Landesfürsten vndertenielich gern verdiena.

Gehen zu Wienn an freitag nach sand Kathrein tag.
Anno dni LXI°.

Ewr K. G. vnderlenigen

¯Burgermaister, Riehter, Rat, genant
vnd die Burger gemainclich zu Wienn.

Anpringen von der Lantleut besamung vnd ains lanttags   **CXXXV.**
wegen.   **20.November**
Allerdurchleuehtigister Kaiser, allergenedigister Herr, Ynser   **1461.**
willig vnderlenig gehorsam dinst ewrn K. G. allezeit bevor. Aller-
genedigister Herr, vns ist anpracht, wie die Lanndlewt auf den
kunfftigen sand Kathrein tag Veld machen, vnd die
brüder aus dem Veld stahen wellen, vnd ist an vns hegert,
zu dem hilff vnd peystand zetun, vnd ob die prüder gedrungen wur-
den, das wir dann der hie nieht einliessen. Es ist auch dapey mer an
vns pracht, wie die Lanndlewt in kurez sich zusamen
fügen vnd ain Lannttag machen werden, daselbs ainen
gemainen Lanndsfrid zebetrachten vnd an vns hegert,
das wir auch zu sollem lanttag komen oder schikehen, vnd mitsamht
In solhen gemain Lanntfrid betrachten vnd fürnemen wolten, doeh
ewrn K. G., auch vnsers Herrn Herezog Albrechts von Osterreich
Gnaden an ewrn herlikaiten paidenthalben vnvergriffen, vnd ist an vns
antwurt hegert worden. Darauf haben wir geantwurt, wie wir vns
an ewr Gnaden willen vnd wissen niehtz vervahen
noch annemen mugen, daran man ain genugen gehabt hat zu
disen mallen. Allergenedigister Herr, also bitten wir mit aller diemu-
tigkait vnderlenigklich, ewn K. G. wolle vns genedigklich vnder-
riehten, Ob das yemant in die Gemain pringen wolt, vnd wir von den
lanndlewten widerumb angelangt wurden, was wir dann nach ewr
K. G. willen denselben auf lr anpringen zu solhen Artikln, als oben
berürt sein, antwurttn vnd tun sullen; das wellen wir ymh ewr K. G.
als vmb vnsern allergenedigsten Herren allezeit diemutielich vnd vn-
derténigklich gern verdienn. Gehen zu Wienn an freitag
vor Kathrine. Anno dni LXI°.

Antwurt vnsers Herren Kaisers auf das vorige schreiben.   **CXXXVI.**
Fridreich &.   **27.November**
Ersamen, weisen, besunderliehen vnd getrewn. Ewr schreiben   **1461.**
vns yeca des fürnemens halben durch vnser Lanndlewt in Osterreich

wider die, so vnser Soldner gewesen sein, vnd das begern an ew durch dieselben vnser lanndlewt beschehen mitsambt der antwurt von ew getan haben wir vernomen, vnd haben an solhem ewrm verkünden vnd antwurt ain sunder gut gevallen, vnd lassen ew wissen, das wir vns gen denselben vnsern Soldnern am nagsten, als Ir Rottmaister hie gewesen sein, gewilligt haben, In erbere ausrichtung zetun, vnd Sy vmb das man In schuldig ist gnediclich genugig zemachen geez vnd auf geraum tëg, vnd Si darinn aufrichtielich zu versorgen vnez auf die zeit, so Sy vns den dinst aufgesagt, vnd wir das aufgenomen haben, das Si aber alles verachtet, vnd von hynn in vnwillen geriten sein, daraus wir nicht versteen, wes wir vns zu In versehen sullen, darnach wisset Ir ew gen In der obberürten begerunghalben an ew getan, auch in ander weg nach dem pessten wol zuhalten. Dann von des vorbemelten vnd fürgenomen Lannttags wegen sein wir nicht vnderricht, Ob derselb lanuttag allain durch die, so sich vnser halten, oder auch ander fürgenomen vnd auf was grunts, auch vmb wew, oder ob sollis für oder wider vns betracht sey; Begern wir mit sunderm Vleiss, das Ir ew in solhem pas erkundet, vnd ob Ir verrer angelangt wurdet, vns gelegenhait der sachen wissen lasset. So wellen wir ew vnser maynung darauf verrer wol wissen lassen, dann wir lang her, sunder sider derezeit, daz sich die fürsleg vnd Herezug erlassen, wolbedacht haben notdurfft zesein, vns mit ew vnd andern den vnsern zu vnderreden; darezu wir dann noch genaigt vnd in hofnung sein, vns in kurez hinaus zufügen, vnd selbs in allweg mit lanndlegen, vnd alles das fürezenemen, daz zu frid vnd gemainen nuez dienet. Geben zu Grecz an freitag vor sand Andres tag. Anno dni LXI° &.

Commissio &.

CXXXVII.
27. November
1461.

Hochwirdig, Erwirdig, wolgeborn, Edel, genedig lieb Herren. vnser willig dinst ewrn knis. Gnaden bevor. Genedig lieb Herren, ew ist wissentlich, das wir vnserm allergenedigisten Herren, dem Romischen Kaiser, in den vergangen kriegslewffen, vnd auch vor, menigermaln vnser vnd gemainer Stat notdurfft zugeschriben, vnd mundlich gepeten haben, das sein K. G. genedig weg fürnem, damit wir vnd gemaine Stat in frid vnd gemach gesecz, auch die aufsteg, vnd ander newung genediclich abgetan wurden, damit wir vnd gemainer Man in

der Stat sich dester pas erneren mochten. Genedig lieb Herren, nu
schreib wir yeez seinen K. G., wie her Jorg von Potendorf
vnd der Nankehenrewtter merklich Volkch enhalb
vnd herdishalb des Wienner Walds auf ervordern,
auch zu rossen vnd gefllssen Soldner aufnemen, sich
auch die Lanndlewt zu Veld geslagen, vnd ander heswe-
rung vnd fürsorg, die wir in den saehen, als wir das vnserm allerge-
nedigisten Herren, dem Ro. Kaiser geschriben haben, vnd nach dew
vnd Ir an der abgeschrifft hie Inne verslossen vernemen werdet, vnd
auf solh vnser schreiben ynd mundlich potschafft, so wir sein K. G.
vor menigermaln von merkchlicher vnser vnd gemainer Stat notdurfft
wegen zugeschriben haben, ist vns darauf etllich maln gar kurcz ge-
antwurt vnd sovil nicht geschehen, dadurch wir aus solhem vnserm
verderben in frid vnd gemach geseczt werden, sunder nur von tag zu
tag vnezher in merer vnd grosser verderben komen vnd praecht wor-
den, dadurch vil mithurger von hynn geczogen sein, das ewr Gnad
in Herczen nemen welle, vnd Bitten darauf mit diemuttigen Vleiss,
Ewr Gnad welle pey vnserm allergenedigisten Herren, dem Ro. Kaiser
hilflich ratsam sein, damit sein K. G. noch genedig weg fürnem, da-
durch wir vnd gemaine Stat in pessern frid vnd gemach geseezt, vnd
hinfür vor grosserm schaden behalten werden, damit wir vnsorr frucht
geniessen, vnd seiner K. G. dester pas zu dinst hie gesiezen vnser
narung pey seinen Gnaden behalten mugen. Das wellen wir vmb ewr
Gnad gern verdienn. Geben zu Wienn an freitag vor sand
Andres tag Apli. Anno LXI⁰.

Burgermaister, Riehter, Rat, genant
vnd die Burger gemaiuklich zu Wienn.

Den Hochwirdigen, Erwirdigen, wolgeborn vnd Edeln Herren,
vnser allergenedigisten Herren, des Romischen Kaisers
(Rëten) so yeez zu Greez sein, vnsern genedigen lieben
Herren.

CXXXVIII.
27. November
1461.

Allerdurchleuchtigiste Kaiserin, allergenedigiste fraw, vnser willig
vodertenig dinst ewern K. Gnaden bevor. Wir lassen ewr K. G.
diemutielich wissen, als vor dem nagstvergangen lesten ewrer Gnaden
Soldner vber Tunaw durch Irer narung willen zogen sein, da ist In
von der Stat wegen nach gescheft ewr K. G. zugesagt, ob Sy von

Irn Veinten gedrungen wurden, oder das In sunst enhalb Tunaw nicht fugt zubeleiben, das wir Sy wider vher die Tunawprugken, vnd durch die Vorstat an schaden der Stat vnd der Burger gemainklich hie lassen wellen; das wir darauf an sand Kathrein tag den Smykofsky vnd den Hynko mit den andern vnsers allergenedigisten Herrn des Romischen Kaisers Soldner, so in Irn Rotten sind, herin lassen haben als auf zwelifhundert. Nu habent de Sesime an stat sein selbs vnd der andern Rotmaister vnd die in Irn Rotten sein, auch begert vber die Prugkeh vnd biedurch die Vorstet durchziehen zelassen, vnd vns der gelub, so In allen getan sey, darauf ermont, dem haben wir anstat sein selbs vnd der andern aller, die nicht vnsers allergenedigisten Herren des Ro. Kaisers dinst sein, ain solhe antwurt getan: Wir haben In solh obgemelt zusugen getan dieczeit, als Sy seiner K. G. diener gewesen sein, wern Sy die noch, wir wolten In das gern halten, aber Sy sein enhalb Tunaw dieczeit seiner K. G. veint worden nach laut des briefs, des abgeschrifft ewr K. G. hie inne beslossen vindet, Sy haben sich such offeulich von seiner K. G. aus allen dinsten geurlaubt, vnd haben mit prant vnd in ander weg seind merkliche beschedigung im Lannd tan, darumb sey wir Sy nicht schuldig vber die prugk zelassen, wann wir nicht wissen, was die herderhalben der prugken wider sein K. G. anvaben, oder handlen wurden. Das verkünden wir ewrn K. G., vnd was ewr Gnad darinn verrer schafft, das sein wir willig, vnd haben das vnd ander vnser vnd gemainer Stat notdurfft vnserm allergenedigisten Herrn, dem Ro. Kaiser auch also verkündt, als das ewr K. G. an der Copj hieinne beslossen, vernemen wirdet, vnd Bitten mit aller vnderlenigkait diemutigklich, ewr K. G. welle vns von der Soldner wegen genedige fürderliche antwurt geben, auch pey vnserm allergenedigisten Herrn, dem Ro. Kaiser vmb die Stukch, darumb wir sein K. G. geschriben haben, genedigklich daran sein, damit vns die gewent, vnd wir in frid vnd gemach gesetzt, vnd also aus kunftigen schaden vnd merern Verderben pracht werden, das wellen wir vmb ewr K. G. vnderlenigklich gern verdienn. Geben zu Wienn an freitag vor sand Andres tag Apl. Anno dni LXI.

Ewr K. G. vnderlenig   Burgermaister, Richter &c.

Der allerdurchleuchtigisten fürstin vnd frawn frawn Leonoren, Romischen Kaiserin, zuallenezeiten mererin des Reichs, Herczogin zu Osterreich & vnser allergenedigisten frawen.

Hort vnd sweigt.

E. 67.
28. November
1461.

Es gepewt mein Herr der Burgermaister, Richter, vnd Rat der Stat hie zu Wienn allermeniklich, in was wesen oder stand Sy sein, von des getraids kaufs wegen, wie der hie zu Wienn am Newnmarkt vn Eritag vnd Sambstag den wochenmerkchtegen hinfür gehalten sol werden.

Item von ersten sol es gehalten werden also: Wann man den fan aufstekeht, das dann ain yeder verkauffer pey seinem wagen sein sol, vnd dann die Burger der Stat hie von erst kauffen vnd kain gast, doch also das kain futrer noch gastgeht an aim Markchttag nicht mer kauffen sol, dann ain Mutt; vnd es sol auch der fan vor der zwelifften stund nicht abgenomen werden, vnd darnach so man den fan abgenomen hat, so mag menigklich kauffen, vnd wer das vberfert, der sol nach Rats Rat swerlich darumb gepusst werden.

Item es sol auch kainem Gasst an ainem Markchttag nicht mer abgemessen werden, dann was er kaufft von ainem wagen auf den andern von dem Markeht aus der Stat zefürn, also das kain gast kainen getraid hie einschütten sol, doch das den Armen vnder dem Gepirg ze ainezigen dennoch abgemessen werde, ain meczen, zwen, drey oder vir, yedem nach seinen staten, vnd wer wider die Ordnung tut, den wil man swerlich darumb straffen.

Item es sol auch ain yeder, der zu dem Markeht Traid fürt her gen Wienn nach eingang des Markts am Eritag oder Sambstag mit dem Traid farn vnd stellen an offen markeht zu den andern wögen dadurch man ain wissen haben mug, wievil getraids an ainem yeden Markttag auf den Markeht pracht werde, vnd wer dawider tut, den wirt man swerlich straffen.

Item es sol auch ain yeder an den obgenanten Markchttegen am Eritag vnd am Sambstag seine Swein also halten vnd bewarn, damit Sy nyemant weder pey tag noch nacht auf dem markt an irn wögen vnd Traid kainen schaden nicht tun, wurd aber yemands Swein daruber an solhem schaden icht begriffen, zu dem ersten mal sol man demselben Swein haide Orn absneiden, wurd es aber zum andern mal an solhem schaden begriffen, so sol man das vn alle Gnad in das Spital geben den armen durfftigen zu merung irer Speiss.

Item es sol auch ain yeder, der Traid oder Habern kaufft vmb berait gelt, das von stund an beczaln. Ob er des nicht tet, so wirt der

Richter von Im den Hingeber ain benugen tun, vnd darezu den kauffer swerlich straffen.

Item es ist auch durch gemains nucz willen durch mein Herrn Burgermaister vnd Rat betracht worden, das man binfür kainen Wein-maister mer haben sol. Ob aber uiner ainen aigen knecht in seinem aigen prot, oder ainen knecht, dem er seinen taglon gibt, alle tag zwen gross, vnd essen vnd trinkchen vnd nicht mer, haben will, der im auftragt sein Wein, das mag er tun, doch das ainem yeden die recht mass geben werde.

Item man sol auch hinfür kain frustukch geben noeh einladen zu dem wein, noch kainen einlader haben, wann es zu ainem gemainen nucz gar genug ist, das man ausruffer hab der wein, die darezu ge-seczt vnd gesworn sein. Wolt aber yemand frustukch zu dem wein essen, der pring es selb in das leythnws, dem mag man das kochen vngeverlich.

Item welher das obgemelt gesoczt vnd Ordnung nicht stet hielt, vnd das in ainem oder mer stukchen, als oben von der weinmaister wegen vnd darnach gemelt ist, vberfür, der sol der Stat zu peen zu-geben vervallen sein zu gemainem nucz zehen phunt phenning vnd dem Stat Richter zway phunt phenning, der denselben damit notten sol.

Das heruffen ist geschehen an Sambstag vor sand Audres tag, des heiling Zwelifpoten. Anno LXI^ᵐᵒ.

Vermerkeht die Herren, so an dem Weinschreiben gangen vnd darezu geordent sein, vnd die wein sind *11.Novemb.* verschriben worden zu sand Merten tag. Anno dni LXIe.*)
1461.

Karinthianorum.

Maister Mert Guldein. Caspar Reisinger.	Vina.	M. DC. LXXXXIIII k. IIII vr. no. CC. LXXVI k. XXXI vr. ve.

Stubarum.

Thoman Tengk. Hans Mornhainer.	Vina.	M. DCC. LXXI. k. no. C. LXXX k. ve.

Lignorum.

Niclas Leinbaeber. Gilig Waldner.	Vina.	M. DCCC. VI k. VI vr. no. CCC. LXXXXV. k. IIII vr. ve.

*) Ich lese: k. karrata, l. dreyling, vr. vrna, ve. vetus, no. novum.

Seotorum.

Peter Gwerlieb.   Vina.   {XII^c. J k. IIII vr. no.
Kristof Pemphlinger.   {CC. XXXI. k. I t. ve.

     VI. M. CCCC. k. J t. IIII vr. no.
Summe M. LXXXIII k. J t vetus   {faciunt VII^a V^c LV. k. II t IIII vr.

*(Vermerkcht das schreiben, so die Herren, Ritter vnd Knecht, CXXXIX.
so yecz zu Czisterstorf besamet sein, der Stat getan habent.)* 4. Dec. 1461.

Erber, fürsichtig vnd weis. Als ew wissentlich ist, das der
durchlewtigist Kunig vnd Herr, her Jorg Kunig zu Behem durch seiner
Gnaden Rêt ain kristenlichen frid zwischen dem allerdurchleuebtigi-
sten fürsten vnd herrn, hern Fridreichen Romischen Kaiser, vnd dem
durchleuchtigen Hochgeborn fürsten vnd Herrn, hern Albrechten,
Erczherczogen zu Osterreich & vnserm genedigisten Herren beslossen
vnd abgeredt hat, das ew vnverporgen vnd wissen ist, also sind
ettlich desselben vnsers herren des Romischen Kai-
sers Hoflewt aus ewr Stat geriten, vnd auf vnser
merkt vnd dorffer gelegt vnd grossen verderblichen
schaden den vnsern getan vnd derselben ettlich wi-
derumb in ewr Stat auf solhen getan schaden vnd he-
slossen frid komen sein. Also hitten wir ew auf solhen
bemelten frid gegen denselben, die in ewr Stat sind,
beweisen vnd darinn hanndln, als Ir lannd vnd lewten
vnd ew selb schuldig seyt, vnd biten darauf ewr verschribne
antwurt pey dem gegenwürtigen poten. Geben zu Czisterstorf
an sand Barbara tag. Anno LXI^a.

Herrn, Ritter vnd Knecht, als vil der yecz
zu Czisterstorf sind.

Den Erhern, fürsichtigen vnd weisen, dem Burgermaister
Richter vnd dem ganczen Rat der Stat zu Wienn.

(Ant熱urtt der Stat.)   CXL.
                            7. Dec. 1461.

Edl Vesst Herren, vnser willig dinst bevor. Ewr schreiben vns
yecz getan haben verlesen vnd gehort, vnd lassen ew wissen, das
yecz in kurcz vergangen tegen nach dem gesesezten kristenlichen frid

enhalb vnd herdishalb des Wienner Walds, desgleichs auch enhalb
Tunaw vns vnd den vusern, auch andern im Lannd Osterreich, armen
vnd Reichen manigfeltig verderblich schaden zugezogen sein, das
vns albeg treulich laid gewesen vnd noch ist, vnd hieten nye libers
geschen, vnd schen auch uoch nichtz liebers, deun das wir in dem
ganezen land gemainklich, arm vnd Reich in gutem frid vnd gemach
wérn. Dann als Ir vermelt, wie die Hoflewt aus, (vnd) wider in die Stat
gerithen sein, vnd das wir vns gen In heweiseu vnd darinn hanndln
solten & wisst Ir wol, das die Stat Wienn vnserm aller-
genedigisten Herren, dem Ro. Kaiser zugehort, vnd
das wir vber Hoflewt nicht zupieten haben, vnd hitten
ew, Ir wellet vnser antwurt im pessten aufnemen, das wellen wir gern
verdienn. Gehen zu Wienn an Montag nach sand Niclas-
tag. Anno LXI~~.

Burgermaister, Richter vnd Rat der Stat Wienn.

Den Edln vnd Vessten Herrn, Rittern vnd Knechten, so yecz zu
Zisterstorf peyeinander sind.

CXLI. *(Also hat man von der Stat dem Romischen Kaiser geschriben*
8. Dec. 1461. *der kriegsleuff vnd meniger notdurfft wegen.)*

Allerdurleuchtigister Kaiser, allergenedigister Herr, vnnser willig
vndertenig gehorsam dinst ewr K. G. bevor. Allergenedigister Herr.
Wir schikchen ewrn K. G. ain abgeschrifft ains schreiben, so vns die
Lanndlewt getan haben, den haben wir geantwurt, als ewr K. G. an
der abgeschrifft auch hieinne verslossen geschriben vindet. Nu ver-
nemen wir, wie sich die lanndlewt verrer hetegen vnd
meren, das Sy in merer versteen zu einander komen,
auch werdent allenthalben vmb vns gepaw fürgenomen
zu Weer, als zu Klosternewnhurg, vnderm Kalmperg,
Perchtolezdorf, Gunderstorf, Dreskirchen, darczu
man die lewt enhalb vnd herdishalb Tunaw zu Robat
nott, so wais ewr K. G. die Gsloss, die vmh vns ligen, vnd in was
gehorsam die lanndlewt pey ewrn Gnaden steent, auch was Haubt-
lewt, Rét vnd Stathalter ewr K. G. hie hat, vnd wie lang sich ewr
K. G. abwesen verezeucht, das wir fürchten, aus dem allen ewrn K. G.
grosser mangl, auch vns als ewr K. G. vndertan merklich schaden

darumb ergeen mochten, als wir des teglich warnung haben. So
haben sich in kurezen tëgen auf launnd vnd wasser
new Mewtt vnd aufsleg angefengt, dadurch die kauflewt Irs
kaufslags auf horn, vnd vns verderblich schëden daraus erstet, Also
das wir vnser frucht vnd weln nicht verkauffen noch anwern, vnd die
Burger vnd Hanntwerher kainerlay handlung vnd gewerb von vnfrids
wegen treihen, vnd sich nicht ernern mugen, vnd der sich ettlich
darumb von dann geczogen haben, Also hitten wir auf das allerdie-
mutigist, so wir ymmer kunnen vnd mugen, Ewr K. G. welle noch
genedig weg fürnemen, das solhem fürkomen werde, das ewrn K. G.
nuczlich sey, vnd wir vor verderben behuett werden. Das wellen wir
vmb ewr K. G. als vmb vnsern allergenedigisten Herren vnd Laannds-
fürsten vnderteniglich vnd gern verdiennen. Geben zu Wienn
an vnser frawn tag Concepcionis. Anno LXI^{mo}.

    Ewr K. G. vndertenigen

                Burgermaister, Richter, Rat, genant
                vnd gemainklich die Burger ewr
                K. G. Stat zu Wienn.

Dem allerdurchleuchtigisten fürsten vnd Herrn Herrn Fridrei-
chen, Romischen Kaiser, zuallenezeiten merer des Reichs, zu
Hungern, Dalmacien, Croacien & Kunig, Herczog zu Osterreich,
ze Steyr & vnserm allergenedigisten Herren.

(*Wie der Ro. Kaiser der Stat zugeschriben hat von wegen auf-*   CXLII.
         sagen der stenndt.)   6. Dec. 1461.

    Fridreich &.

    Ersamen weisen, besunder lieben vnd Getrewn, als mit lohlicher
gewonhait herkomen ist, das der Burgermaister vnd Rat vnser Stat
zu Wienn Jerlich Ir stenndt vnd Ambt zu den weichnachten aufsagen:
Begern wir an ew mit sunderm Vleiss, emphelhen ew auch ernstlich,
vnd wellen, das Ir des gegenhürtigen Jars die bemelten Ambt vnd
stennd nicht aufsaget, sunder die verweset, vnd darinn heleibet, vncz
wir am nagsten hin aus zu Land komen, das wir dann schir zu ge-
schehen hoffen. Daran tut Ir vns sunder gut gevallen, vnd vnser ernst-

COPEY-BUCH

liche maynung. Geben zu Greez an Suntag sand Niclas-
tag. Anno LXI°.

Commissio &.

Dom Ersamen & zu Wienn.

CXLIII.
13. December
1461.

*(Antwurt der Stat auf das vorsteent schreiben vnsers allerge-
nedigisten Herren, des Rom. Kaisers.)*

Allerdurchleuchtigister Kaiser, allergenedigister Herr, vnser willig
vndertenig vnd gehorsam dinst sein ewrn K. G. zuvoran bereit. Als vns
ewr K. G. yeez geschriben hat wie mit loblicher gewonhait herkomen sey,
das der Burgermaister vnd Rat ewr K. G. Stat hie Jerlich Ir Phrünt vnd
Ambt zu den Weinachten aufsagen; vnd an vns begert, auch mit sun-
derm Vloiss ernstlich empholhen, das wir des gegenwürtigen Jars die
bemelten Ambt vnd Stent nicht aufsagen, sunder die verwesen, vnd
darinn beleiben solten vnez ewr K. G. am nagsten heraus ze lannd
kome, haben wir diemutigklich vernomen, vnd lassen ewr K. G. wissen,
das von alter loblicher gewonhait herkomen ist,
das alle Jar des nagsten Rattag vor sand Thomans
tag ain Burgermaister vnd Rat von Irn Amhten auf-
sten vnd vrlaub nemen, vnd darnach an sand Tho-
mans tag vnder dem geleut sullen die genanten in
das Rathaus komen vnd ain yeder daselhs ain Zedl
legen, darinn er ain Burgermaister vnd ain Rat
bestymen sol. Also das ains yeden Jars ain Bur-
germaister vnd Rat durch erwellung der genanten
hestimht in Irn Zedeln ainem Landsfürsten, die
also hestaten zugesandt, vnd darnach durch sein
fürstlich gnad bestet werden sol nach innhalt
vnserr freyhait, der wir ewrn K. G. hiemit deshalben ain ge-
schriben auszug senden. vnd darauf nach dem vnd wir vnser
yeder das gancz Jar vil mue vnd arbeit vnd grosse
sorg in den Amhtern hisher gehabt haben, darumb
vns ewr K. G. genedigklich geruch ze mussigen vnd
ander mit gemainer wal, als von alter herpracht ist.
darezu nemen, auch angesehen, das ettlich aus vns mit tod ab-
gangen von steter krankhait, vnd sunst ettlich von anderr Irr merk-
lichen notdurfft wegen solhen Ambten zu gemainem nuez uit auswarten

mugen, Bitten wir mit ganczem Vleiss auf das aller diemutigist, so
wir ymmer kunnen vnd mugen, ewr K. G. welle vns als vnser aller-
genedigister Herr vnd lanndsfürst bey solhem vnserm alten herkomen
vnd freyhaiten genedigklich hanthaben vnd halten, vnd Burgermaister
vnd Rat auf der genanten Zedl vnd lr wal, so ewrn K. G. verpetschadt
zugeschikcht werden, genedigklich aufnemen vnd bestelten; wann
solten wir vns auf ewr K. G. schreiben vnd emphelhen,
dem wir doch schuldig wērn gehorsam zetun, yecz
pey solhen stennten vnd Ambten hehalten, so mocht
vns von den genanten vnd der gemain grosse nachred
anfersteen, darumb, das wir vns wider vnser Stat
freybait darinn behielten, daraus dann vngehorsam
gieng vnd gemainer nucz gehindert wurd, vnd ewrn
K. G. mangl aufersteen mocht, darumb wellen vns ewr K. G. ge-
nedigklich davon nemen, wann (wir) nu den, die ewr K. Gnaden bestelen
wirdet, gern gehorsam vnd getrewen beystand tun wellen; das wellen
wir vmb ewr K. G. als vmb vnsern allergenedigisten Herren vnd
Landsfüraten vnderlenigklich gern verdienn. Geben zu Wienn an
sand lucein tag Anno LXI**.

Ewr K. G. vndertenig

Burgermaister &c.

Hort vnd lost.

CXLIV.
19. December
1461.

Es gepewt der Allerdurleuchtigist fürst vnd Herr, herr Fridreich
Romischer Kaiser, zu allenczeiten merer des Reichs, zu Hungern, Dal-
macien, Croacien, & Kunig, Herczog zu Osterreich, ze Steyr & vnser
allergenedigister Herr vnd landesfürst, auch seiner ·K. G. Rēte, so
yecz von seiner K. G. wegen hie sind, auch mein Herren, der Burger-
maister, Richter vnd Rat von der Stat hie allen vnd yeglichen, Armen
vnd Reichen, Burgern, Mitburgern vnd Inwonern der Stat Wienn, die
von ingent vnd alter mugen, in was wesen vnd stand die sein, nye-
mant darinn ausgenomen, das ain ieder mit seinem harnasch,
pugsen, Armbst, waffen, wēgen vnd anderm, so zu der
were gehort, zerossen vnd zefussen, wann man in
aufervordert, an alles vercziehen berayt sey an wi-
derred, vnd sag das ain man dem andern, vnd welher darinn
widersessig vnd vngehorsam erfunden wurde, den wirdet man darumb

Fontes VII.   19

straffen an leib vnd an gut an alle gnad. Vnd ist gerufft wor-
den an Sambstag vor Thome Apostoli Anno LXI°°.

CXLV.   (Vermerkcht wie man vnserm allergenedigisten Herren, dem
S. d.   Ro. Kaiser von wegen des Sterben vnd der kriegsleuff von ge-
mainer Stat geschriben hat.)

Allerdurchleuchtigister Kaiser, allergenedigister Herr, vnser willig,
vndertenig gehorsam dinst ewr K. G. bevor. Allergenedigister Herr,
als vns ewr K. G. geschriben hat, vnd in demselben ewrm K. G.
schreiben begert, ewrn K. G. zuverkünden, wie es des Sterben
halben hievor bey vns stee, auch ob sich ewr K. G. heraus
fügen sull, Wann ewr K. G. zomal genaigt sein mit lannttägen vnd in
ander notdurfft weg alles das zofüdern, das zu gemainem nucz vnd
frid gedienn mag & innhalt desselben ewr K. G. schreiben haben
wir vndertenigklichen vernomen, vnd fugen ewrn K. G. des Sterben
halben diemutigklich zu wissen, das die pestilencz vnd sterb
nu in solh aufhorn komen ist, das wir zu got hoffen,
das durch solh lewff des sterben nu zu disenzeiten
wenig vergeen vnd sterben werden. Dann ob ewr K. G.
heraus komen sull, wolt vns gut bedunkchen, ewr K. G.
fügte sich auf das kurczist heraus ze lannd in die
Newnstat oder her, oder wo es ewrn K. G. in nahent
am fuglichsten wer, daselbist dann nach begern ewrn K. G.
die lanntleut, Prelaten, Herren, Ritter vnd Knecht vnd die von Stettea,
die sich ewr K. G. bisher gehalten haben, ewr K. G. fuglich besu-
chen, auch ewr K. G. mit In vnderred gehaben möcht, vnd ettlich,
die wider ewr K. G. gestanden sein, durch anweisung Irer frewnt
wider zu ewrn K. G. in gehorsam geweist mochten werden, das deucht
vns wol für ewr K. G. sein, wann zu hoffen wer, das durch lanst vnd
leut fürderlicher vnd kürczlicher in frid vnd gemach geneczt möcht
werden, vnd was wir dann zu solhem frid vnd gemainen nucz bey
ewrn K. G. gediennen kunnen vnd mugen, sein wir zumal willig, nach
dem wir des ewrn K. G. als vnserm allergenedigisten Herren vnd
lanndsfürsten wol schuldig sein. Auch fugen wir ewrn K. G. vnder-
tenigklich zu wissen, das die von Karnewaburg sich mit dem
Nankenrewtter vnd den von Klosternewnburg von Ir

selbst vnd aller der wegen, so vnsers Herren Gnaden
Erczherczog Albrecht zuversprechen stent, befridt
haben, vnd frid gein anderr aufgenomen, also das ain
tail dem andern kainen schaden zucziehen, noch nie-
mant zu sich in die Stat weder in noch auslassen sol,
dadurch dem andern tail schad ergen mocht, vnd
welher tail den frid nicht halten wolt, der sol das dem
andern tail achttag voran verkünden, vnd dieselben
achttag sol es dennoch in befridung zwischen Ir bei-
der besteen biss zu vndergang der Sunnen des ach-
tentage, vnd sullen auch die von Karnewnburg in den-
selben achttagen in noch aus der Stat lassen, dadurch
dem andern tail schad ergeen mocht; an solher be-
fridung wir vns vast verwundert, vnd wir von In nicht
gern gehort haben. Darnach sich auch ewr K. G. zerichten
wais, vnd pitten mit aller vndertonigkait, ewr knis. Gnad welle solh
vnser schreiben genedigklich vnd in pesten von vns anfnemen, vnd
sich ewr K. G. in kurcz heraus sagen; das wellen wir vmb ewr
K. Gnad vndertonigklich gern verdienn.

　　　　Ewr &.

　　　　　　　　　　　Burgermaister &.

　　Dem Allerdurchleuchtigisten &.

　　Item als die Ersamen weisen Mert Enthaymer, Richter
vnd Niclas Teschler, vnser Münssmaister ze Wienn
auf ain Credenz an phincztag vor Thome Apostolj Anno
LXI ausgangen zu vnsern allergenedigisten Herrn, dem Ro. Kaiser
geschikt sind, da anczepringen am ersten von des lant-
tag wegen, so die lanntleut zu Zisterstorff vermaynen
zuhaben auf Stephanj, darnach kunftig zu Reez oder
Gunderstorf, darczu Sy gemaine Stat auch dahin ze-
schikchen gepeten haben, Item von des Awer frey-
brief vnd anderr freybrief wider der stat freyhait
ausgeben, ie genedigklich abzeschaffen, Item von
des Jempniczer vnd Aichelperger wegen, das sein
K. G. ainem yeden Recht ergeen liess, wie Recht
ist, Item von der kaufleut wegen, das die vndert

　　　　　E. 69.
　17. December
　1461.

19*

beswert würden an den Mautsteten gern yedem, sunder das sy gehalten wurden, als von alter herkomen ist.

E. 70.   Antwurt der obgenanten Herren an aller kindleintag von 28. December unserm allergenedigisten Herren dem Romischen Kaiser 1461.   ist also:

    Item von des Lannttags wegen ward vns geantwrt: secht, lieben frewnd, als Ir von Burgermaister vnd Rat gewarben habt von des Lannttags wegen, Nu ist oft vnserm allergenedigisten Herrn, dem Ro. Kaiser von denselben lantleuten auch geschriben auf maynung, das sein K. G. den lantleuten abtrug vnd kerung tu den schaden, den seiner K. G. Soldner aus vnd in die Stat Wienn getan habend, das wellen Sy von seinen K. G. gern aufnemen, auf solh Ir schreiben hab er ew auch geschriben, vnd schrieb ew yecz aber, darinn Ir werd lernon vnd vernemen, das nicht füglich zuschikoben sey, vnd sey seiner K. G. maynung, das man das vmbgee, wie man mug, vnd nicht schikch, vnd ob man weg gedenkchen mocht, das man Irrung tet, vnd wolt auch den Preleten, Herren, Rittern vnd Knechten schreiben, so die sich seiner K. G. halten, das Sy auf den tag nicht kemen, wann, so sein K. G. hinaus keme, so wolt er allen den schreiben, die sich seiner K. G. halten, das Sy zu Im kemen, vnd mit den, vnd nach lem Rat fürnemen tun, wie das lannd in frid vnd gemach pracht werd, das wer füglich dadurch der von Maiburg oder der von Liechtenstain oder yemand ander aussechrib, da riet wir, das sein K. G. weg gedecht, vnd das pald geschech.

    Item von der Gnaden vnd freybrief wegen ward vns geantwurt, das man die sach liess austeen, bis sein K. G. hinaus kem, das denn Burgermaister, Rat vnd genant ain Michele Summ, als pey funfczig oder LX für sein Gnad kemen, vnd xein K. G. poten, das sein K. G. solh brief abtet, so wolt ers tun, darumb, das er gen den besten mocht, die solh brief haben. Wann er geb Sy nicht gern aus, sunder da kem ain Rat oder Kamrer, der pring dem aus, der ander disem.

Item von der kaufleut wegen hat sein K. G. brief geschafft zu schreiben.

Item von des Jembnicaer vnd Aichelperger wegen wil sein K. G. den Rěten schreiben, das die Rět ettlich des Rats zu In nemen, vnd versuchen, Sy gutlich zu vnderweisen mocht, man Sy nicht vberain pringen, denn die sach anstellen, pis sein K. G. hinaus kěm, da wider ward geredt, die weingerten legen vnpaut, da rett sein K. G. selbs: ich wil ee den pauczeit davor sein.

Item Aberstorffer Gleit.

Anno domini Sexagesimo Secundo.

Anno Domini LXI* am Mitichen vor dem newn Jar tag habent   *E. 71.*
mein Herren Verweser, Burgermaister Ambt Richter vnd Räte vnd *30. December*
etlich aus den genanten von der leuff wegen vnd veintschafft, so vmb   *1461.*
vns ligt vnd sein, zu bewarung gemainer Stat betracht, das aufge-
numen werden sullen funfczigk Soldner zerossengut
vnd rüstig knecht, Nur ain Russer oder auf das maist
zway oder drey Russer, die gut knecht, zu der wer
geschikt vnd wol berüst sein, vnd hundert guter fus-
knecht, die man besolden sol, also, das ainem yedem
mitburger nach seinem Staten ain laidlicher anslag, ain
wochen zwen, drey, vir oder funf grossen, mer oder
mynner zegeben fürgenomen werde, vnd das ain yeder
seinen anslag also anverczieben geb.

Item es ist betracht zu pesserr bewarung der Stat zereden mit
vnsers allergenedigisten Herren des Ro. K. Röten von des verbe-
gen wegen des walds, auch von der Besaczung vnd Auf-
fang zu Kalnperg zu pesten widerstand der von Kloster-
newnburg & vnd den Veinten &.

Vnd darumb das ainem yeden angeslagen werde nach seinem
Vermugen, vnd das nyemant beswert werde, sind zu vberslahen
in den Registern geordent vom Rat Maister Mert Gul-
dein, Stephan Tengk, die Steurbern vnd die am Anslag
gesessen sind, vnd die Haubtleut aus allen Virtailn.

Item es ist beredt ain getrewr aufrichtiger frid,   *CXLVI.*
der gehalten sol werden vngeverlich vncz auf den Sun-   *7. Februar*
tag in der Vasten so man singt Invocavit *) zwischen   *1462.*
den allerdurleuchtigisten fürsten vnd Herrn, herrn
Fridreichen, Romischen Kaiser & aller der, so mit seinen
Gnaden stent vnd auf seiner seytten darunder verdacht vnd verwant
sein auf ainem, vnd des durleuchtigen Hochgeborn fürsten vnd
Herrn, herrn Albrechten Erczherczogen zu Osterreich &.

---

*) 7. März.

aller der, so mit seinen Gnaden stend, vnd auf seiner seytten darunder
verdacht vnd verwant sein des andorn tails. In derczeit sol yeder
tail das an seinen Herren bringen: Ob Sy den frid auf Sunnbenden
halten wellen, welher aber den frid auf Sunnbenden nicht halten woll,
der sol den aandern tail das vor aebt tagen wissen lassen, vnd der
frid sol dennoch auf den benanten tag gehalten werden. Wer aber,
das ain tail dem andern in den obgenanten acht tagen den frid nicht
aufsaget, so sol der frid auf Sunnbenden dennoch gehalten werden.
Item das die kireb zu Gunderstorf für vnd für mit frid
beleib, vnd von kainem tail zu krieg oder schaden gepraucht werd
vngeverlich vncz zu Austrag vnd aynigung baider Herren, vnd ssl
das Veld vor Gunderstorf aufprechen vnd wegeziehen
auf den negstkomunden Eritag*), vnd sol dhain tail da zwi-
schen nicht weiter greiffen, noch Incziehen, wann was yeder tail
innhat, das sol er behalten vngeverlich auf den obgenanten tag. Item
es mag auch mänklich in der obgenanten zeit auf wasser
vnd auf lannd fridlich vnd vngebindert handeln vnd
wandeln nach irn notdurfften vngeverlich, vnd das all gefus-
gen auf den obgenanten Suntag Invocavit betegt
werden. Disen friden haben wir Jorg von Potendorf, Obrister
Schenkeh in Osterreich, baubtman Hartmann von Trawn
vnd Jorg von Stain Kanczler anstat vnd in namen des dur-
leuchtigen Hochgeborn fürsten vnd Herren hern Albrechts Ercz-
herczogen zu Osterreich vnsers genedigisten Herren aufgenomen
vnd zu vrkund vnser Betschad an dise berodt Zedl
gedrukcht, die Geben ist zu Berchtolcxstorf an
Suntag nach sand Agata tag Anno dni Sexagesimo Secundo.

E. 72.   *Werbung an Kaiser per Niclas Teschler, Simon Pötl vnd Wolf-*
gang Holnprunner vnd Hanns Meilinger.

Von ersten seinen K. G. zesagen, wie vnd in was mass der frid
aufgenomen vnd betaidingt sey, vnd das sey für sein Gnad, auch für
lannd vnd lewt, vnd nemlich der, die sich seiner K. G. halten, in
trewisten vnd im pesten geschehen.

Item die vrsach dapey zu erczelln, was mangel vnd gepresten
des kriegshalben gewesen sey, vnd was schaden die Stat hie, vnd
ander, die sich seiner Gnaden halten, daran emphangen haben.

_____

*) 9. Februar.

Item nach dem aufgenomen frid ist hie durch die Rêt geraten mit Rat des Burgermaisters, Richter vnd des Rats der Stat von gancxer gemain wegen hie xu Wienn, das sein Gnad ain gonediga gevalln darinn hab, vnd den frid genodielich nicht absag, sunder genediclieb geruck xuhalten.

Item vnd darauf die Soldner Irs Solds entricht, vnd die genediclich abvertig, wann solt es nicht geschehen, so sey xu besorgen, das seinen K. G. seiner Gnaden lannden vnd lewten, vnd nemlicb den, so sich seiner K. G. vnderteniclich halten, grosser schaden vnd verderben daraus ersteen mocht. Daraus auch sein K. G. merkchlicher Abvall im Lannd geschehen, wann sich vormaln durch verexug der soldner beczalung grosser merklicher schad an land vnd lewt begeben hat.

Item es ist auch seinn Gnaden nach dem treflichisten durch seiner Gnaden Rêt, auch Burgermaister, Richter vnd Rat geraten, das sich sein K. G. vnverexogenlich her gen Wienn füg. So das sein Gnad thu, so werden sein veint darab erschrekchen, vnd vil lanndlewt mochten sich xu seinn Gnaden kern, wann an menigern lanndlewten verstanden wirdet, das Sy genaigten willen xu seinen K. G. gern haben wolten.

Item das sein Gnad dann hie nach Rat der lanndlewt, die sich seiner K. G. halten, vnd nach Rat seiner Rêt vnverexogenlich ainen gemain lanndtag ausschreib mit redlichen vrsachen vnd erpietungen, die sein K. G. errlichen vnd zymlichen sein, so sey vns xumal vorsehenlich, die Lanndschafft werd xu sein K. G. komen, so der Lanndtag mit glaytt ausgeschriben werde, vnd da werd seinen K. Gnaden soviil geraten, tan vnd geholfen, damit seiner Gnaden lannd vnd lewt in frid vnd in gemach gesecxt vnd pracht mug werden.

Item seinen Gnaden dapey zuerczollen die gross hilf, dinst vnd peystand, so die gancz gemain hie seinen K. G. tan haben, vnd wie des meniklich so in grossen schaden komen sein, vnd dapey xu melden, das des die lewt gross verdriessen haben, vnd solhs darlegens nicht lenger vermugen, wann solt seinn K. G. den frid nicht aufnemen, das nyemant sein weingartpaw ausrichten, vnd die weingarten gemainklich öder ligen müsten, daraus gemaine Stat in gross verderben köm, vnd das in die leng nicht erswingen kunden.

Item darauf von gemainer Stat wegen vnderteniclich xepitten vnd ancxeruffen, das sein gnad solh trew vnd dinst der Stat ansehen

well, vnd Ir kunftig dinst, der dio Stat noch Irm vermugen seinn K. G.
willig sey zetun als Irm allergenedigistem Herrn, das sein Gnad den
frid aufnem, vnd das sich sein Gnad her füg, vnd solhen trewn vnd
vleissaigen Rat seiner Rête also genedielichen nachgee, daraus ge-
mainer nuez seinn K. G. vnd seiner K. G. lannd vnd lewt bekomen
mug, vnd was wir darezu seinen K. G. ymer dienen kunnen vnd
mugen, des sey die Stat willig als Irm allergenedigisten Herren.

Item seinen K. G. zusagen, Ob daruber sein K. G. in vorberurter
mass zu gemainem nuez, zu frid vnd gemach ye nicht genaygt sein
wolt, des man zu seinen K. G. nicht hoff, noch getraw, nachdem als
sein K. G. gemainer lanndschafft in seiner Gnaden Ingang fürstlicherRe-
girung off\ vor sagen hab lassen seiner Gnaden naigung vnd pegir zu
gemainem nuez, auch zu frid vnd gemach seiner Gnaden lannd vnd
lewt; Well aber sein K. G. daruber ye die sach mit dem
krieg fürnemen, das dann sein K. G. sich anders dar-
ezu schikch vnd stelle, als ainem Regirnnden fürsten
des lannds zu bewarung vnd beschirmung seiner
Gnaden lannd vnd lewt zugepür, vnd in ander macht
vnd grossern gwalt vnd mochtikait, auch pesser
Ordnung, wenn durch sein K. G. vor vnd vnezher ge-
schehen ist, wenn sein K. G. wiss vnd enphind, das
sein Gnad vil mer nachtails im lannd auch schadens
seiner lannd vnd lewt mit dem krieg zugestanden
sein, wenn sein gnad nuez vnd frumens davon es-
phangen hab, als des sein Gnad durch meniger potschaff\ vnd
schreiben wol erinndert sey vnd verstanden hab.

Item ob aber sein K. G. ye nicht in die vodern Stukch
vnd Artikel geen wolt, So ist dann seinen K. G. zusagen der lest
Artikl.

Item seinen Gnaden zusagen zu ainer hesliessung, ob sein
K. G. des auch nicht tun wolt, so enpinden sich des
seiner K. Gnaden Rêt, so yeez hie zu Wienn sein,
zuvodrist gen Got vnd gen seinen K. G., vnd mai-
nen sich fürhaser seiner Gnaden sachen hie nicht
mer anezenemen, noch zehanndeln, wann Sy wissen
sein K. G. mit irm Rat, noch dinst hie weder zenuez,
noch sein Gnaden zu eren, noch seiner Gnaden laan-
den noch lewten zu gut nicht auszurichten.

(Also hat man dem Ro. Kaiser von seiner inkunft wegen von CXLVII.
gemainer Stat zugeschriben.) 17. April
1462.

Allerdurleuchtigister Kaiser, allergenedigister Herr, vnser vnderlenig willig dinst ewrn K. G. bevor. Allergenedigister Kaiser, als am nagsten ewr K. G. Rёt vnd wir von ewr k. Gnaden, auch ewrer Gnaden lannd vnd lewt, auch der Stat pesten wegen ain treffliche potschafft schriftlichen vnd mundlichen zugesandt haben, darauf sich ewr K. G. verfangen vnd gnedige zusagung getan vnd enpoten hat, persondlich herzukomen, vnd dann gnedige fürnemen vmb gemains nuez willen des Lannds zetun, des wir nach meniger vertrostung vnezher gewart haben, vnd ewr Gnad der auf noch nicht komen ist. Nu haben wir vor ewr K. G. vnser der Stat burger gemainclich notdurfft vnd geprechen verkündet, wie wir mit veintschafft allenthalben vmbgehen, vnd teglich der Stat mit abfürn vnd zufürn merklichen schaden tun, also das meniklich von tewrung wegen gross ausgeben tun muss. So hab wir merklich Soldner zusambt vnserm Volckh auf vns, darauf vns gross gut get, das wir mit grosser muo von den lewten pringen müssen, Also das ain sebud teglich auf den andern get, damit wir vns der Veint also aufhalten vnd wern, vnd des in die lenng nicht vermugen, noch des von den leuten pringen mugen. Allergenedigister Herr, So komen vns teglich vil warnung von den Veinten, die der Stat gern schaden zuezügen, so sind auch ewr Gnaden Rёt all von dann, ausgenomen ber Hanns von Rorbach, der solhen handl von ewr Gnaden wegen weder an leib noch an gut nicht vermag auszerichten. Darumb so ruff wir ewr K. G. an mit vndertenigen Vleiss, ewr K. G. welle sich an longer aufschub vnd verziehen herfügen, vnd mit gnaden darczu gedenkeben, was für ewr K. G., für vnser allergenedigisten frawn, vnd vnsern Jungen herrn, für ewr g. lannd vnd lewt vnd für ewr G. Stat hie das nuezist vnd pessst sey, das zu frid vnd gemach, auch für gemain nucz land vnd lewt sey, vnd was wir darczu ewrn K. G. als getrew vndertan dienn sullen, das sey wir ewrn K. Gnaden willig als vnserm allergenedigisten Herren. Geben zu Wienn an dem heiligen Oster Abent Anno LXII".

Ewr &.

Burgermaister &.

Anima.

Allergenedigister Herr, vns zweyfelt nicht, ewr K. G. sey ange-
langt, wie das Gesloss Kalmperg aus des Grosser hann-
den pracht ist, dar auf der Stat gemuinklichen gross darlegen,
mue vnd arbait gangn ist, vnd teglich geet, darauf ewr K. G. gene-
digclich well gedenkchen, vnd der Stat solh darlegen schaffen zu er-
statten, wann man des ewrn K. G. für lannd vnd lewt, auch der Stat
im trewisten vnd pessten tan hat, das wollen wir vmb ewr K. G.
vndertenielich verdienn.

CXLVIII. *Das nachgeschriben Rueffen ist geschehen au dem heiligen*
17. April *Osterabent Anno LXII.*
1462.

Hort vnd lost.

Es gepewt der Allerdurleuchtigist fürst vnd Herr, her Fridreich
Romischer Kaiser, zuallenczeiten merer des Reichs, zu Ungern, Dal-
macien, Croacien & Kunig, Herczog zu Osterreich vnd zu Steir &
vnser allergenedigister Herr, auch mein Herr der Burgermaister,
Richter, vnd der Rat von der Stat, vnd seg das ain Man dem andern,
wann man auf trumet, es sey bey tag oder bey nacht, das ain yeder
mit seiner wer zu rossen vnd zu fuessen vnd mit wegen auf das
sterkist vnd pest, so ain yeder kan vnd mag, berait auf vnd darin nicht
sawmig sey; welher aber darinn vngehorsam erfunden wirdet, den
wirdet man swerlich straffen an leib vnd an gut an alle gnad.

CXLIX. *(Wie man von der Stat seinen kais. G. aber zugeschriben hat,*
26. April *seiner Gnaden zukunft wegen.)*
1462.

Allerdurleuchtigister Kaiser, allergenedigister Herr, vnser vn-
dertenig willig dinst ewrn K. G. bevor. Allergenedigister Kaiser,
nach dem wir mit der hilff Gots den Tchor zu Kaln-
perig auch gewonnen vnd beseezt haben, davon nu
die Tunaw vnd strass vber Wald an dem Ort herin von
den veinten dester pas pewart mag werden, vnd sein
in ganczer hofnung, so ewr K. G. käm, ewr Gnad werd gegen den
Veinten dadurch vil mugen erebern, vnd solh ewr gnaden veint werden

durch ewr Gnaden zukunft merkchleich erschrekchen, vnd die land-
lewt, auch ewr Gnaden Prelaten vnd stet wurden sich solh ewr
Gnaden zukunft trosten vnd hoch erfrewn, die sich gern zu ewern
K. G. kerten vnd hielten, die mochten des dester füglicher weg fin-
den, sich zu ewrm K. G. zuhalten, dadurich wir grosse hoffnung
haben, oder ewr Gnaden lannd vnd lewt mochten dester fürderleicher
in frid vnd gemach komen; Ewr K. G. solt vnd mocht in dem sunder-
lich vnd genediclich an sehen das bey wesen vnserr allergenedigisten
frawn vnd vnsers genedigen Jungen Herrn, auch die grossen trew
und dinst, die wir von der gemainen Stat so mit grossem vnserm
schaden vnd darlegen so lange zeit vnd vnczher so willicleichen ge-
tan haben, vnd noch kunfticleich nach vnserm Vermugen gern tun
wolten. So ewr K. G. hie wer, vnd sich als vnser allergenedigister
Herr mit beschirmung ewr Gnaden Vndertan sovil darczu tet vnd tun
wolde, als sich gepürt. Darumb so ruef wir ewr K. G. noch an vnder-
tenielich vnd diemutticleichen bittund, das ewr Gnad käm, vnd nicht
lenger auspeleib, das wellen wir vmb ewr K. G. vndertenicleich vnd
willicleichen verdienn. So uber ewr Gnad in obherörter muss nicht
kemen, wurd, so ist vns zu besorgen, die Veindt mochten sich also
besterkchen werden, das Sy allen den, die sich ewr K. Gnaden hal-
ten, merkchleichen vnd verderblichen schaden verrer zuczihen wur-
den. Gehen zu **Wienn au Mantag nach sand Gorgen tag**
Anno LXII°.

       Ewr &.

             Burgermaister &.

(Also hat man den Steten, so sich seiner K. G. halten, von ge-   Cl.
mainer Stat des Lanttags wegen zugeschriben.)   20. April
                                                   1462.

     Vnser willig frewntlich dinst bevor, Ersamen, weisen, lieben
frewnd. Vns ist angelangt, wie des durchleichtigen fürsten vnd Herren,
hern Albrechts, Erczherezogen zu Osterreich & Gna-
den ainen gemain Landtag gein Tulln yocz auf sand
Philips vnd sand Jacobs tag nagstkomend ausgeschri-
ben hab, darczu Ir vnd wir von seinen fürstlichen Gnaden villeicht
auch mochten ervordert werden. Aber nachdem solh gross vnd
merkchlich Zwitrecht, krieg vnd veintschafft zwischen vnsern aller-
genedigisten Herrn, dem Romischen Kaiser, als vnsers herren vnd

lanndsfürsten, auch des obgenanten Erczherezogs Albrechts Gnaden
vnd der Lanndlewt in Osterreich sein, das wir die von allen Stetten,
so sich vnsers allergenedigisten Herren, des Romischen Kaisers als
vnsers erbherren halten mit eltlichen aus vns vnverezogenlich vor zu-
samen komen, vns da notdurfftigclich miteinander vnderretten, auf
was weg wir angesucht, oder mit vns geret wurde, das wir vns also
rerainttcn vnd hallten, als wir vnsern eren schuldig sein, vnd darauf
bitten wir ew, Ir wellet zwen oder drey aus ewrm Rat
auf den nagstkunftigen Eritag gein Kornewnburg
schikchen, da wir die vnsern auch haben wellen,
damit wir vns in obberürter maynung daraus notdurfftigclichen mugen
vnderreden, vnd wellet nicht ausbeleiben, das wellen wir vmb ew
willigclich gern verdienn, vnd bitten ewr verschribne Antwurt. Ge-
ben zu Wienn an Eritag in den Osterveyertagen
Anno LXII°.

Burgormaister, Richter vnd Rat
der Stat Wienn.

Kornewnburg, Krembs vnd Stain, Egenburg, Zwetel, Laa, Ham-
burg, Prugk auf der leytta, Weitra.

CLI.
1. Mai 1462.   *(Wie man seinen K. G. zur drit von seiner Inkunft wegen
geschriben hat.)*

Allerdurleuchtigister Kaiser, allergenedigister Herr, vnser willig
vnderlenig dinst ewrn K. G. bevor. Als ewr K. G. vor vnsern swern
grossen verderben vnd schadens, so wir nu langezeit in den kriegs-
lewffen von ewr K. G. wegen vnd mit williger vndertenikait vnd ge-
horsam vnezher aufgenomen vnd erliten haben, daraus gemainer Stat
schaden vnd verderben sich in den toglichen kriegen erstanden vnd
gemert haben, als wir das ewr K. G. vormaln offt schrifftlichen vnd
durch vnser treffenleich potscheiff klagt vnd anbringen haben lassen
vndertenigkleich pittund vnd vns die als vnser allergenedigister Herr
vnd lanndsfürst genedicleich zu wenuden, vnd selbs persondleich in
nehent heraus zekomen, dadurch lannd vnd lewt mit sambt vns in
frid vnd gemach komen moebten, des vns ewr K. G. mundleichen vnd
schriftleichen menigveltielcichen genedigeleichen vertrost vnd zusa-
gen hat lassen, das vnezher verezogen ist; also haben sich die kriegs-
leuf vnezher wider ewr K. G. im lannd auf die Stat hie merkleiches

gemert, vnd sich noch tegleichen meren, vnd sein mit veindten allenthalben vmbgeben, daraus der Stat tegleich verderben vnd schaden vast gemert vnd zugeezogen wirdet. vnd gar in nehent bey der Stat drew new auffeng gemacht, ainer zu Hoflein auf der Tunnaw, der ander enhalb der Tunaw zu Tuttendorf vor der Stat Kornewnburg, der dritt zu liesing bei Eezketorf vnderm wienner perig, die vns auf wasser vnd lannd zu merkchleichen schaden steen, vnd hieten das gern gewenndet, vnd ist darumb den laundlewten, die sich ewr K. G. halten, auch herrn Jan von Teincz vnd ewr K. G. Soldner vnder das gepirg geschriben worden, darauf vns nyemant zubilff komen ist, dann Vlreich von Grafenegk ist vns persondleich auf vnser gepet zu trost vnd bilff mit seinen hofflewten her komen, vnd sich darinn gutigen beweist, da aber sunst nyemand sich bergefugt hat, ist er wider dannen geriten. Allergenedigister Kaiser, so ist auch ain gemaine red im lannd von geistlichen vnd weltlichen, wie wir vrsachen sullen sein des kriegs vnd des lannds verderben, darumb sind all krieg her auf die Stat gewentt. Nun wissen wir kain andre vrsach nicht, dann das wir vns ewr K. G. halten, vnd ob nu ewr K. G. kurczleich in nehent heraus nicht kumbt, vnd solh verderben lannd vnd lewt nicht wendet, so ist zu besorgen, das gemaine Stat solh verderben mit dem tegleichen krieg nicht erleiden mug. Vnd davon bitten wir mit aller diemutichait, ewr K. G. geruch genedigeleichen ansehen das beywesen vnserr allergenedigisten frawn, die Ro. K. vnd vnsers Jungen Herrn, vnd welle sich noch anverezieben in nehent heraus fuegen, vnd genedig weg zu beschirmung, auch frid vnd gemach lannd vnd leuten, vnd gemainer Stat fürnemen vnd gedenkchen, damit wir aus solhem verderben bracht werden. Ob aber ewr K. G. lennger darinn verezug, vnd sich in nehent nicht heraus fugen mocht oder wolt, daz vns dann ewr K. G. mit Anwelten, Haubtlewten vnd Volkch genedicleieben fürsehe. Ob dann des auch nicht beschech, so bitten wir auf das allerhochst vnd maist, so wir ymmer kunnen vnd mugen, ewr K. G. welle vns genedig weg zuerkennen geben, wie wir vns darinn halten sullen, damit wir aus solhem verderben komen, vnd in frid vnd gemach bracht werden, vnd bitten auch dabey diemuticleich, ewr K. G. geruch solh vnser schreiben im pessten vnd genedigicleich aufnemen, wann wir

hoffen, ewr K. G. werde vns in solhen noten nicht verlassen, das
wellen wir vmb ewr K. G. als vmb vnsern allergenedigisten Herren
vnd lanndsfürsten vndertenicleieb gern verdienn, vnd bitten ewr K. G.
vmb ain genedige verschribne antwurtt bey disem vnserm hotten wi-
derumb ze wissen. Gehen zu Wienn an sand Philipp vnd
sand Jacobs tag Anno dni LXII*.

Ewr K. &.

Burgermaister &.

Cedula.

Auch allergenedigister Kaiser verkünden wir ewrn K. G. das
sich die Veint von tag zu tag vast sterkchen vnd mern, der absug wir
ewr K. G. etlleich hiemit schikeben, darnach sich ewr K. G. zu
richten wais.

CLII.   Ain brief an Kaiser von Herrn Jorgen von Potendorf Absug
1. Mai 1462.   wegen.

Allerdurleuchtigister Kaiser, Allergenedigister Herr, vnser willig
vndertenig vnd gehorsam dinst ewrn K. G. bevor. Wir lassen ewr
K. G. wissen, das auf hewt datum des briefs nach vesper-
czeit als vmb die Sibent stundt absug komen sein von
Hern Jorgen von Potendorf, der absgeschrift ewr K. G. hieinn
beslossen vernemen wirdet, darnach sich ewr K. Gnad nu auch verrer
zerichten wais. Auch lassen wir ewr K. Gnaden wissen, das vns die
von Newnburg markthalben geschriben vnd gepeten
haben vmb hilf, peystand, zeug vnd Puchsenmaister,
nach dem vnd Sy von den Veinten vast angesucht werden, bitten wir
mit diemutigen Vleiss, ewr K. G. welle genedig weg fürnemen vnd
gedenkchen, damit lannd vnd lewt, die von Newnburg, auch wir hie
vnd die sich ewrn K. G. vnderteniklichen halten, in frid vnd gemach
geseczt, vnd solh krieg, die sich teglich meren, genedielich abgetan
werden, oder aber vns hilf vnd peystand zuschikeben, damit wir vns
der veint erwern mugen; das wellen wir vmb ewr K. G. als vmb vnsern
allergenedigisten Herren vnd Lanndsfürsten vndertenicklich gern ver-
dienn. Geben zu Wienn in die Philippi et Jacobi Apl. LXII*.

Ewr &.   Burgermaister &.

Ain schreiben an Kaiser von der Vniversitet wegen.　　CLIII.

1. Mai 1462.

Allerdurleuchtigister Kaiser, Allergenedigister Herr, Vnser willig
vndertenig gehorsam dinst ewrn K. G. hevor. Wir lassen ewr K. G.
wissen, das der Rector vnd die Eltisten maister von wegen der wir-
digen schul vniversitet hie, für vns, den Rat vnd etllich genant vnd
gemain komen sein, vnd haben vns da lr merklich notdurft vnd ge-
prechen der schul erezelt, wie ln lr Sold, die Sy verdient
haben, nu Siben virtail Jar ausstend, dadurch Sy
fursehung der schul nicht leunger vermugen, Wie auch
meniger Anczal der Studenten dannen zogen sein, vnd
solt nu ewr K. G. den wirdigen maistern der schul nicht fürschung
vnd ausrichtung tun, So furchten Sy, die schul mocht daraus zerstort
werden, oder in zerruttung komen, damit die in kunftigen zeiten hart
wider in stiffung oder Ordnung pracht wurde, Daraus ewrn K. G.,
dem loblichen Haws Osterreich, auch gemainer Stat hie sunder grosser
schaden vnd smachait ersteen wurde. Vnd haben vns auch da ermont,
das vnser Vorrordern für sich vnd lr nachkomen, Bur-
ger ze Wienn der Stat gross Insigel mit sambt andern
lnsigeln an lr privilegij Sy dapey helfen zehalten ge-
hangen haben. Vnd davon, Allergenedigister Kaiser, mit ganczem
vndertenigem Vleiss Bitten wir, ewr K. G. welle genediclich ansehen
ewr K. G. vnd des loblichen Haws Osterreich, auch gemainer Stat
hie grosse Ere, wird vnd kristenlichen gemainen nucz, der von der
Vniversitet zu ansprechung des lobs vnd Ere Gotz des Almechtigen
vnes in die vir ennde der werlt in der kristenhait dadurch ausgeprayt
ist, vnd dabey genediclich merckhen solh gross darlegen vnd kost,
so ewr K. G. vorvordern, vnd besunder Herczog Rudolf
loblicher gedechtnuss, fursten ze Osterreich darauf gelegt
vnd darumb mer dann hundert tausent phunt phen-
ning ausgehen, ee wenn Sy die schul ze wegen pracht,
als wir vernomen haben, vnd geruch die schul mit gnaden hie aus-
halten, als ewr K. G. vorvordern getan haben, damit Sy lrer ver-
dinten sold genediclich entricht werden, damit auch gemaine Stat der
ern Vnd nucz, so die Stat von der schul gehabt hat, nicht entsoczt,
noch in oberärter mass davon pracht werde, dadurch dann nicht
von vns mag geredt werden, daz zu vnsern zeiten die
Stat an ern, wirden vnd an gut ln zu storung komen sey.

20 *

das vor menigere Jar, als vor hundert Jarn pey vnsern
Vorvordern gestifft worden sey, vnd Bitten, ewr K. G.
welle solch vnser schreiben genedielich vnd im Pesten von vns auf-
nemen, Das wollen wir vmb ewr K. G. als vmb vnsern allergenedigi-
sten (Herren) vnd landsfürsten willielich vnd gern Verdienn. G e h e n
zu W i e n n a n s a n d P h i l i p p v n d s a n d J a c o b s t a g
Anno dni LXII⁰.

        Ewr &c.

                                 Burgermaister &c.

CLIV.   *(Also hat man dem Kaiser von der Stat nötten wegen zuge-*
N. Mai 1462.   *schriben.)*

Allerdurleuchtigister Kaiser, Allergenedigister Herr, Vnser willig
vnd vndertenig gehorsam dinst ewrn K. G. bevor. Allergenedigister
Herr, als wir ewrn K. G. vor Menigermal, vnd yeez am Jungsten der
Stat merkliche notdurft vnd geprechen, vnd wir mit newen auffengen
vnd besaezung der Veint allenthalben vmbgeben sein auf wasser vnd
auf lannd, vnd ewr K. G. von gemainer Stat wegen darinn angerufft,
geschriben vnd gepoten haben, die genedielieh zewennden mit den
Vrsachen, die ewrn K. G. dapey schrifftlichen erezelt sein, darauf wir
noch von ewrn K. G. genediger beschirmung vnd antwurtt warttund
sein, Allergenedigister Herr, nu haben sich siderher in kurezen tegen
die besaezung vnd new auffeng von ewr Gnaden Veinten, auch scha-
den vnd verderbung der Stat teglichen gemert, mit dem, d a s H e r r
J o r g v o n P o t e n d o r f M i n k c h e n d o r f d i e K i r c h e n v n d
D r u m b a w, d e r v o m h e i l i n g K r e w e z h o f, b e s e e z t,
vnd meniklich in verr vnd nahent zu den newn auffengen in huldigung.
auch Robot pey Raub vnd praunt vnd ander nottung ausgeschriben,
vnd ervordert haben, a u c h w e r e n t d e r v o n P o t e n d o r f,
v n d N a n k c h e n r e w t t e r, auch d i e v o n S w e i n b a r t v o n
d e n B e s a e z u n g e n a l l e s z u f u r n d e r S t a t e n h a l b v n̦ d
h e r d i s h a l h T u n a w a u f w a s s e r v n d a u f l a n n d,
D a r a u s s i c h v o n t a g z u t a g g r o s s e r m a n g e l v n d
t e w r u n g b e g e b e n t, D a s m a n a n h e w t i g e n t a g 1 P f d.
R i n t f l e i s c h h a t g e b e n v m b s e c h s, s y b e n v n d a c h t
p h e n n i n g, d a r n a c h e s e r i g e r o d e r p e s s e r g e w e s e n
i s t, D o m a n v o r m a l s v m b d i e c z e i t i m J a r a i n p h u n t

fleisch vmb zwen phenning oder drey helbling funden
hat, man mag weder gen kolcz farn. Es leyden auch die
Hantwerebslewt grossen mangel an kol, desgleichs ist
grosse teurung an allen essunden Phenberten. Allergenedigister Herr,
so geschiecht gemainer Stat sunder grosser verderblicher schaden
an irem weingartpaw mit dem, das mit den kriegen die
weinezörl vnd arbaitter aus den aigen vnd dorffern
vertriben sind, vnd der teglich darinn mynner werden. Auch so
hat der von Potendorf vnder dem gepirg vnd alsverr
er das beraichen mag verpoten, den von Wienn Ir
weingarten nicht zepawn, nur Im werd zu Huldigung
von yedem Jeuch weingarten geben zwen gulden, vnd
die abpruch sullen nicht lenger besteen, dann vuez
auf sand Giligen tag. Auch so maint er von der Burger
Hewser in Merkehten vnd Dorffern, der er sich vnder-
wunden hat, sunder gross schezung zu haben oder
er well die Hewser in gruut abpreehen lassen, das alles
gemainer Stat hie zu grossem schaden vnd verderben geschikebt, vnd
sich teglich meret, vnd wir doch das durch vnser Soldner vnd Volkeh,
das wir teglich zu der Stat beschirmuug vud auf den Kolnperg zu
huel bedurffen, nicht weunden mugen. Allergenedigister Herr, Es
sind an hewtigen tag ettlich aus rns ervordert zu der
Taidung, so mit dem Hinko vnd seinen Soldnern vnd
mitgesellen geschehen ist, vnd da mit sambt ewr Gnaden
Reten guten Vleiss getan, vnd hieten gern geschen, das die sach mit
dem Hinko in aynikait nach ewr Gnaden maynoung vnd taiding zu
Greez geschehen komen, das man aber an In nicht hat erlangen mu-
gen, als das ewr Gnaden Ret ewrn K. G. lewtterer zugeschriben
haben, vnd haben dhain taiding mit In nicht mugen besliessen. Ob nu
ewr K. M. nicht genedig weg fürnymbt, das die Soldner entricht
werden, so ist merklich zu besorgen ewr Gnaden lannden vnd lewten
mocht daraus vnvberwindlieber schaden ersteen vnd zugeczogen wer-
den, vnd mocht geschehen, sy wurden sich zu andern ewr Gnaden
Veinten slaben, von den Sy meniger mal ersucht sein, Darumb Aller-
genedigister Herr, So Rueff wir noch ewr K. M. an mit aller vnder-
tänikait diemutielich bittund, ewr Gnad geruech solh gross sueh ewr
K. G., ewr Gnaden lannd vnd lewten, auch die Stat hie so verderbli-
ehen vnd beswerlichen berürund genedielich zu Herezen nemen, vnd

ein genediger beschirmer ewr Gnaden Vndertan zu sein, auch frid
vnd gemach betrachten vnd fürnemen, damit gemaine Stat nicht in
so teglichen schaden vnd verderben stee. Auch die soldner genedic-
lich entricht, das well wir vmb ewr K. G. vnderteniclichen vnd willie-
lichen verdienn Angesehen vnser Allergenedigiste frawn, die Kaiserin
vnd vnsern genedigen Jungen Herren, wenn solt ewr K. G. dem also
nicht nachgeen, vnd daruber die Stat an beschirmung in solhem ver-
derben steen lassen, so mocht gemaine Stat solhs ye nicht die leng
erleyden. Geben zu Wienn an Sambstag vor Pangracj
Anno LXII⁰⁰.

Ewr &.

Burgermaister &.

CLV. *Werbung an Kaiser von gemainer Stat wegen.*

8. Mai 1462. *Pr. Jacobn Starch, Petern Gwerlich, consules, Jacoben Game-
chel, Fridreichen Westerndorffer, genant, Micheln Voretbofer
vnd Micheln von Pirpawm aus der Gemain.*

Allerdurleuchtigister Kaiser, Allergenedigister Herr, vnser willig
vndertenig gehorsam dinst ewrn K. G. bevor, wir lassen ewr K. G.
wissen, das am nagstvergangen Suntag von Herrn, Rit-
tern vnd Knechten, So yeez zu Steteldorff bey einan-
der gewesen, geschikcht worden vnd gen Wienn ko-
men sein herr Hainreich von Liechtenstain von Ni-
colspurg, vnd her Veyt von Eberstorff, vnd haben da ewr
K. G. Rete, so yeez hie sein, angelangt vnd gepeten, das Sy vns Rat,
genant vnd gemain der Stat hie in das Rathaws zu einander ervordern
schaffen, vnd sich selbs auch dahin fugen solten; daselbs Sy vns in
Irer gegenbürtikait der Herrn Ritter vnd Knecht fürnemen, So sy zu
Stetldorff betracht hieten, erezellen wolten, als Sy hoffen, das fur ewr
K. G., auch fur vnsers Herren Gnaden Erezherezog Albrechtz, fur
lannd vnd lewt, arm vnd Reich, auch fur gemaine Stat wer, Also ha-
ben wir vns, Rat, genant vnd gemain mit willen vnd wissen ewr K. G.
Rete, so yeez hie sein, auf den nagstvergangen Montag in
das Rathaws zesamen gefugt, daselbs denn in gegenburtikait dersel-
ben ewr K. G. Rete die obgenanten Zwen Herren von Liech-
tenstain vnd von Eberstorff vns lesen haben lassen
ain Zedl vnd geschrifft, wie vnd was die lanndlewt

zu Steteldorf betraeht vnd furgenomen haben, als das
ewr K. G. in der abgeschrifft hieinn versloasen aigentlieh vernemen
wirdet, vnd habent darauf vns von gemainer Stat in gegenburtikait
ewr K. G. Rete vleissielich gepeten, das wir mitsambt In ewr kais.
G. wolten vnderteniclich anrueffen vnd pitten vmb das sich ewr K. G.
in solhs der lanndlewt furnemen, das Im pesten durch Sy betracht
wēr, genediclich geben, vnd dem nachkomen wolt, Sy hieten auch
solhs an ewr K. G.. desgleichs an vnsers herren Gnad Erezherezog
Albrechtz zehringen ettlich aus In zeschikchen geordent, vnd baten
vns vleissielich von gemainer Stat wegen, auch also mitzeschikchen,
oder zeschreiben ewr K. G. ze bitten, das solhem Irm furnemen ge-
nediclich nachgangen wurde, vnd das sich ewr K. G. in nehent gene-
diclich heraus fugen wolt, vnd wann wir dann von gemainer Stat
wegen zu solhen tegen, als Ir furnemen Innhelt, ewrn K. G. auch
vnsers Herren Gnaden Erozherczog Albrechtz vnd lannd vnd lewten
ze frid, rueeh vnd gemach, vnd vmb des pesten willen, als vor berurt
ist, durch Sy ervordert wurden, das wir dann ettlich aus vns zu In,
dahin Sy dann auch all Prelaten, Herren, Ritter vnd Knecht, vnd die
andern von Steten besennden wurden, komen vnd nicht ausbeleihen
wolten auf maynung, das ewr K. G. auch vnsers Herren Gnad Erez-
herczog Albrechtz vnd die sach in weitern anstannd des frids geseezt,
dadurch ewr baider Gnaden, auch lannd vnd lewt dester fuglicher
genczlieh veraint in frid, rueh vnd gemach pracht mochten werden,
des wir In dann auf solh teg zu schikchen aus vns durch frids vnd
gemachs vnd vmb des pesten willen in gegenburtikait vnd nach ge-
vallen ewr K. G. Rete also verwilligt haben, Vnd davon, Allergenedi-
gister Herr auf das allerhohist vnd maist, so wir ymer kunnen vnd
mugen, mit allem vndertenigem diemutigen Vleiss rueffen wir an vnd
bitten, ewr K. M. geruche vnd welle genediclich ansehen das merklieh
manigveltig gross awer schedlieh verderben lannd vnd lewt, armer
vnd Reicher, auch gemainer Stat hie willig vndertenig gehorsam dinst,
mitleyden vnd darlegen irs leibs vnd guts, das wir nu langeezeit vnez-
her von ewr K. G. als von vnsers rechten erblierren vnd lanndsfürsten
wegen willielich erliten vnd mit grossen verderben dargelegt, als wir
das vnd den manigveltigen geprechen, damit gemaine Stat beladen
ist, ewrn K. G. vor menigermaln schrifftlich vnd mundlich ver-
kundet haben, vnd welle solh der lanndlewt furnemen vmb frids vnd
gemachs willen lannd vnd lewt genediclich vnd im pesten aufnemen,

sich auch auf das furderlichist sollhem nachzekomen heraus in nahent
fugen, vnd da genedig weg furnemen vnd gedenkchen, dadurch lannd
vnd lewt, auch gemaine Stat in frid vnd gemach geseczt vnd pracht
werden, vnd in solhem teglichen swern verderben nicht beleiben,
wann gemaine Stat des in die leng ye nicht vermocht, vnd bitten
dabey vndertenielich, ewr K. G. welle solh vnser schreiben genedic-
lich vnd im pesten von vns aufnemen, Das wellen wir vmb ewr K. G.
als vmb vnsern allergenedigisten Herren vnd Lanndsfürsten vnderte-
nielich gern verdienn. Geben zu Wienn an Sambstag vor
Pangracj Anno LXII[te].

    Ewr &.

                   Burgermaister &.

F. 73. *Vermerkt das furnemen, das von Herren, Rittern vnd Knechten*
       yecz zu Steteldorf betracht vnd fürgenomen worden ist.

    Von erst, das man zu vnserm Herren, dem Kaiser vnd vnserm
Herren, dem Herczogen, schikch, vnd Ir Gnade mit aller diemutikait
ersuch vnd bitten lassen, das Ir baider Gnade fur sew vnd
alle die irn acht wochen frid halten, auch lannd vnd
lewt diezeit nicht angegriffen werden.

    Wir sein auch aynig worden, Ir baider Gnad ze bitten, das vnser
Herr, der Kaiser, vnd vnser Herr der Herczog an gelegen stet im
lannd ze Osterreich in achent komen, So haben wir furgenomen
all Prelaten, Graven, Herren, Ritter vnd Knecht vnd die von Steten
zu besennden vnd ze pitten, das die auch auf ainen benan-
ten tag in ain achent dupey zusamen komen, da wel-
len wir dann zwischen Ir baider Gnaden reden vnd vns muen, in
weitern anstand zebringen, Daraus Ir beder Gnaden Ir lannd vnd
lewt dann in gancz aynigung, rueb vnd gemach pracht mugen
werden, vnd bitten Ir baider Gnade gutlich vnd gnedielich von vns
aufezenemen.

    Wir sein auch aynig worden, Ir Gnade zebitten, daz Ir baider
Gnade meniklich diezeit die acht wochen des frids Ir
sicherhait vnd gelaytt geben.

    Wir sein auch aynig worden, Ob new auffeng in dem
lannd furgenomen wurden, daz zu wennden vnd zu

w e r e n nacb vnserm pesten vermugen, vnd bitten lr Gnade derezu zu belffen als Herren vnd lanndsfursten schuldig zu tuu sein, damit das lannd in Rueb vnd gemacb kom vnd geseezt werde.

(A in Credenczbrief für die potschafft von gemainer Stat wegen.)   CLVI.
                                                 13. Mai

    Allerdurleuchtigister Kaiser, Allergenedigister Herr, vnser vnder-   *1462.*
tenig geborsam dinst ewrn K. G. bevor, wir schikchen zu ewrn Gna-
den aus Rat, Genanten vnd Gemain mit namen Jacoben Starch,
Petern Gwerlich, Jacoben Gsmechel, Fridreichen
Westerndorffer, Micheln Vorstbofer vnd Micheln von
Pirpawm, den baben wir bevolhen, ettwas sacben Vnser notdurf-
tigen maynung an ewr Gnad zewerben vnd zu bringen aigentlich
vnderweisen. Bitten wir ewr K. G. mit diemutigen Vleiss, was die
obgenanten Vnser mitburger diezmals von vnser vnd gemainer Stat
wegen an ewr K. G. werben vnd bringen werden, das lr ln das geacz-
lich gelaubet, als vns selbs, vnd ew darinn von gemains nuez wegen
lanndt vnd lewten genediclich willigen beweiset, das wellen wir vmb
ewr K. G. als vmb vnsern allergenedigisten Herren vnd lanndsfürsten
gehorsamlich verdienn. Geben zu Wienn an Phineztag nach
Pangracj Anno LXII[de].

Herrn Jorgen von Potendorf Glaytt, So er geben hat den Herren   CLVII.
die von gemainer Stat wegen in Botschafft zu dem Kaiser ge-   *13. Mai*
                         czogen sein.   *1462.*

    Ich Jorg von Potendorf, Obrister Schenkch in
Osterreich Bekenn, als die Ersamen weisen Burgermaister, Richter,
Rat, genanten vnd die Burger gemainklieb zu Wienn ettlieb Burger
aus ln von gemainer Stat wegen zu dem allerdurleucbtigisten fürsten
vnd Herrn, hern Fridreichen Romischen Kaiser vnd Kunig zu Vngern
& vnd Herczog zu Osterreich & sebikeben werden, mich gepeten
haben, denselben lrn Burgern vnd Senndpotten gelaytt zu geben, Daz
ich ln also geben hab, vnd gib ln auch mein trews sichers gelaytt
in krafft des briefs fur mich vnd all die meinen, vnd all die mir in
meiner Haubtmanschafft von meins gnedigisten Herren Erczher-
czog Albrechts & wegen zuversprechen steent, auf zwo vnd dreissig
person vnd sovil pherd mynner oder mer zu demselben Allerdur

leuchtigisten Herren dem Romischen Kaiser, vnd wider gen Wienn an
Ir geworsam zekomen treulich vnd vngeverlich. Mit Vrkund
vnder meinem zerugk aufgedruktem petschad. Geben zu Herch-
toldezdorff an phineztag nach sand Pangreezentag
Anno LXII^{tn}.

CLVIII.   *Ein ander Glaytt von dem Nankchenrewtter auf die obgenanten*
15. Mai   *Herren.*
1462.

Ich Nabuchodonosor Nankebenrewtter, Erezher-
ezog Albrechts zu Osterreich im land nyderhalb der
Yhs Ohrister Hauhtman Bekenn als die Ersamen weisen Bur-
germaister, Richter, Rat, genanten vnd die Burger gemainklich zu
Wienn ettlich Burger aus In von gemainer Stat wegen zu dem aller-
durleuchtigisten fürsten vnd Herrn, hern Fridreichen Romischen Kaiser
vnd Kunig zu Hungern vnd Herezogen zu Osterreich schikchen wer-
den, mich gepeten haben, denselben irn burgern vnd senndbotten ge-
laytt zu geben, Das ich In also gegeben hab vnd gib In auch mein
trews sichers gelaytt in krafft des briefs fur mich vnd all die mein,
vnd all die mir zu meiner Haubtmanschafft von meins geneiligisten
Herrn Erezherezog Albrechts wegen zu versprechen stend auf zwo-
vnddreissig person vnd sovil pherd, oder mynner vngeverlich von
dato des briefs auf drey wochen negst darnach komend, in
der zeit zu demselben allerdurleuchtigisten Herren dem Romischen
Kaiser vnd wider gen Wienn an Ir geworsam ze komen treulich an-
geverd. Mit Vrkund des briefs vnder meinem zerugk aufgedruktem
petschad. Geben zu Klosternewnburg an Sambstag nach
sand Pangreezen tag Anno LXII^{tn}.

CLIX.   Ain Glayt von dem Hynko.
15. Mai
1462.   Ich Hinko Tainfalt Bekenn, als die Ersamen weisen Bur-
germaister, Richter, genant vnd die Burger gemainklich zu Wienn
ettlich Burger aus In von gemainer Stat wegen zu dem allerdurleuch-
tigisten fursten vnd Herren hern Fridreichen Romischen Kaiser vnd
Kunig ze Hungern vnd Herezog ze Osterreich schikchen werden, mich
gepeten haben, denselben irn burgern vnd senndpotten gelaytt zu

geben. Das ich In also geben hab vnd gih In auch mein trews sichers
getailt in krufft des briefs fur mich vnd all die meinen, der
Haubtman ich pin vnd fur all die, so in meiner Haubt-
manschafft gegen dem obgenanten vnserm Allergene-
digisten Herren N. dem Romischen Kaiser in krieg
vnd veintschaft komen sein, vnd auch fur all ander, die mir
zuersprechen stend, derselben von Wienn irn burgen vnd senndpoten
auf zwovnddreissig person vnd sovil pherd mynner oder mer vnge-
verlich zu demselben allergenedigisten N. dem Romischen Kaiser
zekomen, vnd widerumb gen Wienn an Ir gewarsam treulich vnd vn-
geverlich. Mit vrkund des briefs verpetschadt mit mein aufgedruktem
petschad. Geben zu Puten an Sambstag nach Pangraej
Anno LXII⁰.

(Wie die Stat vnserm Herren, dem Kaiser, von Irer notten   CLX.
vnd besamung der Veint wegen geschriben hat.)   25. Mai
1462.

Allerdurleuchtigister Kaiser, allergenedigister Herr, Vnser willig
vndertenig gehorsam dinst ewrn K. G. bevor. Als wir ewr K. G. die
grossen anligunden notdurft vnd geprechen, so von ewr K. G. ge-
maine Stat hie in den kriegslewffen vnezher mit grossem Verderben
vnd darlegen leibs vnd guts armer vnd Reicher vndertenielich vnd
willielich erliten hat, vnd noch hewt des tags in swerm Verderben
stet mit vil ansuchung der Veint, so allenthalben vmb vns sein, vor
menigermaln schriftleich vnd mundleich verkundt, vnd auch yez am
Jungisten bey vnser Botschafft zuemboten haben lassen, wie ewr K. G.
wissen, das sich die Veint vmb vns allenthalben von tag zu tag vast
sterkeben vnd mern, wann wir sein gewisleich erynnert, das der
pudmensky zu Sweinwart yecz beieinander hat als auf
drew tausent zu Rossen vnd zu fussen, so ist das Volkch
von den vngrischen posseken von sand peter vnd von
sand Veit yez auch am herauf ziehen zu den Veindten,
Item so hat der fronnawer zu Trebensee auch ain merckh-
leiche anczal Volkch zu Rossen vnd zu fussen beyein-
ander, desgleichs hat auch der Marschalb zu Tulln vnd
besamet sich mit der pawrschafft auf dem Tulner Veld,
So hat auch der Nankehenrewtter zu Klosternewnburg
ain grosse anczal Volkchs zu Rossen vnd zu fussen bei-

einander, vnd ber Jorg von Potendorf vnd der von Vettaw
ligent starkeb mit vil Volkeb zu Rossen vnd zu fussen,
vnd taila sich vmb in die dorffer bey Wienn, also das
vnser Stat Viech durch Sy genomen, vnd ewr Gnaden vnd
vnser botten allenthalben nydergelegt vnd gefangen
werden, Sy haben auch vil Volkeb zu Ebenfurt, zu Aichaw,
zu Munkehendorf, ze Gunderstorf, ze Ennczestorf vnd
der Stikchelperger zu Saehsengang vnd allenthalben auf
irn posseken, daz Sy kurczleichen zu sammen bringen mugen, So
ist vns auch warleich zugesagt, wie sich vnsers Herrn Gnaden
Erczherczog Albrecht gar in kurcz mit volkh, wegen vnd
anderm, so in Veld gehort, herub gen sand Polten oder
Tullen fugen werde vnd verstcen nicht anders, dann solbs alles
beschieb wider vns vnd gemaine Stat hie. Nun ist ewr K. G. wol
vnderricht, daz wir mit Anwelten an ewr K. G. stat, auch mit haubt-
lewten vnd Volkch vnd anderr zurichtung der Stat notlurfft nicht fur-
gesehen sein, vnd darauf allergenedigister Kaiser mit allem vnderte-
nigen diemutigen Vleiss ruffen wir an, vnd pitten ewr K. M. geruch
vnd welle noch furderleich darczu tun, sich in nebent heraus fugen,
vnd da genedig weg vnd furnemen erdenkchen, damit solb swer ver-
derben des kriegs abgetan, oder den Veindten mit grösser macht,
dann noch vorzher beschehen ist, widerstand getan werde, wann wo
des nicht beschech, verstet ewr K. G. selbs, das wir alain den
Veindten in solher macht vnd sterkchung nicht widerstand getun, vnd
auch solhem verderbleichem swern krieg in die leng ye nicht erleiden
mochten. Auch bechlagent sich die von Newnburg markcht-
halben der verderblichen swern kriegslewf vnd irr
not, als ewr K. G. an den Copien hierin verslossen vernemen wirdet,
vnd bitten auch diemuticleich ewr K. G. welle die botschafft, so wir
yecz bey ewrn K. G. haben, genedicleich fursehen, damit die pewarleich
wider heraus komen mug, vnd welle solh vnser schreiben im pesten
vnd genedicleich von vns aufnemen, das wellen wir vmb ewr K. G.
als vmb vnsern allergenedigisten Herren vnd lanndsfürsten vnderte-
uiclieb gern verdieun. Geben zu Wienn an sand Vrbans tag
Anno dni LXII°.

       Ewr &c.

                      Burgermaister &.

Anno dni LXII an Eritag vor sand Erasm tag haben die herren, So zu der Ordnung vnd fursehung gemainer Stat notdurfft geben sind, betracht die Artikl, so hernach geschriben stend.

E. 74.
1. Juni
1462.

Item von erst auf den Artikl, wievil ain yeder knecht hab, sulln die haubtlewt, yeder tail in seinem Virtail all Rottmaister besennden, In emphelhen, das ain yeder Rottmaister alle die, dy in seiner Rott sind, beschreib yeden vnd sein diener mit namen, vnd wievil ain yeder weerlicher hab, die man nuezen mug, vnd wievil ain hantwerher knecht hab in sunder, des gleichen, wer Ros hab, Es sein Reytross oder wagen Ros, vnd die Rottmaister sullen yeder mit seinen dienern auch aufgeschriben werden.

Item von Inbringen wegen des gelts ist fürgenomen, das die namhaftisten zum ersten, vnd darnach ain yeder, die irn anslag nicht haben ausgericht, für die Herrn, die an der Ordnung siezen, besanndt vnd ermont werden, das Sy irn Anslag geben, Es sey der erst oder der ander, vnd aus dem Rathaws nicht komen, Sy tun dann beezallung.

Welher aber auf solhe besanndtung vngehorsam ist, vnd nicht kumbt, der sol sein Anslag zwivach geben.

Item auf den Artikl der peen der Vngehorsamen.

Item wem angesagt vnd zu gelaytt oder andern der Stat notdurfften ervordert wirt, vnd nicht gehorsam ist, der sol geben für ainen zefuessen ain halb phunt phenning, vnd fur ain ze rossen ain phunt phenning, als daz vor verlassen ist.

Item wer in die Skart in die Vorstet ervordert wirt, der sol steen vnd hutten an den ennden, dahin er von den haubtlewten oder Rottmaistern geordent wirdet, vnd wer auf solh ansagen an die Skart nicht kumbt, oder an sein stat weerlich nach seiner anezal schikebt, alsofft das geschiecht, der sol geben fur ain yede person LX dn.

Item wem an die Torhut angesagt wirt, der sol werlicher komen, oder werlich diener nach seiner anezal sennden, der Torr mit vleiss hutten, wer vngehorsam ist, vnd zu der Torhuet nicht kumbt, oder schikt, als vor stet, der sol geben von ainer yeden person XXXII dn.

Item wer an die Robat in die Greben ervordert wirt, der sol zu rechter Zeit komen, oder sein anezal schikchen, wer vngehorsam ist, vnd nicht kumbt oder schikcht, der sol geben von ainer yeden person XXXII dn.

CLXI.
9. Juni
1462.

(Wie man dem Kaiser von der Stat geprechen vnd notdurfften
wegen zugeschriben hat.) ●

Allerdurleuchtigister Kaiser, Allergenedigister Herr, vnser willig
vnderlenig gehorsam dinst ewr K. G. beror. Als ewr K. G. vnder an-
derm ewr Gnaden schreihen vns yeez getan begert, ewrn Gnaden zu
verkunden, ob die fridlichen anstennd ewr K. G. wider partheyhalben
abgeslagen, oder wir von den Veinten verrer angriffen oder besucht
werden & Innhalt solhs ewr K. G. schreiben haben wir vnderteniclich
vernomen vnd lassen ewr K. G. wissen, das vns zugesagt ist, wie
vnsers Herren Gnad Erczherezog Albrecht Im vnez herab in das lannd
von der fridlichen Anstand wegen bedechtnuss genomen hab, vnd doch
sich dieweil niehtz dester mynner sterkeht vnd mit Volkch besambnet,
Ob denn nu sich sein furstlich Gnad in solhen fridlichen Anstand ge-
ben wurde, So ist dannoch der fronawer vnd ander vor bannden,
dadurch lannd vnd lewt fur vnd fur bekriegt vnd besehedigt werden,
vnd die Veint besterkchen vnd meren sich yecz von tag zu tag vmb
vns allenthalben, vnd vns vnd ander, so sich ewr K. G. halten mit
verderblichen schaden, nam, Raub, pronl vnd venkchnuss manigveltic-
lich teglich bekumern vnd ansuchen, vnd irrn vns auch allenthalben
vnder dem gepirg an vnserm weingartpaw mit verpiettung den ar-
baittern pey der peen hennt vnd fuss abhawn, wo sy an
solher vnser weingartarbait hegriffen wurden, vnd sint nu mit ganezer
macht herdishalb der Tunaw auf vnsern schaden vnd verderben be-
sammet also, das wir weder Speys, noch ander notdurfft, noch vnser
Senndpoten, So yecz pey ewrn K. G. gewesen, die noch in der Newn-
stat sein, zu der Stat nicht haben mugen fuglich herpringen mit vnserr
macht, Wenn wir des Hinko mit seinen hoflewten zu den vnd an-
dern vnsern obligunden notdurfften, noch yemands andern, der vns
von ewr K. G. wegen wider die Veint peystund getan hiet, noch bis-
her darinn nicht genossen haben, vnd komen also teglich ye lenger
ye mer in verderblichen grossen schaden. Auch habent die Veint
Paden ausgeprannt, vnd tunt teglichen grossen schaden. Aller-
genedigister Herr, auch ist ewrn K. G. wissentlich, das von Nur-
gen vber virezehen tag der betuidingt frid auf sand
Johanns tag zu Sunnbenden gen allen den, so vor wi-
der ewr K. G. in krieg gestanden sein, gemainklich
aus ist, vnd wissen nicht wes vnd wie wir vns darinn halten sullen.

Davon, allergenedigister Kaiser, mit ganczem Vnderlenigen diemutigen
Vleiss rueffen wir noch an vnd bitten, ewr K. M. welle noch fürder-
lieh darezu tun, vnd sich in nahent heraus fugen, vnd da genedig
weg vnd furnemen erdenkchen, damit solh swer verderben des kriegs
abgetan, oder den Veinten mit grosser macht, dann noch bisher be-
schehen ist, widerstand getan werde, wann wo des nieht geschech,
verstet ewr K. G. selbs, das wir allain den Veinten wider solh ir
macht vnd teglich sterkchung nicht volligen widerstand getun, vnd
auch solhen verderblichen swern krieg nicht vermochten, als ewrn
K. G. wir vormaln auch zugeschriben haben, vnd bitten ewr K. Gnaden
welle solh vnser schreiben im pesten vnd genedielieh von vns auf-
nemen, Das wellen wir vmb ewr K. G. als vmb vnsern allergenedigi-
sten Herrn vnd Lanndsfürsten vndernieliсh gern verdienn. Geben
zu Wienn an Milichen in den heiligen Phingstveir-
tagen Anno LXII⁴⁰.

     Ewr &c.

                      Burgermaister &c.

Das hernach beruffen ist geschehen an dem heiling Phingst   CLXII.
               abent Anno LXII⁴⁰.   5. Juni
                                                      1462.

Hort vnd Sweigt.

Es gepewt vnser allergenedigister Herr, der Romisch Kaiser,
vnd seiner Gnaden Ret, der Burgermaister vnd der Rat von der Stat
hie, vnd sag das ain Man dem andern.

Wann man auf sag, oder an die grossen glogken anslag, das ain
yeder mit seiner were vnd harnasch, ze rossen vnd ze fuessen wol
zuberaitt in seinem stand zu weer vnd notdurfft der Stat tret vnd kom,
vnd die andern zu irn haubtlewten anvereziehen. Wer darinn vnge-
horsam erfunden wurden, die will man pussen an leib vnd an gut.

Item sich sol ain yeder Hauswirt vnd Yman mit wasser vnd
krukchen in der Stat hynn vnd in den Vorsteten zurichten, ob yndert
fewr auskem, das dann die Pader vnd Zymerlewt mit hakchen vnd irn
schefflein zu lauffen vnd helff retten nach Irm Vermugen, vnd was des
andern Volkch ist, das sol komen zu Irn haubtlewten vnd vnder
die Törr.

Item was Volkch hie wer, die vnsern Veinten zugehorn, oder
frawn, die Ir mann auf der Veint tail haben, die sullen sich anvereziehen

aus der Stat heben mit sambt den herren wirten, die abgesagt veint
seyn, oder Sy komen anvereziehen zu dem Burgermaister, vnd brin-
gen da für, warumb Sy hie sein, welher aber daruber hie begriffen
wurde, Es wär Mann oder frawen, die wirt man zu bannden nemen,
Vnd die puessen an leib oder an gut an alle Gnad.

CLXIII.
12. Juni
1462.

*Ain schreiben, so hern Hainreichen von Liechtenstain vnd dem
von Eberstorff von der Herren, Ritter vnd Knecht, so zu Stell-
dorf peyeinander gewesen sind, fürnemen getan ist.*

Edeln Herren, vnser willig dinst bevor. Als Ir vns am nagsten
von der Herren vnd lanndlewt wegen, so zu Stelldorf peyeinander ge-
wesen sein, Ir furnemen vnd veraynigung vnser genedigisten Herr-
schafft vnd ains gemain lanndsfrids wegen gesagt vnd an vns begert,
ob wir in solhem furnemen steen vnd darumb zu kunftigen tegen komen
wolten, Darauf Ir vnsern willen vnd wolgevallen solhs ewrs furnemens
von vns wol vernomen vnd verstanden habt, wir haben auch solhs
furnemens von ew ain geschrifft vbergenomen, vnd mit Herrn Rudi-
gern von Starhemberg vnser Senndpoten zu vnsern allergenc-
digisten Herrn dem Romischen Kaiser gesanndt, da sich sein K. M.
in solh furnemen genediclieben vnd gevelklichen erpoten hat, Wann
aber anstallung der krieg zu solhem furnemen solhen besehehen sein,
des aber vnezher kain fridlicher Anstannd vnser Veint halben nicht
angangen noch furgenomen ist, sunder mer beschedigung vns vnd
den vnsern teglichen zugeezogen wirt mit Raub nam vnd nemlich
mit prant, den nu der von Potendorf vnd der von Vethaw
mit ausschreiben von Aichaw vnd mit tat an Paden
vnd Draskirchen gehandelt, auch die irn etliche
Junge Kind pey zweyn, dreyn vnd vir Jaren gefangen
vnd gescheezt haben, Lieben Herren, wir bieten wol gehofft,
Ir bietl mit dem von Potendorf, auch dem von Vethaw sovil tan vnd
bestellt, das Sy sich solher zustorrung, so lannden vnd lewten aus
prannt geschieht, pillichen solten vermiten, vnd sich des nicht vrs-
eher gemacht haben, wann Ir mugt wol versteen, Ob Sy sich nicht
anvereziehen in fridlieben Anstand auf Veraynigung vnser genedigi-
sten Herschafft vnd ains landfrids begeben wurden, So wurd gen
dem von Potendorf vnd andern vnsern Veinten vnd den Irn des-
gleichen auch furgenomen auf das, So Sy des mit Irer tat Vrsach

geben haben. Das wir doch nicht gern sehen getan werden, wann vns
ist zu allerczeit treulich laid, vnd sein auch des kriegs nicht vrsacher
gewesen, noch dhain schuld haben, was sich in solhem krieg mit
prunnt schaden an lannd vnd lewten begeben haben. Auch lieben
Herren nach dem als der betaidingt frid durch vnsers genedigisten
Herren des Kunigs von Bebem Ret vnext auf sand Johanns tag zu
Sunbenden nagstkomund begeben, vnd an demselben tag zu vndergang
der Sunn ausgeet, derselben sach kain wissen haben, wie das kunstic-
lichen nach ausgang desselben tags sten wirdet, sunder nach dem
derselben lanndlewt in Osterreich syder meniger vnser abgesagt Veint
worden sein, vnd etllich, als der Stikebelperger vnd ander
lanndlewt vns vnd die Vnsern mit raub, nam vnd venkchnuss vnent-
sagt beschedigt haben, damit wir vns in all weg darnach westen zu
Richten, Des bitten wir von euch auch den andern lanndlewten, die
pey dem tag zu Stetldorf gehalten peyeinander gewesen sein, ain Vn-
derrichtung zu wissen, damit wir vns gen menikleich von gemainer
Stat wegen wissen zu halten. Durauf so ermonen wir vnd bitten ew,
Ir wellet ansehen das gross verderben, auch dy Jemerlich storung, so
an lannd vnd lewten mit Raub, mord, prannt, Venkchnuss, schaczung
vnd huldigung der lewt, auch so an Goczheusern geschehen ist, vnd
hinfur swerlicher geschechen mocht durch solh Infürung des fromh-
den Volkchs, das doch vnkristenlich ist, das Gocz hewser
ₐsullen entert, Raubhewser daraus gemacht werden.
das Ir vnd all ander Herren, Ritter vnd Knecht von des Adl, ern vnd
wirdikait wegen ewr Vorvordern Vnd ewrr nachkomen wellet zu her-
czen nemen, vnd darczu gedenkchen, das vnser genedigiste Herschafft
veraint gemainen lanndsfrid betracht vnd all krieg in fridlichen an-
stannd komen, vnd was wir von gemainer Stat darczu dienen mugen,
sey wir gar willig, wann wir allczeit den frid gern sehen, wann daraus
Got vnd meniklichen ere vnd nucz get, vnd wellet meniklichen solben
vnsern guten willen von Vns sagen vnd Verkunden, vnd auch ansehen
solb ewr Anbringen, so Ir von der Herren, Ritter vnd Knecht wegen,
so zu Stetldorff beyeinander gewesen sein, bey vns gar lawtter getan,
vnd vnser verstentlich antwurt nach ewrm gevallen von vns aufgenu-
men huht, damit das solhs furhaser nicht erlig, sunder dem nachgan-
gen werde, wann vns nymht wunder, vnd wissen nicht warumb die
sach so lang angestanden sein, vnd pitten vns auf die obgeschriben
Stukch ewr verschribne antwurt wissen zelassen, das wellen wir vmb

ew gern verdiena. Geben zu Wienn an Sambstag vor saad
Veits tag Anno LXII^te,

Burgermaister, Richter, Rat, genant vnd
Gemain der Stat zu Wienn.

Den Edlen Herrn, hern Hainreichen von Liechtenstain von
Nicolsburg vnd hern Veiten von Eberstorff, vnsern gunstigen
Herren.

CLXIV.   *(Also hat man Herczog Albrechten von der hochen Schul der*
6. Juni   *Vniversitet zugeschriben.)*
1462.

Durlenchtiger hochgeborner furst, genedigister Herr, vnser wil-
lig dinst vnd states gebete zu Got bevor, als ewren furstlichen Gnaden
versehlichen wissen ist sollich verderm an lewt vnd gut des loblichen
furstentumbs Osterreich, das in aller welt hoch in ern gehalten ist
worden vnezhere vnd sich ettwann aller seiner Veind, Kunig vnd fur-
sten mit Goez hilff loblich erwert hat, vnd yeez so Jemerlich wirt
beschedigt von frembden gesten darin geladen, der schad entlich ewrn
furstlichen Gnaden mocht von erblicher Gerechtikait zu haym ge-
raten, das vns aus grundt vnsers herczen layd ist, vnd so wir wissen
ewr furstlichen Gnaden person als ander vnser genedig herren von
Osterreich naturlich neygung zu allen guten sachen, besunder zu
ainem guten stannd ewrr Vaterlicher vnd Endlicher erb, lannd vnd
lewten, Darumb so pitten wir, vnd vermanen ewr furstlich
Gnad auf die parmherczigkait Goez, der Sy warttund
ist in den lesten Zeiten, das Sy geruch ansehen arm wittiben
vnd waisen, vnd die erber Driessterschafft in disem lannd, Mortt,
prannt vnd Raub Venknussen vnd ander Deschedigung vnd Verderben,
vnd besunder Zestorung der Goezhewser, daraus Raubhewser gemacht
werden, das doch vnkristenlich ist, auch die Kindl bey dreyn vnd vir
Jaren gefangen werden vnd geschaezt, das Ertreich aus solhen Vr-
sachen des kriegs nicht gepawt mag werden, vnd das zu vnderkomen
ainen gemainen frid zu betrachten, darumb das der almechtig
Gott geruch ewr furstlich Genad mit dem ewigen frid
zu bewarn. Auch genedigister Herr, wir haben von lanugen Zeiten
betracht vnd furgenomen zu ewrn Gnaden vnser trefliche potschafft
zesennden aus den obberurten vnd ander vnser genedigister Herschaft

von Osterreich sachen, vnd gemainer lannd vnd lewt Ere, nucz vnd aufnemen weyter ze reden, auch von wegen der Maister aus- stennden sold yecz in der Sibenten Quatember, dadurch die Maister, die gemainklich luczl oder nichtz haben, wann der sold der von Anfang der erhebung der Vniversitet hie nahent bey hundert Jaren nye also verezogen ist, Aber von Vnsicherhaitt der wege vnd abgang der tzerung die nicht haben gevertigen mugen, vnd so auch die Maister in lrer armutt nicht narung haben, vnd Muessen also, als wir besorgen, aufbruchen, vnd von dann trachten, durdurch die loblich klainet des Hawss von Osterreich, die Vniversitet hie, die mit grosser mue, arbeit vnd kost, vnd als wir von vnsern eltern ver- nomen haben, mit hundert tausent guldein nicht zuwegen pracht ist, zu ganczer storung gar churzlich, als wir besorgen, komen mocht, da got vor sey. Darumb pitten wir ewr furstlich Gnad mit aller dye- mutikait, Sy geruch vns das verezichen nicht in Vhel vermerkchen, Sunder vns vnd die armen Maister genediklich bedenkchen, Also das vns von der mawt zu Ybs, da wir auf gewidmt vnd gestifft sein, von verganngen ausstanden vnd kunff- tigen Quatembern Irrung nicht beschehe, das well wir mit gebete bey Got nach aller muglichkait stettigklich verdienn, was au ewr furstlich Gnad verstund, das wir von der Vniversitet wegen zu frid vnd gemainen nucz lannd vnd lewten Ilaten vnd helffen kunden oder mochten, das sein wir zu allen ezeiten willig zetun, damit bewar ewr furstlich Genad Got, der aller fursten herczen in seinen Hannden hat. Geben zu Wienn an Suntag vor der heiling Dri- valtigkait tag Anno LXII*.

Rector vnd dye Gemain Doctor der Vniversitet
zu Wienn.

Dem Durchlewtigen Hochgeboren fursten vnd Herrn hern Albrechten, Erczherczogen ze Osterreich & vnserm genedi- gisten Herrn.

Also hat man Herrn Hainreichen von Liechtenstain vnd dem von Eberstorff von der hochen schul der Vniversitet geschriben.

CLXV.
6. Juni
1402.

Wolgeborn, Edel vnd lieb Herren, Vnser Andacht hinez Got vnd willig dinst zu allen ezeiten bevor. Als ewrr Lieb wissen ist daz

21*

merklich verderben lannd vnd lewt vnd guts des loblichen fursten-
tumb Osterreich, das in aller welt vnezher in hohen ern gehalten ist,
vnd sich ettwenn aller seiner veint, Kunig vnd fursten mit Gots hilf
loblich erwert hat, vnd yecz so yemerlich wirdet beschedigt von
frombden gesten darin gelnden, das geistlichem stund, auch ew vnd
ewrn Kindern hinfur zu grosserm schaden zehaim mocht geraten, das
vns aus grundt vnsers herczen laid ist, Vnd so wir ew all vnd ew
yedem sunderlich wissen zu gutem wesen, aynigung, lob vnd ere des
furstentumb naturleich genaigt sein, Darumb So bitten wir vnd ver-
manen ew all vnd ewr yglichen besunder in der lieb vnd auf die
parmherczikait gots, der ewr yeder in den lesten Zeiten wartund ist,
das Ir geruchet ansehen solh beschedigung vnd verderben des lannds
vnd das nach ewrm Vermugen in rechter lieb, maynung vnd Ordnung
pey vnd mit vnsern genedigisten Herren den fursten betracht treulich
zevnderkomen, darumb Ir pey Got gross Verdiennen, hie lob, ere vnd
nuez haben werdet, auch ew selbs des schuldig sey, vnd ob Ir ver-
stund, damit wir von der Vniversitet zu frid vnd gemainen nuez lannd
vnd lewten raten vnd helffen kunden oder mochten, des sey wir zu
allen ezeiten willig zetun, Wenn wirdet solh frid vnd aynigung des
lannds nicht betracht, So ist zu besorgen, das vber all ander verderb-
lich scheden die loblich klainat der Vniversitet hie zu Wienn, die (mit)
grosser mue, kost vnd arbait, vnd als wir von vnsern eltern verstan-
den haben, mit hundert tausent guldein nicht zuwegen pracht ist, von
abgung des Solds, den man von der Mawt ze Ybs, darauf die Vniver-
sitet gewidemht vnd gestifft ist, nu in der Sibenden Quatember den
armen gesolten Maistern nicht gegeben hat, der von Anfang der Vni-
versitet als nu pey hundert Jarn so lang nye verezogen ist, zu ganczer
storung kurczlich komen mocht, nach dem sich dieselben gesolten
Maister an sold in dye lenng nicht ausgehalten mochten, sunder auf-
prechen, vnd von dann trachten musten, das dann der heiling kristen-
lichen Kirchen (in) disen lannden zu grossem Abgang schaden vnd besun-
der dem furstentumb Osterreich, auch ew vnd vns pey der ezeit sollhs
kleinats pruch vnd abgang geschech hinfur zuvermerchen kem, das
Ir alles mit aynigung vnd betrachtung des frids wol vnderkomen mugt,
nach dem Ir aus ewrer Vorvordern seligen, Grafen, Herren, Rittern
vnd Knechten mit Irer versigilten bestettigung fur sich vnd Ir erben
der Vniversitet getan ew vnd ewrn nachkomen zu entspringender
glori, lob, ere vnd nuez zu ewigen czeiten des wol phlichtig seyt, vnd

auf die maynung haben wir vnserm genedigisten Herren Herczog
Albrechten yeez auch zu geschriben, Bitten wir ewr lieb aus sunderm
wolgetrawn. Ir wellet pey seinen furstlichen Gnaden Vleiss tun, vnd
die darauf weisen, das sein furstlich Gnad die armen Maister geruch
genedielich zu bedenkeben, Also das In von wegen derselhen Mawt
in Ybs von vergangen ausstennden vnd kunftigen Quatembern irrung
nicht bescheeh, das wellen wir mit vnserm Vleissigen gepete vnd an-
dern wegen nach aller muglikait gern Verdienn. Damit bewar ew
der Almechtig Got. Geben zu Wienn an Suntag vor der
heiling drivaltikait Anno LXII^t.

Rector vnd die gemainen Doctor vnd
Maister der Vniversitet der Hohen
Schuel zu Wienn.

Den Wolgeborn Edln Herrn hern Hainreichen von Liecbten-
stain von Nicolspurg, hern Veiten von Eberstorf, vnd allen
andern Lanndtherren in Osterreich, vnsern gunstlichen lieben
Herren vnd furdrern.

E. 75.

*Von dem ersuchten fridlichen Anstannds wegen von vnserm
Allergenedigisten Herrn dem Romischen Kaiser gen Herczog
Albrechten ze halten fur Sy vnd all die Irn auf zwey oder drew
Moneyd, wie das dann yecz durch hern Rudigern von Starken-
berg in beywesen der von Wienn Potschafft an sein K. G. von
ettlicher Lanndlewt wegen, So zu Steteldorf am Jungisten pey-
einander gewesen sein, pracht ist.*

Hat sein K. G. furgenomen, das sein K. G. gern wolt vertragen
gewesen vnd noch sein mutwillens von Herczog Albrechten, denn sein
furnemen krieg vnd veintschafft wider sein K. G. betracht vnd be-
sehehen mit verachtung aller vnd volliger frewntlicher vnd rechtlicher
erbietung mer zu verderben vnd varat lannd vnd lewten gedient hat,
dann zu gemainem nucz, das sein K. G. pillich nicht lieb, sunder laid
ist, auch solhs gar wol vnd hillich vermiten wer worden, nemlich nach
dem er seinen K. G. in menig weg verphlicht vnd gewont, vnd des
weder seinen Gnaden, Imselbs, noch lannd vnd lewten nach herkomen
aller sachen schuldig ist.

Doch wie dem allen nach Rat, begerung, bet vnd ersuchung der lanndlewt des furstentumbs Osterreich vmb merer glymphs willen maint sein K. G. das furnemen fridlicher anstennd, als vor stet, nicht abzuslagen.

Item ob solhen fridlichen Anstennden vervolgt wirdet, ist seinen K. G. zu gevallen sich zu den tegen vnd taidingen daczwischen hinaus in nehent zu fugen, Vnd das bey heden Herrn der sachen zu aynikait vnd gemainem nucz vnd fril lannden vnd lewten von den lanndlewten Vleiss getan werde.

Item von den ersuchten glaits wegen sol es als dann Von heden tailn damit gen den lanndlewten gehalten werden nach noldurfft der sachen Vngeverlich.

Item von der newen auffeng vnd Besaczung wegen im Lannd, die zewern & das ist seinen K. G. lieb, vnd nicht allain die newen Infenng, sunder seiner K. G. maynung, das alle beleger, vnd nemlich der furslag fur weytenegk vnd ander, auch dacz die Besaczung, so vnczher auf dem Lannd vnd wasser sein gemaeht, ahgetan werden, damit man auf lannd vnd wasser vnbekumert wandeln, vnd den gewerben treiben mug zu gemainen nucz, dadurch dann vil sorg des fridpruchs, kumer, ander scheden vnd vnrat vermiten mugen werden.

Ob sich aber begeben hiet, das das egenant Gsloss Weytenegk in den ersuchten tegen vnezber seinen K. G. wer abgedrungen oder aber binfur in solher zeit noch abgewunnen wurde, ist wol zu versteen, das solh sein K. G. schimpflich vnd nicht leidlich wer. Es sullen auch die lanndlewt darob sein, daz es seinen K. G. wider ingeantwurt werde, mochten Sy aber darinn nicht volig haben, Das dann Sy selbs das zu gemainen hannden innhaben vncz zu austrag der sachen, ob es anders auf das furnemen der anstennd fridlich sol werden gehalten.

Item das zur volrckhung der ding, als vor stet, trew hilf, Rat vnd beistand geschehen von Lannd vnd lewten, ob sich yemand solher weer vnd abtuns der lufeng vnd fursleg seczen, vnd dawider sein wolt.

Item wurden auch solh verwilligung fridlicher anstennd von Herczog Albrechten abgeslagen vnd von Im ichts daruber furgenomen, das dann die Prelaten, Lanndlewt vnd Stet von den zu befridung vnd gemainen nucz der lannd vnd lewt solb, als vorgemelt ist, ersuchen, bet vnd begerung geschehen seinen K. G. als liebhaber des frids vnd

gemachs in der widerwertikait Herczog Albrechts die zu erstoruug
vnd verderbung Lannd vnd Lewten kumbt, Rat, hilf vnd beistand tun;
sein K. G., auch Sy vnd lannd vnd lewt pey Recht frid vnd gemach
zu behalten.

Vnd sein K. G. ist in guten willen, sich mit den Prelaten, Laand-
lewten, Steten vnd Merckhten im furstentumb Osterreich genedielich
zu vertragen, ze furdern, vnd ains zewerden guter vnd aufrichtiger
Ordnung aller notdurfft halben, das Lannd Recht, lanndtwer vnd an-
ders herftrund zu gemainem nuez, damit kunftlielich frombd Volkch
vnd inczug furkomen gewert vnd guter frid gehalten werden.

Actum in Grecz die dominica Vocem Iucunditalis Anno   23. Mai
                          dni LXII^{do}.   1462.

Auf das Jacob Sturch, Peter Gwerlich, des Rats,   E. 76.
Jacob Gamechel, Fridreich Westerndorffer, genanten,
Michel Pirpawm vnd Michel Vorsthofer der gemain
zu Wienn yecz hie an Vnsern Allergenedigisten Herrn, den Romi-
schen Kaiser von gemainer Stat Wienn wegen ettwas Irer anligender
Geprechen vnd notdurfft anpracht, vnd darauff der kunfft hin aus
seiner K. G. oder In Volkch vnd hilf zeschikchen begert, vnd sich
sein K. G. in solhem geborsamlich bevolhen haben & wie dann das
gelautt hat.

Ist seiner K. G. antwurt darczu also, In sey wissend, das grosser
mutwill gen seinen K. G. vnd In von Herczog Albrechten von Oster-
reich & vnd seinen Helfern mit Absag, vherczugen, furslegen vnd
merklich schaden lannd vnd lewten beschehen sein, mit verachtung
aller frewntlicher, guttlicher vnd rechtlicher erbietung, des doch sein
K. G. Sy vnd ander seiner K. G. getrewn vnd gehorsam billich ver-
tragen beliben wern, nachdem solhs zu verderbung, zerstorung,
schimph vnd schaden lannden vnd lewten dint, vnd er des seinen
K. G. lannden vnd lewten nicht schuldig, vnd ye seinen K. G. als
wol pillich das nicht lieb, sunder laid sey.

Item wie das auch sein K. G. vorher warlich durch Ir botschafft
vnd sunst ynderricht worden sey, das Sy sich in den kriegslewffen
zum widerstand den veinten lohlich, treulich, vnd gehorsamlich pey
seinen K. G. gehalten vnd sovil getan huben, das In an zweyfel vnd
irn erben vnd nachkomen kunftlielich zu guter gedechtnuss, grossem

lob, danken, nuez, ern vnd gut komen mag allenthalben, do man des
nu wissen hat.

Item ob Sy auch kumer vnd schaden in uynig wege in solhem
mitleyden neben seinen K. G., irm rechten naturlichen lanndsfürsten
vnd erbherrn genomen haben, das ist ye seinen K. G. nicht lieb, sunder
laid, vnd ist gute hofnung, Sy werden des noch als frum ergeezt, vnd
in guten irn Teten trewn vnd gehorsamen erfrewt, denn es sey, nicht
mynner hieten ander auch gehorsamlich die hilff seinen K. G. vnd In
mitgetailet, vnd trostlich zu In geseezt, des kumer vnd schadens
wer man desterpas vertragen, auch in frid, gutem sig vnd gemach
beliben.

Denn In ist pillich wissend, das sein K. G. hoch vnd merklich
ausgeben vnd darlegen getan hat auf frombdes Volckb, vnd hat das
tun mussen von seinem Kamergut vnd allem dem, das
Got seinen K. G. zugefugt hat, vnd sein K. G. ist des hierinn
zelannd in grossem Vleiss vnd arbait gewesen, vnd noch teglich ist,
gelt vnd gut aufzebringen, denn an das ist ausserhalb Ir kain hilff
mit lewt vnd gutern sein K. G. von den seinen zum widerstand den
Veinten vnd beschutung der Stat vnd des lannds beschehen.

Item von der hinaus kunft wegen seiner K. G. sollen Sy wissen,
das denselben kunfft sein K. G. vor lanng her vnd noch zumal begir-
lich ist, Wern auch die notdurfft zum aufspringen gelts vnd nachmals
nemlich pey yeez vergangen tegen die vngrisch sachen seinen
K. G. nicht furgevallen, darinn seiner K. G. halben nicht ge-
veyrt, sunder solher getrewr Vleiss ankert ist, das der, ob gut will,
sein K. G. vnd In vnd ander seiner K. G. launden vnd lewten ze trost,
nuez vnd furdrung, frid vnd gemach gedeuchen sol, sein K. G. wer
sunst lengst davor gewesen, das auch sein K. G. gannez zu der kunfft
hin aus gen Osterreich vor dem yeez vergangen Palm tag geschikebt
gewesen sey, hietten der Hinko vnd Brüder, Ire beleger vnder-
wegen auf denselben tag furgenomen zu verhindrung der kunfft hinaus
nicht getan. Aber sein K. G. hab yeez aber merklich Sum Guldein
vnd gelts hinaus gesanndt zu bindanrichtung derselben Soldner, vnd
verlassen, die ding also unzukern, das von In gedint vnd nicht vnge-
dint, auch lannd vnd lewt mer schadens vertragen werde.

Item von der ersuchung vnd bete wegen fridlich anstennd vnd
teg zu halten mit Herezog Albrechten von Osterreich, als die an sein
K. G. durch ettlich lanndlewt, die zu Steldorf (!) am Jungisten

beyeinander sind gewesen, vnd die egemelten botschafft der von
Wienn yeez gelangt haben, wie gutlich vnd aufrichticlich sein K. G.
derezu geantwurt, vnd sich erboten hat, worden Sy vernomen an der
antwurt daruber gegeben.

Item sein K. G. stet noch in willen, sich hinaus ze furdern, vnd
davor mit seiner Gnaden lanndlewten, Prelaten, den von Wienn in
sunderhait vnd andern Steten vnd Merkchten vnderred ze haben, vnd
mit irm Rat, hilf vnd beystandt alles das furezenemen, das zu gemai-
nem nuez, frid vnd gemach Lannd vnd lewten dienen vnd komen mag
als genediger lanndsfurst vnd Herr.

Item ob der andern seytten von gemelter fridlicher Anstennd vnd
teg nicht vervolgt, sunder veracht wurden, so getrawt ye sein K. G.,
seiner Gnaden aufrichten, antwurt vnd erpietung zu geniessen, vnd
daz daraus lanndlewt vnd ander bewegt werden sullen, Rat, hilf vnd
beystand seinen K. G., den von Wienn vnd andern gehorsamen seiner
K. G. tails zetun, vnd sein K. G. wil Sy in genedigen beystandt vnd
furderungen nicht verlassen.

Item sein Gnad begert vnd bit mit sundern Vleiss, das die von
Wienn Vesticlichen in irm getrewn gehorsamen willen besteen, vnd
in irm loblichen beistandt, vnd der weer gen den Veinten nicht nach-
lassen, vnd darinn geduld mit seinen K. G. haben, als In dann des
vnd alles guten sein K. G. gennezlich vertraut, dar an tun Sy seinen
K. G. gevallen, sein K. G. will des gen In zu genediger ergeezung
vnd dankch uymer vergessen, sunder das also erkennen, vnd auch das
bestelln zu beschehen, davon Sy, ob got will, Gnad emphinden, ge-
trost vnd erfrewd sullen werden.

Actum Vocem Jocunditatis in Grecz Anno dni Sexagesimo
secundo.

23. Mai
1462.

*(Ain Credenczbrief derer, so zu sand Polten beieinander sein,
fur Ire potschafft gen Wienn.)*

CLXVI.
18. Juni
1462.

Ersamen weiss, besunder lieb frewnd. Als ew villeicht wissent-
lich ist, das wir yeez durch den durchleuchtigen Hochgeboren fursten,
vnsern genedigisten Herren, Erezherczog Albrechten von Osterreich
her zu seinen furstlichen Gnaden gevordert vnd daselbshin zusamen
komen sein, Hat sich der benant vnser genedigister Herr vnd wir des-
gleichen mit seinen Gnaden von gemains nuez wegen des gannczen

lannds Osterreich nach notdurfft vnderredt, vnd vns furgenomen vnser
treffenlich potschafft zu ew zu sennden, ew vnser maynung vnd vnser
aller merkcblich notdurfft zevnderrichten, vnd zu erkennen geben,
Also begern wir an ew mit sunderm gutem Vleiss, Ir wellet daran sein,
damit dieselb vnser potschafft mit namen, der Erwirdig Edlnvest vnd
erber weis her Symon, Brobst zu Klosternewburg, her
Sygmund von Toppel, Cristoff Pöttlinger vnd Jacob
Heller mit guter sicherhait vnd geleitt als auf zweyvnddreissig pherd
Mynnder oder mer vngeverlich fürsehen werd zu ew vnd wider von
dannen an Ir gewarsam zekomen vnd wellet ew gutwillig hierinn be-
weisen, damit solh vnser nuczper vnd loblich furnemen ewrnthalben
nicht verhindert werde, daran beweist Ir vns ain sunder frewntlich
wolgevallen vmb ew gern zu beschulden. Datum zu sand Polten
an freytag vor sand Johanns tag Babtisste Anno dni
LXII°.

> Die Prelaten, Herrn, Ritter vnd Knecht,
> Auch die von Steten, so yeez zu sand
> polten beyeinander sein.

Den Ersamen weisen vnsern sundern lieben frewnden N. dem
Burgermaister, Richter, Rat, Gennnten vnd der ganczen Ge-
main der Stat zu Wienn.

Anima.

Wir getrawn auch euch, Ir werdet vnser Seundpoten mit dem
Glaytt an allen ennden, wo das not sein wirdet, versehen.

CLXVII. *(Wie die Herren der potschafft den von Wien zugeschriben*
18. Juni *habent des gelaytts wegen.)*
1462.

Ersamen weisen liehen frewnd, vnser dinst mit gutem willen.
Nach dem vnd wir yecz in merkcblicher anczal bey einander In Be-
samung hie gewesen sein, vnd des lanndes Osterreich täglich vnd
verderblich bescheidigung zu wennden mit dem durchleuchtigen Hoch-
gehorn fursten vnd Herrn Albrechten, Erczherczog zu Osterreich
vnderredt haben vnd an sein furstlichen Gnaden nit anders verstanden,
dann das sein furstlich Gnad auch gutt willig sey, das zuwennden,
als verr seiner Gnaden leib vnd gut geraichen mag, vnd nachdem nw

Ir ancb ain glid des genanten furstentumb, vnd nit das mynst
seyt, hat vns gut bedewcht auch notdurfftig zu sein, ew darinn auch
zu ersuchen, dann an ew die sachen, als vns bedunkehen will, nit
notdurfftielich furgenomen werden mag, vnd Bitten darauf ew von
aller Prelateu, Herrn, Ritter vnd Knecht, vnd der von Steten, So yecz
hie gewesen sein, vns sicherhait vnd gelaitt zu ew ze komen, vnd
wider an vnser geworsom zu geben, vnd bey disem botten vns das
gen Klosternewnburg zu sennden, So wellen wir vns zu ew gein
Wienn fugen vnd vns von der Lanndschafft wegen mit ew vnderreden,
dardurch wir hoffen, das lannd vnd lewt zu Rue vnd gemach komen,
Vnd die beschedigung des lannds abgetan werden. Datum zu sand
Polten an freytag nach Viti (anno) dni LXII**.

Symon Brobst zu Kloster Newburg.
Sigmund von Toppl.
Kristoff Potinger vnd Jacob Heller
burger zu Kloster Newburg.

Den Ersamen weisen vnsern besundern lieben frewnden N. dem
Burgermaister, Richter, Rate, Genanten vnd der ganczen
Gemain der Stat zu Wienn.

Anima.

Wir getrawn ew auch, Ir werdet vnser Senndpoten mit dem Glaytt
an allen ennden, wo das not sein wirdet, verseben.

Glaittbrief der von Wienn.

CLXVIII.
Vermuthlich
19. Juni
1462.

Wir Kristan Prenner, zu den Zeiten Burgermaister,
Richter vnd der Rat gemain der Stat zu Wienn, Bekennen vnd tun
kund offenlich mit dem brief, das wir auf begern vnd schreiben, So
die Prelaten, Herren, Ritter vnd Knecht vnd die von Steten, die yecz
zu sand Polten pey einander gewesen sein, Vns getan zugeschikcht
den Ersamen geistlichen Edeln Vesten vnd weisen Hern Simon
Brobst zu Klosternewnburg, bern Sigmunden von Toppl,
Kristoffen Pottinger vnd Jacoben Heller, Burger zu
Klosternewnburg auf XXXII. person vnd sovil pherd, mynner
oder mer, vngeverlich von date des briefs vncz auf den nagstkunftigen
pbincztag vnser getrew sicherhait vnd gelaytt gegeben baben, vnd

geben auch wissentlich in krafft des briefs in der ezeit her gen Wienn
zekomen, daselbs Ir botschafft von den obgenanten Prelaten, Herren,
Rittern vnd Knechten an vns zewerhen vnd zebringen nach notdurff-
ten, vnd alsdunn in der obgenanten ezeit widerumb an Ir geworsam
von vns vnd allen den vnsern, der wir hie zu Wienn, zum Kalmperg
vnd andern ennden allenthalben zetun vnd zelassen mochtig sein,
vngehindert, getreulich vnd vngeverlich. Mit Vrkund des briefs besi-
gilt mit Vnserm klain aufgedruktem Stat Insigel, Geben zu Wienn
vor (?) sand Johanns Tag zu Sunnbenden Anno LXII⁴ᵉ.

E. 77.   *(Also hat man obgedachter potschafft auf Ir werbung vnd an-*
22. Juni   *pringen von gemainer Stat geantwurtt.)*
1462.

Auf des Erwirdigen geistlichen Herrn, hern Symon Drobst zu
Klosternewburg, hern Sigmunden von Toppl, Kristoffen Pottinger vnd
Jacoben Heller werbung vnd anpringen, So sy von Prelaten, Herrn,
Rittern vnd Knechten vnd den von Steten, so yecz zu sand Polten
beyeinander gewesen sein, an vns Burgermaister, Richter, Rat, genant
vnd gemain der Stat zu Wienn getan vnd bracht habend, Nemlich
vnd sunder von ains gemain landtag wegen von dem
(2. Juli.) negsten freytag nach sand Johanns tag ze Suniben-
den vber acht tag ze Tulln ze halten, Das wir, die von
Wienn aus vns von gemainer Stat wegen ettlich aus Rat, genant vnd
gemain mit volmechtigem Gwalt orduen vnd schikchen wolten, da zu
betrachten vnd furezenemen gemainen nucz, auch frid vnd gemach
lannd vnd lewten.

Ist vnser, der von Wienn, des Burgermaister, Richter vnd Rats,
auch der genanten vnd gemain anttwurtt, das ettlich Herrn, Ritter vnd
Knecht sich gen Stetldorff vor ettlichen tegen zusamen gefugt,
vnd da gemerkcht vnd zu hereczen genomen haben doz Jemerlich swer
verderben des gannezen lannds vnd der lewt, armer vnd Reicher, vnd
haben daselbs erber redlich furnemen betracht, dardurch vnser gene-
digiste Herschafft des kriegshalben in fridlichen anstand, vnd Ir baider
Gnad darnach dest fuglicher in ganezen frid, vnd lannd vnd lewten
Rueb vnd gemach pracht mochten werden, als daz wol wissentlich ist,
das dann dieselben Herrn vnd lanndlewt vor ettlichen tegen vns auch
verkundt vnd zuerkennen geben, vnd darauf an vns begert haben, Ob
hinfur not sein wurde, daz wir von gemainer Stat vnd gemainen nucz

willen auch zu Jn, wohin Sy dann ain tag vns benennen burden, auf
vns sennden wolten, das wir vns gen denselben herrn vnd lanndlewten
zetun verwilligt haben, vnd darauf lr treffliche potschafft vnd wir mit-
sambt In von gemainer Stat wegen zu vnserm allergenedigisten Herrn
dem Romischen Kaiser geschikcht, da sich dann sein K. G. in solh
der lanndlewt furnemen ze Stelldorff betracht vmb frid vnd gemachs,
vnd vmb des pesten willen lannd vnd lewten vnd sunder in ain fridli-
chen anstand des kriegs genediclich verwilligt vnd begeben hat, Also
mag lr wol versteen, das wir wider solh verwilligung an der
lanndtag nicht besuchen mugen. Aber nach dem vnd allen
Prelaten, Graven, Herrn, Ritter vnd Knechten vnd den vonn Steten des
furstentumbs Osterreich zu solhem tag zu schikchen oder zekomen
auch geschriben wirdet, Hoffen vnd getrawen wir, lr werdet ew auch
also auf solhen tag zekomen Verwilling, vnd ander Prelaten, Herrn,
Ritter vnd Knecht vnd die von Steten, die ew gesenndt haben, solhm
tag auch nachzekomen guttlich vnderweisen, vnd nicht ausbeleiben,
vnd wenn wir auf solhen tag komen, Was wir dann von gemainer
Stat wegen mitsambt andern lanndlewten guts erdenkehen vnd gedicnn
kunnen vnd mugen, daz fur vnser genedigiste Herschafft ze frid vnd
gemach lannd vnd lewten gedicnn mog, des sey wir gar willig.

*(Wie die von Wienn die obgeschriben Ir antwurt den vbrigen   CLXIX.
Steten vnd Merkchten zugeschriben haben.)*   22. Jun
                                                                1462.

    Vnser dinst bevor, Ersamen weisen lieben frewnd vnd Gunner.
Wir lassen ew wissen das an hewt bey vns hie gewesen sein der
Erwirdig geistlich Herr, her Symon Drobst zu Kloster-
newburg, der Edel Herr, her Sigmund von Toppl, der
Edel Kristoff Potinger vnd der Erber weis Jacob
Heller, Burger zu Klosternewburg als senndpoten von den
Prelaten, Herrn, Rittern vnd Knechten vnd den von Steten, so bey
dem tag zu sand Polten gewesen sein, vnd In solb potschafft an vns
zuberben empholhen, die an vns geworben haben, Wie Sy ains lannd-
tags zebalten von freytag nagstkomend vber acht tag gen Tulln zeko-
men furgenomen, vnd an vns begert haben zu solhen tag zekomen,.vnd
da helfen vnd Raten zu betrachten frid vnd gemach fur lannd vnd
lewt, damit das aus solhem verderben kom, als Sy das mit merern
wortten an vns bracht habend, Also haben wir In darauff geantwurti,

als Ir an der geschrifft hierinn beslossen vernemen werdet, das tuu
wir ew darumb zewissen, Ob solhs an ew gelangt hiett, oder
hinfur an ew gelangen wurde, daz Ir ew darnach wisset zerieb-
ten vnd Bitten ew, So ain lanndtag von den lanndlewten, so zu
Stetldorff beyeinander gewesen sein, ausgeschriben, dahin wir auch
komen, oder aus vns ettlich schikehen werden, daz Ir ew darezu
fugen, vnd nicht aussbleiben wellet, damit an vns khain abgang er-
gang erfunden werde, als wir des vnser genedigisten Herschafft, lannd
vnd lewteu zu frid vnd gemach gemaynem nuez schuldig sein, das
wellen wir vmb ew nachperlich gern verdienn. Wir haben andern
Steten vnd Merkchten desgleichs auch geschriben. Geben zu Wienn
an Eritag vor sand Johanns tag ze Sunnbenden Anno
dni LXII*.

                    Burgermaister, Richter, Rat, genant
                    vnd Gemain der Stat zu Wienn.

         Stain vnd Krembs, Egenburg, Kornewburg, Laa, Hamburkeh,
         Prugk auf der Leytta, Zwetel, Weytra, Waidhofen auf der
         Teya, Drosendorff, Lanngenlewbs, Marchegkeh, Medling,
         Gulpelezkirchen (1).

CLXX.
24. Juni
1462.

   (Wie die von Wienn dem von Starhenberg von aines gemainen
                 Lanndtag wegen geschriben habent.)

Edler gunstiger lieber Herr, vnser dinst mit gutem willen bevor.
Wir lassen ew wissen, daz an dem nagstvergangen fritag von den
Prelaten, Herrn, Rittern vnd Knechten vnd den vonn Steten zu sand
Polten auf dem tag ycez beyeinander gewesen ettlich als Senndpoten
aus In her geschikeht vnd zu vns komen sein, vnd habend vns da vnder
andere Irer werbung vnd anpringen zu erkennen geben, wie ain land-
tag gehalten von freytag schiratkomend vber achttag gen Tulln ze-
komen furgenomen sey, vnd an vns begert, zu solhem tag auch ze-
komen, darauf wir geantwurtt vnd solb vnser antwurtt andern den
von Steten vnd Merkchten auch zugeschriben haben, als Ir an den
abgeschrifften hierinu beslossen vernemen werdet. Lieber Herr, Nach
dem vnd sich der Tag ze Tullen so kurezlich ergeen sol, Bitten wir
ew mit ganczem Vleiss, Ir wellet mitsambt andern Herren,
Ritter vnd Knechten, so zu Stetldorff beyeinander

gewesen, gutwillig daran sein, damit ein gemainer
lanndtag auf das pöldist vor dem lanndtag, so ze
Tulln sol gehalten, ber gein Wienn ze komen ausge-
schriben werde allen Prelaten, Graven, Herrn, Rittern vnd Knech-
ten vnd den vonn Steten, den wirdet man einem iglichen mit redli-
chen genugsamen sicherhaytt vnd freyen gelaytt her zekomen, bie
zesein, vnd darnach wider an sein geworsam erberlich versorgen vnd
wellen such solhen landtag, Ob ew das an sein wirdet hie zehalten,
mit der hilff Gots nach notdurfften behalten, Ir wurdet auch von vns
vnd dem gemainen Volkch, auch von andern, so sich herfugen wurden,
als wir maynen, In ewrm erberen furnemen, so so Stetldorff hesecheen
Ist, gevelklich furgang vnd volg hie ee begriffen vnd erlangen, dann
ausserwo, vnd wurd auch den sachen also furderlich nachgegangen,
als wir vns hedunkchen lassen, Mocht aber ye solher lanndtag nach
ewrm Rat hie nicht fuglich gehalten werden, das dann der auf das
kurezist, als vor berurt ist, an ain andrew fugliche Stat, dahin wir
dann aus vns auch ettlich schikchen wellen, gelegt werd, damit den
sachen fuderlich nachgangen vnd lannd vnd lewt aus solhem swern
verderben krieg pracht mug werden, das wellen wir vmb ew geren
verdienn. Ewr verschriben antwurtt lasset vns kurezlich widerumb
wissen, damit wir das andern den von Steten vnd Merkchten auch
fuderlich verkunden vnd zugeschriben mugen. Gehen zu Wienn
an sand Johanns tag ze Sunihenden Anno domini LXII[ds].

Burgermaister, Riehter, Rat, genant
vnd Gemain der Stat zu Wienn.

Dem Edeln Herrn, hern Rudiger von Starhenberg vnserm gun-
stigen lieben Herrn.

*(Die beschriben Artikel sullen an seine furstliche Gnaden,   E. 78.
Erczherzog Albrecht impracht werden.)*

Von erst das zu dom Anslag der Stewr geben werden aus den
vir stennden dieselb auszuschreiben, anczeslahen, Inczenemen vnd
darnach zu entrichtung des Pudmensky vnd ander & vnd
zu khainerlay ander sachen ausgeben vnd dieselb sein
furstlich Gnad die lanndschafft darnach vnderricht oder Rayttung tue,

Was Vbermass sey zu des lannds notdurfft zu halten, ob sich wider-
wertikaitt erhub.

Item das mit dem Podmensky vnd den andern fuderlich ge-
raytt werde, auch der Taber zu Sweinwart aus des Pod-
menezky vnd ander weseas aus der gesst vnd Soldner Haanden pracht
werden vnd verniebt, dardurch dem lannd nicht verrer sebad ergee.

Item das sein furstlich Gnad bestell auf das kurezlichist zu
vnderkomen den sebaden, der da teglich den lanndlewten beschiecht
von Rabenstain, Ord vnd andern ennden.

Item das seiner Gnaden Stett, Gsloss vnd landwer
dureh lanndlewt mit Haubtlewten, Phlegern vnd An-
welten oder Ambtlewten beseczt werden vnd furgesehen,
vnd das lannd sein furstlich Gnad geruch durch lannd-
lewt regiern.

Item das sein furstlich Gnad durch dieselben Hauftlewt, Phleger
vnd Ambtlewt bestecl, daz die strassen auf lannd vnd
wasser beschirmbt werden, dadurch der gemain man
sein arbait auf dem Veld gewurchen, vnd gein Markcht
vnd davon sicher hanndlen vnd gewanndlen mag, da-
mit er Stewr gemainer lanndschafft ze hilff vnd he-
fridung erlangen vnd seiner Herschafft dinst vnd
vodrung ruichen mugen nach schulden.

Item das sein furstlich Gnad benen vnd secz teg vnd stet auf
das sehirst wohin vnd wann zu sein gnaden zekomen auch den von
Wienn vnd andern Steten zugeschriben vnd solh teg vnd stet zuver-
kunden vnd sy darezu ervordern vnd mit seinen furstlichen Gnaden
gelayften furgesehen werden nach notdurften, vnd dann die lanndlewt
sein furstlich Gnad auch darezu ervordern.

Item das sein furstlich Gnad die potschafft gen Vngern gen Be-
haim vnd andern ennden fuderlich zu bescheben schaff, vnd nicht auf-
geschoben werden.

Item das sein furstlich Gnad sich geruch hieniden in
dem land ze Tulln oder Klosternewburg enthalden, dar-
durch geistlich vnd weltlich sich seiner Gnaden scherm vnd zuflucht
dester mer versehen vnd trosten, vnd wir auch des lanndes notdurfft
dester bekomenlicher anbringen vnd gehanndln mugen, vnd auch die
Stewr oder ausleg dester fuderlicher in seine gnaden beywesen er-
vordert vnd lupracht werden.

Item von des Sweinbarter sachen wegen vergest nicht, angesehen seinen grossen schaden, den er empholhen hat.

Item das sein furstlich Gnad den vir stennden des lannds brief geb ainem yeden stannd ain, darinn Sy zu kunftigen zeiten furgeseben werden, das die Lanndschafft sein furstlichen Gnaden zu Eren vnd willen solh ansleg vnd stewr dulden vnd verwilligen, nicht von gerechtikait wegen, dardurch furbaser nicht furgehalten, vnd In kunftigen zeiten zu khainer gerechtikait gemacht werd.

Item das sein furstlich Gnad geruch Herrn Jorgen von Egklezaw der iiii^{m} gulden zuentrichten von wegen herrn Appels vieztumb vnd ander gefangen, darumb der lanndlewt ettwevil sich verschriben haben, vnd von dem selben von Egklezaw angelangt wurden, dardurch sy von Im gemussigt vnd furbaser vnervordert beleiben.

Item das sein furstlich Gnad mit seiner Gnaden Haubtlewten ernstlich schaff vnd darob sey, das Sy der Prelaten, auch ander Herrn lewt, so yeczt hie sein, die Sy, oder Ir Anwelt gefangen haben In den lewffen, sy sein gescheczt oder vngescheczt, ledig lassen.

Item die Stewr ist dieczeit furgenomen von aim lehen 1 Pfd. vnd von aim halben lehen LX dn. vnd von ainer hofstat XXX dn.

(Wie die stennt der drey furstentumb Steyer, Kernten vnd CLXXI. Krain den stenten des furstentumbs Osterreich zugeschriben 4. Juli 1462. *habent.)*

Den Hochwirdigen, Erwirdigen, Wolgeborn, Edeln, Ersamen vnd weisen, den Prelaten, Graven, Herren, Rittern vnd Knechten, auch den vonn Steten des furstentumbs Osterreich, vnsern lieben Herren vnd frewnten Empitten wir die Prelaten, Graven, Herren, Ritter vnd knecht, die vonn Steten vnd Merkchten der dreyr furstentumb Steyr, Kerndten vnd krain, als die yecz hie bey dem lanndtag gewesen sein, vnser frewntlich gruss vnd willig dinst bevor. Hochwirdigen, Erwirdigen, Wolgeborn, Edeln, Ersamen vnd weise liebe Herren vnd frewndt, wir fugen ew zu wissen, daz vns der allerdurleuchtigist furst vnd Herr, her Fridreich, Romischer Kaiser, zuallenczeiten merer des Reichs, zu Hungern, Dalmacien, Croacien & Kunig, Herczog zu

Osterreich, ze Steyr, ze Kernden vnd krain auf ainen gemainen
lanndtag her gen Marchpurg zu seinen K. G. zekomen er-
vordert, vnd vns alsda ainen berichtbrief zwischen seiner
K. G. vnd herczog Albrechts seiner Gnaden bruder
ausgangen vnder Ir baider anhangonden Insigiln fur-
gehalten, vnd dapey zu erkennen geben, wie sein furstlich Gnad
seiner K. G. auch seiner K. G. erblannden mit absag furgenomen
hab, Auch hat vns sein K. G. dapey furgehalten, das sein K. G. gleichs
pillichs vnd frewntlichs erpieten vnd nu am Jungisten durch ewr
etllich, so am nagsten zu Stetldorff beyeinander sein gewesen
zwischen Irr baider Gnaden fridlich anstenod vnd gutlich tag ersucht
sein worden, darinn sich sein K. G. dieselb zeit Im pesten gewilligt
hab, das nu durch den durchleuchtigen Hochgeborn fursten vnd Herren
hern Albrechten Herezogen ze Osterreich vnsern Herrn veracht vnd
abgeslagen sein, darauf hat nu vnser allergenedigister Herr der Ro-
misch Kaiser als Regirunder Herr vnd lanntsfurst hilf vnd beystand
an vns hogert, seinen K. G., auch lannden vnd lewten solb seheden
vnd vnrat helffen ze vnderkomen. Mer hat vns sein K. G. furgehalten
vnd zuerkennen geben, wie etlich aus der Lanndschafft Osterreich
dem Vorgenanten vnsern Herrn Herezog Albrechten hilf vnd beystand
tun wider sein K. G., die in seiner K. G. regirung sein, vber solh
gleich vnd rechtlich erpieten so oben berurt ist, darauf wir seinen
furstlichen Gnaden hiemit schreiben, als das von wort zu wort hienach
geschriben ist:

Dem durleuchtigen Hochgeborn fursten vnd Herrn, hern Albrech-
ten Herezogen zu Osterreich & vaserm Herrn tun wir die Prelaten,
Graven, Herren, Ritter vnd Kneeht, die von Steten vnd Merkehten der
dreyr furstentumb Steyr, Kerndten vnd krain als die yecz hie pey dem
lanndtag gewesen sein, zewissen, dass vns der Allerdurleuchtigist
furst vnd Herr her Fridreich Ro. Kaiser, zu allen czeiten merer des
Reichs, zu Hungern, Dalmacien, Croacien Kunig, Herczog ze Oster-
reich ze Stevr, ze Kerndten vnd krain auf ainen gemain Lanndtag her
gen Marchpurg zu seiner K. G. zekomen ervordert vnd vns alsda ainen
berichtbrief zwischen ewr ausgangen vnd ewrer baider gnaden an-
hangunden Insigila furgehalten vnd dapey zu erkennen geben, wie
ewr furstlich gnad sein K. G. vnd seiner Gnaden erblannd mit absag
furgenomen hab. Auch hat vns sein K. G. dapey furgehalten, das sein
K. G. sich gleichs frewntlichs vnd pillichs erpoten, vnd nu am

Jungsten durch die lanndlewt von Osterreich, so um nagsten zu
Stettdorf peycinander gewesen zwischen ewr haider Gnaden fridlich
anstennd vnd gutlich teg ersucht sein, darinn sich sein K. G. die selb
zeit im pesten gewilligt hab, daz nu durch ewr furstlich Gnad veracht
vnd abgeslagen sey, darauf hat sein K. G. als Regirunder Herr vnd
lantsfurst hilf vnd peystand an vns begert, sein K. G. auch lannden
vnd lewten solh schaden vnd Vnrat helfen ze Vnderkomen, Durleuch-
tiger furst, bitt wir ewr furstlich Gnad mit diemutigen Vleisz, ewr
furstlich Gnad welle den egenanten vnsern allergenedigisten Herrn
vngeirret widerkomen lassen zu dem, das seinen K. G. in den kriegs-
lewffen abgedrungen ist, vnd darauf doch fridlich anstennd vnd gut-
lich teg zwischen ewr haider zehalten aufnemen, So hoffen wir, ewr
baider Gnaden auch lannd vnd lewt werd durch solhs in frid vnd ay-
nikait pracht, vnd was wir als getrew Lanndtlewt darczu helffen vnd
gedienn kunnen, des sey wir mit gutem Vleisz willig zetun, So aber
ewr furstlich Gnad solhs verachten wolt, des wir doch nicht hoffen,
verstet ewr furstlich Gnad wol, das wir vnserm allergenedigisten
Herren N. dem Ro. K. & als Regirunden Herrn vnd Lanndsfursten
hilff vnd beystand zetun schuldig seyn, als wir das auch seiner K. G.
zugesagt haben zetun. Geben zu Marchpurg an sand
Virichs tag Anno LXII.

Vnd bitten ew auf das mit sunderm vnd ganczem Vleiss, Ir wellet
mitsambt vns ainhalliclich daran sein, damit wir die obgenante haid
vnser Herren in guten willen vnd aynikait, wie vor ist bemelt, bringen,
dadurch wir all, auch Lannd vnd lewt in frid vnd ru gesecrt werden,
wann so solhs sein furstlich Gnad verachten wurde, des wir doch nicht
hoffen, verstet Ir wol, das wir, als vorstet, vnserm Allergenedigisten
Herren, dem Romischen Kaiser, als Regirunden Herren vnd Lannds-
fursten hilf vnd beystand zetun schuldig sein, das wir dann seiner
K. G. zugesagt haben; das wellen wir frewntlich vmb ew beschulden
vnd williclich verdienn. Geben zu Marchpurg an sand Vl-
reichs tag Anno LXII.

(Wie vnser allergenedigister Herr, der Romisch Kaiser der   CLXXII.
Stat Wienn zugeschriben hat.)   4. Juli 1462.

Ersamen weisen besunder lieben vnd getrewn. Ewr schreiben
vns yecz der kriegslewf halben davor zu lannd, auch wie Herczog

22*

Albrecht sich gen sand Polten gefugt, den fridlichen anstannd abge-
slagen, vnd daruuff sein potschafft zu ew gesanndt, was Ir auch ge-
antwurt. Vnd das er sich an menigen ennden vast pewerbe vnd Volkch
aufneme, vnd das Ir an Haubtlewten, Anwelten vnd Volkch mangel
habt, vnd begert, vns noch suderlich hinaus zefugen &c. Haben wir
vernomen, vnd an ewrer antwurt der bemelten potschafft Herczog
Albrechts getan, auch verkundung den andern Steten ain gut gevallen,
vnd lassen ew wissen, das wir vnser lanndschafft vnserr dreyr fur-
stentumhen Steyr, Kerndten vnd Krain yeez hie heyeinander gehabt,
die sich dann auf vnser ermonen vnd erauchen, vns nach allem Irm
vermugen, vnd nach dem sterkchisten vnd pesten zedienn, vnd in Veld
aufezusein gewilligt haben, So haben wir vns auch auswendig der
bemelten vnser lanndtewt hilff mit merkchlichem Volkch bewarben,
des wir dann teglich warttund sein in guter anczall in maynung, mit
hilff des almeehtigen Gots, ewrem vnd ander der vnsern Rat vnd bey-
stand kriegs, verderbens vnd mutwillens vns aufezuenthalten, vnd das,
so vns vnpillich abgedrungen ist, wider in vnser gewalt zepringen,
wellen vns auch darauff kurczlich hinaus zolannd schikchen vnd fugen,
vnd ew, auch ander vnser getrewn nicht verlassen, sunder alles das
furnemen vnd sudern, das zu gemainen nucz vnd pefridung vnserr
lannd vnd lewt gedienn vnd komen mag, vnd hegern dararf an ew mit
sundern Vleisz vnd ernst, das Ir in ewr mue, arheit vnd darlegen nicht
ain verdriessen habet, sunderlich pey vns besteet, als wir dann des
ain vnczweifenlich vertrawn zu ew haben, auch hey andern daroh
seytt, das die desgleichs tun, das wellen wir iu allen gnaden gen ew
erkennen, vnd ew, auch ewren nachkomen zu gut nicht vergessen.
Geben zu Marchpurg an sand Vlrichs tag Anno dni
LXII^{do} vnsers Kaisertumbs im aindlesten Jare.

        Commissio domini Imperatoris in consilio.

    Den Ersamen, weisen vnsern besundern lieben vnd getrewn N.
        dem Burgermaister, Richter, Rat, genanten vnd vnsern Bur-
        gern gemainelich zu Wienn.

CLXXIII.   (Wie die stennt der dreyr furstentumben Steyr, Kerndten vnd
4. Jv"/1462.   Krain den von Wienn aber zugeschriben haben.)

    Vnser frewntlich Gruss vnd willig dinst bevor. Ersamen, weisen,
besunder lieben gut frewndt vnd gunner. Ewr schreiben vns yecz

getan haben wir vernomen, vnd der sachen nach ewrm begern vnd
beta bey vnserm allergenedigisten Herren N. dem Romischen Kaiser
red vnd fleiss gehebt nach dem pesten, vnd wo vnser Herr Herczog
Albrecht sich gen vnserm allergenedigisten Herren, dem Romischen
Kaiser anders, dann pruderlich vnd frewntlich, auch gen ew, vns vnd
andern lannden vnd lewten, dann genediclich vnd fridlich helt, horn
wir ye, als wol pillich ist, nit gerne, vnd ist vns ain trewes laid, nach
dem wir vnd Ir seinen K. G. als vnserm erbherren vnd lanndsfursten
vnd selbs aneinander gewont sein, vnd ob nu der egenant vnser Herr
Herczog Albrecht mit seinen Helffern nit zu frid genaigt seinn, vnd
ye der krieg geprauchen will, die nicht allain ew, sunder auch vns
vnd ander seiner K. G. getrewen, wo das nicht zeitlich vnderstannden
wurde, zu vnvberwindlichen schaden vnd vorat, als Ir daun auch
schreibt, komen mochten, So halten wir yeez in vnserr besamung dits
lanndtags hie auf das genedig ersuchen, manen vnd anlanngen seiner
K. G. vns ainhelliclich geaint, verwilligt vnd erpoten, mit sein K. G.
nach allem vnserm Vermugen vnd sterkchistem aufzesein in Veld, als
sich gepurlt, gerust in maynung vnd willen, seinen K. G., ew vnd
andern den seinen trostlich vnd treulich solhen Rat, hilff vnd beystannd
zetun, damit die ding nicht zu weiterm Vnrat wider sein K. G. ew,
vnd vns wachsen, auch sein Gnad, Ir vnd wir verrer solhs mutwillens,
verderbens, kriegs vnd vnrats vertragen beleiben, auf daz auch sein
K. G. verwilligt hat, sich fuderlich hinaus zelannd zefugen, darczu
wir dann nach ewrem begeren gern raten vnd fudern wellen, vnd das
Ir ew so loblich, trewlich vnd trostlich in den lewffen
seiner K. G. gehalten habt vnd haltet, khumbt vns
allen pillich zu dankch vnd hohem gevallen, sein auch
in vnczweifflicher hoffnung, Ir werdet hinfur desgleichs vestieclichen
bey seinen K. G. als ew wol zimht, besteen, das bringt ew vnd ewren
nachkomen zu ewigen zeiten loblich gedechtnusz, frum, err vnd nucz;
wir wellen daz auch vmb ew frewntlich beschulden vnd gern verdienn.
Geben zu Marchpurg an sand Vlreichs tag Anno dni LXII°.

   Prelaten, Grafen, Herren, Ritter, Knecht, die von Steten
   vnd Merkchten der dreyr fürstentumb Steyr, Kerndten
   vnd krain, So yeez hie pey dem lanndtag gewesen sein.

   Den Ersamen weisen vnsern besunder lieben guten frewnden
   vnd gunner N. dem Burgermaister, Richter, Rat, den genanten
   vnd Burgern gemainelich zu Wienn.

CLXXIV.   *Ain Credenczbrief fur die Senndpoten der Herren, Ritter vnd*
14. Juli   *Knecht, so yecz zu Tulln beieinander gewesen.*
1462.

Ersamen weisen vnsern dinst in guten willen bevor. Es komen
hiemit gegenwürtig zu ew der Edel Herr her Veytt von Ebers-
torff, erbkamrer in Osterreich vnd der edel vest
Jorg von Seysenegkch, vnd werden ew ettwas vnserr maynung
zu erkennen geben, aigentlich vnderrichten, Bitten wir ew mit Vleiss,
In in denselben sachen zuglauben genczlich, als vns selber, vnd ew
in dem beweisen, als wir des gut trawen zu ew haben, das wellen
wir vmb ew verdienn. Geben zu Tulln an Milichen nach
sand Margrethen tag Anno dni LXII⁺.

> Von vns den Prelaten, Herren, Rittern vnd
> Knechten vnd den Vonn Steten, so yecz
> bey dem Tag zu Tullen sind.

> Den Ersamen fursichtigen Vnd weisen, N. dem Burgermaister
> Richter, Rat, den genannten, auch der Gemain der Stat zu
> Wienn.

I. 79.   Also sein die obgenanten, der Edel Herr her Veyt von Ebers-
torff vnd der Edl Jorg von Seysenegk auf gemainer Stat ge-
layt her gen Wienn komen, vnd hat der Seysenegkcher im Rathaws
vor Rat, genant vnd gemain also geret, wie die Herren, Ritter vnd
Knecht, so zu Stetldorff beyeinander gewesen mitsambt den Prelaten,
Herren, Ritter vnd Knechten vnd den von Steten, so yecz zu Tulln
beyeinander sein, angesehen haben das gross verderben, darinn das
land langeczeit her gestannden, vnd noch In solhem Verderhen sey.
vnd vmh des Pesten willen zubetrachten, wie das lannd in frid vnd
gemach geseczt müg werden. Huben die obgenanten Herren ain ge-
mains zesamen komen her gen Wienn der Stat zu eren allen Pre-
laten, Herren, Ritter vnd Knechten vnd den von Steten ausgeschriben
furgenomen, vnd paten, das wir das also aufnemen vnd zusagen wolten,
auf das fur antwurt sind ettlich vnserr mithurger Niclas Ernst,
vnser mitgesworner des Ruts, Larencz Schonperger
vnd Michel Vorsthofer mit den vorgenanten Herren hinauf gein
Tulln geritten zereden mit vnsers allergenedigisten Herren, des Ru-
mischen Kaisers Reten, dem von Starkemberg vnd andern, so zu

Tulln wëren, wie es vmb das herein lassen zu solhem Tag furgenomen solt werden, vnd sind darauf herkomen die Edlen Herrn, herr Ruediger von Starhenwerg, her Hainreich von Liechtenstain von Nicolspurg, vnd her Veyt von Eberstorff, vnd haben da vor vnser gesagt, Auf die vorder mayuung, daz sy drey benant Herren vor her komen sollen vnd sagen von der anndern wegen, daz die auch gerne auf solh samnung herkomen wolten, wann wir sy, die Lanndlewt, mit gelaytt herzekomen, bis ze sein vnd wider an Ir gewar fursehen mochten, Item es hub auch meins Herren Gnad Erczherezog Albrecht, desgleichs seiner Gnaden Rete zugesagt, das ain yeder sicher herkomen vnd wider an sein gewar, ze weingarten vnd allenthalben Im lannd arbaiten mug, vnd das auch menigklich kain Irrung noch Ingriff haben, noch getan sol werden, doch also, das sollis auch bestellet werde von vnsers allergenedigisten Herren, des Ro. K. seittenhalben, vnd solhs ze weg bringen vnd Vleiss darinn ze tun solt durch die von Wienn beschehen, Wann In sey darinn vertraut, Item Sy wellen auch gern gelub tun, das Sy vnserm allergenedigisten Herren, dem Ro. K. vnd gemainer Stat hie an schaden sein welten, Vnd ob yemant Rumor hierinn anfieng, der sol darumb gestrafft werden, vnd die anndern des nicht engelten, desgleichen auf dem lannd, Item es sey auch verlassen, das die von Wienn schreiben sullen den anndern Steten auf das furderlichist herzekomen, als Sy dann auch den andern Prelaten, Herren, Rittern vnd Knechten yeez geschriben haben, Item es hub auch meins Herrn Gnad Erczherezog Albrecht geschriben in das lannd ob der Eans etllichen lanndlewten her zekomen, daz die auch sicher herkomen &.

Item von Burgermaister, Richter vnd Rat ist von gemainer Stat wegen zugesagt sicherhait vnd glaitt fur alle die, der Sy ze tun vnd ze lassen machtig seyn.

(Also habent die von Wienn den conn Steten von des Tags CLXXV.
wegen su Wienn schalten zugeschriben.) 21. Juli 1462.

Vnser dinst mit gutem willen bevor. Ersamen weisen lieben frewnd, die Prelaten, Herren, Ritter vnd Knecht vnd die von Steten, was der yeez zu Tullen in samnung heyeinander gewesen sein, haben sich ains zesamen komen her gein Wienn verwilligt daselbs zu Vnderreden, wie das Lannd in frid gesecet mug werden, Bitten wir ew,

Ir wellet etllich aus ew zu solhm zesamen komen anvercziben berschikehen, Wann vnsers Herrn Gnad Erezherczog Albrecht ainem yeden seiner Gnaden gut sicherhayt vnd gelaytt her vnd wider an sein gewar zekomen zugesagt, Als vns solhs die Edlen Herren, her Rudiger von Starhemwerg, der Ellter, her Hainecich von Liechtenstain von Nicolspurg vnd her Veyl von Eberstorff verkundt haben. vnd damit sambt vns vnd andern lanndlewten geistlichen vnd weltlichen, den auch darumb geschriben ist, Raten vnd helffen, damit das lannd in frid vnd Ruch gepraeht werde, dardurch auch Ir vnd wir solhs sehaden vnd verderbens hinfur vertragen sein, vnd wellet also nicht ausbeleiben, als wir vns dann des zu ew vnczweyflich versehen, vnd wellen auch daz vmb ew verdienn. Gehen zu Wienn (?) vor sand Maria Magdalen tag Anno LXII".

Burgermaister, Riehter, Rat Genant vnd
Gemain der Stat zu Wienn.

Stain vnd Krembs, Egenburg, Korn Newnburg, Laa, Hainburgk, Prukeh auf der Leytta, Zwetel, Weytra, Waydhofen auf der Teya, Drosendorff, Langenlewhs, Marchegk, Medling, Gumpolczkirehen.

CLXXVI.
23. Juli
1462.

(Ain brief von des fronawer Veintschaft wegen.)

Vnser dinst hevor, Ersamen weisen lieben frewnd. Als wir ew vor zu dem tag her ze komen geschriben haben, lassen wir ew wissen, daz der Fronawer mit den seinen, so in krieg mit Im wider vnsern allergenedigisten Herrn den Romischen Kaiser steen, auch ettlich annder den frid noch nicht zugesagt haben, als wir des yeez erinnert sein, vnd Ir an der abgeschrift hieinn verslossen vernemen werdet, Davon wellet mit ewrm herkomen gein dem Fronawer vnd den sein ew fursehen vnd bewaren, damit Ir nicht in sehaden kombt, Wann solt Ir daruber verrer in sehaden komen, wer vns trewlich laid, wir versehen vns auch, daz das zusamen komen auf den tag her von des Fronawer wegen nicht vnder wegen beleiben werde. Gehen zu Wienn am freytag vor saud Jacobs tag Anno dni LXII".

Burgermaister, Riehter &.

(Also habent die von Wienn seinen K. G. von des Tags wegen CLXXVII.
zu Wienn zehaiten geschriben.)
                                                              21. Juli
Allerdurchlewtigister Kaiser, Allergenedigister Herr, vnser willig   1462.
vndertenig gehorsam dinst ewr K. G. bevor. Allergenedigister Herr,
wir tun ewrn K, G. zewissen, das bey dem tag, den vnsers Herren
Gnad Erezherczog Albrecht gen Tullen an Sambstag vor
sand Margrethen tag gehalten ausgeschriben hat, dabey die
lanndlewt, so zu Stetldorff beyeinander gewesen sein vnd mit dersel-
ben Rat ain furnemen geschehen, das die lanndlewt daselbs ain zesa-
menkomen den Prelaten, Herrn, Ritter vnd Knechten vnd den von
Steten ausgeschriben haben anvereziehen her gein Wienn zekomen,
daselbs zu vnderreden, wie das lannd in frid geseezt mag werden, auf
solbs zusamen komen vnd tag hallten ain anstannd des kriegs von
ewr K. G. vnd aller der sich ewr K. G. hallen, vnd auch durch vnser
Herren, Erezherczog Albrechts gnaden vnd aller der, dy sich seiner
furstlichen Gnaden halten, durch sein Gnad zuhalten auch als laang
der tag hie werl, zugesagt ist worden, Darauff nn etlich herkomen
sein, vnd der anndern hie zu wartten mayonen, damit den sachen an
aufschub nachgegangen werde, man nymbt auch gelubniss auf von
allen den, dy wider ewrn K. G. in Veeh vnd Veintschafft gestannden
sein, daz die bie bey solhem zesamen komen ewrn K. G. vnd der
Stat an schaden sein wellen, auch *) lawt der Zedl hieinn heslossen.
Allergenedigister Herr, wir haben ewr K. G. Reten im lannd ze Oster-
reich auch geschriben vnd gepeten zu solhem tag her zekomen, vnd
was dann also da furgenomen wirdet, wellen wir ewrn K. G. anver-
eziehen verkunden vnd wissen lassen, sich soll auch ewr K. G. trost-
lich zu vns verlassen, das wir vns bey solhem tag also trewlich halten
wellen, als frumen getrewen ewr K. G. vndertan, als wir ewrn K. G.
vnd vns des selbs wol schuldig sein. Geben zu Wienn an sant
Maria Magdalenabent Anno dni LXIIᵗᵉⁿ.
                                    Burgermaister, Richter vnd Rat
                                    der Stat zu Wienn.

(Schreiben des Ro. Kaisers. Von des Tags ze Wienn wegen.)
                                                              CLXXVIII.
Ersamen, weisen, besunder lieben vnd getrewn. Vns ist an-   21. Juli
pracht, wie yeez zu Tulln ain lanndtag bey ew zu Wienn zehalten   1462.

*) nach?

furgenomen sey, darinn lr dann verwilligt sullet haben, das vns frombd nymbt vnd nicht gevellet, nach dem lr das ausserhalb vnsers willens getan habt, vnd daraus vns, ew selbs vnd lunnd vnd lewten in disen lewffen merkeblicher schad ergeen mag. Nu haben wir yeez vnser trefflich Ret vnd pottschafft hinaus zu ew zekomen geordent vnd bevolhen, mit ew aus den vnd andern sachen nach noldurfften zereden. Wellen auch suderlich mit vnsern Haubtlewten in aigner person mit macht, als wir ew das vormals auch haben geschriben, davor sein vnd empbethen ew darauf ernstlich vnd wellen, das lr den bemelten lanndtag daczwischen bey ew zehalten nicht gestattet, noch yemands vnser widerwertigen inlasset, sunder der bemelten Vnserr Ret wartet, vnd darinn dhain anders nicht tut, danne Wir. lr selbs, Lanndl vnd lewt daraus nicht schadens warttend seinn, daran tut lr vns gut gevallen vnd vnser ernstlich Maynung. Geben zu Greez an Mitichen vor sand Maria Magdalen tag Anno doi LXII[o].

Commissio &.

Den Ersamen weisen vnsern besundern lieben vnd getrewn N. dem Burgermaister, Richter, Rat, Genuuten vnd vnsern Burgern gemainclich zu Wienn.

CLXXIX.
25. Juli
1462.

(Antwurt der von Wienn.)

Allerdurchlewtigister Kaiser. Allergenedigister Herr, vnser willig vndertenig dinst ewrn K. G. bevor. Allergenedigister Herr, als vns ewr K. G. yeez geschriben hat, wie ewr K. G. angelangt, daz yeez ze Tullen ain lanndtag bey vas ze Wienn zehalten furgenomen sey, darinn wir dann verwilligt sullen haben, das ewr K. G. fromb nymbt vnd nicht gevellet, vnd vns darauf ewr K. G. Verpietung tut, solhen tag hie ze halten nicht zestatten, vnez ewr K. G. Rete vnd potsehafft hergekomen & Innhalt desselben ewr K. G. schreiben haben wir vndertaniclich vertrawn, vnd lassen ewr K. G. wissen, daz vns durch die Edlen Herren, hern Rudigern von Starkenberg, hern Hainreichen von Liechtenstain von Nicolspurg vnd hern Veylen von Eberstorff von lr selbs vnd ander Herren, Ritter vnd Knecht wegen, so zu Stelldorff beyeinander gewesen sein, anpracht ist, wie dieselben Herren mitsambt andern Prelaten, Herren, Rittern vnd Knechten vnd den vonn Steten, so yeez ze Tulln

bey einander gewesen, vmb das pesten vnd frid vnd gemachs willen
lannd vnd lewten ainig worden sein, vnd ain zesamen komen allen
Prelaten. Herrn, Ritter vnd Kuechten vnd den von Steten anvereziehen
her gein Wienn ze komen furgenomen vnd ausgeschriben haben, da-
selbs hie ze vnderreden, wie das lannd in frid vnd gemach geseczt
mug werden, darauff dann von ewr K. G. vnd aller der sich ewr K. G.
halten vnd aller der sich vnser Herren Erezherczog Albrechts Gnaden
halten ain anstannd des kriegs, alslanng der tag bie werdt, zugesagt
ist worden. Man nymbt auch gelubniss auf von allen den, die wider
ewr K. G. in Vecht vnd Veintschafft gestanden sein, Also daz die hie
bey solhem zesamen komen ewrn K. G. vnd der Stat an schaden sein
wellen nach lawt der Zedel hieinnen heslossen, als wir ewren K. G.
vor auch geschriben haben. Allergenedigister Herr, wir haben auch
ettlichen ewr K. G. Reten im lannd Osterreich, dem Edlen Vlrei-
chen von Gravenegk, hern Hannsen Pelndorffer, hern
Hannsen Mulvelder vnd Wolfgangen Kadawer auch
geschriben vnd gepeten zu solhem tag her ze komen, die dann vnd
ander trefflich namhaft lanndlewt ee dann ewr K. G. schreiben her-
gekomen ist, hie gewesen vnd noch hie sein, vnd wann aber wir
solhs zesamenkomen des tags hie auf zusagen Herren,
Ritter vnd Knecht, so zu Stelldorff beyeinander ge-
wesen sein, darinn dann ewr K. G., wann durch Sy teg
vnd samnung zehalten furgenomen werde, auch ain
gnedigs gevollen, vnd durch vnser Senndpotten ge-
nedielich zugesagt, auch wir Im pesten nach Rat ewr K. G.
Ret aufgenomen vnd wir vns, Burgermaister, Richter, Rat genant vnd
gemain also darumb veraint haben, daz wir vns als getrew frumm
vndertan ewr K. G. bey solhem tag also trewlich halten wellen, als
wir ewrn K. G. vnd vns selbs des wol schuldig sein, vnd davon mit
aller vnderleniger diemutikait auf das hochst, so wir ymmer kunnen
vnd mugen, hitten wir ewr K M. welle sich darauf trostlich zu vns
verlassen vnd ain vnczweiflichs Vertrawn zu vns haben, vnd geruche
solhs zesamen komen hie vmb frids vnd gemachs willen lannd vnd
lewt, auch solh vnser schreiben Im pesten vnd genedielich von vns
aufezenemen, das wellen wir vmb ewr K. G. als vmb vnsern allerge-
nedigisten Herrn vnd lanndsfursten vndertenielich gern Verdienen. Ge-
ben zu Wienn an sand Jacobs tag Im Snitt Anno dni LXII[te].

Burgermaister &.

CLXXX. (*Wie sein K. G. die stennt des furstentumbs Osterreich von*
IN. Juli *des zuzugs wegen ervordert hat.*)
1462.

Wir Fridreich von Gots Gnaden Romischer Kaiser & Empieten
den Ersamen geistlichen Andechtigen Edlen vnsern lieben Getrewn N.
allen vnd yglichen Prelaten, Graven, freyen, Herren, Ritter vnd Knech-
ten N. den von Steten vnd Merkchten vnsers furstentumb Osterreich
vnser Gnad vnd alles gut. Als nun ettwevil zeit durch Herrzog Al-
brechten von Osterreich menig weg zu beschedigung vnd verderbung
des benanten vnsers furstentumbs ewrer vnd anderr Inwonner durino
furgenomen vnd betracht, vnd noch teglich geubet werden, daentgegen
Wir ,dann nach dem pesten mit grossem Anlegen durch die Vnsern
der nottwer haben gepraucht, die doch nicht als gannez als wir
hietten gehofft, austragen, darauf wir nun am Jungisten vnser
gemaine Lantschafft vnser furstentumb Steyr, Kern-
dten vnd Krain aufervordert, die vns zugesagt haben
nach allem Irm Vermugen auf den freytag vor sand
Lorenezen tag pey vns zu Prugk auf der Mure sein zu-
gericht verrer im Veld zezziehen vnd zchelffen solhs mutwillens vnd
verderben; auch lannd vnd lewt in frid vnd gemach zeseczen, Begern
wir an ew mit Vleiss, emphelhen ew auch ernstlich, das Ir ew nach
dem pesten desgleichs zurichttet, vnd Ir, die Prelaten, von Steten vnd
Merkchten die ewren ze rossen vnd ze fussen auf das maist vnd
sterkchist, so Ir mugt, zu vns, wo wir dann davor ze lannd sein wer-
den, senndet, vnd Ir, die vom Adel persondlich mit den ewrn komet
zehelffen mitsambt andern vnsern getrewen sulhen mutwillen vnd vn-
pillich furnemen vnd Hanndlung zeweren, auch ew selbs, lannd vnd
lewt in frid vnd gemach zeseczen vnd darinn zehalten, als Ir vns, ew
selbs, lannden vnd lewten das schuldig seytt, vnd ew darinn nichts
sawmen noch Irren lasset, daran tuet Ir vns gut gevallen vnd vnser
ernstlich maynung. Wir auch das geu ew allen vnd ewr yedem gene-
diclich erkennen vnd zu gut nicht vergessen. Geben zu Grecz
an Suntag nach sand Alexen tag. Anno dni LXII^{ten} &.

Comissio &.

(Ain Credencs fur die potschafft seiner K. G. an die von Wienn.)

CLXXXI.
21. Juli
1462.

Fridreich &.

Ersamen weisen besunder lieben vnd getrewn, Wir haben dem Ersamen gelerten Vnserm getrewen lieben Vlreichen Riedrer Lerer baider Rechten vnd Tumbprobst zu Freysing, Fridreichen vom Graben, Hannsen Rorbacher, Andren Pemkircher, vnserm Span zu Prespurg, Vlreichen von Gravenegk, vnserm Haubtmann vnd Span zu Odenburgkch, vnd Wolfgangen Kadawer vnsern fleten bevolhen ettwas vnser maynung an ew zepringen, Begern wir an ew mit sunderm Vleiss vnd Ernst, was die bemelten vnser Rete also an ew von vnsern wegen werben werden, daz Ir In das genczlich gelaubet, daran tut Ir vns gut gevallen vnd vnser ernstliche maynung, Wir wellen auch das genediclich gen ew erkennen vnd zu gut nicht vergessen. Geben zu Grecz an Milichen vor sand Maria Magdalen tag Anno dni LXII^{do} &.

                               Commissio &.

Den Ersamen weisen vnsern besundern lieben vnd getrewen N. dem Burgermaister & zu Wienn.

Hort vnd Sweigt.

CLXXXII.
31. Juli
1462.

Es gepieten mein Herrn, der Burgermaister, Richter vnd Rat der Stat hie von vnsers allergenedigisten Herren des Romischen Kaisers wegen, vnd sag das ain Man dem andern, das ain yeder lediger Knecht, Soldner, oder in was stand er sey, der zu dem tag der sunung her nicht ervordert ist, vnd der kainen Herren hie hat, der sol sich anverczieben aus der Stat fugen, vnd wer daruber hie also begriffen wurde, den wirdet man an leib vnd gut swerlich darumb straffen an alle gnade.

Item sich sol auch ain yeder des nachts dahaim in seiner behausung oder Herberg enthalten vnd des nachts nach pirglocken zeit nicht auf der gassen geen. Er sey dann von Burgermaister, Richter vnd Rat, oder von den Haubtlewten darczu geordent, vnd welher

daruber begriffen wurde, den wirdet man zu bannden nemen vnd
swerlich darumb straffen.

Item es sol auch ain yeder gastgeb oder wirt, der die Gest auf-
helt, meinem Herrn dem Burgermaister alle nacht in geschrifft geben
all Ir Gest mit namen, wer die sein, vnd welher Gastgeb oder wirt
des nicht tet den wirdet man auch darumb straffen an alle Gnad.

Vnd ist gerufft worden an Sambstag vor Vincula
Petri Anno LXII°°.

CLXXXIII. (Wie die von Wien den von Steyr, Kerndten vnd Krain, so
26. Juni   *yecz zu Marchpurg beyeinander gewesen, von des furstentumbs*
1462.   *Osterreich sachen wegen zugeschriben habent.)*

Hochwurdig fursten, Wolgeboren Edl Vesst Ersam vnd weise,
genedig lieb Herren vnd frewnd, vnd besunder gut gonner vnser
willig vndertenig vnd frewntlich dinst vnd was wir gut vermugen
ewrn furstlichen Gnaden, Edel Vesstikait frewntlich lieb vnd Ersam
weishait beror. Es mag wol vnverporgen vnd offenwar an ew gelangt
sein, das Nun vil lannge Zeit vnezher im Lannd Osterreich gross swer
merklich kriegslewff vnd Herczug gewesen sein, vnd sunder fur vns
vnd die Stat hie ze Wienn sich belegert, vnd mit manigveltigen ver-
derblichen schaden vns angesucht vnd bekumert haben, vnd die Veint
hie im lannd ze Osterreich, besunder des durchleuchtigen Hochge-
boren fursten, vnsers Herren Gnad Erczherczog Albrecht Herczog ze
Osterreich mit einfurung in das lannd vil frembdes Volckh von tag zu
tag meren sich besterkcht vnd besammet, die dem ganczen land vnd
lewten, armen vnd Reichen mit nam vnd venkchnuss aller lewt vnd
Junger kind, mordt, prandt, huldigung vnd schaczung verderblich
schaden vnezher zugeczogen vnd getan haben, vnd noch teglich tun,
auch vil Geczhewser hie im lannd zu passteyn vnd Raubhewsern ge-
macht sein, als wir solh vnd ander vnser obligund notdurfft vnd ge-
prechen des kriegshalben vnserm allergenedigisten Herren vnd lannds-
fursten dem Romischen Kaiser vil vnd offt schrifftlich vnd auch menig-
malen durch vnser senndpoten mundlich verkundet, vnd sein K. G.
auf das hochst vnd pesst, so wir kunnen vnd mugen, angerufft vnd
gepeten haben, das sein K. G. sich genediclich in nehent heraus zu
vns fugen, vnd da genedig weg vnd furnemen erdenkchen wolt, damit
lannd vnd lewt, auch wir vnd gemaine Stat in frid vnd gemach

geseezt, vnd solher verderblicher swer krieg im lannd abgetan wurde,
des auf menigrew seiner K. G. schreiben vnd mundlich zusagen noch
vnezher nicht beschehen ist, vnd wann aber der bemelt Hochgeborn
furst vnsers Herren G. Erezherczog Albrecht wider vnsern allerge-
nedigisten Herren, dem Ro. Kaiser, auch wider vns vnd gemaine Stat,
vnd alle die sich seiner K. G. halten sich also mit Volkch hesterkehrt
vnd sammet, als vor berurt ist, auch sich mer zesterkehen durch sein
trefflich potschafft gein Hungern, gein Bebaim vnd annder ennd vmb
Volkch bewirbt, auch teg vnd sambnung gehabt, vnd da furnemen
betracht hat, wie die fur vnsern allergenedigisten Herren den Rom.
Kaiser sein oder nicht, vnd was nachtail sein K. G. darinn hat, werdet
Ir an der abgeschrifft hieinn beslossen wol vernemen, vnd so mit ge-
walt ynd Ernst kurezlich darezu nicht getan wirdet, so ist zubesorgen.
oder es mocht vnserm allergenedigisten Herren, dem Ro. Kaiser, dem
gannezen lannd Osterreich vnd besunder vns vnd gemainer Stat hie.
auch allen lewten, armen vnd Reichen, die sich seiner K. G. halten,
gross verderhlicher vnd vnwiderpringlicher schaden daraus ersteen,
vnd mochten auch solh swer krieg nachmalen oder daneben weiter
in seiner K. G. lannden gein Steyr, Kerndten vnd Krain erwachsen
vnd entspringen, also daz ew solher verderblicher schad daraus auch
zuhaim geraten mocht, des got nicht engeben welle, vnd davon mit
diemutiger vndertenigkait vnd ganczen Vleiss Bitten wir ewr furstlich
Gnad, edel Vestikait, frewntlich lieb vnd Ersam weishait welle den
obgemelten vnsern allergenedigisten Herren, den Ro. Kaiser mit ewrm
guten anligunden Vleissigen gebeten guttlich erweisen, auch ewr hilff,
Rat vnd beystannd seinn K. G. darezu wennden, damit sich sein K. G.
noch auf das furderlichist vnd anvereziehen in nehent heraus zu vns
fug, vnd da genedig weg vnd furnemen mitsambt ewr hilff, Rat vnd
heystanndt erdenkeb, damit das Lannd Osterreich, das gemain Volkch
arm vnd Reich darinn, auch wir vnd gemaine Stat hie zu frid vnd ge-
mach pracht vnd solher verderblicher krieg abgetan werden, wann
sich vnsers Herrn Gnad Erezherczog Albrecht den,
die sich seiner Gnaden halten, zetrost hie Im lannd
bey In aufhelt, das desgleichs vnser allergenedigister Herr, der
Ro. Kaiser vns zetrost sich auch also in nehent bey vns aufhallt.
wann das hoch fur sein K. G. ist, Es wurden sich auch vil der lanndl-
lewt, die seinen K. G. genaygt sein, in seiner K. G. willen vnd ge-
vallen geben, als wir des ain gut vnezweifliche hoffnung haben, das

welle wir vmb ewr Gnad Edel Vestikait, frewntlich gunstigliche lieb
vnd Ersam weishait allezeit vnderteniclichen vnd williclich gern ver-
dienn. Gehen zu Wienn an Samhstag nach sand Johanns
tag ze Suni benden Anno dni LXII⁰.

Burgermaister, Richter, Rat, genant
vnd Gemain der Stat zu Wienn.

Den Hochwirdigen, Erwirdigen, Wolgeboren, Edlen, Vessten,
Ersamen vnd weisen Prelaten, Herren, Ritter vnd Knechten
vnd den vonn Steten, so yecz zu Markpurg beyeinander sein,
Vnsern genedigen lieben Herren, frewndten vnd besundern
guten gunnern.

CLXXXIV.   *(Das ander schreiben.)*

Hochwirdigen fursten (ut supra) als wir ewrn furstlichen Gna-
den, auch den andern vnsern Herren vnd frewndten am nagsten ge-
schriben haben. Wie sich der durleuchtig Hochgehorn furst, vnser
Herr Erczherczog Albrecht, Herczog ze Osterreich in fridlichen an-
stannd nicht hab begehen wellen, darinn sich dann vnser allergene-
digister Herr, der Ro. Kaiser durch gemains nuez frid vnd gemach
lannd vnd lewt genediclich begehen het, das wir mit ettlichen merch-
lichen Vrsachen vnd notdurfften des Lannds vnd der Stat seinen K. G.
auch ewrn Gnaden vnd vnsern Herren vnd guten frewndten zuge-
schriben haben, darauff wir ewrn Gnaden, auch der ander vnser Herren
vnd frewndt antwurt demutieliehen vnd gar in hohem Vleiss betracht
vernomen haben vnd dankchen des ewrn Gnaden, auch den andern
vnser Herren vnd frewndten in maynung, das vnderteniclich vnd wil-
lieliehen zuverdienn, vnd wann aber sich die Lanndlewt in Osterreich
aus dem furnemen, so zu Stetldorff besehehen ist, dennoch verrer
gemuet vnd ainig worden sein, eins zesamen komen her gen Wienn,
da zu betrachten ainen gemainen frid, auch veroynigung vnser gene-
digisten Herschefft, die vnderteniclichen zepiten Ir baider Gnaden
darinn zu erlanngen, dardurch Ir baider Gnaden Lannd vnd Lewt in
Rue, frid vnd gemach geseczt, vnd auch Herczug in Iren lannden vnd
pluet vergiessen vnd verrer verderbung der lannd vermyten vnd vn-
derstanden werden, das verkunden wir ewrn Gnaden, auch andern

rnsern Herren vnd guten frewndten vnderteniclichen vnd Vleissiclich repitten.

Vermerkt das anbringen, das mir Jorgen von Egkharczaw von CLXXXV.
den lanndlewten, So an Suntag sand Augustinstag zu Weyssen- 28. August
kirchen In der Wachaw beyeinander gewesen sein, an Herrn 1463.
Steffan von Hohenberg vnd Herrn Veyten von Eberstorff
empholhen ist.

Item am ersten als Ir merklich von baiden tailen beyeinander gewesen sein, vnd da aus dem grossen Verderben des lannds vnd vnser aller geredt vnd das doch an uin gemains zesamen komen nicht mag vnderstanden werden.

Darauf bitten wir ew dieselben, Ir wellet auf des heiling krewcz tag nagstkunftig gen Hederstorf auf den kampp komen, vnd da mitsambt den andern lanntschafft helffen vnd Raten, damit solhs des Lannds verderben vnderstanden werd, vnd getrawn euch, Ir wellet nicht aussen beleiben, vnd auf den bemelten tag also komen, als das fur euch vnd gemaine lanndschafft sey, vnd Ir das selbs wol versteen mugt.

Item desgleichen mit den von Wienn vnd den lanndlewten vnder des Wienner walds auch in obgescbribner maynung reden vnd bitten wellet, damit Sy auch zu solhem tag komen.

(Des obgemelten Senndpoten Credencz.) CLXXXVI.
28. August
Edl Herren vnd lieb frewndt, vnser frewntlich dinst bevor. Vnser 1463.
lieber frewndt der Edl Herr her Jorg von Egkharczaw wirt ew anbringen znd vnderweisen des furnemen yecz hie, darauf wellet ew mit andern Lanndlewten vnd den von Wienn vnderreden, vnd bitten ew In Vleiss, Ir wellet dariun mitsambt nicht ausalesn, das wellen wir frewntlich vmb ew dienn. Geben zu Weissenkirchen in der Wachaw an Suntag sand Augustins tag Anno LXIII^te.

Rudiger von Starhenberg, Peugrecz von
Planckehenstain vnd Hainreich Strein.

Dem Edln Herrn her Steffan herr zu Hohenberg Kanczler &
vnd herr Veyten von Eberstorff Erbkamrer in Osterreich,
vnsern lieben frewnden.

16. September Vermerkt die Abred der Lanndlewt, So yecz zu Hederstorff 1463. Peyeinander gewesen sind an freytag nach des heiling krewcz tag als es erhocht ist Anno domini Sexagesimo tercio.

Von ersten als sich yecz her zu sam gefugt haben, ob Si icht mochten &.

Abgedruckt bei Chmel, Regg. N. 4025.

CLXXXVII.   Hort vnd Sweigt.

Es mag meniclich versten, daz der furkauff in essunden phenwerten merklich tewrung macht, darumb habend mein Herren, der Burgermaister, Richter vnd Rat von der Stat betracht furgenomen vnd gepoten, vnd sag das ain mann dem andern, das alle essunde phenwert, die man berfurt, des ersten an den placz gefurt, daselbs verkaufft vnd auf tewrung nicht eingeseczt, noch eingelegt sullen werden, vnd welher begriffen wurd, der solh essunde phenwert furkauffet, der soll darumb gepust vnd dasselb gut genomen werden.

Item mein Herren habend auch vier erber mann darczu geseczt, die auf solh vnd ander furkauff schen werden an allen plüczen.

Item der Gast sol frey hingeben, Wer aber von Inwonern mit furkauff, oder in andern wegen wider der Stat pot vnd nucz thuet, der sol gestrafft werden.

Item wer also ainen solhen furkauff anbringt, es sey man oder weib, dem sol der drittail desselben furkaufften guts gevallen, vnd der Stat ain drittail vnd dem Statrichter auch ain drittail, vnd welher ain solben, der ain furkauff anpringt, mit verpoten worten anredt, vnd In darumb also smeecht, den wil man swerlich darumb straffen an leib vnd an gut an alle gnad.

Item all burger vnd Inwoner der Stat hie geistlich vnd werltlich, auch vnsers genedigisten Herren Erczberczog Albrechts & Hofgesind sullen solh essunde phenwert gwalt haben zekauffen an den Margktegen vor den Auslendern vnd gesten, Aber nach mittag mugen auslender vnd gest solhe essunde phenwert wol kauffen, aber dhain furkauffer sol solhe essunde phenwert weder vor mittags noch nach mittags nicht kauffen.

Item die Geast, die hie nach mittags am Markchtag trayd kauffen, oder andrew essunde phenwert, die sullen des angeunds aus der Stat pringen an Ir gewar vnd hie nicht einschutten noch einlegen in dhain weise.

Item was die hieigen Inwoner vnd Hunrayer Kess, smalcz, huner, ayr, Vogl, Hamen, wiltpreeht & oder ander essunde phenwert herfurent oder herpringen, die sullen Sy auch am placz hie rayshaben vnd verkauffen, vnd damit nicht neben, noch vnder den gessten siczen noch steen in dhainer weise, Welhe aber vnder den Gessten siczen oder steen wurden mit Iren Vuyllen phenwerten, die wil mon swerlich darumb straffen vnd dieselben Ire phenwert nemen.

Item Pekchen sullen pachen nach dem Melkauff, als Sy sich des vor verwilligt habent nach der Stat Ordnung, die In geseczt ist.

Item fleischagker, Schuster, Sneider, Zeinstrikcher, Kursner, Lederer vnd all ander Hantwercher sullen sich in Iren Hantwerchen schidlich halten, vnd meniclich gleichen kauff geben vnd lon nemen, wer des nicht tut, den wirt man darumb straffen.

Item die Vischer sullen auch Ir gerechtigkait vnd Ordnung Irs Hantwerchs halten, vnd gleichen kanff geben, welher des nicht entut, den wil man auch darumb puessen.

Item es sol auch kain fleischagker Ochsen furkauffen am phincz tag Abent vnd am freytag vnczt auf die zwelifft stund, damit ain yedem, dem armen als dem Reichen ain Rechts phenwert geben werden, vnd sich die armen neben den Reichen dester pas genern mugen, vnd solher Ochsen kauff sol gehandlt werden mit den gesworen vnderkäuffl, damit gemainer Stat die Mautt auch davon gevoll, als von alter herkomen ist, vnd wer daruber tut, den wil man swerlich darumb straffen.

Item es sol auch kain Gasst mit seinen phenwerten anderswo nyndert ze Herberg sein, dann in ain offen gasthaws, daselbs sol er seine phenwerten verkauffen, vnd dabey haben den gesworen Vnderkäuffl, den patnpinter, vnd den pschawer, vnd welher Gasst daruber thut, dem wirdet man seine phenwert zu der Stat hannden nemen, vnd in darczu swerlich straffen an alle gnad.

Item welher der ist, der Vnser Veint gut in seiner gwalt hat, vnd das ainem Burgermaister nicht ansagt, vnd zu vnsern genedigisten Herren vnd der Stat hannden nicht antwurdt, vnd daruber

23*

bey lm begriffen, oder wo man das sunst von lm erinndert wirdet, den wil man auch swerlich darumb straffen an leib vnd gut an alle Gnad.

Item es sol auch nyemand, in was wesen oder stannd er sey, geistlich oder werltlich, Edel oder Vnedel mit waffen, gespunnen armsten, Scharffen Kolben, lanngen messern, oder anderer verpottner wer, weder bey tag, noch nacht mit frevel auf der gassen nicht geen den Inwonern hie zeschaden, vnd welher bey der nacht nach pirglokchen zeit an liecht auf der gassen begriffen wurde, es sey edel oder Vnedl, geistlich oder werltlich Studenten, Hantwercher, oder in was wesen oder stannd er sey, den wirdet man zu Hannden nemen, vnd darumb swerlich straffen an leib vnd an gutt an alle gnad.

Auch verkundet man ew, das sich die Veint besamen vnd vermainen ain Zug her uber zu vns zetun, davon sol sich ain yeder, wann man In ansagt mit seiner wer, darnach schikchen auf vnd berayt sein, damit In widerstannd getan, vnd wir smach vnd schadens vertragen beleiben.

CLXXXVIII. *Vermerkcht die Ordnung, die Rat genant gemacht vnd betracht habent, wie man zu dem lesen halten sullen, vnd zu ennd der Ordnung mit namen geschriben stent Anno LXIIIᵒ.*

Ist mit der früher erlassenen Weislose-Ordnung, pag. 271, gleichlautend.

16. Septemb. *Vermerkt die obgeschriben Ordnung die Rat (und) genant ge-*
1463. *macht vnd betracht habent an freytag vor sand Matheus tag Anno LXIIIᵒ zu dem lesen, wie man die hinfur haben welle vnd sind darzu erwelt worden Rat vnd genant, als her nach geschriben stend.*

Rat.	Genant.
her fridreich Ehmer, Durgermaister.	Peter Gwerlich.
Larenez Sebennperger, Richter.	Hanns von Gera.
Jacob Starch.	Caspar Carl
Maister Hanns Kirchaim.	Jacob Aichlperger.
Valentin Liephart.	Chunez Reyff.
Vlreich Meezleinstorffer.	Erhart Ortel.

Rat.	Genant.
Jacob Gsmechl.	Erhard Smid.
Wilhalm Sambs.	Michel Kirstam.
Niclas Vorstel.	Paul von Ror.
Hanns Hawg.	Jorg Pekehenhoffer.
Hanns Ravenspurger.	Paul Hornschacz.
Jorg Talhaimer.	Michel Hawnolt.
Mert Sehrot.	Laer Kursner.
Hanns Gruntreich.	Hanns Vogl.
Hanns Aschpekch.	Wolffgang Joppel.
Stephan Stressel.	Jacob Hobwiger, Hueter.
Hanns Hirss.	Herman Mulstain.
Jorg Krempl.	Fridrich Gerunger.
Kolman Wulderstorffer.	Westerndorffer.
Conrat Haselpekch.	Mernhamer.
Jacob Menhart.	Hanns Steber.
	Peter Rauscher.
	Hanns Ernst.
	Wolfgang Rueland.
	Kristan Vischer.
	Wolfgang Pesst.
	Veyt Mayr.
	Hanns Haschwel.
	Caspar Reisinger.

Vermerkcht die ender dy Torr In dem Lesen geordent sein
Anno LXIII°.

Item auf das polbereh auf Newnburger { Thoman Meichsner,
strass sind geordent : { Kristof, schreiber.

Zu Alser Tor { Arnold Kueffenberger.
{ Paul, schreiber.

Kerner Tor zum Newn Turn { Jorg Winkbler.
{ Gilig, Schreiber.

Zu sannd Niclas. { Fridreich Tullner.
{ Veit, Schreiber.

Zum Rotenturn. { Niclas Wundurezt.
{ Hanns Huml, Schreiber.

Zu sand Tibolt   {Hauns Ottinger.
                  {Thoman Herrant, schreiber.
Werdertor vac.
Paukertor vac.

                                        {Hanns Hirs, Rat.
                                        {Jorg Hiltpranni Genanter.
Item zu der Mosststewr sind geordent: {Andre Pawngartner, ettwen
                                        {Stewrknecht.

Ain brief
CLXXXIX. den der Legat end ander vndertediger von der Newnstat Erez-
9. November   *herezog Albrechten her gen Wienn geschikeht haben.*
1463.

Hochgeborner furst, vnser willig gehorsam vnd schuldig dinst
zuvor. Lieber vnd genediger Herr, Wir vernemen, wie ettlich red
erschelle, das der von Liechtenstain, Hobenberg, Poten-
dorf, Eherstorf, vnd ander gearbait haben sullen, sich zu vnserm
Herren Kaiser zu tun &. Vnd wann wir ye genaigt sein, emsigen
Vleiss furezekeren, damit sein M. vnd Ir gutlich gericht werden, vnd
grosser krieg vnd aufrur wurd vermiten, So haben wir mit seiner
Gnaden Reten geredt daran ze sein, dadurch seins tails dieezeit des
friden ausz nichts furgenomen werd, das zu verhindrung des friden,
vnser taiding vnd ainer zymlichen erbern richtung gedienn mug, Solhs
haben vns seiner K. M. Het zugesagt, vnd darumb so bitten wir ewr
lieb vnd Gnad mit emsigen Vleiss, Ob ichtz an euch gelangt het, oder
noch langen wurd, daz Ir ewrs tails der muss auch tut auf das, daz
vnser taiding, als wir dann zu got hoffen, zu richtung vnd aynikait
dester fruchtperlicher furgang gewynne, vnd des ewr geschriben
Antwurt, das wellen wir mit willen vnd vndertenlg vmb ewr lieb vnd
Gnad gedienn. Geben vnder vnsers legaten Insigl 4^ts ante Martini
Anno LXIII°.

              Dominicus Bischof zu Thorcellan vnd legat, auch ander
              vnser genedigen Herren vnd frawn von Salezburg, Herezog
              Ludwigs vnd von baiden Ret vnd botschafft der genannten
              landschafft in Osterreich vndertediger &.
        Dem Hochgeborn fursten vnd Herren Albrechten Erezherezogen
        zu Osterreich & vnserm lieben vnd genedigen Herrn.

(Der ander Brief.)

Durchleuchtiger furst vnd genediger Herr, vnser willig vnder-
tenig vnd gehorsam dinst zuvor. Genediger Herr, von wegen des
frids zu verlengern, alsdann ewr Gnad mit vns geredt hat,
haben wir gen vnserm allergenedigisten Herren dem Ro. Kaiser ge-
arbait, vnd wil sein K. G. verwilligen, das der pis Liechtmess
nagst erstrekcht vnd gehalten werde, darumb sover ewrm
Gnaden solhs gevelle vnd zewillen sein wil, so wellet das fuederlich
allen den ewren verkunden solhen frid redlich wissen zehalten, vnd
darbey vns vnvercziehen schreiben, damit die K. M. den Irn vnd Iren
gewondten solhs auch wiss zu verkunden denselben frid zehalten, wir
wellen auch darczwischen fuederlich suchen vnd arhaitten, wie vnd
welher mass der frid gehalten werden sol pas dann pis her, wir haben
auch der Richtung halben ain antwurt von vnserm allergenedigisten
Herren dem Rom. Kaiser, die wir aber ewren Gnaden noch nicht
schikeben, sunder weiter darauf mit seiner K. M. reden wellen, was
wir maynen gut sein, vnd zu Richtung dienundt, vnd dann das ewr
Gnad auch fuederlich antwurt wissen lassen in geschrift, oder durch
vns selbs, oder vnser potschaft, dann obwol ettlich von der lantschaft
vns zugegeben yecz Redlicher sachen halben von vns hingeriten sind.
So haben wir doch noch hoffnung, die ding zu gut komen mugen, vnd
ewrn Gnaden vndertenig emphelhen. Gehen yllennds auf Miti-
chen vor Katharine zu Siben nach mittag anno dni LXIII°.

V. f. G.

willigen vndertenigen vnd gehorsamen
Dominicus legat vnd ander vnderey-
dinger zu der Newnstat ligende.

Dem Durleuchtigen fursten vnd Herren Herrn Albrechten Erez-
herczogen zu Osterreich & vnserm genedigen lieben Herren.

(Der dritt Brief.)

Durchleuchtiger furst, vnser willig, vndertenig vnd gehorsam
dinst sein ewrn furstlichen Gnaden berait zuvor. Genediger vnd lieber
Herr, Biss her haben wir des friden halben nichts entlich haben be-
sliessen, wir hieten dann des gehabt ewrn Gnaden schrift gelauben

machend vaserm allergenedigisten Herrn, dem Ro. Kaiser, solhen
glauben aber sein Gnad nicht haben woll der geschrifft prue-
der Gabrichlen gelan, in massen wir ewrn Gnaden das vo-
auch geschriben haben. Aber des ewr gegenwirdig geschrift nechten
spel seinen K. G. furgehalten haben pegerunde, daz sein M. nu ner
Ir brief an die Vnderlun vud die seinen auch geen liess, den frden
zehalten, hat er sich des begeben, doch mit dem Gedingen vnd fur-
warten in der bieinn geslossen Zedl begriffen, welber gedingen vnd
furbarten sein K. G. Irs letsten Zusagens, desbalben wir Ewr Gnaden
vor gescbriben haben, nye gedacht, sunder slechtlich vnd an alle ge-
ding zusait solhen friden biss purificacionis Marie zehalten, sover ewr
Gnad den auch zusebrib zuhalten, darumb so welle ewr Gnad nu ner
Vns des suderlich antwurtt auch wissen lassen, vnd des vaser Herr,
der Kaiser seinen brief auf daz auch an die seinen suderlich ausgen,
lassen mug, Aber seiner K. G. antwurt der Haubtsachhalben der Rich-
tung haben wir bisz her ewrn Gnaden verhalten darumb, das wir in
maynung wern vor vnd ee wir die auch sanndten, weiter mit der
K. M. hie auf zereden, ob wir pessers helten mugen erlangen ze
richtung dienund, dieweil wir aber bisz her nicht haben mugen komen
fur sein K. G., so wollen wir solh sein antwurt ewrn Gnaden furan
nicht mer verhalten vnd schikchen, darumb auch bierinn verslossen,
damit sich ewr Gnad darnach wisse zeriebten, vnd darinne zetun nach
gepurlicbkait. So wolt wir auch fur sein K. M. komen mugen, wellen
wir noch dann vnezeit dester mynner Versuchung tun, des, so wir
bisher als yecz gelautt het, gelan haben wollen als die, die gern die
ding gut sehen wollen, vns ewrn f. G. vndertenig emphellende.

Genediger lieber Herr, wie wol dieser gedingen vnd furworten
der ersten nicht gedacht worden ist, So bedunkchen vns doch die gut,
erber vnd pillich, auch von ewren Gnaden wol Inezugen sein vnd vmb
niebte abzuslahen, vnd wir pitten auch, ewr Gnad welle daran ver-
folgen, dann wir hoffen die zu kunftiger Richtung dienend.

V. f. G.

willigen, vndertenigen vnd gehorsamen Dominicus
Bischolf zu torcellan vnd legat, vnd ander der
fursten Ret vnd Vndertedinger.

E. 30.   Das sind die Geding des frids, daz Herezog Albrecht in der zeit
des frids kain stewr von yemand Innemen sol der Stewr, darvon dann

gerett, oder die furgenomen, oder ungeslagen ist zu Tulln, sunder die gannez solh zeite ruen lassen.

Item das er auch kain Stewr, wie joch (?) solh stewr sich von yemand, der der K. M. zugehort, vnd in vndertenig gehorsam vnd fur seinen Herren vergehend ist, ervordern, noch nemen sol in dhain wege.

Item daz der Drobst von Presspurg bisz liechtmesz bedegte werde auf gepurlich trostung vnd purgschaft, die er darumb haben mag.

Item daz auch belegt werden bisz daz die gefanngen an dem Orsterabent auf trostung, die der Gravenegker fur Sy tun wil, als daz Jorg Hell vnd Jorg Pott sagen werden, den darumb ze glauben sol sein.

Wie Graf Sigmund von Püsing dem Perner von der Gefangen wegen geschriben hat.

CXCII.
28. Novemb.
1463.

Vnnsern dinst, lieber Perner, wir haben ewr schreiben vernomen, nu mugt Ir glauben, dass wir das gern tun wolten, vnd wern des willig, Aber sol wir bey trewn vnd ern fur die gefangen steen, vnd vns hoch verschreiben, So wer auch pillich, das wir vom Gravenegker auch versorgt wurden, damit wir nicht in spot vnd schuden komen, Vnnser bruder, Grav Hanns, oder wir werden in kurezen tagen gen Wienn. So wollen wir allen Vleiss tun, damit wir ewrn Veltern vnd den prunndler auf teg ausbringen, doch das wir von ew versorgt werden, sew wider zestellen, Dann darinn wir ew gedienn mugen, sein wir willig. Geben zu Koezsee an Montag nach Katherine Anno dni LXIII°.

Sigmund graf zu sand Jorgen
Vnd ze Posing.

Dem Edlen Vessten, Vnserm gueten frewnd, Hainreichen Perner von Perneg.

———————————

Anno domini Sexagesimo Quarto.

Nota die hernach benanten Gefangen sind an Montag nach des   *E. 81.*
newn Jars tag aus Kernerturn auf stellung ausgelassen worden 2. Jan. 1464.
Anno dni LXIIII° in der maynung als hernach geschriben stett.

Ir werdet geloben hey ewrn trewen vnd ern fur ew selbs vnd an
stat ewr diener, die mitsamht ew yeez gefangen sein, das Ir ew
mitsamht denselben ewrn dienern zu vnser vnd ge-
mainer Stat hannden wider in Vnser Venkehnuss
stellen wellet auf Invocavit, auf sanud Pauls tag der
bekerung, auf mitfasten den Suntag Letare nagst-
kunfftig her gen Wienn in vnser Rathawss, vnd daraus nicht
kumen, Nur Ir werdet dann durch vnsern Burgermaister, wer dieselb
zeit ist, von gemainer Stat wegen mit Mund vnd Hannden ledig ge-
sagt, vnd Ir sullet auch darinn kainerlay taiding, gepet noch hilff die-
weil nicht genyessen, vnd weder mit Rat noch Tat, noch sunst in
dhainerlay weise wider vns noch gemaine Stat nichts hanndlen noch
tun *) trewlich vnd vngeverlich.

Item Lucas Gerspewtter.	Waczla Marscholky.
Jorg Ebmer.	Mathes Prunndler.
Egkeh.	Mathes Krabatt.
Thohatsosky.	Jenko Wesedonosky.
Stüdenkho.	Vlreich Sengkorer.
Alexander.	Benedict Holustainer.
Schebetesky.	Vlreich Hanhepp.
Wilhalm Perner.	Hanns Zeltweger.
Vlreich Swab.	Jorsigk Erasem.
Pilgreim freystriczer.	Nikolesch placzkeho.
Jorg Sehekehl.	Gindersich.
Hanns Vtscher.	Jorg Enczinger.

---

*) Auf der Seite stehen die verlöschten Worte: Vnd ob der Grafnegker in der
obgenanten Zeit gemainer Stat hie absagen wurd, das Ir ew dann in den
nagsten achttag darnach in obgeschribner mass her stellet.

Audre Krnhall.	Jorg Held.
Jorg Frankch.	Jorg Reicher.
Walers Vnger.	Larencz Stesiger.
Ludweig Schilher.	Thoman Strasser.
Mert Slesiger.	Hanns Perger.
Andre fuchs.	Niclas Sneider.
Thoman Meichsner.	Michel Vnger.
Wolfgang frech.	Hanns Preyss.
Jan Klawss.	Benedict Vnger.
Jenkho von Menschy.	Nicolesch Vnger.
Jorg Welser.	Laczarus Taler.
Friez Wankchl.	Michl Windisch.
Hanns During.	Pläblikch.
Lanng Hanns.	Peter Steger.
Thoman freysleben.	Vrban Vnger.
Peylezosky.	Hanns Eysen.
Erhart Nemtschy.	Mathias Marschakchy knecht.
Friez Riedawer.	Tuniel Glaner.
Larencz von Znaym.	
Steffan von Welss.	
Hanns Kellner.	
Hoskho.	
Wurian.	
Stenczla Slesier.	
Linhart des Ehmer knecht.	
Hanns von Inglstatt.	

des Sweiezer Knecht.

CXCIII. *Nota das hernachgeschriben berueffen ist geschehen an Eritag*
3. Jan. 1464.   *nach des heiling Newen Jars tag Anno LXiiii°.*

Es gepewten mein Herren, der Burgermaister, Richter vnd Rat
von der Stat, vnd sag das ain Mann dem andern, daz dhain lediger Knecht hie sein, noch heleiben, sunder sich anverczichen aus der Stat ziehen sol, Wolt aber ain solher knecht hie sein,
oder beleiben, der sol ainen Versprecher haben, der ain gesessner
hie sey, vnd sol sich von stundan meinem Herrn, dem Burgermaister
in geschrifft angeben, vnd welher lediger knecht daruber hie in der
Stat, oder in den Vorsteten begriffen wurde, den wirdet man zu hannden

nemen vnd straßen nach des Rats erfindung, vnd welher wirt daruber
ain solhen knecht aufhielt, vnd des man zu Im erindert wurde, den
wirdet man auch darumb straßen an leib vnd an gut an alle gnad.

Item es sol auch ain yeder in seinem Hawss, oder Herberg d a z
fewr wol bewaren, damit nyemand schaden daraus erstee,
Welher aber des nicht tet, oder icht schaden daraus ergieng, den sol
er den gelaidigten widerkern, vnd darczu von meinn Herren swerlich
gestrafft werden.

Vermerkcht al s der Allerdurchleuchtigist furst vnd Herre, herr   *E. 82.*
Fridreich Romischer Kaiser, zuallenczeiten merer des Reichs, zu
Hungern, Dalmacien, Croacien & Kunig. Herczog zu Osterreich, ze
Steir, ze Kernden vnd ze Krain & vnnser allergenedigister Herr a n   *21. Oct.*
sand Vraulentag des zwaivndsechzigisten Jars in der
purkch hie belegert vnd darinn behawrt ist vncz auf
sand Barbaren tag desselben zwaivndsechczigisten Jars,   *4. Dec.*
da dann durch taiding des durchleuchtigisten fursten
vnd Herren, herren Jorgen, Kunig zu Behem & zwi-
schen seiner K. G. vnd dem durchleuchtigisten hoch-
geboren fursten Erczherczogen Albrechten seiner K. G.
pruder beschehen, dieselb sein K. G. sich gen Korn
Newnburg gefugt hat, vnd also aus der Stat hie komen
ist; Nachmalen des dreyvndsechczigisten Jars habend
sich hie in der stat vil swer grosser leuff vnd Hanndt-
lung an ettlichen burgern begehen, der ainer gevir-
tailt, funff gekopht vnd getott, vnd ettlich ander aus
der Stat getriben vnd ettlich sunst daraus komen sind,
vnd habend sich auch in dem ganczen lannd solh swer
krieg vnd verderben auferhebt, Also das Ir baider
Gnad, vnser allergenedigister Herr, der Ro. K. vnd
Erczherczog Albrecht seiner Gnaden pruder solhs ver-
derbens Lannd vnd Lewt als Lanndsfurst nicht mer
haben wellen noch mugen zusehen, vnd das zevnder-
komen habend baider Gnad ainen gemainen Lanndtag
gen Tullen ze komen auf sand Mauriczen tag desselben   *22. Sept.*
dreyvndsechczigisten Jars ausgeschriben, vnd die
lanndschaft oberhalb vnd vnder der Enns darauf er-
vordert habend nach luutt Ir baider Gnaden schreiben:

31. August
1453.

Albrecht von Gotes gnaden, Erczherczog zu Osterreich &.

Erher, weis, lieb, getrew. Wir lassen ew wissen, das vnser
Herr der Ro. K. & vnd wir angeseben vnd betracht haben die sweren
lewf vnd verderben vnsers furstentums Osterreich vnd seiner Inwoner,
so ettwe lang Zeit her gewert haben vnd maynen rus selbs vnd die
vnsern widerumb in frid vnd gemach zu seczen, vnd begeren darauf
an ew mit ganczem Vleiss, Emphehlen ew auch ernstlich, das Ir
ettlich aus ew auf sand Mauriczen tag schiristkunftig
gen Tollen schikchet, dahin wir ander vnser lanndlewt, auch
Prelaten, vnd die von Steten des benanten Vnsers furstentumbs Oster-
reich Niderhalb vnd ob der Enns gehorsam vnd vngehorsam
desgleichs ervordert haben, Ynser baider maynung da zuvernemen,
zu helfen vnd zu Raten, damit wir, auch das Lannd vnd sein Inwoner
daselbs also in frid vnd gemach geseczt mugen werden, vnd man
verrers Vnrats, schadens vnd verderbens vertragen beleib, daran tut
Ir vnnser ernstliche maynung. Geben an Milichen vor sand
Giligen tag Anno dni LXIII°.

Com. d. Arch. in consl.

Den Erhern weisen vnnsern lieben getrewn N. dem Durger-
maister Richter vnd Rat ze Wienn.

Desgleichs hat auch vnnser allergenedigister Herr, der Ro.
Kaiser den lanndlewten geschriben.

E. 83. *Vermerkcht die Anttwurt vnnsers allergenedigisten Herren,
des Rom. Kaisers Ret vnd auf die yecz bemelten Artikl der
lanndschafft vnserm Herren dem Leguten vnd anndern Vnder-
taidingern vbergeben.*

Von erst ist der Ret vnsers allergenedigisten Herren des Kai-
sers furnemen, das sein K. G. zu dem so sein Gnad vnder der Enns
entwert ist, widerumb ledigklich an Irrung kome.

Vnd als die Lanndschafft begert die Absag hinaus ze geben,
auch all Vngnad vnd Veintschaft, so sich in den kriegsleuffen begeben
haben, ab zetun vnd vallen zelassen nach laut des angeben Artikels,
darinn sol vnsers allergenedigisten Herren des Rom. Kaisers halben
alsdann nicht mangel gefunden werden, Sunder sein K. G. wirdet sich

gnedigklich darinn halten vnd beweisen das zu beschehen, das sich
die, so wider sein K. G. geseczt haben, binfur widerumb gegen sein
K. G. hallten, als Sy Irm Herren vnd Lanndsfursten des schuldig sein.

Von der Newen auffeng wegen & wirdet seiner K. G. wolge-
vallen, das die abgetan vnd verniebt werden mit Rat, Hilf vnd hei-
stanndt der Lanndschaft.

Dann von des Hauhtman wegen von Merhern, der hat ainen sun-
dern krieg, nach dem vnd ettlich lanndlewtt ans Osterreich hin In gen
Merbern abgesagt, als wir vernomen haben, doch was sein K. G. als
Herr vnd Lanndsfurst mit obgemelt heistanndt darin tun sol, wirdet
sein K. G. willig.

Dann von der Newen Aufsleg vnd Mawtt wegen wirdet seinen
K. G. wolgevallen, das die all, was der von lanndlewtten vnd Gesten
Ingenomen, abgetan Vnd vernicht vnd hinfur nicht genomen werden.

Von der Huldigung, schaczung vnd gefangen wegen wirt es sein
K. G. bey demselben Artikel besteen lassen, vnd darinn (—) vnd ge-
vallen haben.

Von der abgedrungen, abgenomen vnd vbergeben Gesloss, Siez,
Amhten, lewtt vnd guter wegen wirdet es sein K. G. auch dabei be-
steen lassen, doch ob von den bewrigen nuczen vnd fruchten ichts
genomen wer In dem frid, das daz auch widergeben, oder nach aim
pillichen kerung darumb getan werde In ainer Zeit, so darumb fur-
genomen wirdet.

Ob sich yemant des seczen wurd, wie gegen denselben gehan-
delt solt werden, wirdet seinen K. G. gevallen, wie das derselb Artikl
innenhalt.

Von beczalung wegen Gessten vnd Lanndlewten wirdet sich
vnser allergenedigister Herre der Kayser aufrichtiklich halten vnd
nach pillichen darinnen hanndeln.

Von des vngewondlichen Geltbrief wegen hat sein K. G. solh
brief nye gern geben, vnd wirdet hinfur das auch vermeiden.

Von der Leben vnd erbambter wegen wirdet sein K. G. darinn
nach pillichen hanndeln, vnd das sich die, den also geliben wirdet,
gegen seinen K. G. halten vnd tun, als Sy seinen Gnaden des schul-
dig sein.

Item von des Lanndsrechten vnd Lanndmarschalb wegen wirdet
sein K. G. tun, als sich sein K. G. des menigermalln zetun verwilligt
hat, vnd die Lanndschaft mag yecz ainen oder mer zu Marschalb vnd

Besiezern furnemen, seinen K. G. die verkunden daraus zenemen, die seinen K. G. lannd vnd Lewten nuezlich sein.

Item von der Schub wegen, die wirdet sein K. G. an peider tail willen, oder an merklich vrsach nicht geben.

Item von der Spruch wegen, so ain Lanndsfurst zu ainem Lanndtmann, oder ain Lanndtmann zu ainem Lanndsfursten hat, wirdet seinen K. G. gevallen, das dez werde gehanndlt vnd gehalten, als von alter herkomen ist.

Item von der Munss wegen, die hat sein K. G. nye ringer dann auf das allt Korn vnd aufczal von erst gemunst, des auch nyemands auswendig munss erlaubt. Aber nachdem annder Vmsiezer vnd fursten vnd annder Ir Munss geringert, vnd dadurch seiner K. G. Munss gesuecht, vnd die aus dem lannd gefurt, haben die seinen K. G. vrsach geben, dadurch sein K. G. zu denselben zeiten auch hat ringers lahen vnd Munssen lassen, damit sein K. G. auch lannd vnd lewt nicht grossen schaden liten, vnd nachdem solh merklich Irrung in die Munss komen vnd gevallen ist, vermaint sein K. G., das das nicht fuglicher widerpracht mag werden, dann das ain Munss, der ain halb phundt ain gulden gelten, gemunst vnd die kewf vnd phenbert darnach geschoezt werden, wellen aber die lanndschafft die auf VI ss. haben, wirdet seinen K. G. gevallen.

Item von der abstellung wegen der Aufsleg vnd annder Newung, Wais meniklich wol, was nuez vnd Rennt in dem furstentumb Osterreich ain Lanndsfurst vor Zeiten gehabt, vnd nu icez hat, das auch die, so noch vorhanden sein, in drey tail geen. Was auch merklich darlegen ainem lanndsfursten von Krieg vnd widerwertikait wegen, so Inner vnd ausserlannds vnd sunder vnder der Enns sein, darezu legen gepuren, auch auf sold, Rat, diener, Lannd Marschalh, meniger, Vordrung, so etlich lanndlewt vnd annder tun vnd anders get, das alles vngeleich gegeneinander zugeben ist, dadurch solh aufsleg seinn K. G. an Rat vnd notdurft nicht furgenomen hat, vnd noch merklich notdurft vorhannden sein, darezu solher aufsleg bedorff, vnd die nicht geraten mag, So aber die Nuez vnd Rennt widerumb in des fursten kamer dienen, oder ander fuglich weg, davon er solh aushaltung tun mag, furgenomen werden, so ist sein K.G. willig sich zehallten nach Rat der Lanndschaft. So ist auch derselb aufsleg nicht furgenomen

ze nemmen von den Inwonern, sunder von den, so aus dem lannd
furen.

Item von des landfrids wegen ist sein K. G. willig, den zu banndt-
haben mit der Laundtschaft Hat vnd beystanndt.

Item von der Juden vud des hanndels wegen hat Vunser
herr der Kayser nye in willen gehabt, die an das lannd
wanhaft vnd hewslich ze seczen. Aber nachdem zu seinen
K. G. als Ro. Kaiser vnd an seiner K. G. hof Juden, haiden vnd aller
menigklich zuflucht hat, vnd den darinn vnd daraus ze hanndlen ge-
puret, vnd es auch nur hey den kristen stet, ob Sy mit
In banndeln wellen oder nicht, gepurt sein K. G. solh ab
vnd zueziehen nicht zu weren.

Item von Leyhens wegen der Lehen ist sein K. G. auch willig,
vnd das sich die lanndlewt widerumb gegen seinen K. G. gehorsam-
lich vnd also hallten, als Sy seinen K. G. schuldig sein. Vnd von der
Cannczley wegen hab sein K. G. nye verstannden, das yemant mit
seinem wissen beswert sey, wo das aber sein K. G. verstannden biet
vnd angelangt wer, wolt sein Gnad das vnderstanden haben, wirdet
auch bestella, Sy guttich vnd als von alter herkomen ist ze halten.

Item von der lanndschaft gnad vnd freyhait wegen, dabey wirdet
sein K. G. gern hallten, dann die zu bestatten wirdet sein K. G. auch
willig sein, was Im des in brieflicher Vrkund furbracht werden, vnd
sein K. G. ist willig, die zu bestelten, vnd das Sy sich gegen sein
K. G. gehorsamlich vnd also hallten, als Sy seinen K. G. als Herren
vnd lanndsfursten schulden.

Item von der schul zu Wienn wirdet sein K. G. Sy bey den ge-
naden vnd freyhaiten, So Sy von seiner Gnaden Vorvordern haben
hallten, In auch Irn Sold kunfticlich volgen ze lassen, also das Sy
sich gegen sein K. G. vnd also hallten, als sich gepurt.

Item von der Verschreibung wegen, so ettlich lanndlewt von den
fursten von Osterreich vmb Ir Kamergut mainen ze haben, die mugee
solh verschreibung fur sein K. G. bringen, so wirdet sein K. G. din
horen, vnd gen In darinn nach Rat seiner Ret vnd Lanndlewt nach
pillichem banndlen.

Item von der aussteenden Sold wegen wirdet sein Gnad willig,
was seinen Gnaden seins tails darinn gepurd sich halten nach
pillichem, hat auch der seinstails wol entrichten.

24 *

Item von der freybrief wegen fur geltschuld gibt sein K. G. nicht gern solh freybrief, es sey redlich vnd merklich vrsach vorhannden.

Item von der Aufvordrung vnd Veldczug wegen wirdet sein K. G. auch als bey seinen Vorvordern vnd von alter ist herkomen, hallten, also das Sy zu solhen notdurften sich auch hallten, als lr Vorvordern getan haben vnd von alter ist herkomen.

Item von Besaezung wegen der Phleg, Regirung vnd Embter Im lannd wirdet sein K. G. mit teglichen personen peseczen, als von alter ist herkomen.

Item von Haltung wegen der Lanndlewt an Mawtten vnd Zollen wirdet sein K. G. Sy hallten, als von Alter herkomen ist.

Item von furung wegen der fromhden wein vnd pier in das lannd wirdet seinen K. G. gevallen, das es auch damit gehanndelt werd, als von alter ist herkomen.

Item von Stewr vnd gwaltigem anlehen wegen, die an wissen gemainer lanndschuft nicht ze tun, wirdet sein K. G. sich darinn hallten vnd tun, als bey seinen Vorvordern vnd von alter herkomen ist.

Desgleichs von des Capitels zu Passaw guter wegen.

Item von der hilff wegen zu entrichtung der Soldner wolt sein K. G. derselben Soldner sovil tails lieber geraten haben, Was der aber sein K. G. gepraucht hat, die hat sein K. G. zu notwer haben muessen, nachdem sein K. G. von vil der lanndlewt zu hanndthallten seiner gerechtikait kain heistannd, sunder von ettlichen vnpillichen widerwertikait gehabt hat, dann wie die hilf leidlich sey, daraus mag geredt werden.

Item von der Versorgnuss wegen der Lanndschaft zegehen, das In solh hilf hinfur an lren freyhaiten kain schaden nicht pring, wirdet sein K. G. auch nach pillichen tun vnd wirdet auch seinen Gnaden gevallen, das dieselb hilf zu solben notdurften nach lnnhalt des Artikels gepraucht werde.

Item von der porgen wegen weilent Kunig lasslaws wegen, des hat sein K. G. nicht wissen, so aber des sein K. G. vnderricht, wirdet sein K. G. darezu redlich anttwurt tun vnd sich darinn nach Rat seiner Rete vnd Lanndlewt vnd nach pillichem hallten.

Auf der Stett Artikel Irer Henndel freybait vnd
laster (lasten) berurund.

Anttwurten die kaiserlichen Anweld, nu das vnserm allergene-
digisten Herren furbraeht, vnd durch Sy angeezaigt wirdet, Ist sein
K. G. willig, das zu vnderkomen, vnd scbaffen abezetun, damit Sy
wider Ir Gnad vnd freybait nicht gedrungen, sunnder gebalten wer-
den, als von Alter ist berkomen.

Auf die ersten Artikel von vnnsers des Rom. Kaisers Reten ist   *E. 84.*
   der Lanndschaft anttwurt hin widerumb.

Item auf den ersten Artikel hat die Lanndschaft vor geanttwurt,
das In ain gut gevallen sey, das die herren gutlich vmh Ir Irrung ge-
aint werden, dabey Sy es noch besteen lassen, es sey mit der wider-
gehung oder in aander weg, wann In darinn nicht weitter gepur ze-
hanndeln, noch ze tun haben.

Item auf den anndern Artikel Ist der Lanndschaft anttwurt, so
durch vnnser genedig Herren dem, so in dem anndern Artikel der
Lanndsehaft begriffen ist, naehgangen ist, so sein Sy auch willig ze
tun, was Sy seinen K. G. schuldig, vnd als von alter ist herkomen.

Item von der newen Auffeng wegen vnd hesaczung, newen
Mewlten vnd Aufslegen wegen, lassen das die Lanndleult steen, wie
Sy das in Irem Artikel geseezt haben. Wurd aber den Herren Irer
hilf darinn not beschehen, vnd Sy des an die Lanndschaft begeren,
so sein Sy des willig, als Sy sich des in dem Artikel hernach ge-
schriben verwilligt haben.

Item von der Huldigung, seheezung vnd gefangen wegen ist
naehgeben.

Item von der abgedrungen, abgewunnen vnd vergeben Geslosser
wegen & Main, es sul bey der Lanndlewt Artikel besteen.

Wie der Artikel durch vnsers Herren des Rom. Kaiser Ret ge-
seezt ist, lassen es die lanndleut dabey beleiben.

Item von der wegen, so sich widerseczen wurden & Ist nicht
Irrung Inn.

Item auf die zwen Artikel, antreffund der Herren beezalung
gessten vnd Lanndlewten, vnd das solh vngewondlich brief furan nicht
mer ausgeben, noch geben werden, lassen es die Lanndlewt pesteen,
wie Sy das in Irm Artikel begriffen haben.

Item auf den Artikel der Lehen vnd Enhter antreffund wider a leihen, Lassen es die Lanndlewt besteen, wie Ir Artikel das Innhelt, was Sy dann Vonserm Herren dem Kaiser widerumb schuldig sei, sein Sy willig, als von Alter ist herkomen.

Item von des lanndsrechten, Lanndmarschalk vnd Besiczer wegen lassen es die Laondlewt besteen bey dem furnemen der kaiserlichen Rete, vnd so die anndern sachen zu austrag kom, das dann dem verer werd nagangen.

Item von der Schub wegen, auch der Spruch, so ain Landesfurst zu ainem Lanndmann oder ain Lanndmann zu ainem Lunndsfursten hiet, lassen es die Lanndlewt besteen, wie der kaiserlichen Ret Artikel das Innenhalten.

Item von der Munss wegen. Lassen es die Lanndlewt bey Irm Artikel steen, nachdem vormallen daraus notdurftiklich geredt ist worden von seinen K. G. vnd Verschreibung von seinen K. G. darumb ausgangen.

Item von des Lanndsfrids wegen lassen es die Lanndlewt besteen, bey Irem furnemen, vnd der Antwurt vnnsers Herren des Kaisers Rete.

Item von der Juden wegen lassen es die Lanndleut steen bey vnnsers Herren des Kaisers Reten, der Antwurt doch also ist, das die Juden in das Lannd ze Osterreich bewslich nicht geseczt werden, auch kainerlay hanndlung noch Gewerb darinn mit nyemant treiben.

Item von der lehen vnd Canczley wegen, Lassen es die Laondleutt bey vnsers Herren des Kaisers Rete Anttwurt besteen, vnd so In also guediklich gelihen vnd gehalten werde, was Sy dann widerumb seinen K. G. schuldig sein, sein Sy willig ze tun, als von alter herkomen ist.

Item von der Lanndschaft Gnaden vnd freyhaiten wegen. Lassen es die Lanndleut auch besteen bey der Verwilligung vnnsers Herren des Kaisers Reten vnd der Lanndschaft furnemen des Artikl halben.

Item von der Hohenschul wegen. Lassen es die Lanndleutt bey dem Artikel besteen.

Item von Verschreibung der Lanndleutt, so Sy auf das Kamergut der fursten haben, lassen es die Lanndleutt bey vnsers Herren, des Kaisers Reten anttwurt steen, doch das Sy davon an Lanndsrecht nicht gedrungen werden.

Item von des Solds wegen & lassen es die Lanndlewt steen bey
der anttwurt vnnsers Herren des Kaisers Reten.

Item von freybrief wegen fur geltschuld & Lassen es die Lannd-
lewt steen bey Irem furnemen.

Item von aufvordrung vnd Veldczug vnd von Besaezung wegen &
lassen es die Lanndleutt bei der Anttwurt vnsers Herren des Kai-
sers Rete.

Item von Halltung wegen der Lanndleut an Mautten vnd Zollen
vnd von fuer wegen der frombden wein vnd pier in das Lannd lassen
es die Lanndleutt besteen bey der Anttwurt vnnsers Herren, des
Kaisers Ret.

Item von Stewr vnd gewalliger anlehen wegen & lassen es die
Lanndleutt besteen bey vnsers Herren des Kaisers Reten anttwurt vnd
Irem furnemen Irs Artikls.

Der Lanndleut furnemen der Gemain Stewr des Lannds.   E. 85.

Item von erst ist furgenomen durch aynigung willen baider
Herren, vnd auch durch befridung vnd gemains nucz des Lannds ze
Osterreich, das sich verwilligt haben die vir stennt des Lannds uinen
aufslag ze tun, also das ain yeder Prelat, Graf, Herr, Ritter vnd Knecht
vnd die von Stetten mit allen Iren lewtten daran sein, d a s d i e I r n
v o n a l l e n I r e n e r b g u t t e r e n, wo s y d i e h a b e n, m i t s a m b t
d e r v a r u n t e r .h a b v n d s o v i l a i n e r d e s h a t, a l b e g v o n
z w a i n e z i g p h u n d t p h e n n i n g w e r d a i n p h u n d t p h e n n i n g
g e b e n s o l, das sullen dieselben herren, die von den vir stenndten
zu einnemen derselben Stewr darczu geordent werden antwurten,
desgleichen sullen auch die Stetten von allen Irn erbgutteren auch
geben von XX Pfd. dn. werd 1 Pfd. dn., vnd das sol also in yeder
Stat mit wissen ains Burgermaister vnd des Rats eingenomen, vnd
auch denselben Herren, so darczu geordent sein, dann geantwurt
werden alles getrewlich vnd Vngeverlich.

Item desgleichen sullen auch a l l o r d e n v n d L a y p r i e-
s t e r s e h a f t, In was wesen oder stanndt die sein, Ir lewt auch geben
lassen von XX Pfd. dn. wert 1 Pfd. dn.

Item desgleichen allen Z e c h e n sol angeslagen werden auf Ir
erb vnd guter von XX Pfd. 1 Pfd. dn.

Item desgleichen sullen auch alle Spitallewt vnd Holden von allen Iren erben vnd varunden gutteren geben von XX Pfd. wert 1 Pfd. dn.

Item was pharer vnd Altaristen sein, die sullen gehen den drittentail Absencz, es sein geistlich oder werltlich, welh aber nicht Absencz haben, die sullen geben vnd In aufgelegt werden nach Irm stanndt vnd Anslaher, vnd darumb sol vnnser Herr von Passaw mit seinem Official vnd Techent schaffen, die angeslahen einezebringen, vnd alsdann die anttwurten den Herren, so zu der Stewr einnemer geordent werden.

Item all dienund priester sullen geben von Irm Jarsold den vierden tail.

Item all Innlewt, die in Merkchten vnd Dorffern sein, die nicht erbguter haben, die sullen geben von XX Pfd. wert 1 Pfd. dn.

Item all kaufleutt vnd Legerherren, so in den Stetten vnd Merkhten ligen, vnd gewyn aufheben, sullen auch geben yeder nach seinem Hanndel darnach sein kaufmanschacz ist von XX Pfd. wert 1 Pfd. dn.

Item all hestenndler, die da wein oder traidezehent bestennd, vnd in Stet, Merkcht oder Dorffer furen, die sullen auch geben von XX Pfd. werd 1 Pfd. dn.

Item das alle die Gesst, die hollden vnd guter Im lannd haben, dieselben Ir lewt sullen auch geben von erb vnd varunden guter von XX Pfd. werd 1 Pfd. dn.

Item all Gesst, In was wesen oder stanndt die sein, die sullen geben von irn erbgutern; es sein Merkht, Dorffer, hof, holden, hewser, Weingarten, Zehent, Perkrecht, aigen oder grundinst albeg von XX Pfd. dn. 1 Pfd. dn.

Item darauf sullen in yedweders virtail zwen geordent werden, die Stewr anezeslahen vnd einezebringen, die darumb wissen, vnd sich darumb erkunden sullen vmb der Gesst guter, solh ohgenant stewr all anttwurten den, so von den virstenndten die einezenemen darezu geordent sein.

Item ain yetweder Pawrknecht, der da sold hat, der sol von seinem Jarsold den Vierden tail, daroh sol ain yeder Herr sein, das die stewr von den knechten einpracht werde, vnd die mit Irer stewr anttwurten.

Item das sich anch die fursten verschreiben, das
Sy mit gewaltiger Hanndt, noch sunst in die stewr
nicht greiffen noch das schaffen ze tun.

Item es ist auch furgenomen, das die Vier, so zu der Stewr ge-
ordent sein, nichts damit hanndlen, noch furnemen sullen an der Vir-
stenndt willen vnd wissen.

Vnd als darnach an freytag nach sannd Anndres tag der Hoch- 25. *November*
geborn furst Erczherczog Albrecht loblicher Gedechtnuss mit 1463.
tod verschaiden ist. Haben darnach die Lanndleut zu sand
Lauceintag ain tag besuecht zu Hederstorf, vnd die hernach ge- 13. *Decemb.*
schriben Artikel furgenomen. 1463.

Item als zu Tulln auf dem Lanndtag zu sand Mau- E. 86.
riezen tag vnnsers allergenedigisten Herren, des Rom. Kaisers &
begeren gewesen ist, das sein K. G. zu den abgedrungen
geslossen widr kom an Irrung, darinn die Lanndschaft nicht
ain misvollen gehabt haben, sunder gern gesehen, das Ir beder Gnad
gutlich mitenander gesinet wern worden, vnd nu der durchleuchtig
furst, Erczherczog Albrecht mit tod abgangen, vnd vnser genediger
Herr der Romisch Kaiser zu denselben abgedrungen vnd anndern Ge-
slossen Rechter erblicher Regirunder Lanndsfurst ist, So sehen die
Lanndleut, so yeczund bey dem Lanndtag zu Hederstorff beieinander
sein, gern, das sein K. G. an Irrung darezu kom, vnd erpieten sich
auch seinen K. G. gehorsam zu sein als Irm Regirunden Herrn vnd
Lanndsfursten, doch das sein K. G. der Lanndschaft die
Artikel, so zu Tulln bey dem tag furgenomen vnd
bernach gemeldet sind, bestelt vnd gnedigklich
dabey halt.

Von erst ist der Lanndleut notdurft, das allen von den Virstenn-
den des Lannds Osterreich, die vnnserm Herren dem Rom. Kaiser,
oder vnserm Herren Erczherczog Albrechten entsagt sein, vnd was
auch absag von den Lanndleutten, den von Wienn, vnd andern Stetten
ausgangen wern, das den Ir absag auch ainem yedem, Sy sein geist-
lich oder wertlich, die sich in den kriegsleuffen gegen vnsern gne-
digen Herren verschriben hieten, solh verschreibung yecz auch wi-
dergeben werden vngeverlich, Das auch all Vngnad vnd reindtschafft,
die sich in den kriegsleuffen mit nam, tat, oder in anderen wegen

gegen seiner K. G., oder seiner K. G. Vndertan von den Herren den
hemellten Lanndleuten vnd von den von Wienn vnd Irn, die kainem
tail entsagt sein vnd still gesessen sind, vnd sunder Vnnserm Herren,
dem Bischove ze Passaw begehen haben, ganncz ab sein, kunf-
tiklich gegen kainem In Vngnaden, Raeb, noch in dhainen anndern
wegen von nyemant in was wesen oder stanndt er sey, Nymermer
gesucht, noch gedacht werden, weder mit Recht, noch an Recht,
geistlich noch weltlich, das auch daz nach allen notdurften versorgt
werd vngeverlich.

Item nach dem vnd wir vns in die gehorsam vnnsers allergene-
digisten Herren, des Rom. Kaiser als Regiruadem Herren gehorsam
verwilligen, so sullen auch new Auffeng oder Besaczung,
die durch vnser gnedig Herren Vndertan, die Iren, Herrn Stennko
von Sternberg vnd annder, durch wen das beschehen wer, Im
lannd gemacht oder aufgefangen sind, an verezichen vernicht
vnd abgetan, auch furbas die, noch annder verrer nicht geprauchi
werden. Desgleichen all aufsleg vnd new Mewt, die
nach Ahgang Kunig Albrechts loblicher Gedechtnuss
gemacht, vnd von Alter nicht gewesen, noch herkomen sind, von
wem die gemacht oder furgenomen wern, Niderhalb vnd ob der
Enns abgetan vnd furbaser auch nymer genomen werden.

Item es sullen auch all Huldigung absein, vnd furbas
nicht mer gegeben, noch genomen werden, vnd auch all gefan-
gen, was der kriegsleufthalben gofangen sind, ledig
gelassen werden vnd all schaczung absein an ausczug.

Item was yeder in den kriegen von Geslossen, Siezen,
Embtern, lewtten vnd guttern abgedrungen, angewunnen oder
vergeben, von wem das beschehen wer, Auch ob brief genomen
weren, was der vorhannden sind, das es denselhen, in was wesen
oder stanndt die sein, wider Ingehen mit allen fruchten, als die
yecz sind abgetreten worden, an Verrer waigrung vnd widerred vn-
geverlich, in der zeit, nach dem die Verayniguag beslossen wirt,
darnach ynner vier wochen vngeverlich.

Item ob yemants wer, der In solhem fornemen Vnnserm
allergenedigisten Herren, dem Rom. Kaiser nicht gehorsam sein
vnd mutwilliklich des seczen wolten, das dann Vnnser
allergenedigister Herr, der Ro. Kaiser gewaltiklich dareztu, den oder
die dareztu zwing, das Sy gehorsam sein, vnd ob vnnser allergenedi-

gister Herr, der Ro. Kaiser der Lanndschaft der Virstenndt darezu
bedorfft, vnd Sy darezu vordern wurd, so sol man auch sein Gnaden
solh vngehorsam helfen gehorsam ze machen.

Item das Vnnser allergencdigister Herr, der Ro. Kaiser vnd auch
vnnser gnediger Herr, Herezog Sigmund all redlich geltschuld
vnd verschreibung, dy von Irn Gnaden, oder von anndern
Vnnsern gnedigen Herren von Osterreich gegeben vder gemacht sind
auf zeit, der nu aus wern, oder kunftiklich aus sein wurden, alsvil der
yeder seins tails schuldig ist zu entrichten, gnedigklich be-
czallen, damit Lannd vnd lewt darumb nicht angriffen oder besche-
digt werden.

Item ob yemand seine lehen aufgesagt hiet, welhem
Herren das wer, oder wie sich die kriegszeit Irrung in lehen begeben
hette, dem oder denselben sullen Ire lehen gnediklich
an schaden gelihen werden, so Sy des bogeren mit-
sambt den Erbemtern.

Item das das Lanndsrecht mit ainem Lanndmarschalh ver-
sehen, vnd mit Beysiczeren von Herren, Rittern vnd Knechten geseczt,
geschermt vnd gehalten werd, damit das Lanndsrecht sein furgang
hab, als von alter herkomen ist.

Item das an beder tail willen, oder an merklich
echaft not nicht schub gegeben werden, damit das Recht
ain furgang gehaben mug.

Item ob der Lanndsfurst zu ainem Lanndtmann,
oder ain Lanndtmanr zu ainem Lanndsfursten zespre-
chen gewunn, ob das nicht gutlich mug abgetragen werden, das
er dann demselben Lanndtmann oder der Lanndtman ainem fursten
darumb furnemen mit Recht, als von Alter herkomen ist vngeverlich.

Item das die Munss bey dem werd, koren vnd auf-
czal gehalten werd, als die durch gemaine Lanndschafft mit
willen vnd wissen Vnnsers genedigsten Herren des Rom. Kaisers zu
Wienn furgenomen ist, das auch vnnser genedigister Herr darob, das
khain auswendige Munnsz auf den wiener slag nicht
gemunst, noch geprauoht werde, vnd das kainer aus-
wendigen Munss im Lannd recht gebanndelt, noch ge-
nomen werde, damit die Munss im Lannd Osterreich bestenntig
beleiben mug, vnd das der Slachschacz nicht gehohert
werde vngeverlich.

Item als zu Tullen durch gemaine Lanndschaft nach-
geben vnd verwilligt ist ain Aufslag im Lannd, es sey
oberhalb oder niderhalb der Enns, von den zu nemen auf sechs
Jar, habend sich die Lanndleut, So yeczund bie sind, vnderredt,
das nur ain aufslag von wein, von aim fuder ain phundt,
vom dreyling sechs schilling phenning, vnd von myn-
nern punndt nach dem yecz ainer bat, genomen werd
vnd sol genomen werden von den, die aus dem Lannd furen, es sey
auf lannd oder auf wasser, vnd das all aunder aufsleg vnd newung
abgetan werden vnd nachdem des Lanndes Rennt vnd nucz vast ist,
habend die Lanndleut yecz hie sich verwilligt, ainen
gemainen Anslag geen zu lassen, das zwainczigist
phundt, als zu Tullen verwilliget ist, also das von vnserm
Allergenedigisten Herren dem Rom. Kaiser zu dem Aufslag vnd auch
von der Lanndschaft Inczenemen geordent werden, desgleichen zu
der gemainen Stewr, vnd was von dem allen gevellet, das sol zu aand-
ers nicht geprauchi, noch genuczt werden, dann zu Ablosung der
Rennt vnd nucz des Lannds nyderhalb vnd ob der Enns, doch das
Vnnser allergenedigister Herre, der Rom. Kaiser ge-
maine Lanndschaft die vierstenndt darumb versorg,
das solh Ir Verwilligen der Stewr vnd des Anslag an
Irn freyhaiten vnschadhaft beleiben, vnd kunftiklich
gehalten werd, vnd auch das von Rechtens wegen nicht
getan, sunder von Irm guten willen, vnd das Vnnser aller-
genedigister Herr, der Rom. Kaiser darob sey, das die Soldner vnd
gesst an verrer beswerung des Lannds abgevertigt werden, damit das
Lannd in Rue, frid vnd gemach von seinen Gnaden beseczt, pracht
vnd geschermt werde, damit ain lannd zu dem anndern gearbai-
ten mag.

Item Nach dem vnnser allergenedigister Herr, Kunig Albrecht
loblicher gedechtnuss die Juden aus dem lund getan hat von merk-
licher Vrsach vnd des pessten willen, das die hinfur in das
Lannd Osterreich nymermer geseczt noch dhain Hannd-
dels Im Lannd gestat, noch darinn gehalten werden.

Item das alle leben den Lanndlewtten von Vnnserm Aller-
genedigisten Herren dem Rom. Kaiser gnedigklich gelihen vnd darinn
gehalten werden, als hey Iren vorvorderen beschehen ist. Auch in der
Canczley wider alts herkomen nicht beswert werden vngeverlich.

Item das vns die Lanndsfursten bey allen vnsern Gnaden, freyhaitten, loblichen gewonbaitten vnd alten herkomen gnedigklichen hallten, vnd vns die zu bestetten in der gemain oder besunder.

Item das auch die Hochschul zu Wienn pey iren eren, wirden vnd freyhaiten gehalten vnd In Ir sold gegeben werd, als die von den fursten von Alter herkomen vnd gestifft ist.

Item was lay Verschreibung die Lanndlewt von den fursten vnd Irn Vordern vmb kamergut haben, das Sy dabey genediklich gehalten, vnd an Lanndsrecht davon nicht gedrungen werden.

Item das Vnnser gnedig Herren Vnnser Sold vnd annder redliche schuld von Kunig Laslaw, von In vnd anndern fursten herkomend, genedigklich vnd furderlich bezallen, als vns dann vormalln von Iren gnaden zugesagt ist.

Item das vnser Herr der Kaiser khainen freybrief fur Geltschuld geb, sonder das Recht ainem yeden darumb offen lasz, vnd ob solh brief darumb ausgangen wern, das sein Gnad die abtue vnd krafftloz mache.

Item das vns sein Gnad in ausvordern vnd Veldczugen halt, als sein Vordern Vnnsern Vordern gehalten haben.

Item das sein K. G. die phleg vnd Ambter Im lannd mit lanndleutten des Lannds beseczt, vnd die Regirung den Gesten nicht bevolhen werd.

Item das man es mit den Mewtten vnd Zollen mit den Landlewten halt, als von Alter herkomen ist.

Item das die frombden wein vnd pier in das lannd zefuren nicht erlaubt, sunder gewert werden, als das von Allter auch herkomen ist.

Item das khain Stewr, noch gewaltigs anlehen auf gemaine Lanndschaft anvergunnen vnd willen gemainer Lanndschaft angeslagen noch furgenomen werd, weder in der gemain, noch in sunderbait auf geistlich noch welttlich, dadurch nyemants wider alt loblichs herkomen beswert werden, Vnd ob solh Stewr mit vergunnen der Lanndlewt furgenomen wurd, das dann mit der gemain priesterschaft darinn mit wissen des Bischolfs, vnd besunder gegen den guteren des Capitels zu Passaw nicht als mit Gesste guteren, sunder als bey Kunig Albrecht vnd sein Vordern gehalten ist, gehanndelt werde.

Item das vnnser allergenedigister Herr, der Ro. Kaiser gemaine Lanndschaft der Vier stenndt vmb all vorgemelt artikel genediklich versorg, oder versehe, dadurch denselben sachen allen nachgangen werde.

Item das all porgen, die von Kunig Laslaw loblicher gedechtnuss in porgschaft komen sein, genedigklich an schaden geledigt, damit die porgen, auch Laand vnd Lewt nicht in schaden pracht werden.

Item als die von Wienn in sunderhait Irer notdurft ettlicher Artikel in geschrifft dem Hochwirdigen Vater, dem Legaten bey dem Tag ze Tulln geanttwurt haben, vnd sein wirdigkait denselben von Wienn ettwas zu ainer mittel furgehalten vnd daraus geredt hat, dieselben Artikel halten In die von Wienn noch emphor, vnd begeren sich darinn genediklich ze horen, vnd auch enndt ze geben.

22. Decemb. 1463.   *Ain schreiben an Vnnsern Herren Kaiser ausgangen von den Lanndlewten zu Hederstorff vmb glait.*

Abgedruckt in Chmel, Regg. II, Anhang, Nr. CLXIII.

23. Decemb. 1463.   *Ain Gelaubbrief an Vnnsern Herren Kaiser von den Lanndlewten.*

Abgedruckt in Chmel, Regg. II, Anhang, Nr. CLXIII.

E. 87.   *Der Lanndleutt werbung an Vnnsern Herren Kaiser.*

Von erst Vnnserm allergenedigisten Herren, dem Romischen Kaiser zu sagen Ir vndertenig Dinst.

Item als die Lanndleutt zu Hederstorf in Samung beieinander gewesen sein, Vnd vernomen haben, wie ewr K. G. ain missvallen an solhem zusamenkomen hab *), haben die Lanndleutt ewrn K. G. geschriben vnd gepeten, das ewr K. G. ewr Gnaden Rete, oder wer

---

*) Cfer. Chmel, Regg. II, Anhang, Nr. CLXII.

ewrn Gnaden darezu gevallt zu den Lanndleutten geschikcht, die gehort hietten solh der Lanndleutt furnemen. Nu aber von ewr K. G. wegen nyemant gesanndt ist, haben die Lanndleutt solb lr furnemen in Geschrifft pracht, die ewr K. G. gnediklich horen well, vnd haben das im pessten geruten, das Sy hoffen, ewr K. G. werde versteen, das solh furnemen fur ewr K. G. auch fur ewr K. G. Lannd vnd Lewt sein.

Item So die Artikel der Lanndleut furnemen gehort werden, das an sein K. G. werd begert, nach dem ain tail von prelaten Herren, Ritter vnd Knechten, vnd den von Steten hey dem tag zu Hederstorf nicht gewesen sein, das Vnnser Herr, der Rom. Kaiser dieselben auf ain tag vnd stat zueinander gevordert hiel, In das furnemen furhielt, das Sy lrenthalben darinn auch zusagen, sein K. G. gehorsam ze sein, vnd auch des aufslags sich verwilligen.

Item ob vnnser gnediger Herr, der Kaiser an den anndern lanndleuten, die nicht yeez hie gewesen sind, solh Verwilligung auch verstuend, das er das den Lanndleutten, die sich hie darinn gehen haben, verkund, damit sich darnach wissen ze richten, vnd damit den sachen dester fuderlicher nachgegangen mug werden.

Item das Vnnser Allergenedigister Herr, der Rom. Kaiser hiel lassen Reden mit den Soldnern zu Ybs vnd den anndern, damit sein Gnad hiel gewest Ir schuld, Sy darnach abzuvertigen.

Item damit Lannd vnd Leut dester fuderlicher in frid vnd gemach gesezt vnd pracht mug werden, Ist durch die Lanndleut, so zu Hederstorf bei einander gewesen sein, betracht vnd furgenomen, Vnnsern gnedigen Herren, den Ro. Kaiser zu pitten, das sein K. G. allen Lanndleuten haubtlewten, Phlegern vnd allen anndern seiner Gnaden Ambtlewten vnd Vnderlanen in Stetten, Merkhten, Dorffern, in dem Lannd Osterreich ernstlich schreib vnd bevelich, das allenthalben im Lannd ain bernuffen beschech, wo oder wellend sich knecht, Es sind gereisig oder fuesknecht oder annder, an welhen ennden, gerichten oder gepieten sich die aufhielten vnd nicht dinst hieten, die auf Sold vnd Dinst warten wolten, das sich die in den Stetten vnd nyndert anderswo aufhulten. Ob aber vber solh gepot ainer oder meniger begriffen wurd, das er oder die zu seiner Gnaden hannden geantwurtt vnd mitsambt den, die Sy darezu hehawsen, in was wesen die sein, mit straff nach Irn verschulden furgenomen werden.

Item ob yemant mit nam oder mit tat beschedigt wurd, an welhen ennden das beschech, vnd ain geschray vber die solh angriff teten

komen wurd, das alsdann yeder man an denselhen ennden, wer von
Jugent, oder alter mag, ze rossen vnd ze fuessen anvereziehen auf
sey, vnd denselben nachezestellen vnd nachezekomen, damit die an-
griff gewenndt vnd der Lanndsfrid dester paser gehalten mug werden,
vnd die heschediger gestrafft.

Item das auch ainem yeden Lanndman bey swerer Vngnad vnd
straff seiner K. G. verpoten werd, das khain heschediger durch In,
noch die sein auf Irn grunndten behalten noch bebaust werden, vnd
weblich dawider teten, das Sy swerlich darumb gestrafft werden.

Item das auch sein K. G. ausschreib dem von Sternberg
vnd sein Herren Wilhalm Puebaim, dem Webinger
von Schonaw, dem Lewprechtinger gen Hawgstorff,
dem Harnasser gen Gros, dem Phirter, dem Raben-
stainer vnd anndern, wie die genant sein, die den
Krieg enbalben der Tunaw furen, das Sy der krieg vnd
huldigung aufhoren, damit das Lannd nicht weitter bekriegt, noch be-
schedigt werd.

E. 88. *Vermerkht die Antwurtt vnsers allergenedigisten Herren des*
Rom. Kaisers auf die iecz bemelten Artikel von den Lannd-
leuten zu Hederstorff furgenomen vnd seinen K. G. vbergeben.

Von erst als angeezogen wirdet, das nach dem weilent Erez-
herezog Albrecht, dem Got genedig sey, mit tod verschaiden ist, sein
K. G. widerumb an Irrung zu dem kome, das sein Gnaden abgedrun-
gen ist, auch das sich die Lanndlewt erbieten, seinen K. G. Irem
Regierunden Herrn vnd Lanndsfursten gehorsam ze sein, daran hat
sein K. G. ain gut gevallen, vnd wie wol das pillich, vnd der merer
tail der Lanndlewt seinen K. G. vor gehorsam gewesen ist, auch sich
die merklichisten, so sich weilent Herczog Albrechtz gehallten, das gen
In gnediklich erkennen, vnd sich gen In als gnediger Herr vnd Lannds-
furst beweisen, vnd begert sein K. G. seinen Gnaden ze helfen, damit sein
K. G. solh sein abgedrungen Geslosser, stukh vnd guter wider werden.

Vnd als die Lanndleutt begeren allen von den Vierstennden des
Landdes Osterreich, die sein K. G. oder weilent Herczog Albrechten
entsagt sein, was auch absag von den Lanndleuten den von Wienn
vnd anndern Steten ausgangen wern, den Ir absag, auch ainem yedem
geistlichen vnd weltlichen, die sich in den kriegslewffen verschriben

haben, solh verschreibung wider ze geben nach Innhalt des Artikels,
is sein K. G. willig, die ahsng, so sein K. G. heschehen sein, wider-
czegeben, auch seiner Gnaden hulhen all Vngnad vnd Vnwillen vallen
lassen, Sein K. G. wais auch khain sundrew Verschreihung, so sein
Gnad der sachen hulhen hab, weder von geistlichen noch von
welltlichen, wurd aher sein Gnad der erinnert, wolt sein Gnad
auch widergehen also das sich die Lanndleutt widerumh gegen sein
K. G gehorsamlich vnd also hallten, als Sy des sein K. G. als Irm
erbherren vnd Lanndsfursten schuldig vnd phlichtig sein.

Item von der newen Auffeng wegen, auch new Mautt vnd Auf-
sleg Im Lannd abzetun ist sein Gnad willig, was der von den Lanndd-
leutlen vnd anndern furgenomen sein vnd ingenomen werden, mit Rat,
hilf vnd heistanndt der Lanndschaft also abzetun.

Item von der huldigung, gefangen vnd schaezung wegen gevellt
es seinen K. G. wol nach Innhalt der Lanndleut Artikel.

Item von der abgedrungen Geslosser, Siez, Embter, Lewt vnd
guter, auch der genomen brief wegen gevellt seinen Gnaden wol, was
yemanden in den kriegen von den Geslossern, Siezen, Embtern,
Lewten vnd Guetern, auch briefen genomen wern, was der vorhann-
den sein, das daz denselhen auch widergehen werde, vnd das des-
gleichen auch sein K. G. vnd den, so sich seiner K. G. gehalten
haben, Ir abgedrungen Geslosser, Embter, Siez, lewt vnd guter, brief
vnd annder guter, auch wider werden alles vngeverlich.

Item ob yemands darinn vngehorsam sein wolte, wie es damit
gehallten werden sollte, gevellt sein K. G. nach Innhalt des angeben
Artikels das ze hallten.

Item von beczalung wegen redlicher schuld vnd ver-
schreibung & anttwurt sein K. G. hab der bisher vil heczalt,
vnd wil sich auch hinfur seins tails darinn nach pillichen
hallten.

Item von der vngewondlichen gelltbrief wegen, Anttwurtt sein
K. G. das nicht not wer, das gegen seinen K. G. anezezichen, nach-
dem sein K. G. der nicht Ingedenkh ist, solh vngewondlich brief ge-
ben ze hahen, maynt auch die kunfliklich nicht ze geben, vnd begert,
das die Lanndlewt seinen K. G. sein Kamergut hinfur auch nicht ver-
schreihen vnd versigelln, als dann mit seiner K. G. Stat vnd Kamergut
zu Yba ist beschehen, als sein Gnad ist anbelangt, vnd das die, so nu
also verschriben haben, die widerumb ledig machen.

Item von der Lehen vnd Erbembter wegen, die ist sein K. G.
willig ze leihen, also das sich die, den also gelihen wirdet, gen
sein K. G. hallten vnd tun, als Sy sein K. G. des als Lanndlewt vnd
Lehenslewt schuldig sein.

Dann von des Lanndsrechtens, Landmarschalb vnd Besiczer
wegen ist sein K. G. willig, sein K. G. hat sich auch des vor erboten
vnd tan, vnd wil das hinfur auch nach Irem Rate haondeln vnd tun.

Item von der Schub wegen ist sein K. G. willig, die an baider
tail willen, oder an redlich vrsach nicht ze geben.

Item von der Spruch wegen, so ain Lanndsfurst zu aim Lannd-
man, vnd widerumb ain Lanndtman zum Lanndsfursten gewinn, ge-
vellt seinen K. G., das das gehanndelt werde, wie von alter her-
komen ist.

Item von der Munnss, auch des Slachschacz wegen, vnd auswen-
digen Munss, Ist sein K. G. willig, das ze hallten, wie das zu Wienn
in vergangner zeit nach Rat der Lanndlewt ist furgenomen, Sein
Gnad wil auch daran sein, das dhain auswendig Munss auf der Wienner
slag nicht sol gemunst werden.

Item von des Aufslags wegen, auch der Stewr, darinn sich die
Lanndschafft gemainer Vierstenndt verwilligt hat, hat sein Gnad ain
gut gevallen an der Lanndschaft verwilligen, vnd wil sein K. G. solhs
zu Ablosung der nucz vnd Rent, auch zu enttrichtung der Soldner vnd
anndern notdurften des Lanndes prauchen, vnd ist auch sein
K. G. willig, den von Adel versorgnuss zu geben, das
solh verwilligung der Stewr auf Ir lewt In hinfur an
Iren freyhaiten vnvergriffen sein sol.

Item von der Juden wegen nymbt sein K. G. frombt, das der
Artikel alsofn ungeezogen wirdet, nachdem sein K. G. nye Im willen
gewesen, vnd noch nicht ist, dhainen in das Lannd hewslich zeseczen,
aber ab vnd zueziehen puri seinen K. G. nicht zuverpieten, nachdem
Sy vnd annder zu seinen Gnaden als Rom. Kaiser zuflucht haben.

Item von der Lehen wegen ist sein K. G. willig die ze leihen,
also das sy sich gegen sein K. G. gehorsamlich vnd also hallten, als
Sy sein K. G. als Lanndleut vnd Lehenslewt schuldig vnd phlichtig
sein, Sein K. G. hab auch verstannden, das yemants darinn beswert
sey, Wo aber sein Gnad darumb angelangt wrr, oder wurde, wolt
sein Gnad auch bestellen Sy gutlich vnd als von alter ist herkomen,
in der Canncziey ze hallten.

Dann von Bestellung wegen Irer freyhait, vnd Sy duhey ze hallten ist sein K. G. willig, Sy bey solhen Iren Gnaden vnd freyhaiten ze halten, Vnd auch die vnd alt loblich herkomen, was Sy der hrieflich furbringen, zu bestettigen.

Item von der Schul wegen zu Wienn, Ist sein K. G. auch willig bey Iren freyhaiten ze hallten, In Iren Sold, als von allter ist herkomen, schaffen zegeben, doch also, das Sy sich gegen sein K. G. als Herren vnd Lannds fursten, als Sy des schuldig vnd phlichtig seyn, hallten.

Item von der Verschreibung wegen, was die Lanndlewt vmh der fursten Kamergut maynen ze haben, Ist sein K. G. willig, was Sy redlicher Verschreibung furbringen, darian gen In ze hanndeln nach Rat der Lanndlewt vnd pillichen.

Dann von aussteender Sold wegen, auch vnnder schuld von Kunig Lasslawen vnd anndern fursten herrurende, Ist sein K. G. willig, was Im solher redlicher schuld furbracht werden, die seiner Gnaden tails zu beczallen, als der sein K. G. nu meniger beczalt hat, wo aber Irrung darinn komen, wil dennoch sein K. G. darinn hanndeln nach Rat seiner Gnaden Ret vnd Lanndlewt.

Item von der freybrief wegen fur gellter hat sich sein K. G. rast gehut der ze geben, Maint auch das der nicht vil gefunden werden, well sich auch hinfur desgleichs davor luetten.

Dann von Aufervordrung wegen vnd Veldezug, Ist sein K. G. auch willig, Sy als von alter ist herkomen ze hallten, Also das Sy sich desgleichs widerumb in solhem auch hallten, als Ir Vordern getan haben, vnd von alter ist herkomen.

Item von Besaczung wegen der Phleg, Regierung vnd Embtern ist sein K. G. willig, darinn ze hallten, wie von alter ist herkomen.

Item von Haltung wegen der Lanndlewt an den Mewtten vnd Soldnern, ist sein K. G. willig das auch schaffen zu beschehen, als von alter ist herkomen.

Item von furung wegen der frombden wein vnd pier in das Lannd gevellt seinen K. G. auch, das es damit gehanndelt werde, als von alter ist herkomen.

Item von der Stewr vnd gwaltigen anlehen wegen wil sein K. G. darinn hallten vnd tun, als bei sein Vorvordern vnd von alter ist herkomen.

Desgleichs von der Priesterschaft vnd des Capitels zu Passaw guter wegen.

25 *

Item von Versorgnuss wegen der Lanndschaft, darinn wil sich sein
K. G. als gnediger Herr and Lanndsfurst vnd nach pillichen hallten.

Dann von der porgen von weilent Kunig Lasslaws wegen ist sein
K. G. solher porgschaft, wo die hin trifft, nicht erinnert. So sein
K. G. des aber vnderricht wirdet, wil sein Gnad darinn gnedigklich
vnd nach pillichem hanndlen.

Item von der Wiennerischen Artikel wegen hat sein K. G. gen
den, so von der Stat Wienn wegen yeez hie sein bey sein K. G., sein
in solher mass vnd genedigklich erpieten, daran sein K. G. hoffet, Sy
vnd gemaine Stat ain gut gevallen haben sullen.

K. 89.   Dann als die von der Lanndlewt wegen, so zu Hederstorf ge-
         wesen sein, ettlich Artikel ausserhalb der obgeschriben Artikel
         mundlich erzellt, vnd darnach auch in geschrift vbergeben
                            haben Anttwurt.

Von erst von ervordrung wegen der Lanndlewt, so bey dem tag
zu Hederstorff nicht gewesen sein, vermaint sein K. G., nach dem
dieselben Lanndlewt in seiner Gnaden gehorsam vnd auf seiner Gna-
den bevelhen ausbleiben, nicht notdurft ze sein Sy zuervordern, wann
sein K. G. nicht zweifelt, Sy werden sich gen sein K. G. hinfur auch
als gehorsam Lanndlewt hallten.

Dann die, so bey demselben Lanndtag sein gewesen, der sein ain
tail vormals in gehorsam seiner K. G. gewesen, vnd die anndern auch
noch bey leben weilent Herczog Albrechts seinen K. G. solh gehorsam
tan vnd zugesagt habend, hofft sein Gnad, die anndern auch seinen
K. G. desgleichs gehorsam sein werden, So ist man auch der stukch
aller vormals bey dem Lanndtag auf sand Mariezen tag zu Tullen ge-
hallten guter mass ains worden, da dann der merer tail der Laundlewt
gewesen, vnd die anndern, so nicht da sein gewesen, von Iren wegen
daselbs gehabt haben, die auch haben zugesagt, was da furgenomen
wurde, daran ain gut gevallen ze haben.

Dann von der Soldner wegen zu Yhs vnd aundern Soldnern ze
reden, das hat sein K. G. nu lengst bestellet vnd yeez auch von newem
geschrihen vnd begert, ettlich aus In zu seinen K. G. ze schikchen,
bey den sein Gnad dann Vleiss tun wil, damit Lannd vnd Lewt kunf-
tigs schadens von In vertragen beleiben.

Von beruffen wegen derhalben, die nicht dinst haben, anttwurt
sein K. G., nach dem die Soldner noch nicht entricht sein, sey solhs

berueffens nicht Zeit, So sich aber die ding annders schikchen
zu enntrichtung vnd Abfertigung, sey sein K. G. zu frid ge-
naigt, vnd wil schaffen, die weder in Steten, noch auf dem Laund zu
enthalten, wann sein Gnad die in seinen auch nicht gern haben wolt.
Von Ausschreibens wegen dem von Sternberg vnd anndern,
die krieg vben, wil sein K. G. auch gern den schreiben, so in seiner
Gnaden gehorsam sein, desgleichs den anndern, vnd ob die nicht ge-
horsam wurden, nach Rat vnd mit hilf der Lanndlewt gen denselben
baundeln, damit Laund vnd Lewt in frid vnd gemach geseczt werden
vnd beleiben mugen.

*Die poten so zu unnserm allergenedigisten Herren, dem Romi-
schen Kaiser von den Lanndlewten zu Hederstorf in die Newn-
stat geordent sein.*

Der Brohst von Sand Dorothe ze Wienn.
Herr Stephan von Hohenwerg.
Herr Pernhart Tachenstainer.
Vnd die von Wienn.

*Item ain schreiben, das die yeczgemelten Lanndlewt dem Hoch-
geboren fursten vnd Herren, Herrn Micheln des heil. Rom.
Reichs Burgraff zu Maidburg, Graven zu Hecz vnd Hardegk &
vnd lautt dasselb schreiben also.*

CXCV.
23. Jennar
1464.

Hochgeborner furst vnd Herr, vnser willig dinst bevor, auf ewr
vnd der Lanndlewt verlassen zu Hederstorff schikchen wir ew hiemit
in geschrifft vnsers gnedigsten Herren, des Rom. Kaiser anttwurt
auf die werbung, so wir mundlich vnd geschriftlich von ew in he-
velhnuss an sein K. G. ze tun gehabt haben, sein K. G. hat vns auch
in sunderhait bevolhen, ew vnd denselben Lanndlewten sein Gnad
vnd alles gut zuverkunden, vnd ist seiner Gnaden begeren, Im In
solhen furnemen zu Hue, frid vnd gmach dem Laund hilf vnd bei-
stannd zu tun, Auch annder Lanndlewt daran zu weisen, vnd ye kurez-
licher darczu getan werd, ye pesser gevallen hat sein K. G. daran.
Vnd was sein Gnad darczu tun vnd helfen kunn, des sei sein K. G.

willig. Dat. in der Newnstat an Montag nach Vincenci
Anno LXiiii°.

> Die Lanndlewt, so zu vnnserm Herren,
> dem Rom. Kaiser auf dem tag zu He-
> derstorff In potschafft geordent sind.

Dem hochgeboren fursten vnd Herren Herrn Micheln, des Hey-
ligen Rom. Reichs purgraff zu Maidburg, Grafen zu Recz vnd
Hardegk, vnserm gunstigen vnd guedigen Herren.

> Cedula.

Wir verkunden ew auch, das wir des geluitzhalben zu vnnserm
Herren Kaiser ze komen wol XVI tag zu Wienn Vereziehen, vnd hie
auf seiner K. G. anntwurt zwelf tag warten haben muessen, dadurch
Ir Versteet, das die sawmnuss von Vns nit gewesen ist.

*Vermerkcht die Hanndlung meiner Herren von Wienn, so bey
Vnnserm allergenedigsten Herren, dem Romischen Kaiser von
gemainer Stat wegen in der Newnstat gewesen vnd dahin komen*
10. Jänner *sind an Eritag nach Sand Erharts tag Anno dni Sexagesimo*
1464.   *Quarto.*

E. 90.   Allerdurchleuchtigister Kaiser vnd Allergenedigister Herr, Wir
bitten ewr K. G. in aller vndertenigkait, ewr K. G. well vns vnd
gemainer Stat allen Inwanern von der banndlung vnd
geschicht, die sich von vns an ewr K. G. person, an
vnnser gnedigisten frawn, der Romischen Kaiserin,
ewrn Gnaden Gemahel, an Vnnserm gnedigisten Jun-
gen Herren, ewr Gnaden Sun, auch an ewr Gnaden
Reten vnd Hofgesindt, vnd anndern, die ewrn Gnaden
zugehoren, begeben haben, durch gots willen gne-
digklich vallen lassen vnd begehen, das wellen wir in aller
vndertenigkait vmb ewr K. G. verdienn, Vnd sein an zweiffel, vnd
hoffen zu dem almechtigen Got, so vns ewr K. G. solh vergebung
zugesagt hat, vnnser frewnd vnd nachpawren von Wien werden an
solhem ain gross frolokhen haben, vnd werden sich auch mitsambt

vns ewrn K. G. mit gehorsam vnd vndertenigen dinsten erczaigen, damit gegen ewrn K. G. sovil widerumb gedint werd, daran ewr K. G. ein genedigs gevallen haben wirdet.

Darauf, allergenedigister Herr, haben wir vnnser Artikel an gesebrift pracht, als hernach gesehriben stet, vnd nach dem die geschicht vnd banndlung merklich vnd gross sein, Bitten wir ewr K. Maiestat well gnedig weg furnemen, damit wir vnd gemaine Stat gnedigklieh darinn versorgt werden, das wellen wir in aller vnderlenigkait vmb ewr K. M. Verdienn.

Item von ersten Bitten wir diemutiklich, ewr K. G. welle gnedigklich sehermen vnd bestetlen alle die geriebt, so bey zeiten Vnnsers gnedigisten Herren, Erezherezog Albrechts seligen von Burgermaister, Richter, Rat in der Sehrann oder im Rathuws ausgegangen sein, Bedeucht sich aber in solbem gerieht beswert zesein, ob der das gutlieb nicht wil dulden, So sol doeb er das pringen an Vnnsern Burgermaister vnd Rat, die darumb gutliche oder Rechtliche entschaidung tun sullen, wurd aber yemant daruber verrer beswert, der sol darumb vor ewrn K. G. Reten gutlich oder Rechtlich entschaiden werden vngeverlieh.

Item von der Burger wegen, so in den vorgenauten Zeiten aus der Stat komen sein, aus was Vrsachen das bescheben ist, Bitten wir ewr K. Maiestat mit aller diemutikait, ob dieselben burger, oder ettlich aus In wider in die Stat komen wurden, das solhs mit vnnserm willen vnd wissen beschech, Vnd das ewr K. M. das also gnedigklieb fursehen welle, damit ewrn K. G. vnd gemainer Stat furan nicht vnrat daraus enstee, vnd ewrn K. G. desterpas gedint mug werden, vnd auch gemaine Stat deshalben in frid vnd gemaeh beleib vnd gehalten werde.

Item vnd Bitten auch diemutiklich darauf, ewr K. M. welle gnedigklich daran sein, damit aller pan vnd acht von vnnserm heiligsten Vater, dem Babst vnd ewrn K. G. mitsambt den gerichten ausgangen, genedigklich abgetan vnd aufgehebt werden, also das gemaine Stat darumb niehtz widerzckeren schuldig sey, Aber die person, von der wegen solh gericht ausgangen sein, mugen solh Ir gut bey den sundern personen, da Sy Ir gut finden,

suechen, vnd das von In einbringen als Recht ist,
doch gemainer Stat an schaden vngererlich.
E. K. G.

Vndertenig Burger von Wienn so In pot-
schafft von gemainer Stat wegen yecz
hie sein.

E. 91. *Ain Annttwurt des von Gurkh von vnnsern allergenedigisten
Herren, des Rom. Kaisers wegen auf die vorgemelten Vnnser
Artikel in Vertrawen geredt mit vns &.*

Item sein K. G. begert als vor seinen K. G. gehorsam ze tun als
Vnnserm Rechten Erbberren vnd Lanndsfursten, vnd als wir des seinn
K. G. ze tun schuldig sein, so well sein K. G. sich gen Vns hallten,
als gnediger Herr vnd Lanndsfurst, vnd das solhs bescheeh an all
ausczug vnd verrer waigrung, an furbort vnd vns nyemant darinn
irren lassen.

Item von der Artikel wegen der Lunndlewt ist sein K. G. ge-
maint, was Artikel sein, die vns auch antreffen, als vmb gnad ze tun,
absag widerzegeben, von vnnser privilegy vnd freyhait, von der
Munnss vnd annder wegen, das sein Gnad vns darinn gnedigklich
hallten welle, vnd auch die genedigklich bestetten von newem, wann
man des pitt vnd begert brieflich, oder wie man das haben wil, dann
die anndern Artikel, als Lanndmarschalh ze seezen, vnd die Artikel,
die sunder person anruren, als Saez, Geltschuld, Erbumter, maint sein
Gnad, vns darinn nicht ze sein durumb, das vns die nicht antreffen.

Item von Vnnser suudern Artikel wegen, als autreffund die Ge-
richt, Maint sein K. G. das Menigfellig schreiben, solh gericht vnder-
wegen zelassen, geschehen sein, vnd maint sein Gnad, das weder die,
noch was von Vnnserm gnedigen Herren Herczog Albrechten seligen
vergeben sey, nicht ze hallten, Aber nichts dester mynner wil sich
dennoch sein K. G. gen den, die solh gericht vnd gab haben, gne-
digklich hallten, vnd In gnad darinn beweisen als gnediger Herr vnd
Lanndsfurst.

Item von der purger vnd desselben Artikels wegen vermaint sein
K. G., das der wider seiner K. G. Oberkait wer, solt solh Innlassen
beschehen mit vnnserm willen vnd wissen, Aber sein K. G. maint die
Oberkait bey seinen Gnaden ze hallten, als pillich ist, dennoch mit

wissen genedigklich hanndeln vnd also fursehen, das nicht aufrur dadurch in der Stat beschehen, sunder die ding im pessten zu frid vnd gemach furgenomen sullen werden.

Item von der pan vnd acht wegen vermaint sein K. G. darinn genedigklich ze hanndeln, als vil das sein K. G. von der Gericht wegen antrifft, gancz vallen ze lassen, Aher mit den, so solh gericht erlangt haben, wil sein K. G. gnediklich sich muen, das das auch gutlich, oder sunst im pessten zu aynigkait pracht werde, vnd albeg darinn hanndeln, als gnediger Herr vnd Lanndsfurst.

Item darauf haben wir Betten sein K. G. vns gnad, Vergebung gnedigleih zusagen, So zweifelt vns nicht, vnnser frewnt vnd nachpawren wurden sich des hoch frolokben, vnd wann merkglen vnd horten die Gnad, so In ewr K. G. gnedikleich mittailt hiet, Zweifelt vns nicht, oder Sy wurden sich gen ewrn K. G. also In gehorsam vnndertenigkllch hallten, daran ewr K. G. genedigs gevallen haben wurd, Vermaint aber ewr K. Gnad solh verhanndlung vnd geschicht nicht nachezelassen in der maynung, als yeez geredt ist, das doch ewr K. G. so gnedig sein welle, vnd vns gnad yeez hie in der maynung genedigklich zusagen, als ob ewrn K. G. von vnnsern frewndten nicht gehorsam gescheche, des wir doch nicht getrawen, das dann solh gnad vnd Zusagen nichts sein sull.

Durauf aber ain Annttwurt von Vnnserm Allergenedigistem Herren dem Rom. Kaiser durch den Bischof von Gurgk in gegenwurtigkait baider legaten, des Bischofs von Triest, vnd annder seiner K. G. vnd Herczog Ludwigs Rete vnd vil Graven, Herren Ritter vnd Knecht vnd ettlichen Burgern, die aus der Stat komen sind.

E. 92.

Als Ir die von Wienn ieez vnnsern allergenedigisten Herren, den Ro. Kaiser aber angelangt vnd gepeten habt vmh gnad vnd vergebung der Geschicht an seinen K. G., an vnnser gnedigisten fraun, der Romischen K. vnd an Ir baider Gnaden Sun vnnserm Jungen Herren beschehen, Nu ist sein K. G. noch in dem willen, ew solh geschicht vnd haanndlung gnedigklich vallen ze lassen, vnd wil ew der gnediklich begehen, vnd der in Vngnad vnd Rach nymer gedeukchen, Sunder sich gen ew hallten, als ewr gnediger Herr vnd Lanndsfurst, Doch also, das Ir ew gen seinen K. G. hallt, als die sein vnd seiner gnaden gehorsam tut, als Ir seinen Gnaden, als ewrem Rechten naturlichen Erbherren vnd Lanndsfursten des schuldig seyt, Vnd darauf sagt ew sein K. G. die Vergebnuss aller geschieht vnd hanndel wider sein Gnad & getan, icez genczlich zu, vnd wil solhs in Vnguaden nymer gedenkchen, sunder ewr gnediger Herre sein, Doch alsvor, das Im daentgegen die gehorsam vnd anndera von ew auch beschehe, vnd darumb wil ew auch sein K. G. brieflich, oder wie Ir das haben wellt, gnedigklich versorgen.

Dann von der privilegy vnd freyhait, von der Munnss wie die zu Wienn mit vmserm allergenedigisten Herren, dem Rom. Kaiser abgeredt ist, vnd die anndern Artikel von Aufsein in Veld vnd annder die ew antreffend, vnd in der Lanndleut Artikel begriffen sind, Sagt ew sein K. G. die auch genedigklich zue, Vnd wil ew die genedigklich hallten, vnd auch ob Ir des begert, von newem brieflich oder wie Ir des begert, gnedigklich bestetten, vnd nach allen notdurften fursehen.

Item von der Gericht wegen, so in seiner K. G. Hoff vnd auch zu Wienn ausgangen sind ettlich burger ny sein in der Stat oder aus der Stat in sunder antreffund, wil sein K. G. mit gnedigem vnd pessten Vleiss gnediklich darob sein, Damit die auch gutlich erlegt, vnd ain yeden ergee, was pillich ist, Vnd wil sein Gnad das also gnedigklich fursehen, das dardurch nicht vnrath, sunder frid vnd gmach in der Stat furgenomen vnd gehallten werde, darezu dann sein K. G. gunnex genaigt ist, vnd dem trewlich vnd gnedigklich nachgeen wil.

Item von der purger wegen, die aus der Stat sind, ob die wider hincin komen wurden, wil das sein K. G. mit vnuserm wissen also gnedigklich hanndeln vnd hestellen, das dadurch nicht vnrat, noch dhainerlay aufrur in der Stat nicht beschehen sol, Wann das sein K. G. nach dem pessten gnedigklich furnemen wil, daran Ir kain Zweifel haben sullt, Wann sein K. G. mit ew allen als mit den sein gnedigklich hanndlen wil als ewr gnediger Herr vnd Lanndsfurst, wann sein K. G. vngern wolt die, oder annder in der Stat haben, dadurch vorat auferstunde.

Item von der Pabstlichen pan wegen & wil sein K. G. gnedigklich gedenkchen vnd darob sein, damit die auch furderlich abgetan vnd aufgehecht werden, vnd in all weg sich gen ew gnedigklich halten, als ewr gnediger Herr vnd Lanndsfurst. Doch das sein Gnaden daentgegen von ew auch gescheche vnd widerfar gehorsam, vnd des Ir sein Gnaden ze tun schuldig seit.

Dabey sind gewesen.

Episcopus Torcellanus, apostl. legatus, Episcopus Laventinus eciam apostl. legatus *). Episcopus Tergestinus, Episcopus Gurcensis, Her Jorg von Volkenstorff, Her Erasm von Stubenperg, Her Jorg Fuchs, her Jorg Kaynacher, Her hanns pellndorffer, her Hanns Mulfelder, her Haidenreich Druchsecz, her Hanns Hofkircher, Herczog Ludweigs Ret, Her Niclas Canneczleyschreiber, Virgilig Canneczleyschreiber, Jempniczer M(?), Hanns flechwein, die all Im Rat vnd sunst vil Graven, Herren, Ritter vnd Knecht vnd ettlich burger, die aus der Stat komen sein, vnd vil annder frum leut.

(Ain ausschreiben Vnnsers herren des Romischen Kaiser der   CXCVI.
Knecht wegen, so an dinst seind.)   27. Septemb.
1464.

Wir Fridreich von gots gnaden & Embieten den Erwirdigen, Ersamen, Geistlichen, Andechtigen, Edeln vnsern lichen getrewn N. Allen vnd yeglichen Hawbtlewten, Prelaten, Graven, freyn Herren vnd Knechten, phlegern, Burgermaistern, Richtern, Reten, Burgern, Gemainen vnd allen nandern vnsers furstentumbs Osterreich Amhtlewten, Vndertanen vns getrewn vnser gnad vnd alles gut. Als bey menigern gehalten Lanndtegen, vnd zum Jungsten zu Korn Newnburg durch befridung willen Land vnd Lewtt ain berueffen allenthalben in demselhen vnserm furstentumh Osterreich zu beschehen furgenomen ist, nemlich wo oder wellent sich Knecht, geraissig fusknecht, oder annder an welhen ennden, gerichten oder gepieten sich da aufenthiellten, vnd nicht dinst bieten, die auf Sold vnd dinst wartten wolten, das sich die in den Steten vnd nyndert anderswo aufhalten. So aber vber solh gepot ainer oder meniger begriffen wurde, das der oder die zu vnsern, oder vnsers Lanndmarschalhs Hannden geanttwurt vnd mitsambt den, die Sy darczu halten, oder behausn, in was wesen die sein, mit straff nach Irm Verschulden furgenomen, damit Lannd vnd Lewt desterfuderlicher in frid, rue vnd gemach geseczt mochten werden, vnd das damit wider den, oder die in der gericht, herschafften

---

*) Rudolf von Rodisbalm.

oder grundten solh begriffen werden, nicht gebanndlt sein sol, doch
aim yeglich an seinen freybaiten, gnaden vnd gerechtikaiten an schaden,
oder welher vnnser Lanndman aygen gericht hat, vnd solh obgemelt
lewt rindt vnd Innymbt, dieselben selber Richten lassen mag, als Recht
ist, das auch kain Lanndlman geistlicher noch werllicher kain mund-
knecht, noch angevogten Knecht, noch diern mer aufneme, vnd wer
die yeez hat, vonstunden vrlauben sol, welher aber das vberfur, vnd
solh daruber hielt, oder aufnem, in was herschafflen oder gerichten
solh Knecht oder diern begriffen worden, das man darnach greiffen,
vnd mit In gefarn mag, als sich nach lrer hanndlung geparn wirdet,
vnd das damit wider den, oder die, daran sy sich gevogt haben, nicht
gehanndelt sein sol, vnd ob sich yemants dawider seczen, vnd solh
beretten wolt, dieselben mugen durch vns oder vnnsern Lanndmar-
schal nach gelegenheit lrer verhandlung als die vngehorsamen furge-
nomen, vnd durumb gestrafft sullen werden. Also emphelhen wir ew
allen vnd besunder den Ambtlewten, Richtern vnd Reten Vnnsers be-
nanten furstentumbs Osterreich ernstlich, vnd wellen, das Ir solh
beruffen allenthalben in den Steten, Merkhten, vnd auf dem Lannd
tun lasset, dem auswarttet vnd nachgeet, damit man kunftiger Rau-
berey, beschedigung vnd vnrals vertragen, Vnd Lannd vnd Lewt in
frid vnd gmach geseezt werden, daran tut Ir vns gut gevallen, vnd
gennezlich vnd ernstliche maynung. Geben zu der Newustat
an phineztag vor sand Michels tag Anno dni LXIIII°, Vnnsers &c.

Commissio &c.

CXCVII.   Auch ist beredt, das all Inwoner des Kunigreichs zu Beheim
des furstentumbs Osterreich, des Marggraftumbs zn Merhern, die du
Spruch, ainer zu dem anndern vermainten zu haben, vnd sich begeben
(24. Aug.) hieten vncz auf den vergangen sannd Barthlmes tag, oder sich noch
(30. Nov.) hinfur begeben vncz auf den kunftigens and Andreas tag gen Znoym
komen, oder mit lrm guncezen volmochtigen gewalt daselbshin gen
Znoym schikehen sullen, da auch all Ir spruch vnd vordrung gen ein-
ander gehort, vnd entschaiden sullen werden, alles getreulich, vnd
vngeverlich, welher aus dem Kunigreich in Beheim, oder aus dem
furstentumb Osterreich, oder aus dem Margraflhumb Merhern, die
ainer zu dem anndern Spruch vermainten ze haben, auf den obge-
nanten tag nicht komen, oder lr machtpoten mit volmechtigem gewalt
nicht schikehten, dem sullen dann die anndern, darczu er Spruch

vermaint zu haben, nachmals darumb nichtz mer schuldig, noch
phlichtig sein verrer ze antwurtten, alles getreulich vnd vngeverlich.
Doch das die, so Spruch vermainten zu haben, von Beheim, Oster-
reich vnd Merhern ainer zum andern, gegen wem das wer, in ge-
schrift schikch aus Behem vnd Merhern vuserm allergenedigisten
Herrn, dem Rom. Kaiser, oder seiner Gnaden Anwalt in die Newnstat,
oder gen Wienn, oder aus Osterreich nyderhalb vnd ob der Enns
vnserm genedigisten Herren, dem Kunig zu Beheim, oder seiner
Gnaden Haubtman zu Merhern gen Prag, oder Spilberg, vnd das solhs
zewissen getan werd funf wochen vor dem benanten sand Andres tag,
damit yglichm, zu dem man Spruch vermaint zu haben, sich wisste
zu dem tag zeschikchen, vud daselbs zu Znoym zuverantwurtten.

Item das obgeschribhen ist gerufft wordon an Samhstag in Vi⁺ ⎰27. *October*
Symonis et Judo Apostl. LXIIII⁺. ⎱*1464.*

⎧*E. 93.*

Vermerkcht Als an freitag nach sand Andreas tag, des heiligen ⎰*(2. Dec.)*
Zwelfpoten Anno LXIII⁰ der Hochgeporn furst, Herczog Albrecht von
Osterreich & seliger gedechtnuss mit tod verscheiden, darnach an
sand Dorotheentag, der heil. Junchfr. habend Burger- ⎰6. *Februar*
maister, Rat vnd genanten vnd Gemain der Stat hie zu Wienn dem ⎱*1464.*
Allerdurchleuchtigisten fursten vnd Herren, Herrn Fridreichen, Rom.
Kaiser, zuallenczeiten Merer des Reichs, ze Hungern, Dalmacien,
Croacien & Kunig, Herczogen zu Osterreich, ze Steyr, ze Kernden
vnd ze Krain & widerumb huldigung geluhd vnd ayd ge-
tan im Brobsthof hie zu Wienn In gegenwurtikeit der Edln
Herren, hern Jorgen von Volkenstorf, seiner K. G. Rat
als gewalttrager desselchen vnsers allergenedigisten
Herren nach laut ains gewalts von seinen K. G. darumh ausgangen,
darinn auch bestymbt sind die Edln Vesten Ritter, herr Hanns
Hofkircher, herr Haideureich Drugkseczs, Hanns Mul-
felder vnd Herr Niclas Secretarius, auch all seiner K. G. Rete
vnd derselb von Volkchnstorf auf den benanten Gewalt bat an stat
vnd von wegen vnsers benanten Allergn. Herren, des Rom. Kaiser & ge-
mainer Stat zugesagt, daz sein K. G. all rech, vngenad, vnd Handlung,
die wider seiner K. G. person, seiner K. G. Gemahel, Ir baider Gnaden
Sun ergangen sein, all genedigkchlich hegehen vnd nachlassen hab,
sein K. G. welle auch das gen gemainer Stat, noch gen sundern per-
sonen vnd Inwonern der Stat in Vngnaden vnd Ruch nicht gedeukchen,

Sunder sein K. G. welle gemayne Stat vnd die Inwoner bey Irn Gna-
den, freyhaiten, Privilegien vnd gerechtikaiten als bey Kunig Albrechts
Zeiten loblicher gedechtnuss beschehen, vnd als von alter herkomen
sein, genedigklichen halten, hannthaben vnd schermen, vnd die nur
mern, vnd nichtcz wynnern als genediger Herr vnd Lanndsfurst, vnd
darauf ist der Aid also furgehalten.

Aid, den gemaine Stat Vnnserm allergenedigisten Herren, dem
Rom. Kaiser & an sand Dorotheentag Virginis Anno LXIIII
yn Brobsthoff gesworn hat.

Ir werdet swern, daz Ir dem Allerdurchleuchtigisten fursten vnd
Herren, Herrn Fridreichen, Ro. K. & Vnnserm Allergenedigisten
Herren als ewrm Naturlichen Lanndsfursten vnd Erbherren, vnd seiner
Gnaden leib Erben, 'dus Sun sein, geborsam vnd gewertig seit
Irn Gnaden vnd der Stat frumen zetrachten, vnd schaden zewennden
nach allem ewrm Vermugen, doch vnnserm Genedigen Herren,
Herczog Sigmunden, auch Herczog ze Osterreich &
an der gerechtikait seins drittails vnd seinem Inrei-
ten vnvergriffenlich.

Pey der Huldigung sind auch gewesen die Hochwirdigen
Vater, des heil. Rom. Stuls legaten d. Dnicus, Epis-
copus Torcellanus vnd D. Rudolfus, Ep. Laventinus
vnd vil annder Herren, Ritter vnd Knecht loco et die, quibus supra.

CXCVIII. *(Ausschreiben Vnnsers Herren, des Rom. Kaiser von des*
Lanndsfrid zwischen Osterreich, Behaim und Merhern wegen.

9. Septemb.   Wir Fridreich von gots Gnaden Rom. Kaiser & Empieten den
1464.   Edeln, vnsern lieben getrewn N. vnd yglichen Graven, freyen Herren,
Ritter vnd Knechten, auch den von Steten, Merkhten vnd auf dem
Lannde, vnd allen anndern vnsers furstentumbs Osterreich vndertann
vnd getrewn, den der brief geczaigt, oder verkundet wirdet, Vnnser
Gnad vnd alles gut, als auf dem tag am nagsten zu sand Bartholomes
tag zu Znoym durch vnser vnd des durleuchtigen Jorgen, Kunig zu
Beheim vnd Marggrafen zu Merhern, vnserm lieben Swager vnd Kur-
fursten Rete vnd Sanndboten gehalten vnder andern ain furnemen

beschehen ist, das nu hinfur nyemands aus dem Kunigreich Dehem
vnd dem Marggraflumb Merhern in vnser furstentumb Osterreich
noch aus demselben vnserm furstentumb Osterreich daselbshin
gen Behem vnd Merhern dhainerlay krieg noch Rauberey nicht
mer treyben, noch tun, das wir vnd derselh vnser lieber Swa-
ger der Kunig von Behem wir in vnserm furstentumb Osterreich,
vnd er zu Merhern offenlich beruffen lassen sullen, als dann das der-
selb furgenomen Artikel aigentlich Innhelt vnd begreiffet, Also em-
phelhen wir ew allen, vnd ewr yedem besunder ernstlich, vnd wellen,
das Ir hinfur solhem frid genneczlich vnd vestielich nachkombt, den
haltet, vnd dawider nicht tut, damit der gemain Man vnd allermenik-
lich im hanndl vnd gewerb widerumb sicher auf lannd vnd wasser
treiben, vnd laond vnd lewt in frid, rue vnd gemach beleiben mugen,
vnd darinn nicht annders tut, wann welh darinn vngehorsam vnd
daruber kriegen, oder angreiffen, des wir vnderricht wurden, den
oder die wolten wir nach Innhalt des berurten furnemens an leib vnd
gut swerlich darumb straffen, Daran tut Ir genneczlich vnser ernstliche
Maynung. Geben zu der Newnstat an Montag nach vnser
lieben frawn tag Nativitatis Anno dni LXiiii*º Vnnsers Kai-
sertumbs im XIII. Vnnser Reich, des Romischen im XXV, vnd des
Hungrischen im VI Jarn.

Commissio domini Imperatoris in consilio.

(Ain schreiben Vnnsers Herren des Kaisers wegen Abtretung   CXCIX.
des drittails, so Herczogen Sigmunden behort hat.)   9. September
         1464.

Wir Fridreich von gots Gnaden Rom. Kaiser & Empieten vnsern
getrewn lieben N. allen vnd yglichen vnsern Vngeltern, Mauttern,
Zollnern vnd Ambtlewten, auch den von Steten vnd Merkchten vnsers
furstentumbs Osterreich vnderhalb der Enns, den der brief geezaigt,
oder verkundet wird, vnnser gnad vnd alles gut. Wir lassen ew
wissen, das wir vnd der Hochgeborn Sigmund, Herczog zu Osterreich,
vnnser lieber Vetter vnd furst vns gannez vnd also miteinander ver-
aint haben, das er vns des drittails der nucz vnd Renut vnnsers fur-
stentumbs Osterreich, vnd was er in demselben vnserm furstentumb,
gannez entslagen vnd vns des abgetreten hat, Emphelhen wir ew
allen vnd ewr yedem besunder ernstlich vnd wellen, Was desselben
drittails von vnsern nuczen vnd Renuten des bemelten vnsers

furstentumbs Osterreich vnderhalb der Euns, so lr von vunsern wegen Innembt von dem yeez vergangen Suntag nach sand Giligentag bisher gevallen ist, vnd binfur gevallen wirdet, nyemands anderm, dann vns, oder wem wir das bevelhen werden, zu vunsern hannden hinfur raybet, antwurtet, vnd als sich gepurt, verraittet, vnd darinn nit anders tui, das ist vnnser ernstliche maynung. Geben zu der Newnstat an Suntag nach Vnser lieben frawn tag Nativitatis Anno dni LXiiii".

Com. &.

CC.
9. October
1464.

(Des Kaisers Ausschreiben von des Lanndsfride wegen.)

Wir Fridreich & Embieten den Erwirdigen, Ersamen, andechtigen, weisen vnsern besunder lieben vnd getrewn N. allen vnd yeglichen preleten, den vonn Stetten, Merkbten, vnd Vrbarleuten vnsers furstentumbs Osterreich vnderhalb der Enns Vnser Gnad vnd alles gut. Als wir am nagsten Vnnser gemeine Lanndschaft vnsers furstentumbs Osterreich uuf den Montag nach sand Marien Magdalen tag nagstvergangen *) gen Korn Newnburgk ervordert, da durch dieselb vnser lanndschaft vnd vnser Rete vnd Senndpoteu, so wir daselbs gehabt haben, ain furnemen zu furdrung, haunthabung vnd schermnug ains gemainen lanndsfrid, vnd wie wir vnd lannd vnd lewt widerumb in Rue, frid vnd gemach gesoezt werden, vnd darinn beleiben mochten, betrucht, vnd daruuf ain schrifft ettlich Artikel Innhaltunde zu denselben saechen dienende furgenomen, die vns dann furpracht ist, vnd wir mit vnsern brief ains tails Im pesten auch verwilliget, vnd den vom Adel desselben vnsers furstentumbs Osterreich vnder unnderm zugesagt haben, Sy darinn gnedigklich, vnd also zehalten, als wir vnd vnser Vorder Sy vnd Ir Vorvordern vormals in solhem gehalten haben, auch bey ew vnd unndern desselben vnsers furstentumbs Osterreich vndertanen, so In vnser Chamer gehorn, darub se sein, das Ir solhs mitsambt den berurten vom Adell desgleichs verhelffen sullet, damit den dest stattlicher mug ausgewartt werden nach lautt vnsers briefs darumb ausgangen, Davon empbelhen wir ew allen vnd ewr yedem besunder ernstlich vnd wellen, wenn sich saechen, die wider den berurten Lanndsfrid sein, begeben, Ir es erinnert, oder darumb von vns, vnserm Launnd Marschalh In Osterreich oder wem wir das

*) 23. Juli.

bevelhen, angelangt werdet, daz Ir dann solhs nach ewerm pessten Vermugen ze vnderkomen vnd zestraffen verhelffet, damit wir, auch Ir selbs, Lannd vnd lewt in frid, Rue vnd gemach komen, vnd darinn beleiben mugen. Daran tut Ir gennezlieb vnser ernstliche mayoung. Gehen zu der Newnstat an Erichtag vor sand Colmans tag Anno dni LXIIII°. Vnnsers Kaysertumbs Im dreyezehenden Jare

Ain schreiben an Herrn Jorgen von Volkenstorf von des von Sternberg wegen.

CCI.
21. October
1464

Fridreich &c.

Edler lieber getrewr. Als du vns yeez auf vnser schreiben, darinn wir dich der Zalung der funf tausent Guldein, So wir dem Edeln Vnserm lieben getrewn Zdenken von Sternberg schuldig beleiben von den nuezen vnd Rennten, So du von vnsern wegen Innymbst zwisehen hynn vnd weiehnachten zu beczulen, vnd darumb versorgnuss vnd porgschafft ze tun, anezunemen geantwurt hast, wie du dich merkchlicher Vrsach halben in demselben dein sehreiben begriffen, solher porgschaft nicht annemen mugst, haben wir vernomen, nach dem du aber selbs wol versteen magst, wie gross vnd swer vns vnd lannd vnd lewten diselben sachen anligen. Begern wir an dich mit ganezem Vleiss vnd ernst, das du pey den Ersamen geistlichen vnsern lieben andeehtigen N. dem Abbt vonn Scholten oder Brobst von sand Dorothe, vnd den Ersamen weisen vnsern besunder lieben vnd getrewn N. Burgermaister vnd Rat zu Wienn daran seiss vnd bestellest, damit Sy sich mitsambt dir der obberarten versorgnist vnd porgschafft gen dem benannten von Sternberg annemen, Wann er ausserhalb dem dhuinerlay porgschaft nicht aufnemen wil, Darumb tu darinn dhain anders nicht, So wellen wir dich vnd die obbemelten dein mitpurgen aus solher porgschafft vnd versorgnuss an schaden entheben, vnd darumb ob des begert wirdet, versorgnuss tun, als wir denn das dem Ersamen gelerten vnserm getrewn lieben **Maister Hannsen Horben**, lerer kaiserlicher Rechten, Vnserm diener auf vnsern glaubbrief mit dir ze reden bevolhen haben. Was dir auch derselb vnser diener deshalben also von Vnsern wegen sagen wirdet, dem waist du also zu geluuben, daran tust du vns gut gevallen vnd vnser ernstliche maynung, das wir gen dir mit Gnaden erkennen vnd zu gut nicht vergessen wellen. Gehen zu der

Newnstat an Suntag der Aindliftausent maid
tag Anno dni LXIIII°. Vnsers &.

Com. &.

E. 94.   *Hienach sind vermerkcht die Artikel, die des nagstvergangen*
drew und Sechezigisten Jars zu sannd Mauriczen tag zu Tulln
auf dem Lanndtag, vnd darnach zu sand Laccintag bey dem
Lanndtag zu Hederstorf durch die Lanndleut furgenomen sind,
vnd darauf vnsers allergenedigisten Herren des Rom. Kaisers
antrurt, auch die enndtlich abschied yecz auf dem Lanndtag zu
22. Juli   *Kornewnburg zu sand Maria Magdalenn tag de Anno LXIIII°*
1464.   *gehalten &.*

Item von der Newn auffeng wegen ete. (wie Seite 385).
Auf den vorgenanten Artikel ist durch die Lanndlewt hie
zu Kornewnburg also geredt.

Item von der newen Auffeng vnd Aufsleg wegen ist der Lannd-
leut gut bedunkeben, nachdem vnsers allergenedigisten Herrn des
R. K. antwurtt in dem Artikl vast geleich stet, das alle die solh new
auffeng oder aufsleg Innhaben vnd geprauchen durch vnsern allerge-
nedigisten Herren den R. K., oder durch seiner Gnaden Ret her er-
vordert, vnd das mit aim yeden da geredt wurd, das er solh Newung
vnd beswerung zu furdrung gemains Lanndsfrids vnd gemach abtu.
Wer aber yemant, der solh Newung auffeng oder aufsleg Innhielt von
seiner Spruch oder von Schuld wegen, das dann ain yeder solhs hie
vor seiner K. G., oder seiner Gnaden Reten zuerkennen geb, vnd mit
In geredt wurd, damit auch nach aim pillichen mit In gehandlt, vnd
solh Newung auffeng vnd aufsleg abgetan wurden. Wolt aber yemands
in solhem sich dem Lannd vnd gemainem nucz ze swer vnd vnpillich
erfinden lassen, das dann vnser allergenedigister Herr der Ro. Kaiser
furderlich vnd entlich darezu thu mit hilff, Rat vnd beistannd der
Lanndschafft, damit solhen gewendt werde.

Item von der huldigung wegen etc. (wie Seite 385).
Auf den yeezgenanten Artiel ist durch die Lanndlewt zu
Korn Newnburg also geredt.

Item von der huldigung, gefangen vnd sehaezung wegen & ist
der Lanndlewt gut vnd bedunkeben, das dem Artikl auf vnsers aller-

genedigisten Herren, des Rom. Kaisers antwurt nachgangen werd,
vnd darezu ist der Lanndlewt Rat vnd gut bedunkehen zu pesser be-
fridung des Lannds, darumb, das Teber vnd Auffeng im Lannd dester
mynner gemacht wurden, das kain Herr oder Lanndman, er sei geist-
lich oder weltlich, Edel oder Vnedel weder sich, noch sein Lewt mit
den feinden huldigen, noch befriden, Robat noch kainerlay Zuschuss
noch bilff nicht thu, desgleichen das sich auch kain hold oder Vnder-
tan auch nicht huldig vnd wer das vberfur, Er sey Herr oder Hold,
der sol darumb gestrafft werden. Es sol auch kainerlay Raubgut von
Nyemand gekaufft, oder gelost werden, es sey dann sein, vnd welher
dawider tut, dem sol solich gut vmbsunst genomen, vnd dem es zu-
gehort, an alles entgelten widergeben werden.

Von der abgedrungen Geslosser etc. (wie Seite 385).

Auf den Artikl ist durch die Lanndtlewt hie zu Kornewn-
burg also geredt, vnd ist Ir gut bedunkehen.

Wie der Artiel auf dem Tag zu Tullen vnd ze Hederstorf durch die
Lanndtlewt furgenomen ist, vnd wie vnser allergenedigister Herr der
Ro. K. darauf geantwurt hat, das Sy es Irnthalben auch dabey besteen
lassen.

Item ob yemand darin vngehorsam sein wolt etc.
(wie Seite 385).

Auf den Artikel ist durch die Lanndtleut hie zu Korn
Newnburg also geredt.

Wie der Artiel durch die Lanndlewt furgenomen, vnd wievil
vnserm allergenedigisten Herren, dem Ro. Kaiser darauf geantwurtt
ist, bey wem sich die vngehorsam erfindt, vnd wissentlich gemacht
wurd, das dem also nachgangen werd.

Von des Lanndsrechten etc. (wie Seite 385.)

Auf den vorgeschriben Artikel ist durch die Lanndlewt
hie zu Kornewnburg sein also geredt.

Von des Lanndsrechten, Lanndmarschalchs vnd besiezer wegen
ist der Lanndtlewt gut gevallen, das dem Artikel auf die antwurt
vnsers allergenedigisten Herren des R. Kaiser nach seiner Innhalt auch
nachgangen werd, vnd das Lanndsrecht nach notdurfften beseezt vnd
gehalten werd, vnd das solb beseezung furderlich vnd in ainer kur-
ezen Zeit beschehe, Bedunkeht Sy zu furdrung ains gemainen Lannds-
frid wol notdurft zu sein.

26*

Item von der Munnss, auch des Schlachschacz etc.
(wie Seite 386).

    Auf den yeezgenanten Articl ist durch die Lanndtlewt,
so yeez zu Kornewnburg sein, geredt.

    Nachdem vnsers allergenedigisten Herren, des Ro. Kaisers ant-
wurtt mit dem Artikel vast geleich, vnd derselb Artikel nachgegeben
ist, lassen es die Lanndlewt dabey bestcen, doch das die Munss, so
yeez gearbaitt wirt, furan auch gemunsst vnd gepraucht vncz so lang
der frid vnd arbait in das Lannd gesehen vnd pracht werde, vnd mit
der Munss vnd Wechsel gehalten, vnd das der Vater aus der Munss
herfur genomen, vnd all mass, gewicht vnd ellen gezimmennt vnd da-
mit gehandlt werd, als vom alter ist herkomen.

    Sein K. Gnad hab ain gut gevallen etc. (wie Seite 386).

    Auf den Articl ist durch die Lanndtlewt, so hie zu Korn
    Newnburg sein, also geredt.

    Das vnser allergenedigister Herr, der Rom. Kaiser gemaine
Lanntschaft den Vir stennden darumb versorg etc. vnd wie vnser
Herr der Kaiser den von Adel Versorgnuss zugeben sich in seiner
Antwurtt verwilligt hab etc. bedunkcht die Lanndtlewt gut vnd ge-
raten, das vnser allergenedigister Herr, der Rom. Kaiser vnd seiner
K. G. Rete, so yeez hie sein, vnderteniclich angelangt, vnd mit Vleiss
gepeten werden, das sein K. G. gemaine Lanndtschafft der Vir stenndt
darumb versorg, das In der Lanndlewt Articl vor betracht ist, damit
Sy In dem voneinander nicht geschaiden werden.

    Sein K. G. well sich darinn hallten etc. (wie Seite 387.)

    Auf den Articl ist durch die Lanntleut hie zu Korn Newn-
    burg also geredt.

    Nach dem derselb Articl vnd vnsers allergenedigisten Herren
des Rom. Kaisers antwortt vast gleich lauttent, lassen es die Lannd-
lewt auch dabey bestcen, also, daz die hinfur nicht mer begert vnd
getan werd, als von allter ist herkomen.

Register.

A.

Agmund, des von, Haus. 5, 52.
Aichan (Achan) locus. 320.
Aichelperger, Jacob, Wiener Bürger. 55, 356.
Alexander. 365.
Amhoiss. Stadt. 125.
Angervelder, Hanns, Wiener Bürger. 10. Stadtrichter. 102.
— Rudolf. 31, 32.
Ankelrewtter (Nankenrowtter) Nabnehodonosor. 160, 277, 281, 290, 308, 314, 315.
Anthofer, Wiener Bürger. 206.
Appel, viertamb. 337.
Arhaistaler, Wiener Bürger. 55.
Aschpekeh, Hanns, Wiener Bürger. 5, 9, 55, 206, 211, 232, 271, 357.
Aslabing. Peter von, Wiener Bürger. 3.
Aspern, locus. 164.
Awer, Steffan, Wiener Bürger. 10.
Ausprunn, Tunkl. 130.

B. P.

Paden (Baden) locus 320.
Bander, ihre Verpflichtung bei einen Feuerabrunst. 6.
Pader, Lienhart, Wiener Bürger. 206.
Bäcken, die zu Wien. 4, 52.
Balgunthe Burian. 191.
Baiern, Herzog Ludwig von, 144, 206; dessen Räthe, 393, 395.
Paloczy, Lasals von. 125.
Pangraez, Meister. 28.
Pangreez, hinder Sant. 273.
Panholz, Lorenz, Orler, Wiener Bürger. 189.
Bappeheim (Pappenheim), Conrad, Erbmarsaball, siehsischer Hofmeister. 105.
Par (Bar), das Land. 125, 129.
Parez, locus 9.

Passau, Ulrich, Bischof von. 123.
— die Stadt. 129.
Passauerhof. 203.
Paumgartner, Andre. 358.
Pebeim, Thomas, Wiener Bürger. 276.
Berehtoltsdorf. 9.
Pekeh, Wilhalm, Wiener Bürger. 271.
Pekehenhofer, Wiener Bürger. 271, 357.
Pellendorf, Hanns von, kaiserlicher Rath. 229, 347, 395.
Pemkirehner (Baumkirehner) Andreas. 254, 260, 261. 266. Span zu Pressburg. 349.
Peylezosky. 366.
Pereh, Paul, Schusler, Wiener Bürger. 0.
Perger, Hanns. 306.
Permaon, Wiener Bürger. 170, 232.
Pernawer, Görtler, Wiener Bürger. 3.
Perner von Perneg, Heinrich, 358.
— Wilhalm 365.
Pernstain, Jan von. 130.
Pesl, Wolgang, Wiener Bürger. 337.
Petermeister, König Mathias von Ungarn, Bote. 221.
Phirter, der. 384.
Phuntimaseben, Wiener Bürger. 54.
Pilgreim, Conrat, Wiener Bürger. 10, 54, 75, 77, 189, 231.
— Caspar, Wiener Bürger. 55.
Pirpawm, Michel, Wiener Bürger. 310, 313, 327.
Biskupicz, Jan Smolik von. 83.
Piunkenstain, Pangracz von. 353.
Plarskho, Nikolesch. 365.
Pluem, Augustin, Wiener Bürger. 106, 232, 271.
Podiebrad, Georg von, Gubernator. 59, König. 113, 118, 120, 133, 164, 166, 194. 209, 211, 221, 245, 277, 367, 398.
Böhmen, der Marschall von. 125.
Polen, die Königin von. 165.
Pöllen, St., Landtag daselbst. 329.
Pöltl, Simon, Wiener Bürger. 10, 33, seq. 231. 208.
Pouer, Niclas, Wiener Bürger. 4, 52.
Pomphinger (Pämpblinger) Wiener Bürger. 5, 10, 11. Christof. 55, 189, 232, 284.
Ponhumer, Wiener Bürger. 10, 55.
Ponhalm, Nielas, Wiener Bürger. 10.
Horrem, Stefan von. 5, 7, 9.
Pösing, Ladislaus, Graf von. 170.
— Graf Sigmund. 358.
— Graf Hanns. 358.
— der von. 254, 260, 261, 268.
Poschendorffer, Wiener Bürger. 211.

Roskowicz, Benesch von, Unterkämerer in Mähren. 130.
— Wenko, Obrister Kämerer der mährischen Landtafel zu Brünn. 130.
Posoretiz, Boesek Puklicz von. 130.
Potl, Wiener Bürger. 208.
Pöllin, die. 170.
Potl, Jorg. 361.
Pottinger, Christof, kais. Stadtanwalt. 39, 56, 107, 330, 331, 333.
Pottendorf, der von. 277, 281. 320.
— Jorg, obrister Schenk in Oesterreich. 208, 306, 308, 313, 316, 358.
Prag. 116, 125.
Praghaus, zu Wien. 97.
Prailonwoydscher, Thomas, Wiener Bürger. 53, 232.
Prailler, Wiener Bürger. 7, 9, 275.
Pranperger, Jorg, Wiener Bürger. 9, 231.
Praussperger, Wiener Bürger. 9.
Prenner, Cristan, Wiener Bürger. 10. Bürgermeister. 331.
Presburg, der Probst von. 361.
Preys, Hanns. 366.
Brobsthof, der zu Wien. 98, 161, 398.
Progentl, Pekeh in der Schellstrass. 10, 211.
Prugkner, Hanns. 107.
Prumtaler, Jorg, Wiener Bürger. 2, 5, 7, 9, 55.
Prundler, der. 361. Mathes. 365.
Brünn, Landtag zu. 129.
Prunner, Wiener Bürger. 10.
Pucheim, Jorg von. 56, 80. Wilhelm. 384.
Pudmensky, zu Schweinbart. 315, 335.
Pumperl, Jacob, Wiener Bürger. 190.
Burg, die zu Wien. 87, 147, 148.
Purger, Niclas, Wiener Bürger. 9, 10.
Purkhawser, Wiener Bürger. 211.
Pusenberger, Stephan, Wiener Bürger. 232.

C. Ch. K.

Kadawer, Wolfgang, kais. Rath. 347, 349.
Kamrer, Wiener Bürger. 55.
Kanstorffer, Hanns, Wiener Bürger. 231, 260, 263.
Capellen, Hartung von, Maister, Lerer baider rechten. 163.
Carl, Caspar, Wiener Bürger. 356.
Kaschawer, Jacob, Wiener Bürger. 3, 10, 55, 206, 232, 271.
Kaynacher, Herr Jorg. 393.
Kellner, Hanns. 366.
Kewsch, Niclas, Wiener Bürger. 4, 5, 11.
Kellhaimer, Wiener Bürger. 10.
Kels, Wiener Bürger. 51.

Kembnater, Wiener Bürger. 0.
Kerner, Ulrich, Wiener Bürger. 3, 9, 10.
— Lienbart, Wiener Bürger. 190, 211, 231.
Champagne, die Provinz. 120.
Cilly, die Stadt. 81.
— des von. Haus. 74, 75.
Kirchaim, Muister, Lerer in beder erzney. 13, 24, 25, 27, 29 seqq. 256.
Kirstain, Michel, Wiener Bürger. 10, 190, 357
Klaus, Jan. 366.
Kloaterneuburg. 234, 277, 336.
— das Ungelt daselbst. 238.
— Probat, Simon von. 243, 330, 331, 333.
Knab, Gilig, Wiener Bürger. 190.
Königstetten. 239.
Kolocza, Stefan, Erzbischof von. 125.
Contrassafy, der Graf. 126.
Kornmeet Mathes, Wiener Bürger. 10, 144.
Korneuburg. 163, 234, 306.
— Landtag daselbst. 241, 402.
Coczka (Koska). 242, 243, 249.
Kotlrer, Wolfgang, Wiener Bürger. 0.
Krabat, Mathes. 383.
— Andre. 366.
Kramer, Niclas, vor Stubentor. 3, 7, 211, 271, in der Landstrass. 10, 40.
Krawarn, Girzik von, und Strassoitz. 130.
Krempl, Jorg, Wiener Bürger. 357.
Krems. 234.
Kueffenberger, Arnold. 357.
Kunring, Jorg, der Herr von. 98, 107, 243.
Kunstatt, Kuna von der. 130.
— Procsko von der, oberster Kämmerer der Landtafel zu Olmütz. 130.
— Jan Zagimarx von der. 130.
Küsner, Stefan, Wiener Bürger. 3.
Crzimburg, Jan von, Landeshauptmann in Mähren. 130.
— Jan von und von Tyezein. 130.

D. T.

Dächsner, Jorg, Hubmeister. 40.
Taler, Lazarus. 366.
Talbaimer, Wiener Bürger. 10, Jorg. 357.
Tachawaer, Hanns, Wiener Bürger. 211, 232, 260, 265, 271.
Techenstain, Pernhart von. 80, 107, 389.
Teglich, Sigmund, Wiener Bürger. 189.
Teines, Jan von. 303.
Tengk, Steffan, Wiener Bürger. 103, 143, 206, 211, 284, 297.

Tererko, der, Wiener Bürger. 125.
Teschler, Niclas, Wiener Bürger. 4, 105, 143, 189, 206. Münzmeister. 228, 231, 232, 291, 298.
Thiem, Hanns, Wiener Bürger. 3, 7. Goldschlager. 9, 55, 211, 231.
Thobatsonky. 363.
Tieholt, Kloster St. 160.
Tiefegraben, der zu Wien. 275.
Törl, Michel. 4.
Donn, Hanns von, 81.
Toppel, Sigmund von. 330, 331, 333.
Dorothea, der Probst von St. 80, 172. Stephan von Landskron. 245, 380.
Torcelli, Bischof von, Dominik, päpstlicher Legat. 358 sq. 395, 396.
Tours, Stadt. 126.
  — die St. Martins Kirche. 127.
Tragenast. Wieuer Bürger. 9.
Trapp, Jacob. 123
Trawn, Hartmann, Haubtmann. 208.
Trawnsteiner, Martin. 74, 75.
Dresebirchen (Traiskirchen). 9, 320.
Trier, der Domprobst von, 123.
Trieat, der Bischof von. 393, 395.
Drugneez, Niclas der. 76, 107, 148.
  — Haidenreich der. 245, 395, 397.
Truman. 9, 308.
Tschernaml, Jorg von. 163.
Tulln. 336.
  — Landtage daselbst. 303, 342, 368.
Tollner, Fridreich. 357,
During, Hanns. 366.
Tottendorf. 305.

                        E.

Ebersdorf. 62.
  — Albrecht von, Erbkämmerer in Oesterreich. 56, 80, 98, 107.
  — Velt von, Erbkämnerer in Oesterreich. 310, 320, 323, 343, 344, 346, 353, 358.
  — Reinprecht von. 178.
Ebner, Friedreich, Wiener Bürger. 5, 10, 11, 54, 105, 133, 136, 142, 143, 170, 206, 231, 276. 231, 276. Bürgermeister. 356.
  — Jorg. 365. Lienhart, sein Knecht. 366.
Ebreinsdorf. 9.
Eekerzaw, Jorg von. 337. 353.
Edlerawer Herman, Wiener Bürger. 55.
Een, Hanna vor Werdertor, Wiener Bürger. 3, 4, 10, 190, 211, 232, 271.
Egenburger, vor Widmertor, Wiener Bürger. 3, 7, 10. Philipp. 271.

Egkeh. 365.
Egkenherger, Wiener Bürger, 5, 7, 9, 10, 275.
Eyczinger, Ulrich. 74, 76. 80, 88, 93, 94. 96.
— Verhandlungen über seine Gefangennehmung. 97 seqq.
— Steffan. 107, 108, 129, 131, 242, 243.
— Oswald. 106 seq. 125, 128, 141.
— Sigmund. 107, 114, 131.
Ellerhaeh, des von, Haus. 5, 32.
— der von. 254. 260. 261, 268.
Enthaimer, Wiener Bürger. 5, 10. Mert, Stadtrichter. 281.
Enczesdorfer, Jorg. 107.
Enesinger, Jorg. 365.
Epishawner, Jorg, Wiener Bürger. 10.
Erasem, Joralgk. 363.
Ernst, Niclas, Wiener Bürger. 5, 10, 11, 54, 117, 133, 142. 143, 170, 206, 211,
      231, 342.
— Hanns, Wiener Bürger. 53, 357.
Ernstprunn, Jorg von, Wiener Bürger. 7.
Eslorn, Hanns von, Wiener Bürger. 9, 10.
Ewienherg, Wokch von. 130.
Eysen, Hanns. 306.

F. V.

Velaw, Zmyel von. 210, 320.
Vieregk, Hanns, Wiener Bürger. 4, 52, 211.
Vincens, Apotheker, Wiener Bürger. 10.
Vischer, Cristan, Wiener Bürger. 357.
Voburger, Wiener Bürger. 276.
Voehter. Wiener Bürger. 5, 9.
Volkenstorf, Herr Jorg von. 395, 397, 401.
Vorstel, Niclas, Wiener Bürger. 357.
Vorsthofer, Michel, Wiener Bürger. 310. 313, 327, 342.
Frankch, Heinrich, Wiener Bürger. 3, 10, 54, 276.
— Jorg. 366.
Frankreich, der König, die Königin und ihre Toehter. 126.
Freeh, Wolfgang, 306.
Freyslehen, Thomas. 366.
Freyslriezer Pilgrein. 365.
Friezesdorffer, Sigmund. 107.
Frodnacher, Hanns. 101.
Fronawer, Gamaret. 179, 180, 191, 194, 213, 229, 213, 266, 269, 315, 318, 344.
— Gerhart, sein Bruder. 178.
Fuchs, Andre. 306. Herr Jorg. 395.
Fünfkirchen, Johann, Probst von. 260, 261.
Fürter, Erhart, Wiener Bürger. 190.

G.

Galander, Arnold, Wiener Bürger. 20, 211.
Geraw, Hanns von, Wiener Bürger. 10, 231, 356.
Garspewtter, Lucas. 363.
Geringer, Wiener Bürger. 10, 189, 231. Friedrich, Wiener Bürger. 271, 357.
Gewsmid, Wiener Bürger. 55. 278.
Gfeller, Hanns, Wiener Bürger. 97, 110, 276.
Gibing, Stephan, Wiener Bürger. 10.
Gindereich. 363.
Giskra von Brandeis. 221, 229, 231, 251, 254, 261, 260, 271.
Glaner, Daniel. 366.
Glichen (Gleichen). Ernst, Graf von. 105.
Göllersdorf, Landtag daselbst. 192.
Gollperger, Satler. Wiener Bürger. 206.
Gollsmid, Laurenz, Wiener Bürger. 9.
Gotschalchinger, Wiener Bürger. 55.
Göttweig, der Abt von. 80.
Graben, der zu Wien. 54.
Graben, Fridreich vom. 340.
Grablokch, Willpollt, Wiener Bürger. 55.
Gradeneger, Hanns, kais. Rath. 97, 110.
Gravenegker, Ulreich, kais. Rath. 254, 200, 266, 347. Hauptmann und Span zu
    Oedenburg. 361.
Gredinger, Jorg, Wiener Bürger. 55.
Greiorg, Dr., Herzog Albrechts Vertreter. 83, 88, 98, 134.
Griesenpekch, Maister Ulreich, Licenciat in geistl. Rechten. 232, 240, 260, 261, 265.
Grosser. 302.
Grundreich, Wiener Bürger. 9. Hanns. 100, 211, 232, 271, 357.
Grünpacher, Wiener Bürger. 7.
Gschof, Heinrich, Wiener Bürger. 10.
Gsmechel, Jacob, Wiener Bürger. 55, 231, 271, 310, 313, 327, 357.
Guldein, Meister Merl. Wiener Bürger. 206, 231, 284, 297.
Gundersdorf, Landtag daselbst. 105, 291, 298.
Gundorfer, Wiener Bürger. 7, 9, 10.
Gundloch, Ulrich, Wiener Bürger. 3, 4, 10.
Gurk, Ulrich, Bischof von, kais. Rath. 220, 241, 244, 260, 205, 392, 393.
Gusner, Wiener Bürger. 5.
Gwerlich, Wiener Bürger. 231. Peter. 271, 285, 310, 313, 327, 350.

H.

Hadersdorf, 132. Landtag daselbst. 353 seq.
Hager, Jorg, Wiener Bürger. 190, vor Schottentor. 211.

Haiden, Wiener Bürger. 231.

Haider, Jacob, vor Schottentor, Wiener Bürger. 3, 7, 10, 271.

Hamleher. Wiener Bürger. 190.

Hanhepp, Ulreich. 363.

Harracher, Lienhart der. 97, 110.

Haringzeer, Hanns, Wiener Bürger. 10.

Harnasser, der zu Gross. 384.

Hartweiger, Stefan, Leseschreiber. 276.

Haschwei, Hanns, Wiener Bürger. 357.

Haselhach, Thomas von. 31, 32, 33.

Haselpeck, Conrad, Wiener Bürger. 357.

Hawg, Hanns, Wiener Bürger. 357.

Hawsner, Johst, siehe Wiener Universität.

Held, Jorg. 366.

Heblin, die. 28.

Hell, Jorg. 361.

Heller, Jacob, Bürger von Klosterneuburg. 330, 331, 333.

Herrand, Thomas, Leseschreiber. 358.

Hartling, Adam. Wiener Bürger. 9, 10.

   — Wolfgang. 143.

Herczog, Wiener Bürger. 24.

Hews, Wernhart, Wiener Bürger. 9.

Hiltprant, Jorg, Wiener Bürger. 9, 10, 55, 358.

Hinderholzer, Wolfgang. 107.

Hinderspach, Meister Hanns, kais. Abgesandter. 100.

   — Heinrich, Wiener Bürger. 173.

Hirn, Hanns, Wiener Bürger. 143, 357, 358.

Hirsawer, Ulrich, Stadtschreiber. 47.

Hirnkramer, Wiener Bürger. 55.

Hobwiger, Jacoh, Wiener Bürger. Hueter. 357.

Hof, der Platz zu Wien. 54.

Hofkircher, Herr Hanns. 107, 395, 397.

Hoflein. 305.

Hohenberg, Stefan Herr zu, Kanzler. 353, 358, 389.

Holnbrunner, Wolfgang, Wiener Bürger. 3, 10, 24, 33 seq. 55, 132, 142, 143, 211, 232, 271, 298.

Hollabrunn. 269, 270.

Holnsteiner, Benedict. 365.

Holczer, Wolfgang, Münzmeister 4; als Hauhtmann 5, 10, 11, 170.

Holczler, Chunrat, Wiener Bürger. 10.

Horh, Hanns, Lehrer kais. Rechte. 401.

Hornschaer, Paul, Wiener Bürger. 357.

Hoskho. 366.

Huber, Hanns, Dr. geistlicher Rechte. 50.

Hubmeister, der. 120. — Jorg Düchaner. 49. — Hanns der Mülvelder. 56.

Hurnl, Hanns, Leseschreiber. 357.

Huter. Rudolf, Wiener Bürger. 3, 200.
Hynko, Teinfalt. 278, 282, 300, 314, 318, 328.

J.

Jempniczer, der. 393.
Jglau, die Stadt. 140.
Jngelstetter, Heinrich, Wiener Bürger. 3, 7,
Jngelstal, Hanns von. 360.
Joppel, Wolfgang, Wiener Bürger. 357.
Jordan, Caspar. 10.
Jps, die Maut zu. 323, 324.
Judenmair vor Kernertbor, Wiener Bürger. 3, 7, 10.

L.

Laa. 234.
Laer, Kürsner, Wiener Bürger. 357.
Ladendorfer, Wiener Bürger. 232.
Ladner, Andre, Wiener Bürger. 190.
Lainbacher, Wiener Bürger. 231.
Landtage zu Wien. 69. 77. — Brünn. 130. — Stokerau. 177. — Göllersdorf.
      192. — Gundersdorf. 195. — Wullersdorf. 195. — Melk. 239. — Kor-
      neuburg. 241. — Zistersdorf. 285, 291. — Retz oder Gundersdorf. 291.
      — Tulln. 203. — Stetteldorf. 310. — St. Pölten. 329. — Marburg. 337.
      Tulln. 342. — Weissenkirchen in der Wachau. 353. — Hadersdorf. 353,
      377 seqq. — Tulln. 308, 377. — Znaym 396. — Korneuburg. 402.
Laventinus, Episcopus, apost. sed. legatus. 393, 398.
Lehenprust, Messrer, Wiener Bürger. 3, 9.
Lebhofer, Niclas, Wiener Bürger. 173, 189, 231.
Ledwenko, siehe Huehenaw.
Lebenholzer, Lienhart, Wiener Bürger. 40.
Leinbacher, Niclas, Wiener Bürger. 284.
Leippa, Heinrich von der, Oberster Marschall von Böhmen. 130.
Leuchtenberg und Vettau, Smyl und Jorg, Gebrüder. 130.
Leuntl, Martin, Wiener Bürger. 3.
Lewprechtinger, der zu Haugsdorf. 384.
Liechtenberg, Hanns von. 270.
Liechtenstein, Heinrich von, zu Nikolsburg. 249, 310, 320, 323, 343, 344, 346, 358.
Liephart, Valentin, Wiener Bürger. 133, 142, 143, 189, 357.
Liesing. 303.
Lombnicz, Markwarth von der. 130.
Losel, Caspar, Leseschreiber. 276.
Lothringen, des Herzogs von, Räthe. 125.
   — das Land. 129.
Lucelburg (Luxemburg), das Land. 125.
Lugegk, der Platz in Wien. 54.

M.

Maidburg, der von. 28, 56. Miehel, Burggraf von. 68, 80, 93, 94, 96, 98, 101, 102, 104, 107, 121, 132, 389.
Mairhofer, Wiener Bürger. 55. Ulrieb. 276.
Malchinger, Wiener Bürger. 5. 9. 10.
Marburg, Landtag daselbst. 337.
Maroltinger, Sigmund, Hauptmann. 162.
Marneholky Waenla. 305. Mathes, sein Knecht. 366.
Mathias, König von Ungarn. 133, 224, 277.
Maurbach, Kloster zu. 172.
— der Prior. 245.
Mayr, Voyt, Wiener Bürger. 357.
Medling. 9.
Mehlmarkt, Aufseher. 218.
Mejehaner, Thomas, Wiener Bürger. 357, 366.
Mellinger, Wiener Burger. 10, 170, 206, 231. Hanns. 271, 298.
Melk. Meister Paul von. 30.
— Landtag zu. 239.
Menhart, Jakob, Wiener Bürger. 357
Mennestorfer, Wiener Bürger. 10, 211, 231. Michel. 271.
Menschy, Jenko von. 366.
Messleinstorfer, Ulrich, Wiener Bürger. 357.
Merahxmer, Wiener Bürger. 357.
Minkehandorf (Münchendorf). 308.
Michel, Mont St. 129.
Michelsperg, der von. 125.
Molter, Wiener Bürger. 190.
Mornhainer, Hanns, Wiener Bürger. 284.
Mülstnin, Hermann, Wiener Bürger. 357.
Mülvelder, Hanns der, Hubmeister 56. Kain, Rath. 229, 245, 347, 395, 397,
Münze, ihre Verhältnisse. 200, 203, 219.
Münzmeister: Wolfgang Holczer. 4. Niclas Teschler. 228. 232.

N.

Nancy. 123.
Nemtschy, Erhart. 366.
Neuburg am Inn, Schloss. 158.
Neumarkt, der. 54.
Nehaimer, Wiener Bürger. 55.
Neudegkher, Hanns. 107. Phleger zu Pöttea. 110.
Newpaeh, Schloss zu. 82.
Nielaskloster, das. 4.
Niclas, St., in Lothringen. 125.

O.

Oberhaimer, Wolfgang. 56, 70, 97, 107.

Oezesdorfer, Wiener Bürger. 9, 10, 211.

Odeaskeber, Hanns, Wiener Bürger. 189, 211, 271.

Olmütz, Prothasius, Bischof von. 129.

   —   Zusammentretung zwischen K. Friedrich, Mathias Corvinus und Georg
      Podiebrad daselbst. 221.

Orleans, die Stadt. 125.

Ort, Schloss zu. 179, 191, 234, 336.

Ortel, Erhart, Wiener Bürger. 350.

Ottinger, Hanns, Wiener Bürger. 276, 358.

Oyniex, Nicolaus von, und von Kremsier. 130.

R.

Rabenstein, 336; der Herr von. 384.

Rappaeb, der Herr von. 245,

Rosenhart, der. 179.

Rätenperger, Wolfgang, Wiener Bürger. 5.

Rauchmayr, Jorg, Wiener Bürger. 206, 211, 231, 271.

Rauseber, Wiener Bürger. 271. Peter. 357.

Ravenspurger, Hanns, Wiener Bürger. 357.

Rechwein, Wiener Bürger. 10, 271. Hanns. 395.

Regensburg, Cunrat von, Wiener Bürger. 3.

   —   des von, Haus. 5, 52.

Reicher, Jorg. 366.

Reicholf, Oswalt, Wiener Bürger. 10, 75, 77, 80, 206, 211, 231, 271.

Reiff, Wiener Bürger. 9. Chunz. 350.

Relainger, Wiener Bürger. 55, 284. Caspar. 357.

Renhart, Hanns, Wiener Bürger. 190.

Rapniez, Heinreich von. 83.

Rewlinger, Wiener Bürger. 232.

Rez, Landtag daselbst. 291.

Riedawer, Fritz. 366.

Riedrer, Ulrich, Dompropst zu Freising. 163, 195, 200, 340.

Rinolt, Michel, Wiener Bürger. 3, 5, 9, 55.

Rokowiez, Hynko und Jan, Brüder. 130.

Ror, Paul von, Wiener Bürger. 357,

Rorbacher, Hanns, kais. Rath. 220, 240, 301, 349.

Rosenberger, Jobst, Wiener Bürger. 0.

Rotenpach, der Graf von. 125.

Rueshenaw, Wenko, (Ledwenko) von. 9, 81, 84, 120, 121, 234.

Rueland, Wolfgang, Wiener Bürger. 357.

Russen, öffentliche in Wien. 11, 14, 75, 166, 176, 187, 190, 210, 220, 228, 233,
    280, 302, 319, 349, 354, 366.

Burer (Jorg von Ror), Wiener Bürger. 206, 211.
Rutenstok, Michel, Wiener Bürger. 232.
Ryemer, Gilig, Wiener Burger. 211.
Ryezinger. Stefan, Leseschreiber. 276.

S.

Sachsen, Wilhelm Herzog zu. 105.
Saeziehl, Protiweez und Herman, Brüder von. 130.
Salzborg, der Erzbischof. 122. 124.
— des Erzbischofs Rälhe. 89, 122. 124.
Salezer, Mathias, Wiener Bürger. 3, 9, 10.
— Wolfgang, Wiener Bürger. 211.
Samba, Wiener Bürger. 3, 9, 10. Wilhelm. 133, 337.
Satler, Jacob, Wiener Bürger. 3.
Schartlewte, die. 54.
Schatawer, Veit, Wiener Bürger. 189, 190, 271.
Schaumberg, Bernhart, Graf von. 28, 58, 68. 74, 80, 88, 93, 94. 96. 101. 102, 104, 107, 121, 132.
Schekeh, Jorg der. 171, 303.
Schepran. 3.
Scherobuimerinn, die. 28.
Seberübel, Schlosser, Wiener Bürger. 206.
Schilher, Ludweig. 366.
Schonaw, der Herr von. 384.
Schönfeld, Sigmund von. 83.
Schonhawer, Honns, Wiener Bürger. 190.
Schonperger, Lerenz, Stadtriehter. 356.
Schonprugker Andre, Wiener Bürger. 10, 231, 342.
Schotten, der Abt von den. 172, 245.
Schrettenthal, (Schrattenthal) 109, 113, 132.
Schrick, Meister Michel. 25, 29, 33.
Schrott, Martin, Wiener Bürger. 10, 54, 357.
Schweykker, Oswalt, Wiener Bürger. 4, 9, 189.
Schweinhart, 270, 309, 313.
Sengkower, Ulrich. 365.
Sesims, der. 282.
Sewsenegker, Pernhart der. 56.
— Jorg, der. 80, 107, 178, 372.
Siebenhurger, Thomas, Wiener Bürger. 3, 9, 10. 100, 232, 271.
Smann, Wiener Bürger. 3, 7.
Smid, Erhart, Wiener Bürger. 357.
Smikosky, der. 278, 282.
Snelder, Niclas. 366.
Snegkenrewter, Leo. 107.
Spareugl, Meister Hanns. 46.

Städte, die Kaisertreuen. 334, 344.
Stadler, Wiener Bürger. 231.
Stain, Jorg von, Kanzler Herzog Albrechts. 298.
Starch, Jacob, Stadtrichter. 5, 10. Bürgermeister. 162, 170. Wiener Bürger. 231, 310. 313, 337. 356.
Starhemberg, Rüdiger von. 40, 125, 147, 248, 320, 325, 334, 343, 344, 346, 353.
— Ulrich von. 56.
Steber, Hanns, Wiener Bürger. 357.
Stecher, Erhart, Wiener Bürger. 55.
Steger, Hanns, Wiener Bürger. 10, 144.
— Gabriel. 143.
— Peter. 306.
Stein, die Stadt. 231.
Steinprecher, Andre, Wiener Bürger. 3.
Stenzla, Stenier. 366.
Stephan, Sebule zu St. 83, 88. 96, 99.
— Albrecht, Probst zu St. 96.
Sternberg, der Herr von. 125, 384, 401 und von Lukaw Matheus. 130.
Stesiger, Merl. 366.
— Lorenez. 366.
Stetteldorf, Landtag daselbst. 310.
Stettner, Chunez, Wiener Bürger. 10.
Steyer, die Stadt. 156.
Stichenwirt, Wiener Bürger. 278.
Stikelperger, Hanns. 107. 316, 321.
Stockerau, Landtag daselbst. 177.
Strasser, Wiener Bürger. 9, 10. Peter. 144.
— Thomas. 366.
Strassburg, die Stadt. 125.
Strein, Heinrich der. 353.
Streunel, Stefan, Wiener Bürger. 357.
Stubenberg, Erasmus von. 395.
Sulzpeckh, Caspar. 181.
Swab, Hanns, Maurer, Wiener Bürger. 51.
— Ulrich. 365.
Swanet, Wiener Bürger. 10, 231. Larencz. 271.
Swarcz, Thomas, Wiener Bürger. 10, 103, 116, 117, 133, 136, 143, 200, 228.
Sweinbarter, Conrat. 107.

U.

Ulm, die Stadt. 129.
Ungaad, Hanns. 163
Universität, siehe Wien.
Unger, Michel, Nicolaus, Walera, Urban, die. 366.
Ulseber, Hanns. 365.

W.

Walchinger, Hanns, Wiener Bürger. 4.
Waldner, Wiener Bürger. 170, 190. Gilg. 211, 284.
Walkan, Peter, von Korneuburg. 80.
Wallsee, Wolfgang von, Hauptmann in Oesterreich. 13, 82, 68, 80, 88, 93, 94.
    96, 98, 101, 102, 104, 107, 121, 132.
Wankeb, Wiener Bürger. 8.
Wankebl, Fritz. 366.
Wehinger, der. 384.
Weidenbach, Cristof. Leseschreiber. 276.
Weinbau in Oesterreich. 213. Weinleseordnung für Wien. 271. 356.
Weinbeschreibungs-Resultate. 284.
Weiss, Michel, Wiener Bürger. 3, 9, 206.
   — Peter, Tischler, Wiener Bürger. 206.
Weissenkirchen in der Wachau, Landtag daselbst. 333.
Weiteneck, Schloss zu, 326.
Welz, Stefan von, 366.
Welner, Wiener Bürger. 5. Jorg. 366.
Welzl, Ulrich. k. Kanzler. 248.
Wenynger, Michel, Wiener Bürger. 3, 9, 106, 211.
Wersgrein vor Werderthor, Wiener Bürger. 10.
Wescdonosky, Jenko. 303.
Westendorfer, Friedreich, Wiener Bürger. 10, 55, 206, 271, 310, 313, 327, 357.
Wien, Bürgermeister Cunrat Holezler. 14. Jacob Starch. 142. 143, 162, 170.
    Cristan Prenner. 331. Fridreich Elmer. 356.
   — Stadtrichter, Jacob Starch. 5. Hans Angerselder. 162. Mert Enhaimer.
    291. Lorenz Schönperger. 356.
   - - Stadtschreiber, Ulrich Hirsawer. 47.
   — Hauhtleute zu. 5, 54.
   — Vorgang bei der Rathswahl zu. 284.
   — Landtage daselbst. 69, 77, 342.
   — Propsthof zu. 98, 101.
   — Thore zu. 160, 161, 276, 357.
   -- Rathhaus zu. 134, 104.
   — Universität zu, Rector Michel Zebentner. 14. — Klage gegen die Stadt.
    14 seqq. — Auszüge aus ihren Privilegien. 18 seqq. — Hauener, Jobst
    Rector der Juristenschule. 27, 30. — Vermittelungsversuch zwischen den
    Fürsten. 322. — Einkünfte. 323.
Wild, Thomas, Wiener Bürger. 3.
Willsfewer, Hanns, Wiener Bürger. 9.
Windisch, Michel. 306.
Winkler, Jorg, Wiener Bürger. 190, 211, 271, 276, 357.
Wisler, Mathias, Wiener Bürger. 10, 55, 271, 273.
   — Ernest, Wiener Bürger. 106, 231.
Wissinger, Cristan, Wiener Bürger. 4, 10, 103, 116, 117, 133, 136, 142, 143, 206.

Wittowicz, Jan von, k. Hauptmann in windischen Landen. 81.
Wlaschin, Carl von. 130.
Wolfenrel ter. der. 56.
Wolstain, Erhart, Wiener Bürger. 9.
Wallersdorf. Landtag daselbst. 195.
Wuldersdorfer Colman, Wiener Bürger. 357.
Wundarzt, Nyclas der. 357.
Würtemberg, das Land. 129.
Wurian. 360.

Z.

Zehara, Heinrich, Smykosky von. 83.
— Niclas, von. 83.
Zeeb, Bartlme, Wiener Bürger. 133.
Zellinger, Hanns, Wiener Bürger. 10.
Zeltweger, Hanns. 305.
Ziegelhawser, Sebastian, Wiener Bürger. 34, 106, 117, 133, 142, 143, 189, 206, 211, 231, 232, 240.
Zirstorf. 234.
Zistersdorf, Landtag daselbst. 285, 291.
Zoayn, Lorenz von. 368.
— Landtag daselbst. 398.

WIEN.

ALS DER K. K. HOF- UND STAATSDRUCKEREI

1853.

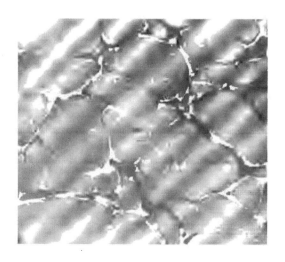

WIEN.

AUS DER K. K. HOF- UND STAATSDRUCKEREI

1853.

Druck:
Customized Business Services GmbH
im Auftrag der KNV-Gruppe
Ferdinand-Jühlke-Str. 7
99095 Erfurt